SEED
VESSEL
LORE
ARVEL

FOREVER

Dean Koontz

INTENSITY

DEAN KOONTZ

# Intensity

Roman

Aus dem Amerikanischen
von Uwe Anton

GUSTAV LÜBBE VERLAG

Titel der Originalausgabe: Intensity
Originalverlag: Alfred A. Knopf, New York/
Random House of Canada, Ltd., Toronto


Aus dem Amerikanischen von Uwe Anton
Redaktionelle Bearbeitung: Andrea Kamphuis

Schutzumschlag- und Einbandgestaltung: DYADEsign, Düsseldorf
Satz: Bosbach & Siebel Print Media Concept, Lindlar
Gesetzt aus der Rotis Semi Serif von Linotype-Hell, Eschborn
Druck und Einband: Friedrich Pustet, Regensburg


Printed in Germany

ISBN 3-7857-0870-X

1 3 5 4 2

Dieses Buch ist Florence Koontz gewidmet.
Meiner Mutter.
Längst verschieden.
Meinem Schutzengel.

Hoffnung ist das Ziel, das wir suchen.
Liebe ist der Weg, der uns zum Ziel führt.
Mut ist der Motor, der uns antreibt.
Wir reisen aus der Dunkelheit ins Vertrauen.

Das Buch der gezählten Leiden

# KAPITEL 1

Die rote Sonne balanciert auf den höchsten Wällen der Berge, und in ihrem schwindenden Licht scheinen deren Ausläufer in Flammen zu stehen. Eine kühle Brise weht aus der Sonne hinab und fächert durch das hohe, trockene Gras, das in Wellen aus goldenem Feuer hangabwärts ins üppige, schattige Tal fließt.

Er steht im kniehohen Gras, die Hände in den Taschen seiner Jeansjacke, und betrachtet die Weinberge unter ihm. Die Reben sind im Winter beschnitten worden. Das neue Wachstum hat gerade erst begonnen. Die bunten, wilden Senfkeimlinge, die während der kälteren Monate zwischen den Reihen der Weinstöcke blühten, sind gemäht und die Überreste untergepflügt worden. Die Erde ist dunkel und fruchtbar.

Inmitten der Weinberge eine Scheune, ein Gehöft und ein Bungalow für den Verwalter. Von der Scheune abgesehen, ist das größte Bauwerk das viktorianische Haus der Besitzer mit seinen Giebeln und Mansardenfenstern, dem dekorativen Wagenrad unter dem Dachgesims und einem verzierten Vordach über der Verandatreppe.

Paul und Sarah Templeton wohnen ganzjährig in dem Haus, und ihre Tochter Laura, die in San Francisco auf die Universität geht, kommt gelegentlich zu Besuch. Wahrscheinlich wird sie dieses Wochenende hier sein.

Er beschwört verträumt ein Bild von Lauras Gesicht herauf, so detailliert wie ein Foto. Seltsamerweise rufen die perfekten Gesichtszüge des Mädchens Gedanken an saftige, zuckersüße Pinot-Noir- und Grenache-Trauben mit durchscheinender Purpurhaut hervor. Als er sich vorstellt, wie die Phantomtrauben zwischen seinen Zähnen zerplatzen, kann er sie tatsächlich schmecken.

Während die Sonne langsam hinter den Bergen versinkt, verbreitet sie ein so warm getöntes und durchdringendes Licht, daß es das sich verfinsternde Land zu benetzen und auf ewig einzufärben scheint. Auch das Gras wird rot, es glimmt nicht mehr wie eben noch, sondern umspült nun als rote Flut seine Knie.

Er kehrt dem Haus und den Weinbergen den Rücken zu. Während er nach Westen schreitet, in den Schatten hinein, den die bewaldeten Höhenrücken werfen, genießt er den ständig intensiver werdenden Geschmack der Trauben.

Er kann die Tiere der offenen Wiesen riechen, die sich in ihren Bauten ducken. Er hört Federn flüstern, die den Wind durchschneiden, als ein jagender Falke Dutzende von Metern über ihm kreist, und er fühlt den kalten Glanz der Sterne, die noch nicht sichtbar sind.

In dem seltsamen Meer aus schimmerndem rotem Licht wischten die schwarzen Schatten überhängender Bäume wieselflink über die Windschutzscheibe.

Laura Templeton lenkte den Mustang mit einem Können über die gewundene zweispurige Straße, das Chyna bewunderte, aber sie fuhr zu schnell. »Du hast einen Bleifuß«, sagte Chyna.

Laura grinste. »Besser als einen Dickarsch.«

»Du wirst uns noch umbringen.«

»Mom hat strenge Vorschriften, was das pünktliche Erscheinen zum Essen betrifft.«

»Lieber spät als tot.«

»Du kennst meine Mom nicht. Sie nimmt ihre Vorschriften verdammt ernst.«

»Die Verkehrspolizei auch.«

Laura lachte. »Manchmal klingst du genau wie sie.«

»Wie wer?«

»Wie meine Mom.«

Chyna hielt sich fest, als Laura zu schnell in die Kurve ging. »Na ja«, sagte sie, »eine von uns muß ja eine verantwortungsbewußte Erwachsene sein.«

»Manchmal kann ich nicht glauben, daß du nur drei Jahre älter bist als ich«, sagte Laura liebevoll. »Sechsundzwanzig, was? Bist du sicher, daß du keine *hundert*sechsundzwanzig bist?«

»Ich bin uralt«, sagte Chyna.

Sie hatten sich vier Tage von den Vorlesungen und Seminaren an der University of California freigenommen, wo sie im Frühling ihren Magister in Psychologie machen würden, und San Francisco bei strahlend blauem Himmel verlassen. Laura war bei ihrer Ausbildung nicht von der Notwendigkeit behindert worden, sich das Studiengeld und den Lebensunterhalt zu verdienen, doch Chyna hatte die letzten zehn Jahre damit verbracht, in der Freizeit zu studieren und ganztags als Kellnerin zu arbeiten, zuerst in einem *Denny's*, dann in einem Lokal der *Olive-Garden*-Kette und in letzter Zeit in einem eleganten Restaurant mit weißen Tischdecken, Stoffservietten, frischen Blumen auf den Tischen und Kunden – Gott segne sie –, die regelmäßig fünfzehn bis zwanzig Prozent Trinkgeld gaben. Der Besuch bei den Templetons in ihrem Haus im Napa Valley kam einem Urlaub so nah wie sonst nichts in diesen zehn Jahren.

Hinter San Francisco war Laura der Interstate 80 durch Berkeley und entlang der Ostflanke der San Pablo Bay gefolgt. Blaureiher waren durch das Flachwasser gestelzt und hatten sich anmutig in die Luft geschwungen: gewaltige, ein wenig prähistorisch anmutende, wunderschöne Tiere vor wolkenlosem Himmel.

Nun brannten im blutrot-goldenen Sonnenuntergang verstreute Wolken am Himmel, und das Napa Valley tat sich vor ihnen auf wie ein leuchtender Wandteppich. Laura hatte die Hauptstraße zugunsten einer landschaftlich reizvolleren Strecke verlassen, doch sie fuhr so schnell, daß Chyna den Blick nur selten von der Straße abwenden konnte, um die malerische Umgebung zu genießen.

»Mann, ich liebe Tempo«, sagte Laura.

»Ich hasse es.«

»Ich fahr' für mein Leben gern so schnell, am liebsten würde ich *fliegen*. He, vielleicht war ich in einem früheren Leben eine Gazelle. Glaubst du das?«

Chyna warf einen Blick auf den Tacho und verzog das Gesicht. »Ja, vielleicht eine Gazelle – oder eine Irre in einer geschlossenen Anstalt.«

»Oder ein Gepard. Geparden sind wirklich schnell.«

»Ja klar, ein Gepard! Und eines Tages, als du deine Beute verfolgt hast, bist du mit vollem Karacho über den Rand einer Klippe gerast. Du warst der Karl Kojote unter den Geparden.«

»Ich fahre gut, Chyna.«

»Ich weiß.«

»Dann entspann dich doch.«

»Kann ich nicht.«

Laura seufzte mit gespielter Verzweiflung. »Nie?«

»Nur, wenn ich schlafe«, sagte Chyna und rammte fast den Fuß durch das Chassis, als der Mustang mit hoher Geschwindigkeit durch eine weite Kurve flog.

Neben dem schmalen, schotterbedeckten Randstreifen der zweispurigen Straße fiel das von wildem Senf und verschlungenen Brombeersträuchern überwucherte Land zu einer Reihe hoher, schwarzer Erlen ab, an denen die ersten Knospen des Frühlings sprossen. Hinter den Bäumen lagen Weinberge, die in ein hartes rotes Licht getaucht waren, und Chyna war überzeugt, daß der Wagen von der Straßendecke schlittern, die Böschung hinabrollen und gegen die Erlen prallen und daß ihr Blut die Reben hinter den Bäumen düngen würde.

Statt dessen hielt Laura den Mustang mühelos auf der Fahrbahn. Der Wagen schoß aus der Kurve und eine lange Steigung hinauf.

»Ich wette«, sagte Laura, »du machst dir sogar im Schlaf Sorgen.«

»Na ja, früher oder später kommt in jedem Traum ein Schwarzer Mann. Vor ihm muß man immer auf der Hut sein.«

»Ich habe jede Menge Träume ohne Schwarze Männer«, sagte Laura. »Ich habe wunderbare Träume.«

»Zum Beispiel, daß man dich aus einer Kanone schießt?«

»Das würde mir gefallen. Nein, aber manchmal träume ich, daß ich fliegen kann. Ich bin immer nackt und schwebe oder gleite etwa fünfzehn Meter über dem Boden, über Telefonleitungen hinweg, über Felder mit bunten Blumen, über Baumwipfel. Völlig frei. Die Leute schauen hoch und lächeln und winken. Sie freuen sich für mich, daß ich fliegen kann, sie sind sehr glücklich. Und manchmal bin ich mit diesem wunderbaren Typ zusammen, mit goldener Mähne und schönen grünen Augen, die durch mich hindurch in meine Seele schauen, und wir lieben uns mitten in der Luft, treiben da oben, und ich habe fabelhafte Orgasmen, einen nach dem anderen, während ich durch den Sonnenschein gleite, unter mir die Blumen, und über mir ziehen Vögel ihre Kreise, Vögel mit ganz tollen, leuchtendblauen Schwingen, welche die phantastischsten Vogellieder singen, die du je gehört hast, und ich habe das Gefühl, aus einem blendenden Licht zu bestehen, als sei ich eine Lichtgestalt und würde gleich explodieren. Die Energie ist unvorstellbar, und ich explodiere und bilde ein ganz neues Universum und *bin* das Universum und lebe ewig. Hast du je so einen Traum gehabt?«

Chyna hatte endlich den Blick vom unter ihnen wegrasenden Asphalt genommen. Sie sah Laura verdutzt an. »Nein«, erwiderte sie schließlich.

Laura schaute kurz von der Straße auf. »Wirklich nicht?« fragte sie. »Du hast nie so einen Traum gehabt?«

»Nie.«

»Ich habe oft solche Träume.«

»Könntest du den Blick auf die Straße richten, Mädchen?«

Laura sah wieder auf den Highway. »Träumst du nie von Sex?«

»Manchmal.«

»Und?«

»Was?«

*»Und?«*

Chyna zuckte mit den Achseln. »Es ist schlimm.«

Laura runzelte die Stirn. »Du träumst von schlechtem Sex? Hör zu, Chyna, davon mußt du nicht *träumen* – es gibt jede Menge Typen, die dir so viel schlechten Sex geben können, wie du haben willst.«

»Haha. Ich meine, das sind sehr bedrohliche Alpträume.«

»Sex ist bedrohlich?«

»Weil ich in den Träumen immer ein kleines Mädchen bin – sechs, sieben oder acht Jahre alt – und mich vor diesem Mann verstecke. Ich weiß nicht genau, was er will, warum er hinter mir her ist, aber ich weiß, daß er etwas von mir will, das er nicht bekommen sollte, etwas Schreckliches, und es ist so, als würde ich sterben.«

»Wer ist der Mann?«

»Immer andere.«

»Diese Scheißtypen, mit denen deine Mutter sich früher herumgetrieben hat?«

Chyna hatte Laura viel über ihre Mutter erzählt. Keinem anderen hatte sie das je anvertraut. »Genau die. In Wirklichkeit bin ich ihnen immer entwischt. Sie haben mich nie angerührt. Und sie rühren mich auch in den Träumen nicht an. Aber es ist immer bedrohlich, immer möglich...«

»Also sind das nicht nur Träume. Sondern auch Erinnerungen.«

»Ich wünschte, es *wären* bloß Träume.«

»Wie ist es, wenn du wach bist?« fragte Laura.

»Was meinst du?«

»Wirst du einfach ganz warm und leicht und läßt dich gehen, wenn ein Mann dich liebt... oder ist die Erinnerung dir dabei im Weg?«

»Was soll das sein – eine Psychoanalyse bei hundertzwanzig Stundenkilometern?«

»Weichst du der Frage aus?«

»Man schnüffelt nicht rum.«

»Das nennt man Freundschaft.«

»Ich nenn' das schnüffeln.«

»Weichst du der Frage aus?«

Chyna seufzte. »Na schön. Ich bin gern mit einem Mann zusammen. Ich bin nicht gehemmt. Ich muß zugeben, daß ich mich noch nie wie ein Lichtgeschöpf gefühlt habe, das zu einem neuen Universum explodieren wird, aber ich war voll befriedigt, und es hat immer Spaß gemacht.«

»Voll befriedigt?«

»Voll.«

Genaugenommen war Chyna beim erstenmal schon einundzwanzig gewesen, und ihre intimen Beziehungen beliefen sich nun auf insgesamt zwei. Beide Männer waren sanft, freundlich und anständig gewesen, und bei jedem hatte Chyna das Bumsen gefallen. Die eine Affäre hatte elf Monate gedauert, die andere dreizehn, und keiner der beiden Liebhaber hatte auch nur eine einzige beunruhigende Erinnerung zurückgelassen. Nichtsdestoweniger hatte auch keiner dazu beigetragen, die bösen Träume zu vertreiben, die sie weiterhin regelmäßig plagten, und sie war nicht imstande gewesen, eine gefühlsmäßige Bindung aufzubauen, die der körperlichen Vertrautheit gleichkam. Einem Mann, den sie liebte, konnte Chyna ihren Körper schenken, aber nicht einmal aus Liebe konnte sie ihren Geist und ihr Herz gänzlich öffnen. Sie hatte Angst, sich einem Menschen völlig hinzugeben, ihm vorbehaltlos zu vertrauen. Niemand in ihrem Leben – womöglich mit Ausnahme von Laura Templeton, Stuntfahrerin und Traumfliegerin – hatte je ihr völliges Vertrauen verdient.

Der Fahrtwind heulte an den Seiten des Wagens. In den flackernden Schatten und dem glutroten Licht wirkte der lange Anstieg vor ihnen wie eine Rampe, als würden sie ins All katapultiert, sobald sie das obere Ende erreicht hätten, über ein Dutzend brennender Busse hinweg, unter dem Jubel eines Stadions voller sensationslüsterner Zuschauer.

»Was, wenn ein Reifen platzt?« fragte Chyna.

»Die Reifen werden nicht platzen«, sagte Laura zuversichtlich.

»Und was, wenn doch einer platzt?«

Laura verzog das Gesicht zu einem übertriebenen, dämonischen Grinsen. »Dann sind wir nur noch Mädchenbrei in der Dose. Sie werden unsere Überreste nicht einmal in zwei verschiedene Haufen aufteilen können. Eine völlig amorphe Masse. Sie brauchen nicht mal Särge für uns. Sie werden unsere Überreste einfach in einen Krug gießen und uns in ein Grab legen, und auf dem Grabstein wird stehen: *Laura Chyna Templeton Shepherd. Nur eine Moulinex hätte gründlicher sein können.*«

Chyna hatte so dunkles Haar, daß es praktisch schwarz war, und Laura war eine blauäugige Blondine, und doch ähnelten sie sich so sehr, daß sie Schwestern hätten sein können. Beide waren eins dreiundsechzig groß und schlank; sie trugen dieselbe Kleidergröße. Beide hatten hohe Wangenknochen und zarte Gesichtszüge. Chyna war immer der Ansicht gewesen, ihr Mund sei zu breit, doch Laura, deren Mund genauso breit war, vertrat die Ansicht, er sei überhaupt nicht breit, sondern nur »großzügig« genug, um ein besonders gewinnendes Lächeln zu ermöglichen.

Wie Lauras Vorliebe für hohe Geschwindigkeit bewies, waren sie in mancher Hinsicht jedoch völlig unterschiedliche Menschen. Aber vielleicht bewirkten gerade diese Unterschiede, viel mehr als die Ähnlichkeiten, daß sie sich zueinander hingezogen fühlten.

»Glaubst du, deine Eltern werden mich mögen?« fragte Chyna.

»Ich dachte, du machst dir Sorgen um die Reifen.«

»Ich mache mir um vieles Sorgen. Werden sie mich mögen?«

»Natürlich werden sie dich mögen. Weißt du, was *mir* Sorgen bereitet?« fragte Laura, während sie auf den Gipfel der Anhöhe zuhielt.

»Offenbar nicht der Tod.«

»*Du.* Ich mache mir Sorgen um *dich*«, sagte Laura. Sie sah Chyna an, und ihr Ausdruck war ungewöhnlich ernst.

»Ich kann schon selbst auf mich aufpassen«, versicherte Chyna.

»Das bezweifle ich nicht. Ich kenne dich zu gut, um das zu bezweifeln. Aber im Leben geht's nicht nur darum, auf sich aufzupassen, den Blick gesenkt zu halten, sich irgendwie durchzuschlagen.«

»Laura Templeton, die junge Philosophin.«

»Das Leben hat mit *leben* zu tun.«

»Wie tiefschürfend«, sagte Chyna sarkastisch.

»Tiefer, als du glaubst.«

Der Mustang erreichte die Kuppe des langen Hügels, und vor ihnen waren keine brennenden Busse oder jubelnden Menschenmengen, sondern ein älterer Buick, der beträchtlich unter der erlaubten Höchstgeschwindigkeit dahintuckerte. Laura reduzierte ihre Geschwindigkeit um mehr als die Hälfte, und sie fuhren hinter dem anderen Wagen her. Selbst in der aufziehenden Abenddämmerung konnte Chyna erkennen, daß ein alter Mann mit weißem Haar und hängenden Schultern den Wagen fuhr.

Hier herrschte Überholverbot. Die Straße hob und senkte sich, führte nach rechts und links, hob sich erneut, und sie konnten sie nicht weit einsehen.

Laura schaltete die Scheinwerfer des Mustang ein in der Hoffnung, daß sie den Fahrer des Buick dazu ermuntern konnte, entweder schneller zu werden oder ein Stück vor ihnen, wo der Seitenstreifen breiter wurde, an den Straßenrand zu fahren, um sie vorbeizulassen.

»Hör auf deinen eigenen Rat – entspann dich, Mädchen«, sagte Chyna.

»Ich komme nicht gern zu spät zum Essen.«

»Nach allem, was du mir erzählt hast, wird deine Mutter wohl kaum den Kleiderbügel zücken und uns eine Tracht Prügel verpassen.«

»Mom ist in Ordnung.«

»Dann entspann dich«, sagte Chyna.

»Aber ihr enttäuschter Blick ist schlimmer als eine Tracht Prügel. Die meisten Leute wissen es nicht, aber Mom hat den Kalten Krieg beendet. Vor ein paar Jahren hat das Pentagon sie nach Moskau geschickt, damit sie dem ganzen verdammten Politbüro ihren *Blick* zuwerfen konnte, und diese sowjetischen Halsabschneider sind vor Reue einfach umgekippt.«

Vor ihnen sah der alte Mann im Buick kurz in den Rückspiegel.

Das weiße Haar im Licht der Scheinwerfer, die Neigung seines Kopfs und die bloße Andeutung seiner Augen, die im Spiegel reflektiert wurden, erzeugten bei Chyna plötzlich ein starkes Déjà-vu-Gefühl. Einen Augenblick lang war ihr nicht ganz klar, warum sie plötzlich eine Gänsehaut bekam – doch dann mußte sie an einen Zwischenfall zurückdenken, den sie schon lange vergebens zu vergessen suchte: auch dort Dämmerung, vor neunzehn Jahren, auf einem einsamen Highway in Florida.

»O Gott«, seufzte sie.

Laura sah sie an. »Was ist los?«

Chyna schloß die Augen.

»Chyna, du bist leichenblaß. Was ist los?«

»Vor langer Zeit... ich war noch ein kleines Mädchen, sieben Jahre alt... vielleicht waren wir in den Everglades, vielleicht nicht... aber das Land war sumpfig, wie in den Glades. Es gab nur wenige Bäume, und die waren mit Spanischem Moos überwuchert. Das Land war flach bis zum Horizont, jede Menge Himmel und flaches Land, das Abendlicht war rot und verblaßte allmählich, genau wie jetzt... eine abgelegene Straße, irgendwo, weit weg von allem, sehr ländlich, zwei schmale Spuren, so verdammt leer und einsam...«

Chyna war mit ihrer Mutter und Jim Woltz unterwegs gewesen, einem Drogenhändler und Waffenschieber aus Key West, bei dem sie während ihrer Kindheit gelegentlich gewohnt hatten, jeweils einen oder zwei Monate lang. Sie waren auf einer Geschäftsreise gewesen und kehrten in Woltz' rotem Cadillac-Oldtimer auf die Keys zurück, in einem dieser Modelle mit massiven Heckflossen und chromblitzendem Kühlergrill, der fünf Tonnen zu wiegen schien. Woltz war auf dem schnurgeraden Highway ziemlich schnell gefahren, gelegentlich sogar über hundertfünfzig Sachen. Bevor sie zu dem älteren Paar in dem braunen Mercedes aufgeschlossen hatten, waren sie fast eine Viertelstunde lang keinem anderen Fahrzeug begegnet. Die Frau war gefahren. Wie ein Vögelchen hatte sie hinter dem Lenkrad gekauert. Kurzgeschnittenes silbergraues Haar. Sie war mindestens fünfundsiebzig gewesen und sechzig Stundenkilometer gefahren. Woltz hätte den Mercedes überholen können, das war hier erlaubt gewesen, und auf dem absolut flachen Highway war meilenweit kein anderes Auto in Sicht gewesen.

»Aber er hatte irgendwas genommen und war high«, erzählte Chyna; sie hatte die Augen noch immer geschlossen und sah mit wachsendem Schrecken die Erinnerung wie einen Film auf einer Leinwand hinter ihren Augen ablaufen. »Er war meistens auf irgendwas drauf. Vielleicht war es an diesem Tag Kokain. Keine Ahnung. Ich erinnere mich nicht daran. Er hat auch getrunken. Beide haben getrunken, er und meine Mutter. Sie hatten eine Kühltasche mit Eis dabei. Flaschen mit Grapefruitsaft und Wodka. Die alte Lady in dem Mercedes fuhr wirklich langsam, und das trieb Woltz auf die Palme. Er konnte nicht mehr klar denken. Was interessierte ihn das überhaupt? Er hätte sie überholen können. Aber daß sie auf dem breiten, schnurgeraden Highway so langsam fuhr, machte ihn wütend. Stoff und Schnaps, das war seine Welt. Er war weggetreten. Und wenn er wütend war ... sein Gesicht war rot, die Adern pochten in seinem Hals, die Nackenmuskeln traten hervor. Niemand konnte so absolut wütend werden wie Jim Woltz. Seine Wutausbrüche stachelten Mutter auf. Erregten sie geradezu. Also stachelte sie ihn an, ermutigte ihn. Ich saß auf dem Rücksitz, drückte mich in die Ecke, bat sie aufzuhören, aber sie lag ihm weiter in den Ohren.«

Eine Weile war Woltz dicht hinter dem anderen Wagen geblieben und hatte ständig auf die Hupe gedrückt, um das ältere Ehepaar zu einer schnelleren Gangart anzutreiben. Ein paarmal hatte er der hinteren Stoßstange des Mercedes mit dem Cadillac einen Stoß gegeben, Metall quietschte an Metall. Schließlich war die alte Frau völlig durcheinandergeraten und hatte den Wagen unregelmäßig von einer Straßenseite zur anderen gezogen. Da Woltz so dicht hinter ihr war, hatte sie Angst gehabt, schneller zu fahren, aber sie war ebenfalls zu verstört gewesen, um an den Straßenrand zu fahren und ihn vorbeiziehen zu lassen.

»Natürlich« sagte Chyna, »hätte er sie nicht einfach überholt und in Ruhe gelassen. Da war er schon zu durchgeknallt. Hätte sie angehalten, hätte er ebenfalls gestoppt. Es hätte auf jeden Fall ein schlimmes Ende genommen.«

Woltz war ein paarmal neben den Mercedes gezogen, auf der Gegenfahrbahn neben ihm hergefahren, hatte das weißhaarige Ehepaar angebrüllt und ihm mit der Faust gedroht. Anfangs hatten sie versucht, ihn zu ignorieren, dann hatten sie mit ängstlich aufgerissenen Augen zu ihm herübergeschaut. Anstatt sie zu überholen und in seiner Staubwolke zurückzulassen, hatte er sich jedesmal wieder zurückfallen lassen und mit ihrer hinteren Stoßstange Fangen gespielt. Diese Schikanen waren für Woltz in seinem Drogenfieber und Alkoholdunst eine todernste Sache mit einer Bedeutung und Wichtigkeit gewesen, die niemand nachvollziehen konnte, der clean und nüchtern war. Für Chynas Mutter Anne war das alles ein Spiel gewesen, ein Abenteuer, und sie war es, die in ihrer unaufhörlichen Suche nach Aufregungen gesagt hatte: *Warum machen wir nicht 'ne kleine Fahrprüfung mit ihr? – 'Ne Fahrprüfung?* hatte Woltz gemeint. *Ich seh' auch ohne Prüfung, daß die alte Schachtel ganz beschissen fährt!* Als Woltz wieder neben den Mercedes gezogen und neben ihm hergefahren war, hatte Anne gesagt: *Ich meine, mal sehen, ob sie den Wagen auf der Straße halten kann. Ob sie das noch packt.*

»Parallel zur Straße verlief ein Kanal«, erinnerte sich Chyna, »einer dieser Abzugsgräben, die man in Florida an einigen Highways sieht. Nicht tief, aber tief genug. Woltz drängte den Mercedes mit dem Cadillac auf die Seite. Die Frau hätte ihn zurückstoßen, in die andere Richtung drängen sollen. Sie hätte das Gaspedal durchtreten, ordentlich Tempo machen und sich so schnell wie möglich aus dem Staub machen sollen. Der Mercedes hätte den Cadillac problemlos abhängen können. Aber sie war alt und verängstigt und noch nie solchen Leuten begegnet. Sie konnte es wohl einfach nicht fassen, nicht begreifen, mit was für Leuten sie es zu tun hatte, und ihr war nicht klar, wie weit sie gehen würden, wo sie und ihr Mann den Leuten doch nichts getan hatten. Woltz drängte sie von der Straße. Der Mercedes rollte in den Kanal.«

Woltz hatte angehalten und den Rückwärtsgang eingelegt und war zu dem schnell versinkenden Mercedes zurückgefahren. Er und Anne waren aus dem Wagen gestiegen und hatten zugesehen. Chynas Mutter hatte darauf bestanden, daß sie ebenfalls zusah: *Komm schon, du Küken. Das darfst du nicht verpassen, Baby. Daran wirst du dich noch lange erinnern.* Die Beifahrerseite des Mercedes hatte flach auf dem verschlammten Grund des Kanals gelegen, doch sie hatten vom Straßendamm aus die Fahrerseite sehen können, als sie in der feuchten Abendluft dort standen. Horden von Moskitos hatten auf sie eingestochen, was sie aber kaum wahrgenommen hatten, so faszinierend war der Anblick unter ihnen gewesen, der Blick durch die Fenster auf der Fahrerseite des eingetauchten Fahrzeugs.

»Die Dämmerung war schon ziemlich weit fortgeschritten«, sagte Chyna zu Laura und faßte die Bilder hinter ihren geschlossenen Augen in Worte, »und die Scheinwerfer waren eingeschaltet, auch noch, nachdem der Mercedes versunken war, und in dem Wagen brannte Licht. Sie hatten eine Klimaanlage, also waren alle Fenster geschlossen, und weder die Windschutzscheibe noch das Fenster auf der Fahrerseite waren zerbrochen, als der Wagen in den Kanal rollte. Wir konnten hineinsehen, weil die Fenster nur zehn, zwanzig Zentimeter unter Wasser waren. Von dem Mann war nichts zu sehen. Vielleicht war er bewußtlos geworden, als sie umgekippt waren. Aber die alte Frau ... ihr Gesicht war am Fenster. Der Wagen war überflutet, aber an der Scheibe befand sich noch eine große Luftblase, und sie drückte das Gesicht hinein, damit sie atmen konnte. Wir standen da und schauten zu ihr hinab. Woltz hätte ihr helfen können. Meine Mutter hätte ihr helfen können. Aber sie sahen nur zu. Die alte Frau bekam offenbar das Fenster nicht auf, und die Tür mußte sich verklemmt haben, oder vielleicht war die Frau einfach nur in Panik und zu schwach.«

Chyna hatte versucht, sich davonzustehlen, doch ihre Mutter hatte sie festgehalten und auf sie eingeredet; die geflüsterten Worte waren von einem sauren Atemschwall getragen worden, sauer durch Wodka und Grapefruitsaft. *Wir sind anders als die anderen Leute, Baby. Für uns gelten keine Regeln. Wenn du jetzt nicht zusiehst, wirst du nie verstehen, was Freiheit wirklich heißt.* Chyna hatte die Augen geschlossen, hatte jedoch noch immer die

Schreie der alten Frau in der großen Luftblase im versunkenen Wagen gehört. Gedämpfte Schreie.

»Dann wurden die Schreie allmählich schwächer ... und hörten schließlich auf«, fuhr Chyna fort. »Als ich die Augen öffnete, war die Dämmerung der Nacht gewichen. In dem Mercedes brannte noch immer Licht, und der Kopf der Frau war noch gegen das Glas gedrückt, aber eine Abendbrise kräuselte das Wasser im Kanal, und ihr Gesicht war ein verschwommener Fleck. Ich wußte, daß sie tot war. Sie und ihr Mann. Ich fing an zu weinen. Woltz gefiel das nicht. Er drohte, mich in den Kanal zu werfen, eine Tür des Mercedes zu öffnen und mich zu den Toten hineinzuschieben. Meine Mutter zwang mich, etwas Grapefruitsaft mit Wodka zu trinken. Ich war erst sieben. Für den Rest des Wegs nach Key West lag ich auf dem Rücksitz, benommen und ein bißchen betrunken vom Wodka; mir war schlecht, und ich weinte noch immer, aber leise, um Woltz nicht wütend zu machen. Ich weinte leise, bis ich einschlief.«

Die einzigen Laute in Lauras Mustang waren das leise Rumpeln des Motors und das Singen der Reifen auf dem Asphalt.

Chyna öffnete schließlich die Augen und kehrte aus der Erinnerung an Florida, aus der längst vergangenen feuchten Dämmerung ins Napa Valley zurück, wo das rote Licht größtenteils verschwunden war und die Dunkelheit von allen Seiten den Himmel hinaufkroch.

Der alte Mann in dem Buick war nicht mehr vor ihnen. Sie fuhren nicht mehr so schnell wie zuvor, und offensichtlich hatte er sie weit hinter sich gelassen.

»Großer Gott«, sagte Laura leise.

Chyna zitterte unbeherrscht. Sie pflückte ein paar Kleenex aus dem Karton zwischen den Sitzen, putzte sich die Nase und trocknete ihre Augen. In den letzten beiden Jahren hatte sie Laura einige Begebenheiten aus ihrer Kindheit erzählt, aber jede neue Enthüllung – und es gab noch viel zu enthüllen – war so schwierig wie die zuvor. Wenn sie von der Vergangenheit sprach, errötete sie immer vor Scham, als sei sie genauso schuldig wie ihre Mutter, als könne man ihr jede kriminelle Handlung und jeden Irrsinn anlasten, obwohl sie nur ein hilfloses Kind gewesen war, das im Wahn anderer gefangen war.

»Wirst du sie je wiedersehen?« fragte Laura.

Die Erinnerung hatte Chyna halb betäubt vor Entsetzen zurückgelassen. »Keine Ahnung.«

»Möchtest du es denn?«

Chyna zögerte. Sie hatte die Hände zu Fäusten geballt, und in der einen hielt sie das zusammengeknüllte feuchte Kleenex. »Vielleicht.«

»Um Gottes willen, warum?«

»Um sie zu fragen, warum sie das alles getan hat. Um zu versuchen, es zu verstehen. Um einige Dinge zu klären. Aber... vielleicht auch nicht.«

»Weißt du überhaupt, wo sie ist?«

»Nein. Aber es würde mich nicht überraschen, wenn sie im Gefängnis wäre. Oder tot. Wer so ein Leben führt, kann nicht damit rechnen, alt zu werden.«

Sie verließen die Hügel und fuhren ins Tal.

»Ich kann sie noch immer sehen«, sagte Chyna schließlich, »wie sie am Ufer dieses Kanals in der dampfenden Dunkelheit steht, schweißnaß, das Haar feucht und völlig verfilzt, mit Moskitostichen übersät, die Augen vom Wodka getrübt. Laura, sie war damals *trotzdem* die schönste Frau, die du je gesehen hast. Sie war immer so schön, äußerlich so perfekt, wie jemand aus einem Traum, wie ein Engel... aber sie war doppelt so schön, wenn sie erregt war, wenn es Gewalttätigkeiten gegeben hatte. Ich sehe noch, wie sie dort steht, nur vom grünlichen Schein des Mercedes angeleuchtet, der durch das trübe Kanalwasser aufsteigt, prachtvoll, die schönste Person, die du je gesehen hast, wie eine Göttin aus einer anderen Welt.«

Allmählich ließ Chynas Zittern nach. Die Schamesröte wich langsam aus ihrem Gesicht, ganz langsam.

Sie war unendlich dankbar für Lauras Mitgefühl und Unterstützung. Eine Freundin. Bis sie Laura kennengelernt hatte, hatte Chyna heimlich mit ihrer Vergangenheit gelebt, sie war nicht imstande gewesen, mit jemandem darüber zu sprechen. Nachdem sie sich nun von einer weiteren verhaßten, bohrenden Erinnerung befreit hatte, wußte sie ihre Dankbarkeit nicht in Worte zu kleiden.

»Schon in Ordnung«, sagte Laura, als hätte sie Chynas Gedanken gelesen.

Sie fuhren schweigend weiter.

Sie kamen zu spät zum Essen.

Für Chyna sah das Haus der Templetons auf den ersten Blick einladend aus: ein viktorianischer Giebelbau, geräumig, vorn und hinten mit tiefen Veranden. Es stand knapp einen Kilometer von der Landstraße entfernt am Ende einer Kiesauffahrt, umgeben von hundertzwanzig Morgen Wein.

Seit drei Generationen bauten die Templetons Wein an, hatten jedoch nie welchen erzeugt. Sie standen bei einem der besten Winzer im Tal unter Vertrag, und da sie fruchtbares Land mit Weinreben höchster Qualität besaßen, erzielten sie einen ausgezeichneten Preis für ihre Ernte.

Sarah Templeton erschien auf der Veranda, als sie den Mustang auf der Auffahrt hörte, und kam schnell die Stufen zum gepflasterten Gehweg hinab, um Laura und Chyna zu begrüßen. Sie war eine schöne, mädchenhaft schlanke Frau Anfang oder Mitte Vierzig, mit modisch kurzem, blondem Haar, bekleidet mit braunen Jeans und einer langärmeligen smaragdgrünen Bluse mit grünen Stickereien auf dem Kragen, mütterlich und chic zugleich. Als Sarah ihre Tochter umarmte und küßte und mit so offensichtlicher und heftiger Liebe an sich drückte, verspürte Chyna stechenden Neid: Mutterliebe hatte sie nie erfahren.

Sie war erneut überrascht, als Sarah sich ihr zuwandte, sie umarmte und auf die Wange küßte. Sie hielt sie noch immer fest, als sie sagte: »Laura hat mir verraten, daß Sie die Schwester sind, die sie nie gehabt hat. Ich möchte, daß Sie sich hier zu Hause fühlen, meine Liebe. Wenn Sie hier bei uns sind, ist das genauso Ihr Zuhause wie das unsere.«

Chyna stand zuerst stocksteif da. Die Rituale familiärer Zuneigung waren ihr so unvertraut, daß sie nicht genau wußte, wie sie reagieren sollte. Dann erwiderte sie die Umarmung linkisch und murmelte einen unbeholfenen Dank. Ihre Kehle war plötzlich dermaßen zugeschnürt, daß es sie erstaunte, überhaupt sprechen zu können.

Sarah legte die Arme sowohl um Laura als auch um Chyna und führte sie zu der breiten Verandatreppe. »Euer Gepäck holen wir später. Das Essen ist fertig. Kommt mit. Laura hat mir so viel über Sie erzählt, Chyna.«

»Na ja, Mom«, sagte Laura, »ich habe dir nicht erzählt, daß Chyna Voodoo betreibt. Das habe ich gewissermaßen verschwiegen. Solange sie bei uns wohnt, muß sie jede Nacht um Punkt zwölf ein lebendes Huhn opfern.«

»Hier gibt es nur Trauben. Wir haben keine Hühner, Schatz«, sagte Sarah. »Aber nach dem Essen können wir zu einer Farm in der Nähe fahren und welche kaufen.«

Chyna lachte und sah Laura an, als wolle sie fragen: *Wo ist der berühmte Blick?*

Laura verstand. »Zu deinen Ehren, Chyna, sind alle Kleiderbügel weggeschlossen worden.«

»Wovon sprichst du?« fragte Sarah.

»Du kennst mich doch, Mom – ein Plappermaul. Manchmal weiß nicht mal ich selbst, wovon ich spreche.«

Paul Templeton, Lauras Vater, war in der großen Küche und holte gerade einen Kartoffel-Käse-Auflauf aus dem Ofen. Er war ein gepflegter, kompakter Mann, eins fünfundsiebzig groß, mit dichtem dunklem Haar und einer rosigen Hautfarbe. Er stellte die dampfende Auflaufform beiseite, streifte ein Paar Isolierhandschuhe ab und begrüßte Laura so warmherzig, wie Sarah es getan hatte. Nachdem man ihm Chyna vorgestellt hatte, nahm er eine ihrer Hände in die seinen, die rauh und von harter Arbeit gezeichnet waren. »Wir haben darum gebetet, daß Sie die Fahrt in einem Stück überstehen«, sagte er mit gespielter Feierlichkeit. »Fährt mein kleines Mädchen diesen Mustang noch immer wie Batman sein Batmobil?«

»He, Dad«, sagte Laura, »du hast wohl vergessen, wer mir das Fahren beigebracht hat.«

»Ich habe dir die grundlegenden Fahr*techniken* gezeigt«, sagte Paul, »und nicht damit gerechnet, daß du meinen Fahr*stil* übernimmst.«

»Ich denke einfach nicht daran, wie Laura fährt«, sagte Sarah. »Ich würde mir nur die ganze Zeit über Sorgen machen.«

»Sieh es ein, Mom, in Dads Familie kommt ein Indianapolis-500-Gen vor, und er hat es an mich weitergegeben.«

»Sie fährt ausgezeichnet«, sagte Chyna. »Ich fühle mich bei Laura immer sicher.«

Laura grinste sie an und zeigte mit einem Daumen nach oben.

Da die Templetons gern miteinander sprachen, dabei geradezu *aufblühten*, war das Abendessen eine lange, gemächliche Angelegenheit. Sie achteten darauf, daß Chyna in ihre Gespräche einbezogen wurde, und schienen sich wirklich dafür zu interessieren, was sie zu sagen hatte, und selbst wenn das Gespräch sich Familienangelegenheiten zuwandte, von denen Chyna kaum etwas wußte, fühlte sie sich doch irgendwie eingeschlossen, als würde sie durch eine Art magischer Osmose tatsächlich in den Clan der Templetons aufgenommen.

Lauras älterer Bruder Jack und seine Frau Nina wohnten auf dem Grundstück, im Verwalter-Bungalow, konnten jedoch wegen einer früher getroffenen Verabredung nicht am Essen der Familie teilnehmen. Man versicherte Chyna, sie werde sie am nächsten Morgen kennenlernen, und sie verspürte angesichts dieser Begegnung keine Beklommenheit, wie es gewesen war, bevor sie Sarah und Paul kennengelernt hatte. Während ihres ganzen bewegten Lebens hatte sie sich nirgendwo wirklich zu Hause gefühlt; und obwohl sie sich auch an diesem Ort vielleicht nie völlig zu Hause fühlen würde, war sie hier doch zumindest willkommen.

Nach dem Abendessen gingen Chyna und Laura in den vom Mondlicht erhellten Weinbergen spazieren, zwischen den Reihen der niedrigen beschnittenen Reben, die zur Zeit weder Blattranken noch Früchte trugen. Die kühle Luft duftete angenehm fruchtbar nach frisch gepflügter Erde, und die dunklen Felder vermittelten ein geheimnisvolles Gefühl, faszinierend und bezaubernd – aber gelegentlich auch irritierend, als wären sie von unsichtbaren Wesen umgeben, uralten Geistern, die nicht unbedingt wohlwollend waren.

»Du bist die beste Freundin, die ich je hatte«, sagte Chyna, als sie tief im Weinberg kehrtgemacht hatten und wieder auf das Haus zu gingen.

»Du auch«, sagte Laura.

»Mehr als das ...« Chynas Stimme wurde schwächer, bis sie schließlich ganz verstummte. Sie hatte sagen wollen: *Du bist die* einzige *Freundin, die ich je hatte*, aber damit hätte sie ziemlich schlecht dagestanden, und außerdem hätte es die Gefühle, die sie diesem Mädchen entgegenbrachte, immer noch unzureichend charakterisiert. Sie waren in der Tat in gewissem Sinne Schwestern.

Laura hakte sich bei ihr unter. »Ich weiß«, sagte sie lediglich.

»Wenn du Kinder bekommst, möchte ich, daß sie mich Tante Chyna nennen.«

»He, Shepherd, meinst du nicht auch, ich sollte erst mal einen Mann finden und heiraten, bevor ich Babys in die Welt setze?«

»Wer auch immer das Rennen macht, er sollte dir tunlichst der beste Ehemann der Welt sein, oder ich schneide ihm seine *cojones* ab, Ehrenwort!«

»Tu mir einen Gefallen, ja?« sagte Laura. »Erzähl ihm erst nach der Hochzeit von deinem Schwur. Manche Männer reagieren da sehr empfindlich.«

Irgendwo in den Weinbergen erklang ein beunruhigendes Geräusch, das Chyna verharren ließ. Ein langgezogenes Knarren.

»Das ist nur der Wind, der durch ein loses Scheunentor mit rostigen Scharnieren streicht«, sagte Laura.

Es klang, als würde jemand eine riesige Tür in der Wand der Nacht selbst öffnen und aus einer anderen Welt hereintreten.

Chyna Shepherd konnte in fremden Häusern nicht gut schlafen. Während ihrer Kindheit und Pubertät hatte ihre Mutter sie von einem Ende des Landes zum anderen geschleppt und war nirgendwo länger als ein bis zwei Monate geblieben. So viele schreckliche Dinge waren ihnen an so vielen Orten zugestoßen, daß Chyna schließlich gelernt hatte, ein neues Haus nicht als neuen Anfang zu sehen, nicht mit Hoffnung auf Stabilität und Glück, sondern mit Argwohn und stillem Schrecken.

Nun war sie ihre unruhige Mutter endlich los und frei, einfach dort zu bleiben, wo sie bleiben wollte. In diesen Tagen war ihr Leben fast so stabil wie das einer Nonne im Kloster, so kontrolliert wie das Vorgehen eines Spezialisten beim Entschärfen einer Bombe. Es enthielt nichts mehr von dem Chaos, in dem ihre Mutter stets aufgeblüht war.

Dennoch zögerte Chyna an diesem ersten Abend im Haus der Templetons, sich auszuziehen und zu Bett zu gehen. Sie saß in einem Sessel mit ovalem Relief an der Lehne in der Dunkelheit, an einem der beiden Fenster des Gästezimmers, und schaute auf die vom Mondlicht erhellten Weinberge, Felder und Hügel des Napa Valley hinaus.

Lauras Zimmer lag am anderen Ende des Korridors im zweiten Stock, und sie schlief zweifellos fest und friedlich, weil dieses Haus ihr keineswegs fremd war.

Vom Fenster des Gästezimmers aus waren die Rebstöcke kaum sichtbar. Verschwommene geometrische Muster.

Hinter dem kultivierten Land schwangen sich sanfte Hügel auf, von hohem, trockenem Gras bewachsen, das im Mondlicht silbern schimmerte. Ein unsteter Wind zog durch das Tal, und manchmal schien das wilde Gras wie Meereswogen über die Hänge zu rollen, schwach schimmernd im milden Mondschein.

Über den Hügeln verlief der Küstengebirgszug, und über dessen Gipfeln waren Kaskaden von Sternen und ein weißer Vollmond zu sehen. Sturmwolken, die aus Nordwesten über die Berge zogen, würden die Nacht bald verdunkeln und die silbernen Hügel zuerst in Zinn und dann in schwärzestes Eisen verwandeln.

Als Chyna den ersten Schrei hörte, betrachtete sie gerade die Sterne, angezogen von ihrem kalten Licht, wie es bei ihr seit der Kindheit der Fall war, fasziniert von dem Gedanken an ferne Welten, die vielleicht rein und leer, frei von jeder Verschmutzung waren. Zuerst schien der unterdrückte Schrei nur eine Erinnerung zu sein, der Fetzen eines heftigen Streits in einem fremden Haus in der Vergangenheit, der durch die Zeit hallte. Als Kind hatte sie sich oft vor ihrer Mutter und deren Freunden verstecken wollen, wenn sie betrunken oder high waren, und war auf Verandadächer oder auf Bäume im Garten geklettert, durch Fenster auf Feuerleitern hinausgeschlüpft, fort zu geheimen Orten weit weg vom Lärm. Dort hatte sie die Sterne betrachten können, und die im Streit, in sexueller Erregung oder im Drogenrausch erhobenen Stimmen waren zu ihr vorgedrungen wie aus einem Radio, Stimmen von fernen Orten und Menschen, die nicht die geringste Verbindung mit ihrem Leben hatten.

Der zweite Schrei war zwar ebenfalls kurz und nur etwas lauter als der erste, aber unbestreitbar real, keine Erinnerung, und Chyna beugte sich im Sessel vor. Angespannt. Den Kopf zur Seite gelegt. Lauschend.

Sie wollte glauben, daß die Stimme von draußen gekommen

war, und so starrte sie weiterhin in die Nacht hinaus, suchte die Weinberge und die Hügel dahinter mit Blicken ab. Vom Wind getriebene Wogen wallten durch das trockene Gras auf den ins Mondlicht getauchten Hängen: eine Fata Morgana der Gezeiten eines uralten Meeres.

Irgendwo in dem großen Haus polterte es leise, als sei ein schwerer Gegenstand auf den Teppich gefallen.

Chyna erhob sich augenblicklich aus dem Sessel und stand ganz still und aufmerksam da.

Auf Gezänk oder anderen Trubel folgte oft Ärger. Den schlimmsten Katastrophen ging jedoch oft eine bösartige, strategische Stille voraus.

Es fiel ihr schwer, sich bei Paul und Sarah Templeton, die miteinander genauso liebevoll umgegangen waren wie mit ihrer Tochter, häusliche Gewalt vorzustellen. Dennoch: Anschein und Wirklichkeit fielen nur selten in eins, und das Täuschungstalent des Menschen war viel größer als das des Chamäleons, des Kuckucks oder der gefräßigen Gottesanbeterin, die ihren Kannibalismus hinter einer Maske der Gelassenheit und Gottesfurcht verbarg.

Nach den gedämpften Schreien und dem leisen Poltern senkte die Stille sich wie Schnee auf das Haus. Die Ruhe war unheimlich tief und so unnatürlich wie die, in der Taube leben müssen. Es war die Ruhe vor dem Sturm, die Stille der zusammengerollten Schlange.

In einem anderen Teil des Hauses stand jemand genauso reglos da wie sie, so aufmerksam wie sie, so konzentriert lauschend. Eine gefährliche Person. Sie spürte seine raubtierhafte Gegenwart, einen leicht erhöhten Luftdruck, nicht unähnlich dem, der einem heftigen Gewitter vorangeht.

Sechs Jahre Psychologiestudium bewirkten, daß sie ihre erste ängstliche Interpretation dieser nächtlichen Geräusche sofort in Frage stellen wollte, die ja schließlich durchaus völlig unbedeutend sein konnten. Gut ausgebildete Psychoanalytiker hielten eine Menge Schubladen für jemanden bereit, der immer gleich das Schlimmste annahm und ständig in Erwartung plötzlich ausbrechender Gewalt lebte.

Doch sie mußte ihrem Instinkt vertrauen, der durch viele Jahre harter Erfahrung geschärft war.

Intuitiv überzeugt, daß nur Bewegung Sicherheit bot, ging sie leise vom Sessel am Fenster zur Zimmertür. Trotz des Mondscheins hatten ihre Augen sich in den zwei Stunden, die sie in dem lichtlosen Raum gesessen hatte, an die Dunkelheit gewöhnt, und nun schritt sie ohne Angst, gegen Möbelstücke zu tappen, durch das Halbdunkel.

Sie hatte erst die halbe Strecke zur Tür zurückgelegt, als sie hörte, daß sich auf dem Flur des ersten Stocks Schritte näherten. Der schwere, eilige Gang war fremd für dieses Haus.

Ohne sich erst auf die end- und haltlosen Vermutungen einzulassen, die man während einer Ausbildung in Psychologie anzustellen lernte, griff Chyna auf die Intuition und die Abwehrmechanismen der Kindheit zurück und huschte schnell zum Bett. Sie ließ sich auf die Knie fallen.

Ein Stück entfernt im Gang verstummten die Schritte. Eine Tür wurde geöffnet.

Sie war sich bewußt, wie absurd es war, mit dem bloßen Öffnen einer Tür ein Gefühl wie Raserei zu verbinden. Das Klappern eines Türknopfs, der gedreht wurde, das Schnarren des ungesicherten Riegels, der spitze Protest eines ungeölten Scharniers – das waren lediglich Geräusche, nicht sanftmütig oder wütend, schuldig oder unschuldig, Geräusche, die sowohl ein Priester als auch ein Einbrecher hätte verursachen können. Doch sie *wußte*, daß draußen in der Dunkelheit ein Rasender am Werk war.

Sie legte sich flach auf den Bauch und zwängte sich mit den Füßen zum Kopfteil unter das Bett. Es war ein elegantes Möbelstück mit stabilen Galbe-Beinen, das zum Glück nicht so knapp über dem Boden lag wie die meisten Betten. Zwei Zentimeter Spielraum weniger, und sie hätte sich nicht darunter verstecken können.

Auf dem Korridor wieder Schritte.

Eine andere Tür wurde geöffnet – die des Gästezimmers, direkt gegenüber vom Fuß des Bettes.

Jemand schaltete das Licht an.

Chyna lag flach auf dem Boden, den Kopf zur Seite gedreht, das rechte Ohr auf den Teppich gedrückt. Als sie am Fußende hinausschaute, konnte sie schwarze Männerstiefel und Jeans bis zu halber Wadenhöhe ausmachen.

Er blieb auf der Schwelle stehen und sah sich offenbar im Raum um. Er würde ein Bett sehen, das um ein Uhr morgens noch nicht benutzt war, mit vier bestickten Kissen, die vor dem Kopfteil arrangiert waren.

Sie hatte nichts auf den Nachttisch gestellt. Keine Kleidungsstücke über Stühle geworfen. Das Taschenbuch, in dem sie abends vor dem Einschlafen hatte lesen wollen, lag in einer Schublade der Kommode.

Sie zog Räume vor, die sauber und bis hin zur klösterlichen Sterilität aufgeräumt waren. Ihre Vorliebe würde ihr jetzt vielleicht das Leben retten.

Erneut flackerte ein schwacher Zweifel in ihr auf, die anerzogene Neigung zur Selbstanalyse, die alle Psychologiestudenten plagte. Falls der Mann auf der Schwelle sich rechtmäßig im Haus befand – falls es sich um Paul Templeton oder Lauras Bruder Jack handelte, der mit seiner Frau im Bungalow des Verwalters ganz in der Nähe wohnte – und es zu irgendeiner Krise gekommen war, die erklärte, wieso er in den Raum geplatzt war, ohne vorher anzuklopfen, würde sie als ausgemachte Närrin, wenn nicht sogar als hysterisch dastehen, wenn sie unter dem Bett hervorkroch.

Dann fiel direkt vor den schwarzen Stiefeln ein dicker roter Tropfen – und ein weiterer, und ein dritter – auf den weizengoldenen Teppich. *Plop-plop-plop*. Blut. Die beiden ersten wurden von dem dicken Nylonflor aufgesogen. Der dritte behielt, schimmernd wie ein Rubin, seine Oberflächenspannung.

Chyna wußte, daß das nicht das Blut des Eindringlings war. Sie versuchte, nicht an den scharfen Gegenstand zu denken, von dem es vielleicht getropft war.

Er ging nach rechts, tiefer in den Raum, und sie verdrehte die Augen, um ihn nicht aus dem Blick zu verlieren.

Die Überdecke des Bettes war fest in die Ritzen zwischen Matratze und Seitenlatten gesteckt: Kein überhängender Stoff verdeckte den Blick auf seine Stiefel.

Ohne Decke, die bis auf den Boden fiel, war andererseits auch für ihn der Raum unter dem Bett besser einzusehen. Aus bestimmten Blickwinkeln konnte er sogar hinabschauen und das Muster ihrer Jeans sehen, die Spitze eines ihrer Rockports, den preiselbeerroten Ärmel ihres Baumwollpullis, wo er sich über ihrem Ellbogen spannte.

Sie war dankbar, daß es sich um ein französisches Bett handelte, das mehr Deckung bot als ein Einzelbett.

Falls er schwer atmen sollte, erregt oder wütend, wie sie vermutet hatte, als er ins Zimmer kam, konnte Chyna es jedenfalls nicht hören. Da sie ein Ohr fest auf den dicken Teppich gedrückt hatte, war sie halb taub. Holzlatten und Sprungfedern drückten gegen ihren Rücken, und ihre Brust hatte kaum genug Platz, um ihre flachen, vorsichtigen Atemzüge durch den Mund aufzunehmen. Das Hämmern ihres gegen das Brustbein gedrückten Herzens brachte ihr Trommelfell zum Schwingen und schien in ihrem winzigen Versteck derart widerzuhallen, daß der Eindringling es bestimmt hören mußte.

Er ging zum Badezimmer, stieß die Tür auf und schaltete das Licht ein.

Sie hatte all ihre Toilettenartikel im Spiegelschränkchen verstaut. Sogar ihre Zahnbürste. Nichts lag da und hätte ihn auf ihre Anwesenheit aufmerksam machen können.

Aber war das Waschbecken trocken?

Als sie sich um elf Uhr auf ihr Zimmer zurückgezogen hatte, war sie auf die Toilette gegangen und hatte sich danach die Hände gewaschen. Das war vor zwei Stunden gewesen. Jeder Rückstand im Becken mußte mittlerweile abgeflossen oder verdunstet sein.

Neben dem Waschbecken war ein Pumpbehälter mit nach Zitrone riechender Flüssigseife angebracht. Zum Glück konnte kein feuchtes Stück Seife sie verraten.

Sie machte sich wegen des Handtuchs Sorgen. Sie bezweifelte, daß es zwei Stunden, nachdem sie es kurz benutzt hatte, noch feucht sein konnte. Vielleicht hatte sie es aber trotz ihrer Neigung zur Sauberkeit und Ordentlichkeit etwas schief oder mit einer verräterischen Falte wieder aufgehängt.

Er schien eine Ewigkeit auf der Schwelle zum Bad zu stehen. Dann schaltete er das Neonlicht wieder aus und kehrte ins Schlafzimmer zurück.

Gelegentlich, als kleines – und später nicht mehr so kleines – Mädchen, hatte Chyna sich unter Betten versteckt. Manchmal hatte man dort nach ihr gesucht; manchmal war niemand auf den

Gedanken gekommen, dort nachzusehen, obwohl es sich um das naheliegendste aller Verstecke handelte. Und in den Fällen, in denen man sie gefunden hatte, hatten nur wenige sofort unters Bett gesehen – die meisten erst nach einer ganzen Weile.

Ein weiterer roter Tropfen fiel auf den Teppich, als würde das Ungeheuer langsam Tränen aus Blut vergießen.

Er ging zur Schranktür.

Chyna mußte den Kopf leicht drehen und den Hals recken, um ihn im Auge behalten zu können.

Der Schrank war tief und begehbar, mit einer Lichtschnur in der Mitte. Sie hörte das charakteristische Schnappen, mit dem die Schnur gezogen wurde, und dann das metallische Scheppern der Kettenglieder, als sie gegen die Glühbirne schlugen.

Die Templetons hatten im hinteren Teil dieses Schrankes ihre eigenen Koffer verstaut. Neben ihnen waren Chynas Reisetasche und Koffer auf den ersten Blick nicht als die eines Gasts auszumachen.

Sie hatte mehrere Kleidungsstücke zum Wechseln mitgebracht: zwei Kleider, zwei Röcke, eine weitere Jeans, eine Röhrenhose, eine Lederjacke. Da Chyna dieselbe Größe wie Laura hatte, würde der Eindringling vielleicht zu dem Schluß kommen, die wenigen Kleidungsstücke auf der Stange hätten nicht mehr in den vollgepackten Schrank in Lauras Zimmer hineingepaßt, statt auf die Anwesenheit eines Hausgasts zu schließen.

Doch wenn er in Lauras Zimmer gewesen war und ihren Schrank gesehen hatte – was war dann mit Laura passiert?

Daran durfte sie nicht denken. Nicht jetzt. Noch nicht. Im Augenblick mußte sie all ihre Gedanken, all ihre Cleverness darauf konzentrieren, am Leben zu bleiben.

Vor achtzehn Jahren, am Abend ihres achten Geburtstags, hatte Chyna sich in einem Häuschen am Strand von Key West unter ihr Bett gezwängt, um sich vor Jim Woltz, dem Freund ihrer Mutter, zu verstecken. Ein wütender Sturm war vom Golf von Mexiko heraufgezogen, und das heftige Gewitter am Himmel hatte ihr solche Angst eingejagt, daß sie es nicht wagte, am Strand Zuflucht zu suchen, wohin sie sich an anderen Abenden zurückgezogen hatte. Nachdem sie in den engen Zwischenraum unter diesem eisernen Bett geschlüpft war, hatte sie herausgefunden, daß sie ihr Versteck mit einem Palmetto teilte. Palmettos waren nicht so exotisch oder schön wie ihr Name. In Wirklichkeit waren sie nichts weiter als riesige tropische Kakerlaken. Diese Schabe war so groß wie ihre Kleinmädchenhand. Normalerweise wäre das verhaßte Ungeziefer vor ihr davongeflitzt. Aber offensichtlich beunruhigte sie es weniger als der polternde Woltz, der in betrunkener Wut durch ihr kleines Zimmer krachte und immer wieder gegen Möbel und Wände prallte, wie ein erzürntes Tier, das sich gegen die Gitterstäbe seines Käfigs warf. Chyna war barfuß gewesen, hatte blaue Shorts und ein weißes Top getragen, und die Küchenschabe war in ihrer Raserei über ihre nackte Haut gehuscht, zwischen den Zehen, die Beine hinauf und hinab und wieder hinauf, über ihren Rücken, den Hals, in ihr Haar, über die Schulter, den schlanken Arm entlang. Aus Furcht, Woltz' Aufmerksamkeit auf sich zu lenken, hatte sie ihren Drang unterdrückt, vor Ekel zu kreischen. Er war an diesem Abend außer sich gewesen, wie ein Ungeheuer aus einem Traum, und sie war überzeugt gewesen, daß er wie alle Ungeheuer ein übernatürlich scharfes Sehvermögen und Gehör hatte, damit er um so besser Kinder jagen konnte. Sie hatte nicht einmal den Mut aufgebracht, nach dem Kakerlak zu schlagen oder ihn zu vertreiben, aus Angst, Woltz könne selbst im Sturmgeheul und dem unaufhörlichen Krachen des Donners das leiseste Geräusch hören. Sie hatte die Aufmerksamkeit des Insekts ertragen, um der von Woltz zu entgehen, hatte die Zähne zusammengebissen, um einen Schrei zu unterdrücken, und verzweifelt zu Gott gebetet, sie zu retten, und dann noch eindringlicher, sie zu sich zu holen, die Qual zu beenden, notfalls auch durch einen Blitzschlag, ein Ende der Qual, ein Ende, lieber Gott, ein Ende.

Obwohl Chyna ihr Versteck unter diesem Bett mit keiner Küchenschabe teilte, spürte sie, wie etwas über ihre Zehen kroch, als sei sie wieder das barfüßige Mädchen, und sie zog die Beine an, als trüge sie keine Jeans, sondern Baumwollshorts. Seit am Abend ihres achten Geburtstags die Schabe sich durch ihre Locken gewühlt hatte, hatte sie das Haar nicht mehr lang getragen, doch nun spürte sie den Geist dieses Insekts in ihrem kurzgeschnittenen Haarschopf.

Der Mann im Schrank, der vielleicht zu unendlich schlimmeren Greueltaten fähig war als Woltz in ihren furchtbarsten Träumen, zog an der Lichtschnur. Das Licht erlosch mit einem Klicken, dem das Klimpern von Metallgliedern folgte.

Die Stiefel tauchten wieder auf und näherten sich dem Bett. Eine neue Träne aus Blut glänzte auf der Rundung des schwarzen Leders.

Gleich würde er neben dem Bett niederknien.

*Lieber Gott, er wird mich geduckt wie ein Kind vorfinden, an meinem eigenen unterdrückten Schrei erstickend, in kalten Schweiß gebadet, aller Würde beraubt bei dem verzweifelten Bemühen, am Leben zu bleiben, unberührt und lebend, unberührt und lebend.*

Sie hatte das verrückte Gefühl, daß das Wesen, das jetzt unter das Bett schauen und ihr ins Gesicht sehen würde, kein Mensch war, sondern eine riesige Küchenschabe mit schwarzen Facettenaugen.

Sie war zur Hilflosigkeit der Kindheit zurückgeführt worden, zu der ursprünglichen Furcht, von der sie gehofft hatte, sie nie wieder erleben zu müssen. Er hatte ihr die Selbstachtung gestohlen, die sie mühsam über Jahre hinweg erworben – verdammt, die sie sich *verdient* hatte, und diese Ungerechtigkeit ließ ihr bittere Tränen in die Augen schießen.

Doch dann wandten seine befleckten Stiefel sich von ihr ab und gingen weiter. Er schritt am Bett vorbei zur offenen Tür.

Was immer er von der Kleidung gehalten hatte, die dort im Schrank hing – offensichtlich war er zu dem Schluß gekommen, daß das Gästezimmer unbewohnt war.

Sie blinzelte heftig und klärte ihren von Tränen verschleierten Blick.

Er blieb stehen und drehte sich um, offensichtlich, um das Schlafzimmer ein letztes Mal zu betrachten.

Damit er ihren Atem nicht hörte, der flach wie der eines Kindes ging, hielt Chyna ihn an.

Sie war froh, daß sie kein Parfum benutzt hatte. Sie war überzeugt, daß er es gerochen hätte.

Er schaltete das Licht aus, trat in den Korridor und zog die Tür hinter sich zu.

Da ihr Zimmer das letzte im ersten Stock war, entfernten seine Schritte sich in die Richtung, aus der sie gekommen waren. Sie wurden schnell unhörbar, übertönt vom wilden Hämmern ihres Herzens.

Ihr erster Gedanke war, in dieser schmalen Zuflucht zwischen dem Teppich und den Sprungfedern zu verweilen, bis zum Tagesanbruch oder vielleicht noch länger zu warten, zu warten, bis eine lange Stille kam, die nicht mehr nach einem Raubtier auf der Lauer schmeckte.

Aber sie wußte nicht, was mit Laura, Paul und Sarah geschehen war. Jeder von ihnen – sie alle – mochte noch leben, schwer verletzt, aber atmend. Der Eindringling hatte sie vielleicht am Leben gelassen, um sie später zu foltern, wie es ihm beliebte. Die Zeitungen berichteten regelmäßig über grausame Vorfälle, die nicht schlimmer als die Szenarien waren, welche sich nun in ihrem Kopf überschlugen. Und falls einer der Templetons noch lebte, war Chyna vielleicht seine letzte Hoffnung.

Sie war aus den zahlreichen Verstecken ihrer Kindheit mit weniger Furcht gekrochen als nun, da sie zögernd unter diesem Bett hervorglitt. Natürlich hatte sie jetzt mehr zu verlieren als damals, ehe sie ihre Mutter verlassen hatte: ein anständiges Leben, das auf einem Jahrzehnt des unaufhörlichen Kampfs und der unter Mühen erworbenen Selbstachtung beruhte. Es war der reine Wahnsinn, dieses Risiko einzugehen, wo ein Verharren in ihrem Versteck doch offenbar Sicherheit bot. Doch persönliche Sicherheit auf Kosten anderer war Feigheit, und ein Recht auf Feigheit hatten nur kleine Kinder, die weder die Kraft noch die Erfahrung hatten, sich zu verteidigen.

Sie konnte sich nicht einfach in die schützende Gleichgültigkeit ihrer Kindheit zurückziehen. Das hätte das Ende jeder Selbstachtung bedeutet. Selbstmord in Zeitlupe. Es ist nicht möglich, sich langsam in einen bodenlosen Abgrund zurückzuziehen – man kann nur hineinstürzen.

Nachdem sie ihr Versteck verlassen hatte, erhob sie sich neben dem Bett auf die Knie. Weiter kam sie eine ganze Weile nicht. Die Furcht, die Tür würde aufgestoßen werden und der Eindringling erneut hereinstürmen, ließ sie erstarren.

Das Haus war so still wie ein luftloser Mond.

Chyna erhob sich schließlich auf die Füße und schlich durch das dunkle Gästezimmer. Da sie die drei Blutstropfen nicht sehen konnte, versuchte sie, um die Stelle herumzutreten, auf die sie gefallen waren.

Sie drückte das linke Ohr an die Spalte zwischen Tür und Pfosten und lauschte auf Bewegungen oder Atemgeräusche im Gang. Sie hörte nichts, blieb aber mißtrauisch.

Er konnte auf der anderen Seite der Tür stehen. Lächelnd. Zutiefst erheitert von der Vorstellung, daß sie lauschte. Seine Zeit abwartend. Geduldig, weil er wußte, daß sie irgendwann die Tür öffnen und ihm in die Arme laufen würde.

*Scheiß drauf!*

Sie legte die Hand auf den Knauf, drehte ihn vorsichtig und zuckte zusammen, als das Schnappschloß leise aus seiner Einfassung sprang. Wenigstens waren die Scharniere geölt und funktionierten lautlos.

Selbst in der tiefen Dunkelheit, an die ihre Augen sich noch nicht völlig angepaßt hatten, sah sie, daß niemand auf sie wartete. Sie trat aus dem Raum und zog die Tür geräuschlos zu.

Die Gästezimmer lagen am kürzeren Arm des L-förmigen Korridors im ersten Stock. Zu ihrer Rechten befand sich die Hintertreppe, die zur Küche hinabführte. Zu ihrer Linken lag die Biegung zum längeren Arm des L.

Die Hintertreppe kam nicht in Frage. Sie war sie früher am Abend hinabgestiegen, als sie und Laura zum Spaziergang in den Weinbergen aufgebrochen waren. Sie war aus Holz und abgenutzt. Die Stufen knarrten und knackten. Das Treppenhaus fungierte als Verstärker; es war so hohl und effektiv wie eine Steeldrum. Bei einem so außergewöhnlich stillen Haus war es einfach unmöglich, unentdeckt die Hintertreppe hinabzuschleichen.

Der Korridor im ersten Stock und die vordere Treppe hingegen waren mit dickem Teppichboden ausgelegt.

Um die Ecke, irgendwo vom Hauptgang, kam ein schwaches, bernsteinfarbenes Leuchten. Auf der Tapete schien das feine Muster verblichener Rosen das Licht eher zu absorbieren als zu reflektieren, wodurch es eine rätselhafte Tiefe bekam, die es zuvor nicht gehabt hatte.

Hätte der Eindringling irgendwo zwischen der Kreuzung der Gänge und der Lichtquelle gestanden, hätte er einen verzerrten Schatten über diesen leuchtenden Papiergarten oder den weizengoldenen Teppich geworfen. Es war jedoch kein Schatten zu sehen.

Mit dem Rücken zur Wand schob Chyna sich zur Ecke, zögerte und spähte dann um die Kante. Der Hauptgang war verlassen.

Das schwache bernsteinfarbene Licht, das die Dunkelheit ein wenig aufhellte, kam aus zwei Quellen. Die eine war die halb geöffnete Tür rechts von ihr: Pauls und Sarahs Schlafzimmer. Die zweite lag viel weiter hinten im Gang, hinter der vorderen Treppe, auf der linken Seite: Lauras Zimmer.

Die anderen Türen waren wohl alle geschlossen. Sie wußte nicht, was sich hinter ihnen befand. Vielleicht weitere Schlafzimmer, ein Bad, ein Arbeitszimmer, ein Ankleidezimmer. Obwohl Chyna von den erhellten Zimmern am stärksten angezogen wurde – und die größte Angst vor ihnen hatte –, konnte die Gefahr auch hinter einer der geschlossenen Türen lauern.

Das undurchdringliche Schweigen wollte sie zu der Annahme verleiten, der Eindringling sei gegangen. Dieser Versuchung mußte sie widerstehen.

Also weiter durch den Laubengang aus papierenen Rosen zu der halb geöffneten Tür des Elternschlafzimmers. Dort zögerte sie. Rang mit sich.

Wenn sie gefunden hatte, was auch immer dort zu finden war, würden sich vielleicht all ihre Wunschvorstellungen von Ordnung und Stabilität auflösen. Das Leben könnte dann wieder sein wahres Antlitz enthüllen, nach zehn Jahren, in denen sie es eifrig verleugnet hatte: Chaos. Der Lauf des Lebens, quecksilbrig, ist einfach unvorhersehbar.

Der Mann in den Jeans und schwarzen Stiefeln hätte ins Elternschlafzimmer zurückkehren können, nachdem er das Gästezimmer verlassen hatte, hatte es aber wahrscheinlich nicht getan. Das Haus hielt für ihn andere, ansprechendere Vergnügungen bereit.

Aus Angst, zu lange auf dem Korridor zu verweilen, schlich sie über die Schwelle, ohne die Tür weiter zu öffnen.

Pauls und Sarahs Schlafzimmer war geräumig. Vor dem Kamin bildeten zwei Sessel und Fußbänke einen Sitzbereich. Mit gebundenen Ausgaben vollgestopfte Bücherregale flankierten den Kaminsims: Die Titel der Bände verloren sich im Dämmer.

Die Nachttischlampen waren bunt gemusterte, rotbraune Krüge mit gefältelten Schirmen. Eine von ihnen war eingeschaltet; purpurrote Streifen und Punkte befleckten den Schirm.

Chyna blieb ein gutes Stück vor dem Fußende des Bettes stehen, nah genug, um das Wichtigste auszumachen. Weder Paul noch Sarah waren dort, aber die Laken und Decken waren faltig und verknäuelt und fielen auf der rechten Seite des Bettes bis auf den Boden. Auf der linken war das Bettzeug blutgetränkt, und feuchte Spritzer funkelten auf dem Kopfteil und in einem Bogen auf der Wand.

Sie schloß die Augen. Hörte etwas. Fuhr herum, kauerte sich in Erwartung eines Angriffs zusammen. Sie war allein.

Das Geräusch war schon die ganze Zeit dagewesen, ein Zischen und Spritzen von fließendem Wasser im Hintergrund. Sie hatte es nicht gehört, als sie den Raum betrat, da sie wie betäubt war von dem Lärm der Blutflecken, der in ihr toste wie wütendes Gebrüll eines erzürnten Mobs.

Synästhesie. Sie hatte das Wort in einem Psychologielehrbuch gelesen, und es war bei ihr hängen geblieben, eher weil diese Anordnung von Silben in ihren Ohren wundervoll klang, als weil sie erwartet hatte, es je selbst zu erfahren. Synästhesie: eine Verwirrung der Sinne, bei der ein Geruch als Farbenblitz registriert, ein Ton tatsächlich als Geruch wahrgenommen wurde und die Beschaffenheit der Oberfläche unter einer Hand ein trällerndes Gelächter oder ein Schrei sein konnte.

Indem sie die Augen geschlossen hatte, hatte sie das Tosen der Blutstropfen blockiert, woraufhin sie das fließende Wasser hören konnte. Nun erkannte sie das Geräusch der Dusche im benachbarten Bad.

Diese Tür stand einen Zentimeter weit offen. Zum erstenmal, seit sie den Raum betreten hatte, fiel Chyna das dünne Band fluoreszierenden Lichts entlang der Türzarge auf.

Als sie den Blick von der Tür abwandte, zögernd, sich dem zu stellen, was dahinter warten mochte, sah sie das Telefon auf dem rechten Nachttisch. Das war die Bettseite, auf der kein Blut war, was es ihr leichter machte, sich dem Bett zu nähern.

Sie hob den Hörer von der Gabel. Kein Freizeichen. Sie hatte nicht erwartet, eins zu hören. Nichts im Leben war so einfach. Sie zog die einzige Schublade des Nachttischchens auf, in der vielleicht eine Pistole lag. Kein Glück.

Noch immer davon überzeugt, daß ihre Stärke in der Bewegung lag und daß Verkriechen und Verstecken immer nur die allerletzte Option sein sollte, war Chyna auf die andere Seite des französischen Bettes gegangen, bevor sie überhaupt richtig mitbekam, daß sie einen Schritt getan hatte. Vor der Badezimmertür war der Teppich sehr fleckig.

Sie verzog das Gesicht, ging zum zweiten Nachttisch und zog die Schublade auf. Im mürben Licht entdeckte sie eine Lesebrille mit gelben Reflexen auf den Halbgläsern, ein Taschenbuch – einen Abenteuerroman –, eine Schachtel Kleenex, eine Tube Lippenbalsam, aber keine Waffe.

Als sie die Schublade wieder schloß, roch sie verbranntes Schießpulver unter dem heißen Kupfergestank frischen Blutes.

Der Geruch war ihr vertraut. Im Lauf der Jahre hatten diverse Freunde ihrer Mutter Waffen entweder benutzt, um zu bekommen, was sie wollten, oder waren doch zumindest von ihnen fasziniert gewesen.

Chyna hatte keine Schüsse gehört. Der Eindringling hatte offenbar eine Waffe mit Schalldämpfer benutzt.

Hinter der Tür stürzte weiterhin Wasser in die Dusche. Dieses ständige Spritzen, das unter anderen Umständen weich und beruhigend geklungen hätte, schabte nun so wirksam wie das Surren eines Zahnarztbohrers an ihren Nerven.

Sie war überzeugt, daß der Eindringling nicht im Bad war. Seine Arbeit hier war erledigt. Er hatte irgendwo anders im Haus zu tun.

In diesem Augenblick hatte sie weniger Angst vor dem Mann selbst als vor der Entdeckung dessen, was er getan hatte. Aber die Wahl, die vor ihr lag, war in Quintessenz die Qual der Menschheit: Es nicht zu wissen war letztlich schlimmer, als es zu wissen.

Endlich stieß sie die Tür auf. Blinzelnd trat sie ins Neonlicht hinaus.

Das geräumige Bad war mit gelben und weißen Keramikfliesen ausgelegt. An den Wänden auf Stuhllehnenhöhe und an den Kanten der Einbauschränke und Waschbecken verliefen Linien aus Zierfliesen mit Osterglocken und grünen Blättern. Sie hatte mehr Blut erwartet.

Paul Templeton saß in seinem blauen Schlafanzug auf der Toilette. Mehrere Reihen breites Klebeband über seinem Schoß hielten ihn auf der Schüssel. Weitere Reihen umschlangen sowohl seine Brust als auch den Kasten der Wasserspülung und hielten ihn aufrecht.

Durch das halb durchsichtige Klebeband waren drei Einschußwunden in seiner Brust sichtbar. Es konnten auch mehr als nur drei sein. Sie verspürte nicht das Bedürfnis, nach ihnen zu suchen, und mußte es auch nicht wissen. Er war wohl auf der Stelle tot gewesen, höchstwahrscheinlich im Schlaf erschossen und erst danach ins Bad geschleppt worden.

Schwarz und kalt wallte Trauer in ihr auf. Doch wenn sie überleben wollte, mußte sie solche Gefühle unter allen Umständen unterdrücken, und aufs Überleben verstand sie sich bestens.

Ein Streifen Klebeband um Pauls Hals war zu einer Koppelleine geworden, die ihn an einen Handtuchhalter an der Wand hinter der Toilette fesselte. Damit wurde verhindert, daß sein Kopf auf die Brust sackte – und sein starrer Blick wurde auf die Dusche gezwungen. Klebeband hielt seine Lider offen, und in seinem rechten Auge war es zu einer sternförmigen Blutung gekommen.

Schaudernd wandte Chyna den Blick von ihm ab.

Obwohl der Eindringling sich genötigt gesehen hatte, Paul im Schlaf zu töten, um schnell die Kontrolle über das Haus zu bekommen, hatte er sich später der Phantasie hingegeben, der Ehemann sei gezwungen, die Scheußlichkeiten mit anzusehen, die seine Frau erleiden mußte.

Das war ein klassisches Szenario, sehr beliebt bei jenen Soziopathen, denen es Spaß machte, vor ihren Opfern eine Show abzuziehen. Sie schienen tatsächlich zu glauben, daß die gerade Umgebrachten noch eine Zeitlang sehen und hören konnten und damit imstande waren, die anmaßenden Possen und Posen eines Folterers zu bewundern, der weder Gott noch Menschen fürchtete. Lehrbücher beschrieben diesen Wahn. In einem ihrer Kurse über anomale Psychologie an der University of California hatte ein Mitarbeiter der Abteilung Verhaltensforschung des FBI ihnen plastischere Beschreibungen solcher Szenen gegeben, als man sie in irgendeinem Lehrbuch fand.

Doch aus erster Hand war die Wirkung solcher Brutalität

schlimmer, als Worte es ausdrücken konnten. Fast lähmend. Chynas Beine fühlten sich schwer und steif an. Das Kribbeln in ihren Händen kündete von einer aufkommenden Taubheit.

Sarah Templeton war in der Duschkabine, die von der Wanne getrennt war. Obwohl die Glastür geschlossen – und beschlagen – war, konnte Chyna undeutlich eine verschwommen rosige Gestalt ausmachen, die auf dem Boden der Dusche lag.

Auf die Laibung oberhalb der Glastür hatte der Mörder zwei Worte geschrieben. Die schwarzen Buchstaben waren aus zahlreichen Strichen eines Augenbrauenstifts zusammengesetzt: DIRTY BITCH. Dreckige Schlampe.

Nie im Leben hatte Chyna sich etwas so sehr gewünscht wie jetzt: von der Verpflichtung entbunden zu werden, in diese Duschkabine zu schauen. Sarah war bestimmt nicht mehr am Leben.

Doch wenn sie sich abwandte, ohne sich überzeugt zu haben, daß sie der Frau nicht mehr helfen konnte, würde eine untilgbare Schuld ihr eigenes Weiterleben in einen ständigen Tod verwandeln.

Außerdem hatte sie ihr Leben dem Versuch gewidmet, genau diesen Aspekt der menschlichen Grausamkeit zu studieren, und keine veröffentlichte Fallstudie würde sie einem Verständnis näher bringen als das, was sie hier sah. In diesem Haus war heute nacht die düstere Landschaft eines psychopathischen Verstandes sichtbar geworden.

Das Rauschen und Tropfen des fließenden Wassers, das von den gefliesten Wänden zurückgeworfen wurde, klang wie das Zischen von Schlangen und das spröde Gelächter seltsamer Kinder.

Das Wasser mußte kalt sein. Ansonsten wäre Dampf über den oberen Rand der Duschkabine gequollen.

Chyna hielt den Atem an, packte den eloxierten Aluminiumgriff und öffnete die Kabine.

Sarah Templeton hatte ein kurzes hellgrünes Nachthemd und dazu passende Höschen getragen. Ihre Kleidung lag als nasses Knäuel in einer Ecke der Dusche.

Nachdem ihr Mann erschossen worden war, war die Frau offensichtlich bewußtlos geschlagen worden, vielleicht mit dem Knauf der Waffe. Dann hatte man sie geknebelt; ihre Wangen beulten sich aus, weil man ihr irgendeinen Lappen in den Mund gezwungen hatte. Die Lippen waren mit Klebeband geschlossen worden, doch in der unaufhörlichen eisigen Gischt hatten die Ränder des Bands sich von der Haut geschält.

Bei Sarah hatte der Mörder ein Messer benutzt. Sie lebte nicht mehr.

Chyna schloß leise die Tür der Duschkabine.

Wenn es so etwas wie Gnade gab, war Sarah Templeton nicht mehr aufgewacht, nachdem man sie ohnmächtig geschlagen hatte.

Sie erinnerte sich daran, wie Sarah sie auf der Veranda umarmt hatte, als sie mit Laura eingetroffen war. Tränen unterdrückend, wünschte sie, an Stelle dieser herzlichen Frau läge sie selbst tot in der Duschkabine. In der Tat *war* sie schon halb tot und lebte von Minute zu Minute weniger, da mit jedem dieser Menschen ein Stück ihres Herzens gestorben war.

Chyna kehrte ins Schlafzimmer zurück. Sie entfernte sich von dem Bett, ging aber nicht sofort zur Tür zum Korridor. Statt dessen stand sie in der dunkelsten Ecke und zitterte unbeherrscht.

Ihr drehte sich der Magen um. Ein scharfes Brennen stieg in ihrer Brust empor, und ein bitterer Geschmack füllte ihren Gaumen. Sie kämpfte gegen den Drang an, sich zu übergeben. Der Mörder würde vielleicht ihr Würgen hören und dann kommen, um sie ebenfalls zu töten.

Obwohl sie Lauras Eltern erst am vergangenen Nachmittag kennengelernt hatte, kannte Chyna sie auch aus zahlreichen Anekdoten und farbigen Schilderungen der Familienerlebnisse ihrer Freundin. Sie hätte noch mehr Trauer empfinden müssen, als es sowieso schon der Fall war, doch im Augenblick war ihre Aufnahmefähigkeit dafür begrenzt. Später würde es sie härter treffen. Trauer gedieh in einem ruhigen Herzen, und zur Zeit donnerte das ihre vor Entsetzen und Ekel.

Sie war schockiert, daß der Mörder so viel Schaden angerichtet hatte, während sie nichtsahnend am Fenster des Gästezimmers gesessen, die Sterne betrachtet und an andere Nächte gedacht hatte, in denen sie von Dächern, Bäumen in Höfen oder Stränden zu ihnen hinaufgeschaut hatte. Nach allem, was sie gesehen hatte, hatte er sich mit Paul und Sarah mindestens zehn Minuten Zeit gelassen, bevor er den Rest des großen Hauses durchsucht hatte, um die verbleibenden Bewohner ausfindig zu machen und zu überwältigen.

Manchmal genoß so ein Mensch den besonderen Nervenkitzel, wenn er das Risiko einer Störung, ja sogar einer Festnahme einging. Vielleicht lockte irgendein Geräusch ein schlaftrunkenes, verwirrtes Kind ins Schlafzimmer der Eltern, das dann verfolgt und zur Strecke gebracht werden mußte, bevor es das Haus verlassen konnte. Solche Aussichten erhöhten das Vergnügen, welches das Schwein aus seinen Aktivitäten im Schlafzimmer und Bad zog.

Und es *war* für ihn ein Vergnügen. Ein Zwang, aber keiner, an dem er verzweifelte. Spaß. Sein Hobby. Keine Schuld – daher auch kein Schmerz. Brutalität erfreute ihn.

Irgendwo im Haus spielte er entweder weiter oder ruhte sich aus, bis er bereit war, sein Spiel fortzusetzen.

Als ihr Zittern zu einem Schaudern abgeklungen war, wuchs Chynas Angst um Laura. Diese beiden gedämpften Schreie vor ein paar Minuten waren mit Sicherheit erklungen, nachdem Sarah bereits tot gewesen war; also mußte Laura von einem Mann im Schlaf überrascht worden sein, der nach dem Blut ihrer Mutter roch. Sobald er sie überwältigt und gefesselt hatte, hatte er schnell den Rest des ersten Stocks durchsucht, um festzustellen, ob ein weiteres Mitglied der Familie durch ihre erstickten Schreie gewarnt worden war.

Vielleicht war er nicht sofort zu Laura zurückgekehrt. Nachdem er in den anderen Zimmern niemanden gefunden hatte, war er wahrscheinlich auf Erkundung gegangen, überzeugt, daß er das Haus fest im Griff hatte. Wenn die Lehrbücher recht hatten, würde er wohl in jeden privaten Raum eindringen wollen. Den Inhalt der Schränke und Schreibtischschubladen seiner Gastgeber durchwühlen. Nahrung aus ihrem Kühlschrank essen. Ihre Post lesen. Vielleicht die schmutzige Kleidung im Wäschekorb betasten und an ihr riechen. Wenn er die Sammlung der Familienfotos fand, würde er sich vielleicht eine Stunde oder länger ins Wohnzimmer setzen und sich mit den Alben vergnügen.

Doch früher oder später würde er zu Laura zurückkehren.

Sarah Templeton war eine äußerst attraktive Frau gewesen, doch nächtliche Besucher wie dieser Mann wurden von der

Jugend angezogen; sie nährten sich an der Unschuld. Laura war sein Festmahl, so unwiderstehlich wie Vogeleier für manche Schlangen.

Als Chyna endlich ihre quälende Übelkeit überwunden hatte und überzeugt war, daß sie sich nicht verraten würde, indem sie sich plötzlich lautstark übergab, verließ sie die dunkle Ecke und schlich durch den Raum.

Sie wäre im Elternschlafzimmer sowieso nicht sicher gewesen. Bevor der Besucher ging, würde er wahrscheinlich hierher zurückkehren, um einen letzten Blick auf die arme Sarah zu werfen, die in der Dusche ihre schlanken Arme in einer armseligen und wirkungslosen Abwehrhaltung gekreuzt hatte.

An der halb geöffneten Tür blieb Chyna stehen und lauschte.

Direkt gegenüber auf dem Gang kamen ihr die verblichenen Rosen der Tapete noch geheimnisvoller vor als eben. Das Muster wies eine so rätselhafte Tiefe auf, daß sie fast überzeugt war, sie könne die dornigen Ranken auseinanderschieben und aus dieser Papierlaube in ein sonniges Reich treten, in dem, wenn sie zurückschaute, dieses Haus nicht existierte.

Mit dem Licht der Nachttischlampe hinter ihr konnte sie nicht vorsichtig auf die Schwelle treten und in aller Ruhe nach rechts und links schauen, denn wenn sie sich in der Türöffnung befand, würde sie einen Schatten auf diese verblichenen Rosen auf der anderen Seite des Korridors werfen. Es wäre gefährlich, nach dieser unvermeidbaren Verkündung ihrer Anwesenheit länger als unbedingt nötig hier zu verweilen.

Von der langen Stille beruhigt, die Sicherheit zu versprechen schien, huschte Chyna schließlich zwischen Tür und Pfosten auf den Gang hinaus – und da war er. Drei Meter entfernt, kurz vor dem Absatz der vorderen Treppe, rechts von ihr. Er wandte ihr den Rücken zu.

Sie erstarrte. Halb im Korridor. Halb auf der Schwelle zum Schlafzimmer. Wenn er sich umdrehte, würde er sie aus dem Augenwinkel sehen, bevor sie zurückweichen konnte – und doch konnte sie sich in diesem Augenblick, in dem noch eine Chance bestand, ihm zu entgehen, einfach nicht bewegen. Sie hatte Angst, auch nur das geringste Geräusch zu machen – er würde es hören und sich zu ihr umdrehen. Selbst das Mikrogeflüster der Teppichfasern unter ihrem Schuh mußte, falls sie sich bewegte, ganz sicher seine Aufmerksamkeit erwecken.

Der Besucher tat etwas so Seltsames, daß Chyna von seiner Aktivität nicht minder gelähmt wurde als von ihrer Furcht. Er hatte die Hände gehoben und so hoch ausgestreckt, wie er nur konnte, und seine gespreizten Finger durchkämmten verträumt die Luft. Er schien in Trance zu sein, als versuchte er, übernatürliche Impressionen aus dem Äther zu fischen.

Er war ein großer Mann. Eins fünfundachtzig, vielleicht noch größer. Muskulös. Schmale Hüfte, gewaltige Schultern. Seine Jeansjacke spannte sich straff um seinen breiten Rücken.

Sein Haar war dicht und braun und an seinem bulligen Nacken ordentlich geschnitten, doch sein Gesicht konnte Chyna nicht sehen. Sie hoffte, es nie zu sehen.

Seine tastenden, blutverschmierten Finger schienen vernichtend kräftig zu sein. Er wäre imstande, sie mit einer Hand zu erwürgen.

»Komm zu mir«, murmelte er.

Obwohl er flüsterte, hatte seine rauhe Stimme ein Timbre und eine Macht, die geradezu magnetisch wirkten.

»Komm zu mir.«

Er schien nicht zu einer Vision zu sprechen, die nur er sehen konnte, sondern zu *Chyna*, als wären seine Sinne so scharf, daß er sie lediglich aufgrund der Bewegung der Luft entdeckt hatte, die sie verdrängt hatte, als sie geräuschlos über die Schwelle getreten war.

Dann sah sie die Spinne. Sie baumelte etwa dreißig Zentimeter über der ausgestreckten Hand des Mörders an einem hauchdünnen Faden von der Decke.

»Bitte.«

Als würde sie auf das Flehen des Mannes reagieren, sponn die Spinne ihren Faden und kam hinab.

Der Mörder griff nicht mehr nach ihr, sondern hielt ihr seine Handfläche hin. »Meine Kleine«, flüsterte er.

Die fette, schwarze Spinne senkte sich gehorsam auf die große, offene Handfläche.

Der Mörder führte seine Hand zum Mund und legte den Kopf leicht zurück. Entweder zerbiß er die Spinne und aß sie – oder er schluckte sie lebendig herunter.

Er stand reglos da und genoß seine Mahlzeit.

Schließlich schritt er, ohne einen Blick zurückzuwerfen, zum Treppenabsatz zu ihrer Rechten, auf halber Höhe des Gangs, und ging so schnell und fast so leise wie eine Spinne zum Erdgeschoß hinab.

Chyna erschauerte, unglaublich überrascht, noch am Leben zu sein.

# K A P I T E L 2

Das Haus war angefüllt mit atemberaubender Stille, so wie ein Staudamm das Wasser zurückhielt, aufgeladen mit immenser potentieller Energie und einem gewaltigen Druck.

Als Chyna den Mut fand, sich wieder zu bewegen, näherte sie sich vorsichtig dem oberen Ende der Treppe. Sie befürchtete, daß der Besucher nicht vollständig zum Erdgeschoß hinabgestiegen war, daß er mit ihr spielte, knapp außerhalb ihrer Sichtweite stand, lächelnd wartete. Er würde mit offenen Handflächen nach ihr greifen und *Komm zu mir!* sagen.

Sie hielt den Atem an, riskierte ihre Enthüllung und schaute hinunter. Die Treppe führte hinab in die Dunkelheit der Diele. Sie konnte gerade eben ausmachen, daß er sich nicht dort unten befand.

Soweit Chyna sehen konnte, brannte im Erdgeschoß kein Licht. Sie fragte sich, was er in dieser Dunkelheit tat, nur geleitet vom bleichen Mondschein an den Fenstern. Vielleicht lauerte er geduckt wie eine Spinne in einer Ecke, empfindlich für die schwächsten Veränderungen des Luftstroms, und träumte von einer leisen Pirsch und dem rasenden Reißen der Beute.

Angefüllt mit Furcht vor dem, was sie finden würde, ging sie schnell an der Treppe vorbei auf das letzte Stück Korridor, zur nächsten geöffneten Tür und zweiten Quelle des bernsteinfarbenen Lichts. Sowohl mit der Furcht als auch mit dem, was sie finden würde, konnte sie fertig werden. Es war stets die Unkenntnis, das Abwenden von der Wahrheit, das die nächtlichen Schweißausbrüche und die schlechten Träume verursachte.

Der Raum war kleiner als das Elternschlafzimmer, ohne Sitzecke. Ein Schreibtisch an der Wand. Ein Doppelbett. Ein Nachttisch mit einer Messinglampe, ein Schränkchen, eine Frisierkommode mit einem gepolsterten Hocker.

Über dem Bett hing ein Poster: ein Porträt von Freud. Chyna verabscheute Freud. Aber Laura, reinen Herzens und idealistisch, klammerte sich in vielerlei Hinsicht an die Freudschen Theorien; sie hegte den Traum von einer schuldlosen Welt, in der jeder ein Opfer seiner schweren Vergangenheit war und sich nach Rehabilitation sehnte.

Laura lag bäuchlings auf dem Bett, auf den Laken und Decken. Ihre Hände waren mit Handschellen auf ihren Rücken gefesselt. Ein zweites Paar Handschellen sicherte ihre Knöchel. Diese beiden glänzenden Stahlfesseln waren mit einer Gliederkette verbunden.

Man hatte ihr Gewalt angetan. Die Hosen ihres weiten blauen Schlafanzugs waren mit einer Ordentlichkeit aufgeschnitten worden, die eines gewissenhaften Schneiders würdig war; die blauen Stoffteile waren rechts und links über die Laken ausgebreitet worden. Das Schlafanzughemd war ihren Rücken hinaufgeschoben worden; es hing nun in zerknitterten Falten um ihre Schultern und ihren Nacken.

Chyna trat tiefer in den Raum. Zu ihrer Furcht gesellte sich nun eine wachsende Besorgnis, die ihr Herz zu vergrößern, es gleichzeitig aber kalt und leer zu lassen schien. Als sie den schwachen Geruch von vergossenem Sperma wahrnahm, wurden ihre Furcht und Besorgnis von Zorn verdrängt. Als sie neben dem Bett stehenblieb, hatte sie die Hände so heftig zu Fäusten geballt, daß ihre Fingernägel schmerzhaft in die Ballen drückten.

Schweißfeuchtes blondes Haar klebte in Lauras Gesicht. Ihre feinen Züge waren weiß wie Salz und vor Angst verkrampft, und ihre Augen waren fest geschlossen.

Sie war nicht tot. Nicht tot. Das war unglaublich.

Das Mädchen – das Entsetzen hatte sie von der Frau zum Mädchen schrumpfen lassen – murmelte so leise vor sich hin, daß Chyna die Worte nicht einmal aus ein paar Zentimetern Entfernung verstehen konnte. Zugleich waren sie so dringlich, daß ihre Bedeutung entsetzlich klar war. Es war ein Gebet, eins, das Chyna vor langer Zeit an weit entfernten Orten oft genug gesprochen hatte: ein Gebet um Gnade, die Bitte, diesen Horror unberührt und lebend zu überstehen, lieber Gott, bitte, unberührt und lebend.

Damals war Chyna sowohl die Vergewaltigung als auch der Tod

erspart geblieben. Doch die Hälfte von Lauras Bitte war bereits ungehört geblieben.

Chynas Kehle zog sich vor Schmerz zusammen, und sie konnte kaum sprechen: »Ich bin's.«

Lauras Lider sprangen auf, und ihre blauen, vor Unglauben weit aufgerissenen Augen verdrehten sich wie die eines panischen Pferdes. »Alle tot.«

»Psst«, flüsterte Chyna.

»Blut. Seine Hände.«

»Psst. Ich hol' dich hier raus.«

»Er stank nach Blut. Jack ist tot. Nina. Alle.«

Jack, ihr Bruder, den Chyna nicht kennengelernt hatte. Nina, ihre Schwägerin. Offenbar war der Mörder im Verwalter-Bungalow gewesen, bevor er zum Haupthaus gekommen war. Vier Tote. Auf dem weitläufigen Besitz würde sie nirgendwo Hilfe finden.

Chyna warf einen besorgten Blick zur offenen Tür und überprüfte dann schnell die Handschellen an Lauras Gelenken. Sie waren verschlossen.

Mit gefesselten Händen und Füßen war Laura völlig bewegungsunfähig, zumal die Handschellen noch durch eine Kette miteinander verbunden waren. Sie konnte nicht stehen, geschweige denn laufen.

Chyna war nicht stark genug, um sie zu tragen.

Sie sah ihr Bild im Spiegel der Kommode auf der anderen Seite des Raums und erkannte schockiert, wie unverhüllt ihr Entsetzen sich in ihrem verzerrten Gesicht spiegelte.

Um Lauras willen versuchte sie, sich etwas gefaßter zu geben. Sie trat wieder neben das Bett und fragte fast so leise, wie ihre Freundin gebetet hatte: »Habt ihr eine Waffe?«

»Was?«

»Ist eine Pistole im Haus?«

»Nein.«

»Nirgendwo im Haus?«

»Nein, nein.«

»Scheiße.«

»Jack.«

»Was?«

»Hat eine.«

»Eine Pistole? Im Bungalow?« fragte Chyna.

»Jack hat eine Pistole.«

Chyna hatte keine Zeit, zum Bungalow und wieder zurückzulaufen, bevor der Mörder in Lauras Zimmer zurückkehrte. Überdies mußte sie davon ausgehen, daß er die Waffe bereits gefunden und an sich genommen hatte.

»Weißt du, wo er ist?«

»Nein.« Lauras himmelblaue Augen schienen sich vor Verzweiflung zu verdunkeln. »Verschwinde.«

»Ich werde schon eine Waffe finden.«

*»Hau ab«*, flüsterte Laura eindringlicher, und kalter Schweiß funkelte auf ihrer Stirn.

»Ein Messer«, sagte Chyna.

»Stirb nicht für mich.« Dann sagte sie mit gedämpfter Stimme, zitternd, aber entschlossen: »Lauf, Chyna. O Gott, bitte *lauf*!«

»Ich werde zurückkommen.«

*»Lauf.«*

Draußen erklang ein Geräusch. Der Motor eines Fahrzeugs. Es kam näher.

Erstaunt sprang Chyna auf. »Jemand kommt. Hilfe kommt.«

Lauras Zimmer lag an der Vorderseite des Hauses. Chyna trat zu einem der beiden Fenster und blickte auf die fast einen Kilometer lange Auffahrt, die von der zweispurigen Landstraße zum Haus führte.

Einen halben Kilometer entfernt durchstachen helle Scheinwerfer die Nacht. Der Höhe der Lichter über dem Boden nach zu urteilen, mußte es sich um ein großes Fahrzeug handeln.

Es war wie ein Wunder, daß jemand zu dieser Stunde an diesem einsamen Ort auftauchte.

Noch während Chyna ein Prickeln der Hoffnung durchlief, wurde ihr klar, daß auch der Mörder das Fahrzeug gehört haben mußte. Der Mann oder die Männer in dem Wagen hatten keine Ahnung, welche Schwierigkeiten sie sich einbrockten. Wenn sie vor dem Haus hielten, waren sie schon so gut wie tot.

»Halt durch«, sagte sie, berührte Lauras feuchte Stirn, um sie zu beruhigen, ging dann durch den Raum zur Tür und ließ ihre Freundin unter dem selbstgefälligen und ernsten Blick Sigmund Freuds zurück.

Der Flur war verlassen.

Chyna eilte zum oberen Ende der gebogenen Treppe und zögerte kurz, in die Finsternis einzutauchen. Doch ihr war klar, daß sie keine andere Wahl hatte. Sie ging so schnell hinab, wie sie es wagte, ohne sich am Geländer festzuhalten. Sie hielt sich von der Balustrade fern. Dort war sie zu ungeschützt. Dicht an der Wand, das war besser.

Sie ging schnell an einer Reihe großer Landschaftsgemälde in Zierrahmen vorbei, die ihr fast wie Fenster zu tatsächlich existierenden pastoralen Welten vorkamen. Früher waren es helle und fröhliche Szenen gewesen. Jetzt waren sie beunruhigend: Wälder mit Kobolden, schwarze Flüsse, Schlachtfelder.

Die Diele. Ein ovaler Teppich auf Eichenparkett. Hinter einer geschlossenen Tür zur Rechten befand sich Paul Templetons Arbeitszimmer. Durch den gewölbten Durchbruch zur Linken konnte man das dunkle Wohnzimmer betreten.

Der Mörder konnte überall sein.

Draußen wurde das Dröhnen des Fahrzeugs lauter. Es hatte das Haus fast erreicht. In dem Augenblick, da der Fahrer auf die Bremse trat, um den Wagen anzuhalten, würde er durch die Windschutzscheibe erschossen werden. Oder spätestens, wenn er das Führerhaus verließ.

Chyna mußte ihn warnen, nicht nur um seinet-, sondern auch um ihretwegen, um Lauras willen. Er war ihre einzige Hoffnung.

Überzeugt, daß der spinnenessende Eindringling in der Nähe war, erwartete sie einen wütenden Angriff und *flog* förmlich, ohne jede Vorsicht, zur Haustür. Der ovale Teppich rutschte unter ihren Füßen hoch, drehte sich und wäre fast unter ihr hinweggeglitten. Sie stolperte, streckte die Arme aus, um ihren Sturz zu bremsen, und schlug mit beiden Handflächen gegen die Haustür.

Dieses Geräusch, dieses höllische Geräusch, das durch das gesamte Haus dröhnte, hatte die Aufmerksamkeit des Mörders bestimmt von dem sich nähernden Fahrzeug abgelenkt.

Chyna tastete herum, fand den Türknopf und drehte ihn. Die Tür war unverschlossen. Keuchend zog sie sie auf.

Eine kühle Brise aus dem Nordwesten, die schwach nach frisch umgegrabener Weinbergerde und Fungiziden roch, pfiff durch die kahlen Äste der Ahornbäume, die den vorderen Fußweg zum Haus flankierten. Mit einem Geräusch, das an das Schnüffeln eines Rudels Hunde erinnerte, strömte sie an ihr vorbei in die Diele, als sie auf die Veranda hinaustrat.

Der Lastwagen war bereits am Haus vorbeigefahren und entfernte sich von ihr. Er würde auf dem Wendehammer am Ende der Auffahrt drehen, der breit genug war, um in der Erntezeit auch von Lastern benutzt zu werden, und dann mit der Schnauze zur Landstraße abgestellt werden. Aber es war gar kein Lastwagen. Sondern ein Wohnmobil. Ein älteres Modell mit abgerundeten Konturen, gut erhalten, zwölf Meter lang, entweder blau oder grün. Sein Chrom schimmerte wie Quecksilber unter dem Spätwintermond.

Erstaunt darüber, daß sie noch nicht von hinten erschossen, erstochen oder niedergeschlagen worden war, warf Chyna einen Blick zur geöffneten Eingangstür zurück, in der der Mörder noch immer nicht aufgetaucht war, und lief zur Verandatreppe.

Das Wohnmobil hatte das Ende des Wendehammers erreicht und fuhr wieder auf sie zu. Die Scheinwerferstrahlen glitten über die Scheune und weitere Nebengebäude der Templeton-Farm.

Die Schatten von Ahorn- und Nadelbäumen flohen vor den wandernden Scheinwerferstrahlen. Sie flackerten dunkel durch das Spalier am Ende der Veranda, die weiße Balustrade entlang, über den Rasen und den Plattenweg, streckten sich gespenstisch und stießen in die Nacht vor, als versuchten sie hektisch, sich von den Bäumen zu befreien, die sie hervorriefen.

Die tiefe Stille im Haus, der Umstand, daß im Erdgeschoß kein Licht brannte, daß der Mörder sie nicht angegriffen hatte, als sie das Haus verließ, die Ankunft des Wohnmobils ausgerechnet zu dieser Zeit – plötzlich ergaben all diese Umstände einen Sinn, der sie erschaudern ließ. Der Mörder fuhr das Wohnmobil.

*»Nein.«*

Chyna zog sich schnell von der Verandatreppe zurück und stolperte wieder in die Diele.

Auf ihren Fersen vollendeten die Scheinwerfer die Schleife über dem Wendehammer. Sie durchdrangen das Gitterwerk des Spaliers und warfen geometrische Muster auf den Verandaboden und die Front des Hauses.

Sie warf die Tür zu und tastete nach dem großen Schloß über dem Knopf. Fand es und legte den schweren Riegel vor.

Dann wurde ihr klar, welchen Fehler sie gemacht hatte. Die Eingangstür war nicht verschlossen gewesen; der Mörder war hinausgegangen und hatte sie einfach hinter sich zugezogen. Wenn er sie nun verriegelt vorfand, würde er wissen, daß Laura nicht die einzige noch lebende Person im Haus war, und die Jagd würde von neuem beginnen.

Ihre schweißnassen Finger glitten auf dem Messingknopf ab, doch der Riegel schnappte mit einem harten Klicken auf.

Der Eindringling mußte das Wohnmobil am Ende der langen Auffahrt geparkt haben, ganz in der Nähe der Landstraße, und zu Fuß zum Haus vorgedrungen sein.

Nun knirschten Reifen auf Schotter. Druckluftbremsen stießen ein leises Zischen und ein noch leiseres Heulen aus, und das Wohnmobil hielt direkt vor dem Haus endgültig an.

Chyna erinnerte sich an den ovalen Teppich, der unter ihren Füßen weggerutscht war und sie fast zu Fall gebracht hatte. Sie ging in die Knie, kroch über die Wolle und glättete die Falten mit den Händen. Wäre der Mörder über den verrutschten Teppich gestolpert, hätte er bemerkt, daß er nicht in dem Zustand war wie zu dem Augenblick, da er das Haus verlassen hatte.

Draußen erklangen Schritte: Stiefelabsätze hallten auf den Steinplatten des Wegs.

Chyna rappelte sich auf und wandte sich dem Arbeitszimmer zu. Sinnlos. Sie konnte nicht sagen, wohin er gehen würde, nachdem er das Haus wieder betreten hatte, und falls er ins Arbeitszimmer kam, wäre sie dort mit ihm gefangen.

Seine Schritte hallten hohl auf der hölzernen Verandatreppe.

Chyna sprang durch die Diele, durch den Türbogen und ins dunkle Wohnzimmer – und blieb sofort wieder stehen, weil sie befürchtete, gegen ein Möbelstück zu prallen und es umzustoßen. Sie tastete sich weiter, erfühlte sich den Weg mit beiden Händen. Ihr Sehvermögen wurde durch die dunkelroten Nachbilder der Scheinwerfer eingeschränkt, die noch immer schwach über ihre Netzhaut trieben.

Die Haustür wurde geöffnet.

Chyna hatte es kaum bis zur Hälfte des Wohnzimmers geschafft und kauerte sich neben einem Sessel nieder. Wenn der Mörder hereinkam und das Licht einschaltete, würde er sie sehen.

Ohne die Tür hinter sich zu schließen, tauchte der Mann in der Diele auf, auf der anderen Seite des Rundbogens. Er wurde schwach vom Glanz des Lichts im ersten Stock erhellt. Er ging am Wohnzimmer vorbei und direkt zur Treppe.

Laura.

Chyna hatte noch immer keine Waffe.

Sie dachte an das Schüreisen des Kamins. Das reichte nicht. Wenn sie ihm nicht mit dem ersten Hieb den Schädel einschlug oder den Arm brach, würde er es ihr einfach abnehmen. Das Entsetzen verlieh ihr zusätzliche Kräfte, aber die reichten vielleicht nicht aus.

Statt aufzuspringen und blindlings durch das Wohnzimmer zu stürmen, blieb sie unten und kroch über den Boden; das war sicherer und ging außerdem schneller. Sie erreichte den Bogengang zum Eßzimmer und hielt auf die Richtung zu, in der sie die Küchentür vermutete.

Sie stieß gegen einen Stuhl. Er schepperte gegen ein Tischbein. Auf dem Tisch verlagerte sich etwas mit einem lauten Klappern, und ihr fiel ein, daß sie sorgfältig arrangierte Keramikfrüchte in einer Kupferschale gesehen hatte.

Sie war nicht der Ansicht, daß er diese Geräusche oben gehört haben konnte, also ging sie weiter. Sie konnte sowieso nichts anderes tun, ob er sie nun gehört hatte oder nicht.

Als sie die Schwingtür früher als erwartet erreichte, erhob sie sich.

Das einfallende Mondlicht, ohnehin schon schwach, ließ plötzlich nach, was ihr eine entsetzliche Gänsehaut über den Nacken jagte. Sie drehte sich um und drückte den Rücken gegen den Türrahmen, überzeugt, daß der Mörder dicht hinter ihr stand, sich in der Silhouette vor einem Fenster abhob und den Mondschein blockierte, doch er war nicht dort. Der silberne Glanz fiel nicht mehr auf das Glas. Offensichtlich hatten die Sturmwolken, die schon vor Mitternacht aus dem Nordwesten herangerollt waren, den Mond endlich eingehüllt.

Sie stieß die Schwingtür auf und ging in die Küche.

Die Neonröhren unter der Decke mußte sie nicht einschalten. An der Oberkante des Doppelofens war eine Digitaluhr mit grünen Leuchtziffern eingebaut, die ein überraschend starkes Licht ausstrahlten, so daß sie ihren Weg durch die Küche finden konnte.

Sie erinnerte sich, auf einer Seite der stählernen Spüle einen Hackblock aus Holz gesehen zu haben. Die Spülbecken befanden sich vor dem breiteren der beiden Fenster. Sie glitt mit der Hand über die Arbeitsfläche aus kühlem Granit, bis sie das Holz, an das sie sich erinnerte, gefunden hatte.

Das Haus über ihr schien mit dichterem Schweigen erfüllt zu sein als je zuvor.

*Was macht das Arschloch da oben in dieser Stille, da oben in dieser Stille mit Laura?*

Unter dem Hackklotz befand sich eine Schublade, in der sie Messer zu finden hoffte. Und fand. Ordentlich in einem Halter verstaut.

Sie zog eins heraus. Zu kurz. Ein anderes: ein Brotmesser mit stumpfer, runder Spitze. Das dritte, das sie auswählte, erwies sich als Fleischermesser. Sie erprobte die Schneide vorsichtig an ihrer Daumenkuppe und stellte fest, daß sie ausreichend scharf war.

Oben schrie Laura.

Chyna setzte sich in Richtung Eßzimmertür in Bewegung, spürte dann aber intuitiv, daß sie es nicht wagte, dorthin zu gehen. Statt dessen stürmte sie zurück zur hinteren Treppe, obwohl sie dort nicht hinaufsteigen konnte, ohne Geräusche zu verursachen.

Sie schaltete im Treppenhaus das Licht ein. Der Mörder konnte sie hier nicht sehen.

Im ersten Stock schrie Laura erneut auf – ein schreckliches Heulen der Verzweiflung, des Schreckens und Entsetzens, ein Schrei, wie man ihn vielleicht in den Gaskammern von Dachau oder den fensterlosen Verhörräumen sibirischer Gefängnisse in der Ära der Gulags gehört hatte. Es war kein Hilfeschrei oder auch nur eine Bitte um Gnade, sondern ein Ruf nach Erlösung unter allen Umständen, selbst wenn die Erlösung der Tod sein sollte.

Chyna stieg die Treppe hinauf, gegen diesen Schrei an, der ihr tatsächlichen Widerstand bot, als sei sie eine Schiffbrüchige, die sich gegen das erdrückende Gewicht des Wassers an die Oberfläche des Meeres kämpfte. Der Schrei war so kalt wie eine arktische Strömung und ließ sie bis aufs Mark frösteln, betäubte sie, pochte eisig in den Hohlräumen ihrer Knochen. Sie wurde von dem Drang überwältigt, *mit* Laura zu schreien, wie ein Hund vor Mitgefühl jault, wenn er einen anderen Hund leiden hört, überwältigt von dem tief verwurzelten Bedürfnis, vor Elend zu heulen angesichts der schieren Hilflosigkeit der menschlichen Existenz in einem Universum voller toter Sterne, und sie mußte gegen diesen Drang ankämpfen.

Chynas Schrei wand sich zu einem Brüllen nach ihrer Mutter hoch, obwohl sie wissen mußte, daß ihre Mutter tot war. »Mammi, Mammi, *Mammiii.*« Sie war wieder zum abhängigen Kleinkind geworden, hatte plötzlich so große Angst vor dem Leben selbst, daß sie lediglich an der vertrauten Mutterbrust und in dem Herzschlag Trost finden konnte, an den sie sich aus dem Mutterleib erinnerte.

Und dann plötzliche Stille.

Düstere Stille.

Auf der Brüstung auf halber Höhe zum ersten Stock stellte Chyna überrascht fest, daß das Gewicht des Schreis – wie Wasser in tausend Faden Tiefe – sie plötzlich zum Stehen gebracht hatte. Ihre Beine waren schwach; ihre Waden- und Schenkelmuskeln zitterten, als hätte sie einen Marathon gelaufen. Sie stand an der Schwelle des Zusammenbruchs.

Da sie das Ende der Hoffnung bedeuten mochte, war die Stille nun genauso bedrückend wie zuvor der Schrei. Sie beugte den Kopf unter einer Lautlosigkeit, die so schwer wie eine Eisenkrone war, krümmte die Schultern und kauerte sich elend zusammen.

Es wäre so leicht, sich gegen die Wand zu lehnen, auf den Boden zu rutschen, das Messer beiseite zu legen und sich wie ein Igel zusammenzurollen. Einfach zu warten, bis er fort war. Zu warten, bis ein Verwandter oder Freund der Familie eintraf, die Leichen entdeckte, die Polizei benachrichtigte und sich um alles kümmerte.

Statt dessen zwang Chyna sich, nachdem sie nur ein paar Sekunden auf der Brüstung gewartet hatte, den Aufstieg fortzusetzen, und ihr Herz hämmerte dabei so hart, daß sie den Eindruck hatte, jeder weitere Schlag müsse sie zu Boden werfen.

Ihre Arme zitterten unbeherrscht. Im Griff ihrer weißen Knöchel schnitzte das Fleischermesser vor ihr wacklige Muster in die Luft, und sie fragte sich, ob sie bei einer Konfrontation die Kraft haben würde, wirksam auszuholen und zuzustechen.

Das war die Denkweise einer Verliererin, und sie haßte sich dafür. Während der letzten zehn Jahre hatte sie sich in eine Gewinnerin verwandelt, und sie war entschlossen, nicht zurückzuweichen.

Die alten hölzernen Stufen protestierten unter ihr, aber sie bewegte sich schnell, ohne auf den Lärm zu achten. Ob Laura noch lebte oder tot war, der Mörder würde seine Spielchen treiben, von ihnen abgelenkt werden und wahrscheinlich nur das donnernde Rauschen seines eigenen Bluts und die Einflüsterungen jener inneren Stimmen vernehmen, die in diesem Augenblick, da er ein Leben in den Händen hielt, zu ihm sprechen mochten.

Sie trat auf den oberen Gang. Angetrieben von ihrer Angst um Laura und einem Zorn, der aus dem Abscheu vor sich selbst im Augenblick der Schwäche auf der Brüstung entstanden war, eilte sie an der geschlossenen Tür des Gästezimmers zu der Biegung in dem L-förmigen Korridor weiter, um die Ecke, vorbei an der halb geöffneten Tür des Schlafzimmers der Templetons und durch das bernsteinfarbene Licht, das sich daraus ergoß. Sie stürmte an der Laube aus verblichenen Rosen vorbei, und ihr Zorn schwoll zu nackter Wut an. Ihre Kühnheit schockierte sie. Sie schien über den Teppich zu gleiten, so schnell, als würde sie auf Skiern einen vereisten Hang hinabfahren, direkt zur geöffneten Tür von Lauras Zimmer, ohne das geringste Zögern, das Messer erhoben, der Arm nicht mehr zitternd, sondern ruhig und sicher, rasend vor Entsetzen und Verzweiflung und heiligem Zorn, über die Schwelle und in den Raum, in dem sich Freud von dem, was unter seinem Blick geschehen war, völlig unbeeindruckt zeigte – und das zerwühlte Bett war leer.

Chyna wirbelte ungläubig herum. Laura war fort. Der Raum war verlassen.

Über dem Ansturm ihres Atems und dem Dröhnen ihres Herzens hörte sie das Rasseln und Klappern von Lauras Kette. Nicht in diesem Raum. Woanders.

Ohne auf die Gefahr zu achten, kehrte sie in den Korridor zurück, zu der Balustrade, die einen Blick auf die Diele bot.

Unten, kaum erhellt vom schwachen Licht des oberen Korridors, trat der Mörder durch die offene Eingangstür auf die Veranda. Er trug Laura auf den Armen. Sie war in ein Bettlaken gehüllt, ein bleicher Arm hing schlaff herab, der Kopf rollte zur Seite, das Gesicht war unter ihrem goldenen Haar verborgen.

Er mußte die dunkle Treppe heruntergekommen sein, als Chyna an ihr vorbei gelaufen war. Sie hatte sich dermaßen darauf konzentriert, zu Lauras Zimmer zu gelangen, sich so stark auf den Angriff vorbereitet, daß sie ihn nicht bemerkt hatte, obwohl die Kette und die Handschellen auch schon bei dieser Gelegenheit gerasselt haben mußten.

Offenbar hatte er solch einen Lärm gemacht, daß er Chyna nicht gehört hatte.

Der Instinkt hatte ihr geraten, die Hintertreppe zu nehmen, und sie war gut beraten gewesen, auf ihn zu hören. Wäre sie vorn hinaufgegangen, wäre sie ihm begegnet, als er herunterkam. Er hätte Laura auf sie geworfen, wäre den beiden Frauen gefolgt, als sie in die Diele hinabstürzten, hätte Chyna das Messer aus der Hand getreten, wenn sie es nicht schon verloren hätte, und wäre an Ort und Stelle über sie hergefallen.

Sie durfte nicht zulassen, daß er Laura fortbrachte.

Aus Angst, es würde sie erneut lähmen, wenn sie über die Situation nachdachte, stürmte Chyna rücksichtslos die Treppe hinab. Wenn sie ihn überraschend angreifen und ihm das Messer in den Rücken stoßen konnte, hatte Laura vielleicht noch eine Chance.

Sie war dazu imstande. Sie war nicht zimperlich. Sie konnte die Klinge tief in seinen Körper treiben, versuchen, sein Herz von hinten zu treffen, eine Lunge durchbohren, das Messer herausziehen und erneut in ihn rammen, den Mistkerl erstechen und zuhören, wie er um Gnade winselte, auf ihn einstechen, einstechen, einstechen, bis er für immer schwieg. Sie hatte noch nie etwas dergleichen getan, noch nie jemanden verletzt. Aber jetzt war sie dazu imstande, konnte sie ihn fertigmachen, weil sie entsetzliche Angst um Laura hatte, weil ihr bei dem Gedanken übel wurde, ihre Freundin im Stich zu lassen – und weil sie von Natur aus eine Rachemaschine war: ein Mensch.

Am Fuß der Treppe schlitterte der ovale Teppich nicht unter ihr, wie er es zuvor getan hatte, und sie lief direkt zur offenen Tür.

Sie hielt das Messer nicht mehr hoch, sondern an ihrer Seite. Wenn er sie kommen hörte, würde er sich umdrehen, und dann konnte sie das Messer in einem Bogen hochschwingen und es unter dem Mädchen, das er in den Armen hielt, in seinen Leib rammen. Das war besser, als zu versuchen, es ihm in den Rücken zu stoßen, wo die Spitze von einem Schulterblatt oder einer Rippe abgelenkt werden oder von seinem Rückgrat abrutschen konnte. Sie mußte auf seinen weichsten Teil zielen. Auf diese Weise würde sie ihm Auge in Auge gegenüberstehen. Ihm in die Augen sehen. Würde sie das zögern lassen? Er hatte es herausgefordert. Der Mistkerl. Sie dachte an Sarah, die auf dem Boden der Duschkabine nackt im kalten Strahl lag. Sie konnte es tun. Sie war dazu imstande.

In die Diele, über die Schwelle, auf die Veranda, sie war nicht nur bereit, ihn zu töten, sondern auch, bei dem Versuch zu sterben. Doch so sehr sie sich auch beeilte, sie war nicht schnell genug, denn er ging in diesem Augenblick nicht die Verandatreppe hinab, wie sie es gehofft hatte, sondern näherte sich bereits dem Wohnmobil. Lauras Last hatte ihn nicht im geringsten behindert. Er war unmenschlich schnell.

Sie sprang von der Veranda auf den Weg, nahm dabei die Treppe mit nur einem Schritt, und dann schlugen die Gummisohlen ihrer Schuhe so laut auf die Steinplatten, daß das Geräusch sogar das Ächzen des Windes übertönte. Der Mond war verschwunden und mit ihm die Hälfte der Sterne, verdrängt von sich auftürmenden Wolkenpalisaden, doch falls der Mörder sie hören und sich umdrehen sollte, würde er sie deutlich sehen können.

Offenbar hörte er sie nicht, denn er schaute nicht zurück, und Chyna verließ den Weg und setzte ihm auf dem leiseren Gras entschlossen nach.

Zwei Türen des Wohnmobils waren geöffnet: die Beifahrertür vorn und eine weitere auf derselben Seite des Fahrzeugs, aber im hinteren Drittel. Der Mörder hatte die hintere Tür gewählt.

Mit Laura in den Armen war er gezwungen, sich zur Seite zu drehen und sie eng an sich zu drücken, während er sich in die Türöffnung zwängte und die beiden inneren Stufen hinaufstieg, doch er war genauso flink, wie er stark war. Er verschwand in dem Fahrzeug, bevor Chyna ihn erreichen konnte.

Sie überlegte, ob sie ihm folgen sollte. Aber alle Fenster des Wohnmobils waren verhangen, so daß sie nicht wußte, ob er sich nach rechts oder links gewandt hatte. Und falls er Laura sofort abgelegt hatte, nachdem er das Fahrzeug betreten hatte, wäre er jetzt besser imstande, sich gegen einen Angriff zu verteidigen. Hinter der Tür hatte er Heimvorteil, und ihr Rachedurst machte sie nicht so unbesonnen, daß sie ihm dort gegenübertreten wollte.

Neben der geöffneten Tür drückte sie den Rücken gegen die Wand des Wohnmobils und wartete auf ihn. Sobald er wieder herauskam, würde sie über ihn herfallen, noch bevor sein Fuß den Erdboden berührt hatte. Das Überraschungselement stand noch immer auf ihrer Seite, war vielleicht größer denn je – denn der Mörder stand unmittelbar vor einer sauberen Flucht und fühlte sich vielleicht so gut, daß er leichtsinnig geworden war.

Vielleicht würde er gar nicht wieder herauskommen, doch zumindest mußte er hinausgreifen, um die Tür zuzuziehen. Wenn er auf der Stufe stand und sich vorbeugte, um den Griff zu fassen, befand er sich nicht im Gleichgewicht, und sie konnte das Messer tief in ihn stoßen, bevor er zurückzucken konnte.

Im Wagen eine Bewegung. Ein Poltern.

Sie spannte die Muskeln an.

Er tauchte nicht auf.

Erneut Stille.

Aus dem Nordwesten kam plötzlich ein stechender Blutgeruch, als läge in Windrichtung ein Schlachthaus. Dann war es vorbei, und ihr wurde klar, daß sie gar kein Blut gerochen, sondern sich an den Geruch der durchnäßten Laken im Schlafzimmer der Templetons erinnert hatte.

Die Aluminiumwand des Wohnmobils fühlte sich an ihrem Rückgrat kalt an, und sie zitterte, weil es den Anschein hatte, daß ein Teil der Kälte des Mannes im Wagen zu ihr durchsickerte.

Das Warten zehrte an ihren Nerven. Wieder auflebende Furcht dämpfte ihren Zorn, verlagerte das Gleichgewicht vom Rachedurst zum Überlebenswunsch. Aber sie konnte es trotzdem noch schaffen. Sie konnte es noch schaffen. Sie bemühte sich, ihre irrwitzig heiße Wut zu bewahren.

Dann kam der Mörder aus dem Wohnmobil, doch er benutzte

nicht den Ausstieg neben ihr. Er trat aus der offenen Tür im Fahrerhaus des Wagens.

Chyna stockte der Atem in der Kehle, und im kühlen Wind des aufziehenden Sturms schmeckte sie die Bitterkeit ihres Versagens.

Er war zu weit weg. Nicht mehr abgelenkt von Lauras Gewicht auf den Armen und dem Rasseln ihrer Fesseln, würde er Chyna kommen hören. Das Überraschungsmoment konnte ihre Aussichten nicht mehr verbessern.

Er blieb neben der Beifahrertür stehen, zehn Meter von ihr entfernt, und streckte sich fast träge. Er drehte die breiten Schultern, als wolle er Müdigkeit von ihnen abschütteln, und massierte seinen Nacken.

Wenn er den Kopf nach links drehte, würde er sie sofort sehen. Wenn sie nicht völlig ruhig stehen blieb, würde er bestimmt auch ihre geringste Bewegung aus dem Augenwinkel wahrnehmen.

Der Wind wehte von ihr in seine Richtung, und sie befürchtete, daß er ihre Furcht riechen würde. Auch die flüssige Anmut, mit der er sich bewegte, ließ ihn mehr wie ein Tier als wie einen Menschen erscheinen, und sie konnte sich problemlos vorstellen, daß er mit übernatürlichen Fähigkeiten und Sinnen ausgestattet war.

Die schallgedämpfte Pistole, mit der er Paul Templeton ermordet hatte, hielt er zwar nicht in der Hand, doch sie konnte in seinem Gürtel stecken. Falls sie zu fliehen versuchte, konnte er die Waffe ziehen und sie erschießen, bevor sie weit kam.

Aber er würde sie *nicht* erschießen. So einfach würde es nicht werden. Er würde in ihr Bein schießen, sie bewegungsunfähig machen und fesseln. Sie zu Laura in das Wohnmobil stecken. Er würde später mit ihr spielen wollen.

Nachdem er sich gestreckt hatte, ging er schnellen Schrittes zum Haus. Auf den Fußweg. Auf die Veranda. Hinein.

Er schaute nicht zurück.

Chyna hatte den Atem angehalten und stieß ihn nun mit einem furchtbaren Rasseln aus. Dann atmete sie schaudernd ein.

Bevor ihr Mut noch weiter sank, eilte sie zur Fahrertür und kletterte hinter das Lenkrad. Sie hoffte, die Schlüssel in der Zündung vorzufinden; dann würde sie den Motor anlassen und mit Laura davonfahren, in Napa die Polizei aufsuchen können.

Keine Schlüssel.

Sie schaute zum Haus und fragte sich, wie lange er dort bleiben würde. Vielleicht suchte er jetzt, nachdem er mit dem Morden fertig war, nach Wertgegenständen. Oder stellte Andenken zusammen. Das konnte fünf Minuten, zehn Minuten, vielleicht sogar noch länger dauern. Zeit genug, um Laura aus dem Wohnmobil zu schaffen und irgendwo zu verstecken. Irgendwie.

Sie hatte noch immer das Messer. Und nun, da sie ohne dessen Wissen im Wagen des Mörders war, hatte sie das wertvolle Element der Überraschung zurückgewonnen.

Trotzdem raste ihr Herz, und ihr trockener Mund war von dem leicht metallischen Geschmack fieberhafter Angst erfüllt.

Sie drehte den Sitz vom Armaturenbrett fort. Nun konnte sie aus dem Führerhaus in den Wohnbereich treten, der eingebaute und mit einem Schottenkaro bezogene Bettcouchen enthielt.

Der Stahlboden war natürlich mit Teppichboden ausgelegt, doch nach Jahren langer Reisen quietschte er leise unter ihren Schritten.

Sie hatte erwartet, daß das Wohnmobil wie ein Theater in der Art des Grand-Guignol riechen würde, in dem die sadistischen Stücke ohne Stunts und Attrappen gespielt wurden, doch statt dessen hing der Duft von frisch aufgebrühtem Kaffee und Zimtgebäck in der Luft. Wie seltsam – und irgendwie zutiefst beunruhigend –, daß ein solcher Mensch überhaupt Gefallen an so unschuldigen Vergnügen fand.

»Laura«, flüsterte sie, als könne der Mörder sie auch im Haus hören. Dann dringlicher, aber trotzdem noch geflüstert: *»Laura!«*

Hinter dem Wohnbereich lag eine Kochnische und dahinter eine behagliche Eßecke mit einer mit rotem Vinyl gepolsterten Bank. Von einer Batterie gespeist, leuchtete eine Lampe über der Eckbank.

Laura war nirgendwo zu sehen.

Chyna ging schnell durch den Eßbereich und erreichte die hintere Tür auf der rechten Seite, durch die der Mörder mit dem bewußtlosen Mädchen auf den Armen den Wagen betreten hatte.

»Laura.«

Achtern von der Außentür führte ein kurzer, schmaler Gang an der Fahrerseite des Wohnmobils entlang, der von einem Sicherheitsbeleuchtungskörper mit Niederspannung erhellt wurde. Dort befand sich auch ein – nun dunkles – Dachfenster. Auf der linken Seite waren zwei geschlossene Türen, und am Ende stand eine dritte weit offen.

Die erste Tür öffnete sich in ein winziges Bad. Der Raum war ein Wunder des effektiven Designs: eine Toilette, ein Waschbecken, ein Spiegelschrank und eine Duschkabine in der Ecke.

Hinter der zweiten Tür befand sich ein Schrank. Ein paar Kleidungsstücke hingen an einer Chromstange.

Am Ende des Gangs lag ein kleines Schlafzimmer mit einer imitierten Holztäfelung und einem Schrank mit einer Falttür aus Vinyl. Das spärliche Licht aus dem Gang erhellte den Raum kaum, doch Chyna konnte gut genug sehen, um Laura zu erkennen; das Mädchen lag bäuchlings auf dem schmalen Bett, in ein Laken gehüllt; nur ihre kleinen nackten Füße und ihr blondes Haar waren zu sehen.

Eindringlich den Namen ihrer Freundin flüsternd, trat Chyna neben das Bett und sank auf die Knie.

Laura antwortete nicht. Sie war noch immer bewußtlos.

Chyna konnte das Mädchen nicht hochheben, konnte es nicht tragen, wie der Mörder es getan hatte, also mußte sie versuchen, es statt dessen zu wecken. Sie schlug eine Ecke des Lakens zurück und sah ihrer Freundin in die Augen.

Die Augen waren jetzt saphirblau, nicht mehr himmelblau, vielleicht, weil das Licht hier so schlecht war, oder vielleicht, weil der Tod sie verschleiert hatte. Ihr Mund war geöffnet, und Blut befeuchtete ihre Lippen.

Das wahnsinnige, verdammte, verhaßte Arschloch hatte sie mitgenommen, obwohl sie tot war, aus welchem Grund auch immer, vielleicht, weil er sie anfassen und ansehen und noch ein paar Tage lang zu ihr sprechen wollte, um sich an seine ruhmreiche Tat zu erinnern. Ein Andenken.

Chynas Magen verkrampfte sich schmerzhaft – nicht vor Abscheu oder Ekel, sondern durch das Gefühl der Schuld, des Scheiterns, der Vergeblichkeit und schierer, schwarzer Verzweiflung.

»Oh, Baby«, sagte sie zu dem toten Mädchen. »Oh, Baby, Schatz, es tut mir so leid, so leid.«

Nicht, daß sie mehr hätte tun können, als sie versucht hatte.

Was hätte sie tun können? Sie hätte den Mistkerl nicht mit bloßen Händen angreifen können, als sie im Korridor des ersten Stocks hinter ihm gestanden und er zu der baumelnden Spinne gesprochen hatte. Sie hätte nicht schneller in die Küche gehen, ein Messer suchen und wieder hinaufgehen können.

»Es tut mir so leid.«

Dieses wunderschöne Mädchen, diese liebe Frau, würde nun nie den Ehemann finden, von dem sie geträumt hatte, nie die Kinder haben, welche die Welt verbessert hätten, ganz einfach, weil es *ihre* Kinder gewesen wären. Dreiundzwanzig Jahre hatte sie sich darauf vorbereitet, einen Beitrag zu leisten, einen Unterschied im Leben anderer auszumachen, so voller Ideale und Hoffnung: Nun konnte sie sich der Welt nicht mehr zum Geschenk machen, und die Welt war unermeßlich ärmer.

»Ich habe dich gern, Laura. Wir alle haben dich gern.«

Alle Worte, jedes Mitgefühl, jeder Ausdruck der Trauer war schrecklich unzureichend; schlimmer als unzureichend – bedeutungslos. Laura war tot, all die Wärme und Freundlichkeit waren für ewig verloren, und selbst die im tiefsten Herzen empfundenen Worte blieben doch nur Worte.

Chynas Magen verkrampfte sich angesichts des Verlusts, zog sich fest zusammen und zerrte sie unerbittlich in ein schwarzes Loch in ihrem eigenen Körper.

Gleichzeitig spürte sie, daß in ihrer Brust ein Schluchzen anschwoll, das zu einer Explosion werden würde, wenn sie es frei herausließe. Eine einzige Träne würde eine Flutwelle auslösen. Ein leiser Schluchzer würde in unbeherrschbares Heulen übergehen.

Sie konnte sich keine Trauer leisten. Nicht, solange sie in dem Wohnmobil war. Der Mörder würde jeden Augenblick zurückkehren, und sie konnte erst um Laura trauern, wenn sie unbeschadet hier heraus und er fort war. Sie hatte keinen Grund zum Bleiben, denn Laura war unbestreitbar und endgültig tot.

In der Nähe wurde eine Tür zugeschlagen, und die dünnen Metallwände um Chyna vibrierten.

Der Mörder war zurück.

Etwas klapperte. Klapperte.

Mit dem Fleischermesser in der Hand trat Chyna schnell von Laura zurück an die Wand neben der offenen Tür. Unterdrückte

Trauer war ein hochwertiger Brennstoff für Zorn, und von einem Augenblick zum anderen brannte sie vor Wut, in dem Bedürfnis, ihn zu verletzen, mit dem Messer auf ihn loszugehen, seine Eingeweide auf dem Boden zu verteilen, ihn schreien zu hören und ihm die eigene Sterblichkeit vor Augen zu führen, so wie er sie Laura vor Augen geführt hatte.

*Er wird hier hereinkommen. Ich werde ihn erstechen. Er wird kommen, und ich werde ihn erstechen.* Es war ein Gebet, kein Plan. *Er wird kommen. Ich werde ihn erstechen. Er wird kommen. Ich werde ihn erstechen.*

Der schattenhafte Raum wurde noch dunkler. Er war an der Tür, blockierte das spärliche Licht, das vom Gang hereinfiel.

Leise zuckte das Messer in ihrer Hand wütend auf und ab wie die Nadel einer Nähmaschine, stach das Muster ihrer Furcht in die Luft.

Er stand auf der Schwelle. Direkt vor ihr. *Direkt* vor ihr. Er würde hereinkommen, um sich das hübsche blonde tote Mädchen noch einmal anzusehen, um noch einmal ihre kalte Haut zu fühlen, und Chyna würde ihn erwischen, wenn er über die Schwelle kam, ihn erstechen.

Statt dessen schloß er die Tür und ging davon.

Bestürzt lauschte sie auf seine sich entfernenden Schritte, auf das Ächzen, mit dem der teppichbedeckte Stahlboden unter seinen Stiefeln vibrierte, und sie fragte sich, was sie jetzt tun sollte.

Die Fahrertür wurde zugeschlagen. Der Motor sprang an. Die Bremsen wurden mit einem kurzen, schwachen Kreischen gelöst.

Sie waren unterwegs.

# K A P I T E L 3

Tote Mädchen liegen in der Dunkelheit genauso unruhig da wie im Licht. Als das Wohnmobil über die Schotterauffahrt fuhr, klimperten Lauras Fesseln unaufhörlich. Das Geräusch wurde nur schwach von dem Laken gedämpft, in das sie eingehüllt war.

Chyna Shepherd drückte sich im Dunkeln immer noch gegen die Kunststoffwand neben der Schlafzimmertür und hatte den Eindruck, daß Laura noch im Tod gegen die Ungerechtigkeit ihrer Ermordung ankämpfte. *Klirr-klirr.*

Gelegentlich spritzte Schotter unter den Reifen hervor und schepperte gegen das Fahrwerk. Bald würde das Wohnmobil die glatte Asphaltdecke der Landstraße erreichen.

Sollte Chyna jetzt abzuspringen versuchen, würde der Mörder auf jeden Fall hören, wie die hintere Tür gegen den Aufbau schlug, wenn der Wind sie ihr aus den Händen riß, oder sie im Seitenspiegel sehen. Inmitten dieser im Winterschlaf liegenden Rebfelder, in denen das nächste Haus von Toten bewohnt wurde, würde er bestimmt das Risiko eingehen, anzuhalten und sie zu verfolgen, und sie würde nicht weit kommen, bevor er sie zur Strecke brachte.

Es war besser, noch etwas zu warten. Ihm ein paar Kilometer auf der Landstraße zuzugestehen, vielleicht sogar, bis sie eine stärker befahrene Strecke erreichten, durch eine Stadt kamen oder zumindest etwas Verkehr aufkam. Er würde ihr nicht so bedenkenlos folgen, wenn Leute in der Nähe waren, die auf ihre Hilferufe reagierten.

Sie tastete an der Wand nach einem Lichtschalter. Die Tür war fest verschlossen, also würde kein Licht auf den Gang dringen. Sie fand den Kippschalter und betätigte ihn, aber nichts geschah. Die Glühbirne unter der Decke mußte durchgebrannt sein.

Ihr fiel ein, daß sie eine Leselampe gesehen hatte, die an die Seite des eingebauten Nachttischs geschraubt war. Als sie sich den Weg durch den kleinen Raum ertastet hatte, wurde das Wohnmobil langsamer.

Als sie den Schalter der Lampe zwischen Daumen und Zeigefinger hielt, zögerte sie. Plötzlich raste ihr Herz wieder, denn sie befürchtete, daß er anhielt, sich hinter dem Lenkrad erhob und in das kleine Schlafzimmer kam. Nun, da eine Konfrontation Laura nicht mehr retten konnte und Chynas geschmolzener Zorn zu Wut abgekühlt war, hoffte sie nur noch, ihm zu entwischen, zu entkommen und die Behörden zu informieren, damit sie ihn dingfest machten.

Das Fahrzeug hielt jedoch nicht ganz an, sondern zog eine weite Linkskurve auf die befestigte Straße und beschleunigte wieder. Die Landstraße.

Soweit Chyna sich erinnerte, war die nächste Kreuzung die Abzweigung zum State Highway 29, über den sie und Laura am vergangenen Nachmittag gefahren waren. Zwischen hier und der Kreuzung führten die weiteren Abzweigungen lediglich zu anderen Weingütern, kleinen Farmen und Häusern. Es war kaum wahrscheinlich, daß er einem dieser Häuser einen Besuch abstatten und weitere unschuldig schlafende Familien abschlachten würde. Die Nacht war kurz.

Sie schaltete die Lampe ein, und ein Kreis aus trübem Licht fiel auf das Bett.

Sie versuchte, die Leiche nicht anzusehen, obwohl die einhüllenden Laken sie fast völlig verbargen. Wenn sie jetzt zu viel an Laura dachte, würde sie in einen Sumpf schwarzer Niedergeschlagenheit gesogen werden. Wenn sie überleben wollte, durfte sie weder ihre Energie verschwenden noch ihren klaren Kopf verlieren.

Obwohl es kaum wahrscheinlich war, daß sie eine bessere Waffe als das Messer fand, hatte sie nichts zu verlieren, wenn sie nach einer suchte. Da der Mörder mit einer Pistole mit Schalldämpfer bewaffnet war, bewahrte er in dem Wohnmobil vielleicht noch weitere Waffen auf.

Der Nachttisch hatte zwei Schubladen. Die obere enthielt ein Päckchen Gazetupfer, einige grüne und gelbe Schwämme von der Größe, wie man sie zum Geschirrspülen benutzte, eine kleine Plastikflasche mit einer klaren Flüssigkeit, eine Rolle Klebeband, einen Kamm, eine Haarbürste mit Schildpattgriff, eine halbvolle Tube KY-Gel, eine volle Flasche Hautlotion mit Aloe vera, eine kleine spitze Zange mit gelben Gummigriffen und eine Schere.

Bei einigen dieser Gegenstände konnte sie sich vorstellen, wozu er sie benutzt hatte, und bei anderen wollte sie gar nicht darüber nachdenken. Einige der Frauen, die er in diesen Raum gebracht hatte, hatten zweifellos noch gelebt, als er sie auf das Bett gelegt hatte.

Sie prüfte die Schere. Aber das Fleischermesser würde wirksamer sein, wenn sie es einsetzen mußte.

In der unteren Schublade befand sich ein Behälter aus Hartplastik, der wie ein Kästchen für Angelzubehör aussah. Als sie ihn öffnete, fand sie ein komplettes Nähset mit zahlreichen Fadenspulen in allen möglichen Farben, einem Nadelkissen, einem Päckchen Nadeln, einem Einfädler, einer umfangreichen Auswahl an Knöpfen und anderem Zubehör. Nichts davon konnte ihr hilfreich sein, und sie legte alles zurück.

Als sie sich wieder von den Knien erhob, stellte sie fest, daß das Fenster über dem Bett mit einem fest an die Wand geschraubten Sperrholzbrett bedeckt war. Faltiger blauer Stoff quoll zwischen dem Sperrholz und dem Fensterrahmen hervor: der Saum eines dahinter eingeklemmten Vorhangs.

Von außen mußte es den Anschein haben, als sei das Fenster lediglich von einem Vorhang bedeckt. Und sollte jemand in diesem Raum das Glück haben, sich von seinen Fesseln befreien zu können, würde es ihm nicht gelingen, das Fenster zu öffnen und andere Autofahrer zu Hilfe zu rufen.

Da sich ansonsten kein Möbelstück in dem kleinen Schlafzimmer befand, konnte Chyna nur noch darauf hoffen, in dem Schrank eine Pistole oder etwas anderes zu finden, das sich als Waffe benutzen ließ. Sie ging um das Bett zu der Falttür aus Vinyl, die in einer Schiene unter der Decke aufgehängt war.

Als sie die Tür zur Seite schob, faltete sie sich nach links zusammen, und in dem Schrank war ein Toter.

Der Schock ließ Chyna gegen das Bett taumeln, die Matratze traf ihre Kniekehlen. Sie wäre fast auf Laura gestürzt, behielt zwar das Gleichgewicht, ließ aber das Messer fallen.

Die Rückwand des Schranks war wohl umgebaut und mit verschweißten Stahlplatten versehen worden, die durch den Rahmen des Fahrzeugs zusätzlich Stabilität erhielten. Zwei Ringbolzen waren weit voneinander entfernt und ziemlich hoch in den Stahl geschraubt. Die Handgelenke des Toten waren mit Handschellen an die Bolzen gefesselt, und er hing mit gespreizten Armen da, als wäre er gekreuzigt worden. Seine Füße lagen aufeinander, wie die Füße Christi am Kreuz – aber nicht angenagelt, sondern an einen weiteren Ringbolzen im Boden des Schranks gefesselt.

Er war jung – siebzehn, achtzehn, bestimmt noch keine zwanzig, und trug nur eine weiße Baumwollunterhose. Sein schlanker, bleicher Körper war schwer geschunden worden. Sein Kopf hing nicht auf die Brust hinab, sondern war zur Seite gelegt, und seine linke Schläfe ruhte auf dem Bizeps des gehobenen linken Arms. Er hatte dichtes, lockiges schwarzes Haar. Seine Lider waren mit grünem Faden zugenäht worden. Zwei Knöpfe über seiner Oberlippe waren mit gelbem Faden an zwei entsprechenden Knöpfen direkt unter seiner Unterlippe befestigt.

Chyna hörte, daß sie zu Gott sprach. Ein unzusammenhängendes, flehentliches Plappern. Sie biß die Zähne zusammen und schluckte die Worte herunter, obwohl es unwahrscheinlich war, daß man ihre Stimme beim Dröhnen des Motors und dem Brummen der großen Reifen im Fahrerhaus ausmachen konnte.

Sie zog die Falttür wieder zu. Obwohl sie ziemlich dünn war, ging sie so schwer wie die Tür eines Tresorraums. Als das Magnetschloß zuschnappte, klang es, als hätte sie jemandem einen Knochen gebrochen.

In keinem Lehrbuch, das sie je gelesen hatte, hatte eine Fallstudie soziopathischer Gewalt jemals eine so lebhafte Beschreibung eines Verbrechens enthalten, daß sie sich in eine Ecke zurückziehen und auf den Boden setzen und die Knie an die Brust ziehen und sie umschlingen wollte. Das war genau das, was sie jetzt tat – und sie suchte sich die Ecke aus, die vom Schrank am weitesten entfernt war.

Sie mußte sich schnell wieder zusammenreißen, angefangen bei ihrer manischen Atmung. Sie schnappte geradezu nach Luft, sog die Lungen damit voll und schien trotzdem nicht genug davon zu bekommen. Je tiefer und schneller sie einatmete, desto benommener wurde sie. Der Rand ihres Sehfeldes verdunkelte sich mehr und mehr, bis sie in einen langen, schwarzen Tunnel zu starren schien, an dessen fernem Ende die schäbige Schlafkammer des Wohnmobils lag.

Sie sagte sich, daß der junge Mann im Schrank schon tot gewesen war, als der Mörder sich mit dem Nähzeug ans Werk gemacht hatte. Und sollte er nicht tot gewesen sein, war er bestimmt zumindest bewußtlos gewesen. Dann befahl sie sich, überhaupt nicht daran zu denken, weil der Tunnel um so länger und schmaler wurde, je mehr sie daran dachte, und das Schlafzimmer weiter fortrückte und die Lichter immer schwächer wurden.

Sie legte das Gesicht in die Hände, und ihre Hände waren kalt, aber ihr Gesicht schien noch kälter zu sein. Aus irgendeinem mysteriösen Grund erschien ihr das Gesicht ihrer Mutter, so klar wie auf einem Foto. Und dann verstand sie.

Für Chynas Mutter war die Aussicht auf Gewalt romantisch, ja bezaubernd gewesen. Eine Zeitlang hatten sie in einer Kommune in Oakland gewohnt, in der jeder davon gesprochen hatte, eine bessere Welt zu schaffen, und in der sich an den meisten Abenden die Erwachsenen um den Küchentisch versammelt, Wein getrunken, Pot geraucht und diskutiert hatten, wie sie das verhaßte System am besten zum Einsturz bringen konnten. Manchmal hatten sie Pinokel oder Trivial Pursuit gespielt, während sie die Strategien besprachen, die endlich ein Utopia herbeiführen würden; manchmal waren sie von der Revolution viel zu sehr eingenommen gewesen, um sich für irgendwelche niederen Spiele zu interessieren. Da gab es Brücken und Tunnels, die man mit absurder Leichtigkeit sprengen konnte, um den Verkehr zum Erliegen zu bringen; man konnte sich Einrichtungen der Telefongesellschaften zum Ziel nehmen, um die Kommunikation ins Chaos zu stürzen; Fabriken für Fleischkonserven mußten niedergebrannt werden, um der brutalen Ausbeutung der Tiere ein Ende zu machen. Sie planten raffinierte Banküberfälle und kühne Überfälle auf Geldtransporte, um ihre Operationen zu finanzieren. Der Weg, der sie zu Frieden, Freiheit und Gerechtigkeit führen sollte, wurde stets durch Bomben freigesprengt und von unzähligen Leichen gepflastert. Nach Oakland waren Chyna und ihre Mutter ein paar Wochen lang durch die Gegend gezogen und schließlich wieder bei ihrem alten Freund Jim Woltz in Key West gelandet, dem enthusiastischen Nihilisten, der tief im Drogenhandel steckte und nebenbei illegale Waffengeschäfte machte. Unter seinem Häuschen am Ozean hatte er einen Bunker gegraben, in dem er eine persönliche Sammlung von zweihundert Feuerwaffen versteckt hielt. Chynas Mutter war eine wunderschöne Frau, selbst an schlechten Tagen, wenn Depressionen sie plagten und ein Elend, das sie nicht erklären konnte, ihre grünen Augen grau und traurig machte. Aber an jenem Küchentisch in Oakland und in jenem Bunker unter der Hütte in Key West – eigentlich immer, wenn sie mit einem Mann wie Woltz zusammen war – war ihre Porzellanhaut klarer als sonst, fast transparent; belebte Erregung ihre aparten Gesichtszüge, wurde sie auf magische Weise anmutiger, wirkte sie geschmeidiger und schlanker, lächelte sie mehr. Die Aussicht auf Gewalt, auf die Möglichkeit, irgendeinem Clyde die Bonnie zu sein, erfüllte ihr atemberaubend schönes Gesicht mit einem Licht, so prachtvoll wie ein Sonnenuntergang in Florida, und ihre smaragdgrünen Augen waren dann so hypnotisierend und geheimnisvoll wie der Golf von Mexiko, wenn er in der Dämmerung versank.

Auch wenn die Aussicht auf Gewalt romantisch sein mochte: Die Wirklichkeit bestand aus Blut, Knochen, Verwesung, Staub. Die Wirklichkeit war Laura auf dem Bett und der unbekannte junge Mann hinter der Falttür, dem man den Mund zugenäht hatte, damit er auf ewig schwieg.

Chyna saß da, und ihre kalten Hände bedeckten ihr noch kälteres Gesicht, und ihr wurde klar, daß sie niemals die seltsame Schönheit ihrer Mutter haben würde.

Schließlich bekam sie ihre Atmung wieder in den Griff.

Das Wohnmobil rollte weiter, und sie wurde an Nächte erinnert, in denen sie als Kind in Zügen, Bussen, auf Rücksitzen von Autos gedöst hatte, eingelullt von der Bewegung und dem Summen der Räder, ohne zu wissen, wohin ihre Mutter sie brachte, und davon träumte, Teil einer Familie wie im Fernsehen zu sein – mit konfusen, aber liebevollen Eltern, einem unterhaltsamen Nachbarn, der frustrierend sein mochte, aber niemals bösartig, und einem Hund, der ein paar Kunststückchen konnte. Aber gute Träume hielten nie lange an, und sie schreckte wiederholt aus Alpträumen auf, schaute durch Fenster auf unbekannte Landschaften hinaus und wünschte sich, sie könne ewig weiterfahren, ohne jemals anzuhalten. Die Straße verhieß Frieden, aber das Ziel war immer die Hölle.

In diesem Punkt unterschied sich ihre augenblickliche Fahrt nicht von all den anderen: Wo auch immer ihr Ziel lag, Chyna wollte nicht dorthin. Sie hatte vor, noch vor dem Erreichen des Ziels abzuspringen, und hoffte, den Weg zurück in das bessere Leben zu finden, das aufzubauen sie sich in den letzten zehn Jahren so abgeplagt hatte.

Sie verließ die Ecke des Schlafzimmers und hob das Messer wieder auf, das sie hatte fallen lassen, als der Anblick des Toten im Schrank sie zurückgeworfen hatte. Dann ging sie um das Bett zum Nachttisch und schaltete die Leselampe aus.

Es machte ihr keine Angst, mit Toten in der Dunkelheit zu sein. Nur die Lebenden waren eine Gefahr.

Das Wohnmobil wurde wieder langsamer und bog dann nach links ab. Chyna beugte sich gegen die Neigung des Fahrzeugs vor, um nicht das Gleichgewicht zu verlieren.

Sie mußten auf dem State Highway 29 sein. Wären sie nach rechts abgebogen, wären sie ins Napa Valley gefahren, nach Süden zur Stadt Napa. Sie wußte nicht genau, welche Gemeinden – abgesehen von St. Helena und Calistoga – im Norden lagen. Doch selbst zwischen den Städten würde es Weingüter, Farmen, Häuser und ein paar vereinzelte Betriebe geben. Wo auch immer sie das Wohnmobil verließ, es müßte möglich sein, innerhalb einer akzeptablen Entfernung Hilfe zu finden.

Sie schlich blindlings zur Tür, legte eine Hand auf den Knauf und wartete darauf, daß ihr Instinkt sie erneut führte. Ein Großteil ihres Lebens war wie ein Drahtseilakt ohne Netz und doppelten Boden gewesen, und als sie zwölf Jahre alt gewesen war, war sie in einer besonders schwierigen Nacht zu dem Schluß gekommen, daß der Instinkt in der Tat die leise Stimme Gottes war. Auf Gebete kamen tatsächlich Antworten, aber man mußte genau zuhören und an diese Antworten glauben. Mit zwölf Jahren schrieb sie in ihr Tagebuch: »Gott schreit nicht; er flüstert, und im Flüstern liegt der Weg.«

Als sie auf das Flüstern wartete, dachte sie an den geschundenen Toten im Schrank, der vor einem Tag wohl noch gelebt hatte, und an Laura, die noch warm auf dem durchhängenden Bett lag. Sarah, Paul, Lauras Bruder Jack, Jacks Frau Nina: sechs Tote in vierundzwanzig Stunden. Der Spinnenfresser war kein gewöhnlicher psychopathischer Mörder. In der Sprache der Cops und Kriminologen, die sich darauf spezialisiert hatten, solche Männer zu suchen und aufzuhalten, war er »heiß«, durchlief er eine »heiße Phase«, brannte er innerlich vor Begehren und Bedürfnissen. Aber Chyna, die ihrem Magister in Psychologie den Doktor in Kriminologie folgen lassen wollte, selbst wenn sie dazu noch mal sechs Jahre als Kellnerin arbeiten mußte, spürte, daß dieser Bursche nicht nur heiß war. Er war eine Singularität, entsprach nur zum Teil den üblichen Profilen der Psychologie anomalen Verhaltens, war so völlig fremdartig wie ein Wesen von einem anderen Stern, eine außer Kontrolle geratene Mordmaschine, gnadenlos und unaufhaltsam. Wenn sie nicht geduldig auf die Einflüsterungen ihres Instinkts wartete, hatte sie nicht die geringste Chance, ihm zu entkommen.

Sie erinnerte sich, einen großen Rückspiegel gesehen zu haben, als sie kurz hinter dem Lenkrad gesessen hatte. Das Wohnmobil hatte kein Rückfenster, also diente der Spiegel dazu, dem Fahrer einen Einblick in den Wohn- und Eßbereich hinter ihm zu verschaffen. Er konnte bis in den Gang sehen, über den man das Bad und das Schlafzimmer erreichte, und wie der Teufel es wollte, würde er kurz aufschauen, wenn Chyna die Tür öffnete und hinaustrat, und sie entdecken.

Als der Augenblick sich richtig anfühlte, öffnete Chyna die Tür.

Ein kleiner Segen, ein gutes Omen: Das Deckenlicht im Gang war ausgeschaltet.

Sie stand im Halbdunkel und zog leise die Schlafzimmertür zu.

Wie zuvor brannte die Lampe über dem Eßtisch. Vorn im Fahrzeug konnte sie das grüne Leuchten des Armaturenbretts ausmachen – und hinter der Windschutzscheibe ragten die Scheinwerferstrahlen wie silberne Schwerter in die Nacht.

Sie ging am Badezimmer vorbei, trat aus der willkommenen Finsternis und kauerte sich hinter der getäfelten Wand der Eßecke nieder. Sie spähte durch die halbmondförmige Nische zum Hinterkopf des Fahrers hinüber, der nur etwa sechs Meter von ihr entfernt war.

Er war so nah – und kam ihr zum erstenmal verletzbar vor.

Dennoch war Chyna nicht so töricht, nach vorn zu schleichen und ihn anzugreifen, während er fuhr. Wenn er sie hörte oder im Rückspiegel erblickte, konnte er das Lenkrad herumreißen oder auf die Bremse treten, und sie würde durch den Wagen geschleudert werden. Dann konnte er das Fahrzeug anhalten und zu ihr kommen, bevor sie die hintere Tür erreichte – oder sich in seinem Sitz umdrehen und sie niederschießen.

Der Eingang, durch den er Laura hereingetragen hatte, lag unmittelbar links von Chyna. Durch die Eßecke vor den Blicken des Fahrers geschützt, hockte sie sich mit dem Gesicht zur Tür auf den Boden und setzte die Füße auf die unterste Stufe.

Sie legte das Fleischermesser auf den Boden. Wenn sie hinaussprang, würde sie wahrscheinlich stürzen und sich abrollen müssen – und wenn sie das Messer mitnahm, konnte sie sich damit leicht selbst verletzen.

Sie wollte erst springen, sobald der Fahrer entweder an einer Kreuzung anhielt oder in eine so scharfe Kurve fuhr, daß er die Geschwindigkeit drastisch verringern mußte. Sie konnte es nicht riskieren, sich ein Bein zu brechen oder bei dem Sturz bewußtlos zu werden, denn dann würde sie nicht von der Straße fliehen und sich verstecken können.

Sie ging davon aus, daß er ihre Flucht augenblicklich bemerken würde. Er würde hören, daß die Tür geöffnet wurde oder der Wind hereinpfiff, und entweder im Rück- oder im Seitenspiegel sehen, wie sie um ihr Leben lief. Selbst im unwahrscheinlichen Fall, daß er sie nicht sah, würde der Wind in dem Augenblick, da sie hinaussprang, die Tür heftig hinter ihr zuschlagen. Der Mörder würde vermuten, daß er mit seiner Leichensammlung nicht allein gewesen war, und panisch den Highway verlassen und am Straßenrand zurückrollen, um nachzusehen, was geschehen war.

Vielleicht auch nicht panisch. Nein, ganz bestimmt nicht. Er würde wahrscheinlich mit grimmiger, methodischer, maschinenhafter Entschlossenheit nach ihr suchen. Dieser Typ bestand nur aus Kontrolle und Macht, und Chyna konnte sich nur schwer vorstellen, daß er jemals in Panik geriet.

Das Wohnmobil wurde langsamer, und Chynas Herzschlag beschleunigte sich. Als der Fahrer die Geschwindigkeit weiter reduzierte, erhob Chyna sich auf den Stufen in die Hocke und legte eine Hand auf die Türklinke.

Sie hielten vollends an, und Chyna drückte den Griff hinab, doch die Tür war abgeschlossen. Leise, aber beharrlich, drückte sie den Hebel hinauf, hinab, wieder hinauf – doch es war sinnlos.

Sie konnte keine Verriegelung finden. Nur ein Schlüsselloch.

Sie erinnerte sich an das Rasseln, das sie gehört hatte, als sie im Schlafzimmer gewesen war und der Spinnenfresser wieder hereingekommen und diese Tür geschlossen hatte. *Klapper, klapper.* Vielleicht das Rasseln eines Schlüsselbunds.

Vielleicht war das eine Sicherheitsvorkehrung, mit der verhindert werden sollte, daß Kinder die Tür öffneten und aus dem Wohnmobil fielen. Oder der verrückte Mistkerl hatte das Türschloß umgebaut, um seine eigene Sicherheit zu erhöhen, um zu verhindern, daß ein Einbrecher oder ein neugieriger Mensch über ein paar gefesselte Leichen mit vernähten Lippen stolperte, die zufällig gerade an Bord waren. Man konnte nicht vorsichtig genug sein, wenn man Leichen im Schlafzimmer verstaute. Besonnenheit verlangt gewisse Sicherheitsvorkehrungen.

Das Wohnmobil überquerte eine Kreuzung und wurde wieder schneller.

Sie hätte wissen müssen, daß die Flucht nicht einfach werden würde. Nichts war einfach. Niemals.

Sie setzte sich, das Gesicht noch immer zur Tür gewandt, lehnte sich gegen die Vertäfelung der Eßecke und dachte wütend nach.

Auf dem Weg vom Fahrerhaus zum hinteren Teil des Wohnmobils hatte sie eine Tür auf der anderen Seite gesehen, ziemlich weit vorn, hinter dem Beifahrersitz. Die meisten Wohnmobile hatten zwei Türen, aber das hier war ein seltenes älteres Modell mit insgesamt drei. Sie zögerte jedoch, sich nach vorn zu begeben, und zwar aus demselben Grund, aus dem sie ihn nicht angreifen wollte: Wenn er sie kommen sah, würde er sie von den Füßen reißen und erschießen, bevor sie sich wieder erheben konnte.

Na schön, sie hatte einen Vorteil. Er wußte nicht, daß sie an Bord war.

Wenn sie nicht einfach eine Tür öffnen und hinausspringen konnte, wenn sie ihn töten mußte, konnte sie hier hinter der Eßecke hocken bleiben und warten, den Mistkerl überraschen, ihn niederstechen, über ihn hinwegspringen und vorn aussteigen. Noch vor ein paar Minuten war sie bereit gewesen, ihn zu töten, und sie konnte sich erneut dazu bringen.

Die Vibrationen des Motors drangen durch den Boden und betäubten halbwegs ihren Hintern. Sie hätte eine völlige Taubheit willkommen geheißen; der Teppichboden erwies sich recht schnell als unzureichendes Polster, und ihr Steißbein begann zu schmerzen. Sie verlagerte ihr Gewicht von einer Pobacke auf die andere, beugte sich vor und lehnte sich wieder zurück, doch nichts verschaffte ihr mehr als ein paar Sekunden Erleichterung. Der Schmerz breitete sich in ihr Kreuz aus, und leichtes Unbehagen steigerte sich zu ernsthaften Beschwerden.

Zwanzig Minuten, eine halbe Stunde, vierzig Minuten, eine Stunde, noch länger – sie ertrug die Qualen, indem sie sich alle Möglichkeiten vorzustellen versuchte, wie ihre Flucht ablaufen könnte, wenn das Wohnmobil angehalten und der Fahrer seinen Platz hinter dem Lenkrad verlassen hatte. Sie konzentrierte sich. Durchdachte alles. Plante eine Unzahl von Eventualitäten mit ein. Doch schließlich konnte sie an nichts anderes mehr denken als an den Schmerz.

Es war kühl im Wohnmobil, und unten auf den Treppenstufen gab es nicht die geringste Wärme. Die Schwingungen des Motors und der Straße durchdrangen ihre Schuhe und hämmerten unentwegt auf ihre Hacken und Fußsohlen ein. Sie bog die Zehen, befürchtete, daß in ihren kalten, schmerzenden Füßen und immer steifer werdenden Wadenmuskeln Krämpfe entstanden, die sie behinderten, sobald die Zeit zum Handeln gekommen war.

*Vergiß die Trauer,* dachte sie mit einer seltsamen Ausgelassenheit, die der Verzweiflung beunruhigend nahe kam. *Vergiß die Gerechtigkeit. Gib mir einfach einen bequemen Stuhl, auf dem ich meinen Arsch verwöhnen kann, laß mich einfach eine Weile sitzen, bis meine Füße wieder warm sind, und später kannst du mein Leben haben, wenn du es unbedingt willst.*

Die sich dahinziehende Untätigkeit forderte nicht nur körperlichen Tribut, sondern begann sie schon bald zu deprimieren. Als sie den Eindringling im Haus erstmals gehört hatte, noch bevor er das Gästezimmer betrat, hatte sie gewußt, daß Sicherheit in der Bewegung lag. Nun verlangte ihre *Seele* nach Bewegung, nach Ablenkung. Doch die Umstände verlangten, daß sie still dasaß und wartete. Sie hatte zu viel Zeit zum Nachdenken – und zu viele unangenehme Gedanken, denen sie nachhängen konnte.

Sie verfiel in einen solch tiefen Kummer, daß ihr die Tränen kamen – und da wurde ihr klar, daß sie nicht ungebührlich unter Schmerzen im Hintern oder Rücken oder unter dem kalten Pochen in ihren Füßen litt. Der echte Schmerz war in ihrem Herzen, der Schmerz, den zu unterdrücken sie gezwungen war, seit sie Paul und Sarah gefunden hatte, seit sie den leichten Salmiakgeruch von Sperma in Lauras Schlafzimmer wahrgenommen und die matt glänzenden Glieder der Kette gesehen hatte. Der körperliche Schmerz war nur eine lahme Entschuldigung für ihre Tränen.

Doch wenn sie jetzt dem Impuls nachgab, vor Selbstmitleid zu weinen, dann würde eine wahre Flut der Trauer um Paul, Sarah und Laura aus ihr herausbrechen, um die ganze verdammte beschissene Menschheit, und sinnloser Groll über die Tatsache, daß schwer erarbeitete Hoffnung sich allzu oft in einen Alptraum verwandelte. Sie würde das Gesicht in den Händen vergraben und sinnlos jammernd die Frage stellen, die man Gott öfter als jede andere gestellt hatte: *Warum, warum, warum, warum, warum?*

Es war so leicht, so befriedigend, sich den Tränen hinzugeben. Es wären selbstsüchtige Tränen der Resignation; sie würde nicht nur ihr Herz von Trauer reinigen, sondern zugleich jedes Bedürfnis hinausspülen, sich um irgend jemanden oder irgend etwas zu kümmern. Sie konnte gesegnete Erlösung erfahren, wenn sie sich einfach eingestand, daß der lange Kampf um das Verstehen den Schmerz der Erfahrung nicht wert war. Ihr Schluchzen würde das Wohnmobil abrupt zum Stillstand bringen, und der Fahrer würde nach hinten kommen und eine Frau finden, die auf den Stufen kauerte. Er würde sie niederschlagen, sie ins Schlafzimmer zerren und neben der Leiche ihrer Freundin vergewaltigen; das Grauen wäre mächtiger als alles, was sie je erlebt hatte, aber auch kurz. Und danach wäre es endgültig vorbei. Er würde sie für immer von dem Bedürfnis befreien, die Frage *Warum?* zu stellen, von der Qual, immer wieder durch den zerbrechlichen

Boden der Hoffnung in diese nur allzu bekannte Verzweiflung zu stürzen.

Seit langer Zeit, vielleicht schon seit dem stürmischen Abend an ihrem achten Geburtstag und dem rasenden Palmetto-Kakerlak, wußte sie, daß man auch die Entscheidung treffen konnte, ein Opfer zu sein. Als Kind war sie nicht imstande gewesen, diese Einsicht in Worte zu kleiden, und hatte nicht gewußt, warum so viele Leute das Leiden wählten; als sie älter wurde, hatte sie ihren Haß auf sich selbst erkannt, ihren Masochismus, ihre Schwäche.

Leid wird nicht gänzlich oder auch nur mehrheitlich durch das Schicksal erzeugt; es kommt über uns, weil wir es eingeladen haben.

Sie hatte sich stets dafür entschieden, sich nicht zum Opfer machen zu lassen, Widerstand zu leisten und den Kampf aufzunehmen, an der Hoffnung und Würde und dem Vertrauen in die Zukunft festzuhalten. Doch es war verführerisch, ein Opfer zu sein und sich von jeder Verantwortung und Fürsorge für andere loszusprechen: Die Furcht würde sich in müde Resignation verwandeln, Versagen würde nicht mehr Schuldgefühle, sondern statt dessen ein behagliches Selbstmitleid hervorrufen.

Nun zitterte sie auf dem Hochseil der Gefühle, war sich nicht mehr sicher, ob sie das Gleichgewicht halten oder straucheln und abstürzen würde.

Das Wohnmobil wurde wieder langsamer. Sie bogen nach rechts ab. Wurden noch langsamer. Vielleicht verließ er den Highway und hielt an.

Sie versuchte, die Tür zu öffnen. Sie wußte, daß sie verschlossen war, aber sie zog trotzdem leise an dem Hebel, weil sie doch nicht imstande war, einfach aufzugeben.

Während sie eine leichte Steigung hinauffuhren, verringerte sich ihre Geschwindigkeit weiter.

Als sie sich bewegte, ließ der Schmerz in den Schenkeln und Waden sie zusammenzucken, trotzdem war es eine Wohltat, nicht mehr auf dem Hintern zu hocken. Sie erhob sich gerade so weit, daß sie über die Oberkante der Vertäfelung schauen konnte.

Der Hinterkopf des Mörders war ihr verhaßter als alles, was Chyna je gesehen hatte, und weckte neuen Zorn in ihr. Das Gehirn unter diesem Schädel brütete sicher schon wieder bösartige Phantasien aus. Es machte sie wütend, daß er lebte und Laura tot war. Daß er hier so selbstgefällig saß, so zufrieden seinen Erinnerungen an all das Blut nachhing, an das Gnadengewimmer seiner Opfer, das Musik in seinen Ohren war. Daß er noch einen Sonnenaufgang sehen und sich daran erfreuen, oder einen Pfirsich schmecken oder eine Blume riechen würde. Der Hinterkopf dieses Mannes erschien Chyna wie der glatte Chitinpanzer eines Insekts, und sollte sie ihn je berühren, dann wäre er unter ihrer Hand sicher kalt wie ein sich windender Käfer.

Hinter dem Fahrer, hinter der Windschutzscheibe, am oberen Ende der flachen Steigung, die der Wagen gerade bewältigte, tauchte ein Gebilde auf, verschwommen und nicht identifizierbar. Einige große Natriumdampf-Bogenlampen spendeten ein saures, schwefliges Licht.

Sie kauerte sich wieder hinter der Eckbank der Eßecke zusammen.

Sie ergriff das Messer.

Das Wohnmobil hatte die höchste Stelle der Steigung erreicht. Sie befanden sich wieder auf ebener Erde. Wurden gleichmäßig langsamer.

Chyna drehte sich um, wandte sich von dem Ausgang ab. Der linke Fuß stand auf der tieferen Stufe, der rechte auf der höheren. Den Rücken gegen die abgeschlossene Tür gedrückt, kauerte sie im Schatten jenseits des Lichtkegels der Eßtischlampe. Sie war bereit, aufzuspringen und sich auf ihn zu stürzen, falls er durch das Wohnmobil gehen, in ihre Nähe kommen und ihr die Gelegenheit dazu bieten sollte.

Mit einem letzten Seufzen der Luftdruckbremsen hielt das Fahrzeug an.

Wo auch immer sie waren, in der Nähe hielten sich vielleicht Menschen auf. Menschen, die ihr helfen konnten.

Doch befanden diese Menschen sich nah genug, um sie draußen zu hören, falls sie schrie?

Selbst wenn sie sie hörten, würden sie nicht rechtzeitig bei ihm sein. Der Mörder würde sie zuerst erreichen, mit der Pistole in der Hand.

Vielleicht war das auch nur ein abgelegener Parkplatz: ein paar Picknicktische, ein Plakat, das vor den Gefahren eines Waldbrands warnte, und Waschräume. Vielleicht hatte er eine Pause eingelegt, um die öffentlichen Einrichtungen oder die Toilette des Wohnmobils zu benutzen. Zu dieser Nachtstunde, nach drei Uhr morgens, war wahrscheinlich kein anderes Fahrzeug auf dem Parkplatz. In diesem Fall konnte sie schreien, bis sie heiser war, und niemand würde ihr zu Hilfe kommen.

Der Motor wurde ausgeschaltet.

Stille. Keine Vibrationen im Boden.

Nun, da das Motorgeräusch verstummt war, zitterte Chyna. Sie war nicht mehr deprimiert. Ihre Bauchmuskulatur flatterte. Sie hatte wieder Angst. Sie wollte leben.

Sie hätte es vorgezogen, wenn er ausstiege und ihr Gelegenheit zur Flucht böte, rechnete jedoch damit, daß er nicht die öffentlichen Einrichtungen, sondern die Toilette des Wohnmobils benutzte. Dann käme er genau an ihr vorbei. Wenn sie schon nicht fliehen konnte, wollte sie die Sache unbedingt hinter sich bringen.

In einem Anflug von Irrsinn fragte sie sich, was aus ihm herauskommen würde, wenn sie auf ihn einstach – Blut oder das Zeug, das aus fetten Käfern quoll, wenn man sie zertrat.

Sie erwartete, die Bewegungen des Schweins zu hören, schwere Schritte und das hohle *Plong*, wenn er auf eine schwache Schweißnaht im Boden trat, aber die Stille hielt an. Vielleicht nahm er sich einen Augenblick Zeit, die Arme auszustrecken, die schmerzenden Schultern zu bewegen, seinen Stiernacken zu massieren und die Müdigkeit der Fahrt abzuschütteln.

Oder vielleicht hatte er sie im Rückspiegel gesehen, ihr mondhelles Gesicht im Licht der Eßtischlampe. Er konnte sich vom Fahrersitz erheben und zu ihr schleichen, alle quietschenden Stellen im Boden vermeiden, weil er wußte, wo sie waren. Zur Eßecke gleiten. Sich über den Rand der Eckbank beugen. Sie aus nächster Nähe erschießen, während sie auf den Stufen kauerte. Ihr ins Gesicht schießen.

Chyna schaute auf und nach links, über den Rand der Eckbank. Sie war zu niedrig, um die Lampe zu sehen, die über der Mitte des Tisches hing, konnte nur deren Schein ausmachen. Sie fragte sich, ob sie seine Annäherung bemerken würde. Vielleicht sähe sie einfach nur eine Silhouette, die sich plötzlich hinter der Eckbank aufbaute, während er schon das Feuer auf sie eröffnete.

# KAPITEL 4

Intensität.

Er glaubt an ein Leben voller Intensität.

Er sitzt hinter dem Lenkrad, schließt die Augen und massiert seinen Nacken.

Er versucht nicht, den Schmerz loszuwerden, der von allein kam und zu gegebener Zeit auf natürliche Weise wieder gehen wird. Er nimmt niemals Tylenol oder so einen Scheiß.

Er versucht vielmehr, den Schmerz so vollständig wie möglich zu *genießen*. Mit den Fingerspitzen findet er eine besonders heikle Stelle direkt links vom dritten Halswirbel, und er drückt darauf, bis der Schmerz einen Sprühnebel schwach funkelnder weißer und grauer Lichter in der Dunkelheit hinter seinen Lidern erzeugt, wie ein fernes Feuerwerk in einer Welt ohne Farben.

Sehr schön.

Schmerz ist einfach ein Teil des Lebens. Indem man ihn akzeptiert, kann man im Leiden eine überraschende Befriedigung finden. Noch wichtiger ist jedoch: Je besser er seinen eigenen Schmerz kennt, desto leichter fällt es ihm, Vergnügen am Schmerz anderer zu finden.

Zwei Wirbel tiefer findet er eine noch empfindlichere Stelle. Dort hat sich eine Sehne oder ein Muskel entzündet, ein wunderbarer kleiner Knopf, der, wenn man ihn drückt, Schmerz durch seine gesamte Schulter und bis in seinen Trapezmuskel schießen läßt. Zuerst berührt er die Stelle zärtlich wie ein Liebender und stöhnt leise, dann attackiert er sie heftig, bis die süße Qual ihn zwingt, zwischen den zusammengebissenen Zähnen Luft einzusaugen.

Intensität.

Er weiß, daß er nicht ewig lebt. Seine Zeit in diesem Körper ist begrenzt und kostbar – und darf daher nicht verschwendet werden.

Er glaubt nicht an Reinkarnation oder die üblichen Versprechen auf ein Leben nach dem Tode, welche die großen Religionen der Welt verkaufen – obwohl er manchmal spürt, daß er dicht vor einer Offenbarung von gewaltiger Bedeutung steht. Er ist bereit, die Möglichkeit in Betracht zu ziehen, daß es eine unsterbliche Seele gibt und sein eigener Geist eines Tages erhöht werden wird. Doch wenn er sich einer Apotheose unterziehen wird, dann durch seine eigenen kühnen Taten und nicht durch göttliche Gnade. Falls er tatsächlich zu einem Gott werden sollte, wird er sich verwandeln, weil er sich bereits entschieden hat, wie ein Gott zu *leben* – ohne Furcht, ohne Bedauern, ohne Grenzen, aber mit äußerst geschärften Sinnen.

Jeder kann eine Rose riechen und ihren Duft genießen. Doch er hat längst gelernt, die Zerstörung der Schönheit zu *fühlen*, wenn er eine Blume in der Hand zerquetscht. Hätte er jetzt eine Rose zur Hand, der er die Blütenblätter ausreißen könnte, so würde er nicht nur die Rose selbst *schmecken* können, sondern auch ihre Röte; genauso könnte er die gelbe Farbe einer Butterblume schmecken, das Blau einer Hyazinthe. Er könnte die Biene schmecken, die in Erfüllung ihrer ewigen Aufgabe, der Befruchtung, summend über die Blüte gekrochen war, den Boden, aus dem die Blume gewachsen war, und den Wind, der sie im Sommer ihres Wachstums liebkost hatte.

Er ist nie einem Menschen begegnet, der die Intensität nachvollziehen konnte, mit der er die Welt erfährt, oder die noch größere Intensität, nach der er strebt. Mit seiner Hilfe wird Ariel es vielleicht eines Tages verstehen. Jetzt ist sie natürlich noch zu unreif, um dieses Verständnis aufzubringen.

Ein letzter Druck auf seinen Hals. Der Schmerz. Er seufzt.

Vom Beifahrersitz nimmt er einen zusammengefalteten Regenmantel. Es regnet zwar noch nicht, aber er muß seine blutbespritzte Kleidung bedecken, bevor er hineingeht.

Er hätte saubere Sachen anziehen können, bevor er das Haus der Templetons verließ, aber er genießt es, diese zu tragen. Die Patina erregt ihn.

Er steigt auf der Fahrerseite aus und zieht den Mantel über.

Er hat sich die Hände in der Küche des Hauses der Templetons gewaschen, obwohl er es vorgezogen hätte, sie ebenfalls befleckt zu lassen. Kleidung kann man unter einem Regenmantel verbergen, aber es ist nicht so einfach, seine Hände zu verbergen.

Er trägt niemals Handschuhe. Damit würde er eingestehen, daß er eine Festnahme befürchtet, was nicht der Fall ist.

Obwohl seine Fingerabdrücke bei Staats- und Bundesbehörden gespeichert sind, passen die Abdrücke, die er am Tatort zurückläßt, nie zu jenen, die in den Dateien seinen Namen tragen. Wie der Rest der Welt sind auch Polizeiorganisationen völlig von der Computerisierung abhängig; mittlerweile liegen die meisten Sammlungen von Fingerabdrücken in Form digitalisierter Daten vor, damit man sie möglichst schnell durchsuchen und verarbeiten kann. Da man aus großer Entfernung operieren kann, sind elektronische Daten noch leichter zu manipulieren als solche, die schwarz auf weiß vorliegen. Es ist nicht nötig, in stark gesicherte Einrichtungen einzubrechen, wenn man sich statt dessen in einen Geist verwandeln kann, der die Rechner vom anderen Ende des Kontinents aus heimsucht. Dank seiner Intelligenz, Begabung und Verbindungen hat er diese Daten manipulieren können.

Das Tragen von Handschuhen, selbst dünnen medizinischen Latexhandschuhen, würde seine Wahrnehmung unerträglich behindern. Er liebt es, die Hand leicht über die blonden Härchen auf einem Frauenschenkel gleiten zu lassen, er nimmt sich gern die Zeit, die Struktur einer körnigen Gänsehaut unter seiner Handfläche zu genießen, die fiebrige Wärme der Haut auszukosten und dann, danach, zu prüfen, wie diese Wärme schwindet. Wenn er tötet, ist es für ihn absolut unabdingbar, die Nässe zu fühlen.

Die Fingerabdrücke, die in den verschiedenen Dateien unter seinem Namen abgelegt sind, gehören in Wirklichkeit zu einem jungen Marineinfanteristen namens Bernard Petain, der vor vielen Jahren während einer Übung im Camp Pendleton auf tragische Weise ums Leben gekommen ist. Und die Abdrücke, die er, oft in Blut eingeprägt, am Tatort zurückläßt, können in Datenbanken des Militärs, des FBI, des Straßenverkehrsamts oder irgendeiner anderen Behörde keiner Person zugeordnet werden.

Er hat den Regenmantel zugeknöpft, schlägt jetzt den Kragen

hoch und betrachtet seine Hände. Dunkle Flecke unter drei Fingernägeln. Es könnte Schmierfett oder Erde sein. Niemand wird deshalb Verdacht schöpfen.

Er selbst kann trotz des schwarzen, gefütterten Nylonregenmantels das Blut auf seiner Kleidung riechen, doch andere sind nicht empfindlich genug, um es wahrzunehmen.

Er in seiner Empfindsamkeit hingegen braucht nur die Rückstände unter seinen Nägeln zu betrachten, dann hört er wieder die Schreie, diese wunderschöne Musik der Nacht, die im Haus widerhallt wie in einem Konzertsaal, exklusiv für ihn und die stummen Weinberge.

Sollte er jemals auf frischer Tat ertappt werden, werden die Behörden ihm erneut die Fingerabdrücke abnehmen, herausfinden, daß er die Computer manipuliert hat, und ihn schließlich mit einer langen Liste ungelöster Mordfälle in Verbindung bringen. Doch darüber macht er sich keine Sorgen. Er wird niemals lebend festgenommen, niemals vor Gericht gestellt werden. Was auch immer sie nach seinem Tod über seine Aktivitäten in Erfahrung bringen, es wird nur zum Ruhm seines Namens beitragen.

Er heißt Edgler Foreman Vess. Aus den Buchstaben seines Namens kann man eine ganze Reihe von Machtwörtern zusammenstellen: GOD, FEAR, DEMON, SAVE, RAGE, ANGER, DRAGON, FORGE, SEED, SEMEN, FREE und so weiter. Und auch Wörter mit einem mystischen Klang: DREAM, VESSEL, LORE, MARVEL, FOREVER. Manchmal sind die letzten Laute, die er seinem Opfer zuflüstert, ein Satz aus diesen Wörtern. Einen mag er besonders und spricht ihn dementsprechend oft: GOD FEARS ME – *Gott fürchtet mich.*

Auf jeden Fall sind alle Sorgen um Fingerabdrücke und sonstige Beweise überflüssig, denn man wird ihn nie fassen. Er ist dreiunddreißig Jahre alt. Er vergnügt sich schon seit geraumer Zeit auf diese Weise, und es war niemals knapp.

Nun nimmt er die Pistole aus der offenen Konsole zwischen dem Fahrer- und dem Beifahrersitz. Eine Heckler & Koch P7.

Zuvor hatte er das Magazin mit dreizehn Schuß nachgeladen. Jetzt schraubt er den Schalldämpfer ab, denn er beabsichtigt nicht, in dieser Nacht weitere Häuser aufzusuchen. Außerdem wurden die Schallwände wahrscheinlich von den Schüssen beschädigt, die er abgefeuert hat, worunter sowohl die Wirksamkeit des Schalldämpfers als auch die Zielgenauigkeit der Waffe leidet.

Gelegentlich stellt er sich vor, wie es wäre, wenn das Unmögliche geschähe: wenn er bei seinem Spiel unterbrochen und von einem Sondereinsatzkommando umzingelt würde. Bei seiner Erfahrung und seinen Kenntnissen wäre der nachfolgende Showdown hinreißend *intensiv*.

Wenn es ein Geheimnis hinter Edgler Vess' Erfolg gibt, dann seine Auffassung, daß es keine guten oder schlechten Launen des Schicksals gibt, daß keine Erfahrung qualitativ besser als eine andere ist. Zwanzig Millionen Dollar in der Lotterie zu gewinnen ist genauso wenig wünschenswert, wie von einem Sondereinsatzkommando umstellt zu werden, und eine Schießerei mit den Behörden ist genauso wenig zu fürchten wie der Gewinn von so viel Geld. Der Wert einer jeden Erfahrung liegt nicht in ihrer positiven oder negativen Wirkung auf das Leben, sondern in ihrer schieren Leuchtkraft, der Lebhaftigkeit, der Wildheit, dem Ausmaß und Grad des reinen Gefühls, das sie verschafft. Intensität.

Vess legt den Schalldämpfer in die Konsole zwischen den Sitzen.

Er steckt die Pistole in die rechte Tasche seines Regenmantels.

Er erwartet keine Probleme. Dennoch geht er nirgendwo unbewaffnet hin. Man kann nicht vorsichtig genug sein. Außerdem bieten sich oft unerwartete Gelegenheiten.

Er nimmt wieder auf dem Fahrersitz Platz, zieht die Schlüssel aus der Zündung und überzeugt sich, daß er die Handbremse angezogen hat. Er öffnet die Tür und verläßt das Wohnmobil.

An allen acht Benzinpumpen wird Selbstbedienung verlangt. Er hat den Wagen an der äußeren der beiden Säulenreihen abgestellt. Er muß zu dem Kassierer in dem angeschlossenen kleinen Laden gehen, um im voraus zu bezahlen und die Nummer der Zapfsäule zu nennen, die er benutzt, damit sie freigegeben wird.

Die Nacht atmet. Hoch über ihm treiben starke Böen Wolkenmassen aus dem Nordwesten nach Südost. Hier auf Bodenhöhe schnauft der kalte Wind schwächer zwischen den Zapfsäulen, pfeift am Wohnmobil entlang und drückt den Regenmantel gegen Vess' Beine. Der Minimarkt – unten braune Ziegel, oben weiße

Aluminiumverkleidung, große Schaufenster voller Waren – steht vor einigen Hügeln, auf denen große Nadelbäume wachsen; der Wind rauscht mit einer uralten, einsamen Fistelstimme durch ihr Geäst.

Auf dem Highway 101 herrscht zu dieser Stunde nur wenig Verkehr. Wenn ein Lastwagen vorbeifährt, durchpflügt er den Wind mit einem Schrei, der irgendwie nach Dinosauriern klingt.

Ein Pontiac mit einem Washingtoner Nummernschild steht an der inneren Zapfsäulenreihe, direkt unter den gelben Natriumdampflampen. Ein Aufkleber im Heckfenster erklärt: ELECTRICIANS KNOW HOW TO PLUG IT IN.

Auf dem Dach des Gebäudes ist ein rotes Neonschild so angebracht, daß man es auf der 101 deutlich sehen kann: OPEN 24 HOURS. Rot klingt auch jeder Lastwagen, der auf dem Highway vorbeifährt. In diesem Licht sehen seine Hände aus, als hätte er sie nie gewaschen.

Als Vess sich dem Eingang nähert, schwingt die Glastür auf, und ein Mann kommt heraus. Er trägt eine große Tüte Kartoffelchips und einen Sechserpack Coladosen. Ein pummeliger Typ mit langen Koteletten und einem Walroßschnurrbart.

Als er an Vess vorbeiläuft, deutet er zum Himmel und sagt: »Ein Sturm zieht auf!«

»Gut«, meint Vess. Er mag Stürme. Er fährt gern während eines Sturms. Je sintflutartiger der Regen, desto besser. Mit zuckenden Blitzen und Bäumen, die im Wind ächzen, und einer spiegelglatten Fahrbahn.

Der Mann mit dem Walroßschnurrbart geht zu dem Pontiac.

Vess betritt den Minimarkt und fragt sich, was ein Elektriker aus dem Staat Washington zu dieser nachtschlafenden Stunde auf einer Straße in Nordkalifornien zu suchen hat.

Ihn fasziniert die Art und Weise, wie Menschenleben kurz miteinander in Verbindung treten und sich dabei ein Potential für ein Drama auftut, das manchmal eintritt und manchmal nicht. Jemand hält an, um zu tanken, verweilt, um Kartoffelchips und Coke zu kaufen, gibt einem Fremden gegenüber eine Erklärung über das Wetter ab – und setzt seine Reise fort. Der Fremde hätte dem Mann genauso gut zu seinem Wagen folgen und ihm das Gehirn aus dem Kopf pusten können. Das wäre für den Schützen nicht mit übermäßigen Risiken verbunden; man könnte es mit überraschender Diskretion zustande bringen. Das Überleben des Mannes hat entweder eine geheimnisvolle Bedeutung, oder es ist völlig bedeutungslos; Vess kann sich einfach nicht entscheiden, was nun zutrifft.

Falls es tatsächlich kein Schicksal gibt, sollte man es erfinden.

Der kleine Laden ist warm, sauber und hell erleuchtet. Drei schmale Gänge erstrecken sich links von der Tür und bieten die üblichen Waren für unterwegs an: alle nur denkbaren Snacks, die gängigen rezeptfreien Medikamente, Zeitschriften, Taschenbücher, Postkarten, Souvenirs, die man an den Rückspiegel hängen kann, und eine Auswahl an Konserven, die hauptsächlich an Camper oder Leute verkauft werden, die – wie Vess – in Häusern auf Rädern reisen. An der hinteren Wand stehen große Kühlschränke mit Bier und Limonaden und einige Gefriertruhen mit verschiedenen Eiscremesorten. Rechts von der Tür befindet sich eine Theke mit zwei Registrierkassen, die den öffentlichen Teil des Ladens von den Büroräumen trennt.

Zwei Angestellte haben Dienst, beides Männer. Heutzutage arbeitet des Nachts niemand mehr allein in solchen Läden – und zwar aus gutem Grund.

Der Bursche an der Registrierkasse ist rothaarig, Mitte Dreißig, mit Sommersprossen und einem fünf Zentimeter durchmessenden Muttermal auf der Stirn, rosa wie ungekochter Lachs. Das Mal erinnert unangenehm an einen Fötus, der sich im Mutterleib zusammenrollt, als sei ein im Entstehen begriffener Zwilling ganz früh während der Schwangerschaft der Mutter gestorben und habe ein fossiles Abbild auf der Stirn des überlebenden Bruders zurückgelassen.

Der rothaarige Kassierer liest ein Taschenbuch. Er schaut zu Vess auf, und seine Augen sind grau wie Asche, aber klar, und haben einen durchdringenden Blick. »Was kann ich für Sie tun, Sir?«

»Ich stehe an Zapfsäule sieben«, sagt Vess.

Das Radio ist auf einen Countrysender eingestellt. Alan Jackson singt von der Mitternacht in Montgomery, dem Wind, einem Ziegenmelker, einem einsamen Frösteln und dem Geist von Hank Williams.

»Wie wollen Sie bezahlen?« fragt der Kassierer.

»Wenn ich noch mehr auf Kreditkarten kaufe, wird die Bank of America jemanden losschicken, der mir die Beine brechen soll«, sagt Vess und legt einen Hundertdollarschein auf die Theke. »Ich nehme Benzin für sechzig Mäuse.«

Das Zusammenspiel von dem Lied, dem Muttermal und den beunruhigend grauen Augen des Kassierers erzeugt in Vess eine unheimliche Erwartungshaltung. Irgend etwas Außergewöhnliches wird geschehen.

»Sie haben noch an Weihnachten zu knapsen, wie wir alle, was?« sagt der Kassierer und verbucht den Betrag.

»Ich werd' noch *nächstes* Jahr Weihnachten an Weihnachten zu knapsen haben.«

Der zweite Angestellte sitzt auf einem Stuhl, ein Stück die Theke entlang. Er kassiert nicht, sondern arbeitet an der Buchhaltung oder überprüft die Inventarlisten. Auf jeden Fall erledigt er irgendwelchen Papierkram.

Vess hat den zweiten Mann noch nicht direkt angesehen, und nun stellt er fest, daß er das Außergewöhnliche ausmacht, das er sich ankündigen spürte.

»Ein Sturm zieht auf«, sagt er zu dem zweiten Angestellten.

Der Mann schaut von den Papieren auf, die auf der Theke ausgebreitet liegen. Er ist in den Zwanzigern, zumindest Halbasiat und betörend hübsch. Nein. Mehr als nur hübsch. Pechschwarzes Haar, goldener Teint, die Augen so flüssig wie Öl und tief wie ein Brunnen. Er sieht auf eine sanfte Weise gut aus, die ihn fast weiblich wirken läßt – aber nur fast.

Ariel würde ihn mögen. Er ist genau ihr Typ.

»Könnte kalt genug sein, daß es auf ein paar Bergpässen schneit«, sagt der Asiat, »wenn Sie in diese Richtung fahren.«

Er hat eine angenehme, fast musikalische Stimme, die Ariel bezaubern würde. Er ist wirklich ziemlich atemberaubend.

»Behalten Sie das noch«, sagt Vess zu dem Kassierer, der ihm das Wechselgeld herausgibt. »Ich brauche noch ein paar Knabbereien. Ich komme zurück, sobald ich getankt habe.«

Er geht schnell, aus Angst, sie könnten seine Erregung spüren und beunruhigt werden.

Obwohl er sich kaum eine Minute lang in dem Laden aufgehalten hat, scheint die Nacht deutlich kälter zu sein als eben. Belebend kalt. Er nimmt den Duft der Kiefern und Fichten wahr – sogar den der Tannen weit im Norden –, atmet das süße Grün der dicht bewaldeten Hügel hinter ihm ein, bemerkt den scharfen Geruch des aufziehenden Regens, riecht das Ozon der Blitze, die noch nicht geschleudert wurden, und atmet die durchdringende Furcht der kleinen Tiere ein, die auf den Feldern und im Wald bereits in Erwartung des Sturms zittern.

Als sie sicher war, daß er das Wohnmobil verlassen hatte, schlich Chyna durch das Fahrzeug nach vorn. Das Messer hielt sie in der ausgestreckten Hand.

Die Fenster der Eßecke und des Wohnbereichs waren verhangen, so daß sie nicht sehen konnte, was sich draußen befand. Vorn enthüllte die Windschutzscheibe jedoch, daß sie an einer Tankstelle angehalten hatten.

Sie hatte keine Ahnung, wo der Mörder war. Er war vor kaum einer Minute gegangen. Er konnte noch draußen stehen, nur einen, zwei Meter von der Tür entfernt.

Sie hatte nicht gehört, daß er den Tankdeckel abgeschraubt oder den Zapfhahn in den Tank gesteckt hatte. Aber so, wie das Wohnmobil stand, würde er den Wagen wohl von rechts betanken, so daß er sich wahrscheinlich auf dieser Seite befand.

Sie hatte Angst, den Wagen zu verlassen, solange sie nicht genau wußte, wo er sich aufhielt – aber noch größer war ihre Angst, im Wohnmobil zu bleiben. Also schlüpfte sie zuerst einmal auf den Fahrersitz. Die Scheinwerfer waren ausgeschaltet, und das Armaturenbrett war dunkel, doch die Lampe über dem Eßtisch spendete so viel Licht, daß man sie von außen problemlos ausmachen konnte.

An der benachbarten Säule fuhr ein Pontiac los. Seine Rücklichter wurden schnell kleiner.

Soweit sie sehen konnte, war das Wohnmobil jetzt das einzige Fahrzeug an der Tankstelle.

Die Schlüssel steckten nicht in der Zündung. Aber sie hätte sowieso nicht versucht, einfach davonzufahren. Das wäre auf dem Weingut möglich gewesen, als keine Hilfe in der Nähe gewesen war. Hier mußte es Angestellte geben – und weitere Kunden, die demnächst vom Highway abbiegen würden.

Sie schob die Tür einen Spaltbreit auf, zuckte angesichts des knarrenden Geräusches zusammen, sprang hinaus und stolperte, als sie auf dem Boden aufschlug. Das große Messer rutschte aus ihrer Hand, als wäre es eingefettet, und sprang scheppernd über den Straßenbelag.

Überzeugt, daß sie die Aufmerksamkeit des Mörders erregt hatte und er sich ihr bereits schnell näherte, rappelte Chyna sich auf. Sie drehte sich nach links, dann nach rechts, streckte die Hände in einer pathetischen Abwehrgeste aus. Aber der Spinnenfresser war auf dem hell erleuchteten Asphalt nirgendwo zu sehen.

Sie drückte die Tür zu, suchte die Umgebung nach dem Messer ab, konnte es nicht sofort ausmachen – und erstarrte, als ein Mann aus dem Tankstellengebäude kam, das knapp zwanzig Meter entfernt war. Er trug einen langen Mantel, so daß Chyna zuerst glaubte, das sei nicht der Mörder. Doch dann fiel ihr plötzlich das unerklärliche Rascheln von Stoff ein, das sie gehört hatte, bevor er das Wohnmobil verlassen hatte, und sie *wußte* es.

Sie konnte sich lediglich hinter einer der Zapfsäulen verstecken, aber die war zehn Meter entfernt zwischen ihr und dem Gebäude, und dazwischen lag eine freie und hell erleuchtete Fläche. Außerdem näherte er sich derselben Zapfsäulenreihe von der anderen Seite; er würde sie zuerst erreichen und mußte sie einfach sehen.

Sollte sie versuchen, um das Wohnmobil herumzulaufen, würde er sich bei ihrem Anblick fragen, woher sie gekommen war. Zu seiner Psychose gehörte wahrscheinlich ein gerüttelt Maß Paranoia, und er würde davon ausgehen, daß sie sich in seinem Fahrzeug befunden hatte. Er würde sie verfolgen. Erbarmungslos.

Statt dessen ließ sich Chyna, als sie ihn aus dem Laden kommen sah, flach auf den Boden fallen. Sie zählte darauf, daß die erste Reihe der Zapfsäulen alle Bewegungen auf Bodenhöhe verdeckte, und kroch auf dem Bauch unter das Wohnmobil.

Der Mörder stieß keinen überraschten Schrei aus, beschleunigte seine Schritte nicht. Er hatte sie nicht gesehen.

Aus ihrem Versteck beobachtete sie ihn. Als er näher kam, konnte sie im hellen Natriumlicht erkennen, daß dies dasselbe Paar schwarzer Lederstiefel war, das sie vor einigen Stunden aus ähnlicher Perspektive gesehen hatte, als sie unter dem Bett im Gästezimmer lag.

Sie drehte den Kopf und folgte ihm mit den Blicken, als er um das hintere Ende des Wohnmobils auf dessen rechte Seite ging, wo er an einer der Zapfsäulen stehenblieb.

Der Asphalt drückte kalt gegen ihre Schenkel, den Bauch, die Brüste. Durch die Jeans und den Baumwollpulli entzog er ihr viel Körperwärme, und sie fing an zu zittern.

Sie hörte, wie er den Zapfhahn aus der Halterung nahm, die Tankklappe auf der Seite des Wohnmobils öffnete und den Tankverschluß entfernte. Sie nahm an, daß es ein paar Minuten dauern würde, das Ungetüm vollzutanken, und schob sich aus ihrem Versteck, als sie hörte, wie der Zapfhahn in den Tank geschoben wurde.

Noch immer flach auf dem Boden liegend, sah sie plötzlich das Fleischermesser. Auf dem Asphalt. Drei Meter vor der vorderen Stoßstange. Das gelbe Licht schimmerte auf seiner Schneide.

Doch als sie ins Freie glitt, klackten, noch bevor sie sich aufrichten konnte, Stiefelabsätze über den Asphalt. Sie schaute unter dem Wohnmobil zur anderen Seite: Der Mörder hatte den Zapfhahn anscheinend mit dem Feststeller am Tank verankert, denn er setzte sich wieder in Bewegung.

Eilig zog sie sich, so leise wie möglich, wieder unter das Fahrzeug zurück. Sie hörte, wie Benzin in den Tank schwappte.

Der Mörder ging an der rechten Seite des Wohnmobils entlang, um die Vorderseite herum, zur Fahrertür. Aber er öffnete die Tür nicht. Er blieb stehen. Wartete. Dann ging er zu dem Messer, bückte sich und hob es auf.

Chyna hielt den Atem an, wenngleich sie es für unmöglich hielt, daß der Mörder intuitiv erkannte, welche Bedeutung das Messer hatte. Er hatte es nie zuvor gesehen. Er konnte nicht wissen, daß es aus dem Haus der Templetons stammte. Obwohl es unbestreitbar seltsam war, auf der Straße vor einer Tankstelle ein Messer zu finden, konnte es aus irgendeinem Fahrzeug gefallen sein, das hier vorbeigekommen war.

Mit dem Messer ging er zum Wohnmobil zurück, stieg ein und ließ die Fahrertür offen.

Über Chynas Kopf klangen die Schritte auf dem stählernen

Boden so hohl wie Voodootrommeln. Soweit sie das zu beurteilen vermochte, blieb er in der Eßecke stehen.

Vess neigt nicht dazu, überall, wohin er schaut, Omen und Vorzeichen zu sehen. Ein Falke, der um Mitternacht über das Antlitz des Vollmonds fliegt, wird in ihm nicht die Erwartung wecken, eine Katastrophe oder großes Glück zu erleben. Eine schwarze Katze, die ihm über den Weg läuft, ein Spiegel, der zerbricht, während seine Reflexion darin gefangen ist, die Nachricht über die Geburt eines zweiköpfigen Kalbes – nichts davon wird ihn durcheinanderbringen. Er ist überzeugt, daß er Herr über sein Schicksal st und spirituelle Transzendenz – falls es so etwas wirklich gibt – nur dem zuteil wird, der kühn handelt und intensiv lebt.

Dennoch ruft das große Fleischermesser ein gewisses Staunen in ihm hervor. Es hat eine Eigenschaft wie ein Totem, eine fast magische Aura. Er legt es vorsichtig auf den Küchentisch, wo das Licht die Schneide der Waffe mit einem nassen Glanz überzieht.

Als er es vom Asphalt aufgehoben hat, war die Klinge kalt, doch der Griff leicht angewärmt, als hätte es die Hitze seines Zugriffs vorweggenommen.

Irgendwann wird er einen Versuch mit dieser seltsamen, weggeworfenen Klinge durchführen, um festzustellen, ob etwas Besonderes geschieht, wenn er jemanden damit schneidet. Im Augenblick jedoch kann sie ihm nicht helfen, die vor ihm liegende Aufgabe zu bewältigen.

Die Heckler & Koch P7 steckt griffbereit in der rechten Tasche seines Regenmantels, doch er ist der Ansicht, daß sie für diese Situation nicht die angemessene Waffe ist.

Die zwei Jungs hinter der Kasse befinden sich nicht im Krieg wie in einem 7-Eleven-Markt in der Großstadt, haben aber bestimmt Vorsichtsmaßnahmen ergriffen. Nicht einmal Beverly Hills und Bel Air, wo reiche Schauspieler und Footballstars im Ruhestand wohnen, sind des Nachts noch sicher für ihre Bewohner – oder auch *vor* ihnen. Diese Burschen werden eine Feuerwaffe für die Selbstverteidigung haben und auch wissen, wie man sie benutzt. Um mit ihnen fertigzuwerden, ist eine einschüchternde Waffe mit beträchtlicher Feuerkraft nötig.

Er öffnet einen Schrank links vom Herd. Ein kurzläufiges Mossberg-Vorderschaftrepetiergewehr mit Pistolengriff ist mit zwei Federklammern an dem Bord befestigt. Er zieht die Waffe aus der Halterung und legt sie auf die Arbeitsfläche.

Das Magazin des Gewehrs ist bereits geladen. Edgler Vess ist zwar kein Mitglied der AAA, des amerikanischen Automobilclubs, aber ansonsten auf jede Eventualität vorbereitet, wenn er unterwegs ist.

Im Schrank liegt eine Schachtel mit Gewehrpatronen, bereits geöffnet, damit er sofortigen Zugriff darauf hat. Er nimmt ein paar heraus und legt sie neben der Mossberg auf die Theke, obwohl er sie wahrscheinlich nicht brauchen wird.

Er knöpft den Regenmantel schnell auf, zieht ihn aber nicht aus. Er holt die Pistole aus der rechten Außentasche und steckt sie nach innen, in die rechte Brusttasche im Futter. Dort hinein kippt er auch die Ersatzpatronen.

Aus einer Schublade holt er eine Mini-Polaroid-Kamera. Er steckt sie in die Tasche, aus der er gerade die Heckler & Koch genommen hat. Aus seiner Brieftasche holt er einen zurechtgeschnittenen Polaroid-Schnappschuß von seinem Mädchen, Ariel, und schiebt ihn in dieselbe Tasche, in der sich die Kamera befindet.

Mit seinem fast zwanzig Zentimeter langen Springmesser, das von der Arbeit im Haus der Templetons noch ganz klebrig ist, schneidet er das Futter der linken Manteltasche auf. Dann reißt er die zerfetzten Stoffreste ab. Würde er nun Münzen in diese Tasche stecken, würden sie zu Boden fallen.

Er steckt das Gewehr unter den offenen Mantel in die aufgeschlitzte Tasche und hält es mit der linken Hand fest. Die Tarnung ist überzeugend. Er glaubt nicht, daß er verdächtig aussieht.

Er schreitet schnell zum Schlafzimmer und zurück, übt einen unauffälligen Gang ein. Er kann sich frei bewegen, ohne daß das Gewehr gegen seine Beine schlägt.

Schließlich kann er ja von der Beweglichkeit und Anmut der Spinne im Haus der Templetons zehren.

Welchen Schaden er bei dem Kassierer mit den aschenen Augen und dem Muttermal anrichtet, ist ihm gleichgültig, er muß aber darauf achten, das Gesicht des jungen Asiaten nicht zu zerstören. Er muß ein paar gute Fotos für Ariel machen.

Über ihr schien der Mörder sich noch immer in der Eßecke zu beschäftigen. Der Boden knarrte unter ihm, als er sein Gewicht verlagerte.

Wenn er nicht die Vorhänge aufgezogen hatte, konnte er von dort nicht hinausschauen. Mit etwas Glück würde Chyna die Flucht gelingen.

Sie überlegte, ob sie unter dem Fahrzeug bleiben und warten sollte, bis er aufgetankt hatte und weitergefahren war, um erst dann ins Gebäude zu gehen und die Polizei anzurufen.

Aber er hatte das Messer gefunden; er würde darüber nachdenken. Obwohl sie sich nicht vorstellen konnte, daß er erfaßte, welche Bedeutung die Waffe hatte, empfand sie mittlerweile eine fast abergläubische Furcht vor ihm und war, so unvernünftig es auch sein mochte, davon überzeugt, daß er sie fand, wenn sie an Ort und Stelle blieb.

Sie kroch unter dem Wohnmobil hervor, erhob sich in die Hocke, schaute zur geöffneten Tür und dann zurück und zu den Seitenfenstern hinauf. Die Vorhänge waren zugezogen.

Ermutigt sprang sie auf, lief zu der inneren Zapfsäulenreihe und trat zwischen die Pumpen. Sie schaute zurück, doch der Mörder blieb in dem Fahrzeug.

Sie trat aus der Nacht in hell strahlendes Neonlicht und die vibrierenden Klänge von Countrymusik. Hinter der Theke rechts vom Eingang saßen zwei Angestellte, und sie wollte sie gerade ansprechen, als ihr Blick durch die Glastür fiel, die sich soeben hinter ihr geschlossen hatte, und sie sah, daß der Mörder das Wohnmobil verließ und zum Laden kam, obwohl er mit dem Tanken noch nicht fertig war.

Er schaute zu Boden. Er hatte sie nicht gesehen.

Sie trat von der Tür weg.

Die beiden Männer sahen sie erwartungsvoll an.

Wenn sie ihnen sagte, sie sollten die Polizei rufen, würden sie den Grund wissen wollen, und es blieb keine Zeit für eine Diskussion, nicht einmal für den Anruf. Also sagte sie: »Bitte verraten Sie ihm nicht, daß ich hier bin!«, und bevor sie antworten konnten, ging sie weiter, zum anderen Ende des Ladens, einen Gang entlang, an dessen Seiten die Waren fast zwei Meter hoch gestapelt waren.

Als sie aus dem Gang trat, um sich am Ende einer Reihe von Schaukästen zu verstecken, hörte Chyna, daß die Tür geöffnet wurde und der Mörder hereinkam. Knurrender Wind begleitete ihn, und dann schwang die Tür zu.

Der rothaarige Kassierer und der junge asiatische Gentleman mit den Augen, die aus flüssiger Nacht zu bestehen scheinen, mustern ihn seltsam, als wüßten sie etwas, das sie nicht wissen sollten, und fast hätte er in dem Augenblick, da er durch die Tür tritt, die Flinte hervorgezogen und sie ohne jede Vorbemerkung erschossen. Doch er sagt sich, daß er zuviel hineindeutet, daß sie lediglich von ihm fasziniert sind, weil er ja schließlich eine bemerkenswerte Gestalt ist. Die Leute spüren oft seine außergewöhnliche Macht und sind sich bewußt, daß er ein größeres Leben führt als sie. Auf Parties ist er ein beliebter Gast, und Frauen fühlen sich zu ihm hingezogen. Diese beiden Männer sind einfach nur, wie so viele andere, von ihm beeindruckt. Außerdem beraubt er sich des Vergnügens des Vorspiels, wenn er sie sofort und ohne jedes weitere Wort erledigt.

Im Radio singt nicht mehr Alan Jackson, und Vess spitzt anerkennend die Ohren. »Mann«, sagt er, »diese Emmylou Harris ist toll, was? Oder kennen Sie noch wen, der das Zeug so singen kann, daß es einem richtig nahegeht?«

»Sie ist gut«, sagt der Rotschopf. Vorher war er kontaktfreudig. Jetzt wirkt er reserviert.

Der Asiat sagt nichts, bleibt unergründlich in seinem Zen-Tempel aus Twinkies, Hershey-Riegeln, Erdnüssen, Crackern und Dorritos.

»Ich mag Lieder über ein Feuer im heimischen Herd und die Familie«, sagt Vess.

»Sind Sie auf einer Urlaubsreise?« fragt der Rotschopf.

»Verdammt, mein Freund, ich habe immer Urlaub.«

»Sie sind zu jung, um schon im Ruhestand zu leben.«

»Ich meine«, sagt Vess, »das Leben selbst ist ein Urlaub, wenn man es richtig sieht. Ich gehe etwas auf die Jagd.«

»Hier in dieser Gegend? Für welche Tiere ist denn gerade Saison?« fragt der Rothaarige.

Der Asiat bleibt stumm, aber aufmerksam. Er nimmt ein Slim-

Jim-Würstchen von einem Regal und reißt die Plastikhülle auf, ohne den Blick von Vess zu wenden.

Die beiden rechnen keinen Augenblick lang damit, daß sie in einer Minute tot sein werden, und ihr viehischer Mangel an Bewußtsein erfreut Vess. Es ist wirklich ziemlich komisch. Wie dramatisch sie die Augen aufreißen werden, wenn die Flinte dröhnt.

»Jagen Sie auch?« fragt Vess, anstatt die Frage des Kassierers zu beantworten.

»Ich gehe lieber fischen«, sagt der Rotschopf.

»Das hat mich nie interessiert«, sagt Vess.

»Tolle Sache, so mit der Natur in Berührung zu kommen – ein kleines Boot auf dem See, das friedliche Wasser ...«

Vess schüttelt den Kopf. »Man kann in ihren Augen nichts sehen.«

Der Rotschopf blinzelt verwirrt. »In ihren Augen?«

»Ich meine, es sind einfach nur Fische. Sie haben so flache, glasige Augen. Mein Gott.«

»Na ja, ich behaupte ja nicht, daß es schöne Tiere sind. Aber nichts schmeckt so gut wie ein selbst gefangener Lachs oder eine Forelle.«

Edgler Vess lauscht einen Augenblick lang der Musik und läßt sich von den beiden Männern beobachten. Das Lied geht ihm wirklich nah. Er spürt die durchdringende Einsamkeit der Straße, die Sehnsucht eines liebenden Menschen, der weit weg von zu Hause ist. Er ist ein einfühlsamer Mensch.

Der Asiat beißt ein Stück von der Wurst ab. Er kaut anmutig, seine Kiefermuskeln bewegen sich kaum.

Vess entschließt sich, die angebissene Wurst Ariel zu bringen. Sie kann mit ihrem Mund die Stelle berühren, die der Asiat mit dem seinen berührt hat. Diese Intimität mit dem wunderschönen jungen Mann wird Vess' Geschenk an das Mädchen sein.

»Ich bin froh, wenn ich zu meiner Ariel nach Hause komme«, sagt er. »Ist das nicht ein schöner Name?«

»Klar doch«, sagt der Rotschopf.

»Paßt auch zu ihr.«

»Ist das Ihre Frau?« fragt der Rothaarige. Seine Freundlichkeit ist nicht so natürlich wie gerade eben noch, als Vess ihn gebeten hatte, die Zapfsäule Nummer sieben freizugeben. Ihm ist eindeutig unbehaglich zumute, und er versucht das zu verbergen.

Es ist an der Zeit, sie zu erschrecken, zu sehen, wie sie reagieren. Wird einem von ihnen allmählich dämmern, welcher Ärger ihnen bevorsteht?

»Nein«, sagt Vess. »Ich lasse mich nicht an die Kette legen. Vielleicht mal für einen Tag. Außerdem ist Ariel erst sechzehn und noch nicht bereit.«

Sie wissen nicht genau, was sie sagen sollen. Sechzehn – er ist doppelt so alt. Mit sechzehn ist man noch ein Kind. Sowas kann einen in den Knast bringen.

Das Risiko, das er eingeht, ist gewaltig und erregend. Jeden Augenblick könnte ein anderer Kunde vom Highway abbiegen und es noch zusätzlich erhöhen.

»Das schönste Ding auf Erden«, sagt Vess und leckt sich die Lippen. »Ariel, meine ich.«

Er holt den Polaroid-Schnappschuß aus der Manteltasche und legt ihn auf die Theke. Der Verkäufer starrt das Foto an.

»Der reinste Engel«, sagt Vess. »Haut wie Porzellan. Atemberaubend. Da vibriert dir der Hodensack wie 'ne Baßgeige.«

Mit kaum verborgenem Abscheu schaut der Kassierer auf den Bildschirm links auf der Theke, auf dem die Zapfsäulen zu sehen sind. »Ihre sechzig Dollar sind gerade in den Tank gegangen«, sagt er.

»Verstehen Sie mich nicht falsch«, sagt Vess. »Ich hab' sie nie angerührt – nicht so. Ich hab' sie seit einem Jahr im Keller eingesperrt, wo ich sie ansehen kann, wann immer ich will. Ich warte darauf, daß mein Püppchen etwas reifer wird, noch etwas süßer.«

Sie starren ihn so glasäugig an wie Fische. Er genießt ihren Gesichtsausdruck.

Dann lächelt er und lacht. »He«, sagt er, »da hab' ich Sie aber reingelegt, was?«

Keiner der beiden Männer erwidert sein Lächeln, und der Rotschopf sagt verkniffen: »Wollen Sie noch etwas kaufen, oder soll ich Ihnen Ihr Wechselgeld rausgeben?«

Vess setzt seine aufrichtigste Miene auf. Fast gelingt es ihm sogar zu erröten. »Hören Sie, tut mir leid, wenn ich ihnen auf den

Schlips getreten bin. Ich bin ein Scherzkeks. Ich kann einfach nicht anders, muß die Leute immer reinlegen.«

»Tja«, sagt der Rothaarige. »Ich habe eine sechzehnjährige Tochter. Ich weiß nicht, was daran komisch sein soll.«

Vess dreht sich zu dem Asiaten um. »Wenn ich auf die Jagd gehe, nehme ich Trophäen«, sagt er. »Sie wissen schon – wie ein Stierkämpfer den Schwanz und die Ohren des Stiers kriegt. Manchmal ist es nur ein Foto. Geschenke für Ariel. Sie werden ihr wirklich gefallen.«

Während er spricht, hebt er die Mossberg hoch, die von dem Regenmantel wie von einem schwarzen Sargbehang verborgen wird, nimmt sie in beide Hände, schießt den rothaarigen Kassierer vom Stuhl und pumpt eine neue Patrone in den Gewehrverschluß.

Der Asiate. Oh, wie seine Augen sich weiten. So einen Ausdruck wird man bei einem Fisch niemals sehen.

Noch während der Rotschopf zu Boden stürzt, schiebt dieser junge asiatische Gentleman mit den wunderschönen Augen eine Hand unter die Theke und greift nach einer Waffe.

»Tun Sie's nicht«, sagt Vess, »oder ich schieb' Ihnen die Kugeln in den Arsch.«

Aber der Asiat hebt den Revolver trotzdem, einen Smith & Wesson Chief's Special .38, Kaliber 9,5. Also stößt Vess das Gewehr über die Theke und schießt aus nächster Nähe auf seine Brust, um mit diesem perfekten Gesicht keine Schweinerei anzustellen. Der junge Mann wird vom Stuhl gerissen und fliegt durch die Luft, und der Revolver löst sich aus seiner Hand, noch bevor er Gelegenheit hat, auch nur einen Schuß abzugeben.

Der Rothaarige schreit.

Vess geht zur Klapptür in der Theke und auf die andere Seite.

Der rothaarige Kassierer mit der sechzehnjährigen Tochter, die zu Hause wartet, hat sich zusammengerollt, als wolle er das fötusähnliche Muttermal auf seiner Stirn nachbilden. Er umklammert seinen Leib, hält sich zusammen. Im Radio singt Garth Brooks »Thunder Rolls«. Nun schreit und weint der Kassierer gleichzeitig. Die Schreie hallen vom Schaufenster zurück, und das Echo des Schusses dröhnt noch in Vess' Ohren, und jede Sekunde könnte ein neuer Kunde den Laden betreten. Der Augenblick ist schmerzhaft intensiv.

Ein weiterer Schuß erledigt den Kassierer.

Der Asiate ist bewußtlos und liegt im Sterben. Zum Glück ist sein Gesicht unversehrt.

Wie ein Pilger, der vor einem Schrein niederkniet, läßt Vess sich auf den Boden sinken, während der sterbende junge Mann einen letzten rasselnden Atemzug röchelt. Ein Geräusch wie das spröde Flattern von Schmetterlingsflügeln. Vess beugt sich hinab, um den Atem des anderen tief einzuatmen. Nun gehört ein kleiner Teil der Schönheit und des Anmuts des Asiaten ihm, getragen vom Duft der Slim Jim.

Auf Brooks folgt ein alter Song von Johnny Cash, »A Boy Named Sue«, der so albern ist, daß er die Stimmung verdirbt. Vess schaltet das Radio aus.

Während er das Gewehr nachlädt, sucht er mit den Blicken den Bereich hinter der Theke ab und macht an der Wand ein paar Schalter aus. Sie sind mit den Bezeichnungen der jeweiligen Lampen versehen, die man mit ihnen bedienen kann. Er schaltet die gesamte Außenbeleuchtung aus, einschließlich des roten Neonschilds, das auf dem Dach verkündet: OPEN 24 HOURS.

Er schaltet auch die Neonröhren unter der Decke aus, doch der Raum fällt nicht in völlige Dunkelheit. In der langen Reihe der Kühlschränke spenden die Lampen hinter den isolierten Glastüren ein unheimliches Licht. An einer Wand hängt eine Leuchtuhr, die für Coors-Bier wirbt, und auf der Theke erhellt eine Stehlampe mit langem Hals die Papiere, an denen der asiatische Gentleman gearbeitet hat.

Dennoch sind die Schatten tief, und der Laden erweckt den Eindruck, als sei er geschlossen. Es ist unwahrscheinlich, daß ein Kunde den Highway verlassen wird, um hier zu tanken.

Natürlich könnte ein Deputy des Bezirkssheriffs oder ein Officer der Autobahnpolizei neugierig werden, warum diese Tankstelle, die normalerweise rund um die Uhr geöffnet ist, plötzlich geschlossen hat, und sich entschließen, mal nach dem Rechten zu sehen. Vess trödelt also nicht; er nimmt die noch ausstehende Aufgabe in Angriff.

Den Rücken gegen die Stirnwand des letzten Regals gedrückt, so weit wie nur möglich von der Kassentheke entfernt, hatte Chyna den Eindruck, vom Licht der Schränke rechts von ihr entblößt und von den Schatten links von ihr bedroht zu werden. In der Stille, die auf die Schüsse und das Aussetzen der Musik folgte, war sie überzeugt, daß der Mörder ihren holprigen, verzitterten Atem hören konnte. Aber sie konnte sich nicht beruhigen, und sie konnte genauso wenig aufhören zu zittern wie ein Kaninchen, auf das der Schatten eines Wolfs fällt.

Vielleicht rumpelten die Kompressoren der Tiefkühltruhen und Kühlschränke laut genug, um sie zu retten. Sie wollte sich zur einen und dann zur anderen Seite vorbeugen, um die flankierenden Gänge zu überprüfen, brachte den Mut dazu jedoch nicht auf. So irrsinnig es sein mochte, sie war davon überzeugt, sollte sie sich vorbeugen, würde sie dem Spinnenfresser direkt ins Gesicht sehen.

Sie hatte gedacht, nichts könne verheerender sein, als die Leichen von Paul und Sarah – und später Laura – zu finden, doch das hier war noch schlimmer. Diesmal war sie im selben Raum, als die Morde geschahen, nah genug, um die Schreie nicht nur zu hören, sondern geradezu wie körperliche Schläge zu spüren.

Vielleicht hatte der Mörder es auf den Inhalt der Kasse abgesehen, aber er hätte die Angestellten nicht umbringen müssen, um das Geld zu bekommen. Doch Notwendigkeit war bei ihm natürlich kein entscheidender Faktor. Er hatte sie einfach getötet, weil er seine Freude daran hatte. Er war auf Touren. Er war »heiß«.

Sie schien in einer endlosen Nacht gefangen zu sein. Die kosmische Maschinerie war zusammengebrochen, das Getriebe blockiert. Die Sterne hingen an Ort und Stelle fest. Die Sonne würde nicht mehr aufgehen. Und durch den gefrorenen Himmel senkte sich eine schreckliche Kälte auf sie herab.

Ein Licht blitzte auf, und Chyna riß abwehrend die Hände vor ihr Gesicht. Dann wurde ihr klar, daß der Blitz vom anderen Ende des Ladens gekommen war. Und erneut blitzte es.

Edgler Vess ist kein Jäger, wie er dem rothaarigen Kassierer gesagt hat, sondern ein Kenner, der erlesene Bilder sammelt. Die meisten hält er nur mit der Kamera seines geistigen Auges fest, manche aber mit einer Polaroid-Kamera. Erinnerungen an große Schönheit beleben seine Gedanken tagtäglich und bilden die Grundlage seiner befriedigenden Träume.

Das Blitzlicht der Kamera scheint in den großen Augen des asiatischen Angestellten zu verweilen, zu schimmern, als sei sein Geist hinter seiner Hornhaut gefangen und suchte einen Weg aus der abkühlenden sterblichen Hülle.

Einmal, in Nevada, hat Vess eine unvergleichliche zwanzigjährige Brünette getötet, im Vergleich zu deren Gesicht Claudia Schiffer und Kate Moss wie Hexen aussahen. Bevor er sie systematisch zerstörte, hat er sechs Fotos von ihr gemacht. Mit Drohungen hat er sie sogar dazu bringen können, auf drei der sechs Schnappschüsse zu lächeln; sie hatte ein strahlendes Lächeln. Während des Vierteljahrs nach dieser denkwürdigen Episode hat er jeden Monat eins der Fotos, auf denen sie lächelte, zerschnitten und gegessen, und der Verzehr eines jeden Schnappschusses, die Vernichtung ihrer Schönheit hat ihn heftig erregt. Er hat ihr Lächeln in seinem Bauch gespürt, ein wärmendes Strahlen, und gewußt, daß er nun schöner geworden war, weil er es in sich aufgenommen hatte.

Er kann sich nicht an den Namen der Brünetten erinnern. Namen sind für ihn bedeutungslos.

Doch es wäre gewiß ganz hilfreich, den Namen des asiatischen Gentleman zu kennen, wenn er Ariel diese Episode beschreibt. Er legt die Polaroid-Kamera auf den Boden, dreht den Toten herum und zieht ein Portemonnaie aus seiner Gesäßtasche.

Er hält den Führerschein in das Licht der Schreibtischlampe und stellt fest, daß sein Name Thomas Fujimoto lautet.

Vess beschließt, ihn Fuji zu nennen. Wie den Berg.

Er schiebt den Führerschein in das Portemonnaie und steckt das Portemonnaie in die Tasche zurück. Er nimmt nichts vom Geld des Toten. Er wird auch das Geld in der Registrierkasse nicht anrühren, wird nur die vierzig Dollar Wechselgeld nehmen, die ihm zustehen. Er ist kein Dieb.

Nachdem er drei Fotos gemacht hat, muß er nur noch das Versprechen einlösen, das er Fuji gemacht hat, und so beweisen, daß er zu seinem Wort steht. Es ist etwas mühsam, aber er findet es amüsant.

Nun muß er sich mit dem Sicherheitssystem befassen, das alles aufgezeichnet hat, was geschehen ist. Über der Eingangstür befindet sich eine auf die Theke des Kassierers gerichtete Videokamera.

Edgler Foreman Vess verspürt nicht den Drang, sich in den Fernsehnachrichten zu sehen. Wenn man im Gefängnis sitzt, ist es praktisch unmöglich, intensiv zu leben.

Chyna hatte ihren Atem wieder unter Kontrolle, doch ihr Herz schlug so heftig, daß ihr Blick pulsierte, und ihre Halsschlagader pochte so wild, als würden Stromstöße durch sie geleitet.

Erneut davon überzeugt, daß Sicherheit in der Bewegung lag, beugte sie sich aus dem Schatten und schaute an der Vorderseite der Kühltruhen entlang ins Licht. Der Mörder war nicht zu sehen, aber sie hörte, daß er sich am anderen Ende des Ladens bewegte: ein scharfes, flüchtiges Rascheln wie von einer Ratte, die im Herbstlaub stöberte.

Auf Händen und Knien, den Magen vor Angst zusammengepreßt, kroch sie so tief in die Flut des kälteren Lichts, daß sie den schmalen Gang entlangschauen und auf den Regalen nach etwas suchen konnte, das sich als Waffe verwenden ließ. Ohne das Fleischermesser kam sie sich hilflos vor.

Leider wurden hier keine Messer zum Verkauf angeboten. In ihrer Nähe konnte sie lediglich Schlüsselanhänger ausmachen, Nagelscheren, Taschenkämme, Alaunstifte, feuchte Erfrischungstücher, Brillenputztücher, Kartenspiele und Wegwerffeuerzeuge.

Sie griff hinauf und nahm ein Feuerzeug vom Regal. Sie wußte nicht genau, wie sie sich damit verteidigen wollte, doch in Ermangelung einer ausreichend langen Stichwaffe war Feuer die einzige Waffe, die ihr zur Verfügung stand.

Die Neonlampen unter der Decke flammten wieder auf. Die Helligkeit ließ sie erstarren.

Sie schaute zum anderen Ende des Ladens. Der Mörder war nicht zu sehen, doch an der Wand schwoll sein krummer Schatten gewaltig an, schrumpfte dann wieder und glitt davon wie der Schatten einer Motte, die an einem Scheinwerfer vorbeifliegt.

Vess schaltet das Licht wieder an, um die Videokamera zu betrachten, die über der Eingangstür montiert ist.

Natürlich befindet das belastende Band sich nicht in der

Kamera. Wäre der Zugang so einfach, könnten sogar die unterbelichteten Ganoven, die ihren Lebensunterhalt mit Überfällen auf Tankstellen und kleine Supermärkte bestreiten, auf den Gedanken kommen, auf einen Stuhl zu steigen und das Band herauszunehmen. Die Kamera überträgt das Bild auf einen Videorecorder, der sich in einem anderen Raum des Gebäudes befindet.

Das System wurde nachträglich eingebaut, so daß das Übertragungskabel nicht in die Wand eingelassen ist. Das erleichtert Vess die Arbeit, denn wäre das Kabel verborgen, wäre die Suche zeitraubender. Es ist nicht einmal hinter den Dämmplatten an der Decke verlegt worden. Mit Klammern an der Wand befestigt, verläuft es offen zu dem Bereich hinter der Kassentheke und durch ein anderthalb Zentimeter großes Loch in der Wand in einen weiteren Raum.

In diesen Raum führt auch eine Tür. Er findet ein Büro mit einem Schreibtisch, grauen Aktenschränken aus Metall, einen kleinen Safe mit einem Kombinationsschloß und furnierte Kunststoffschränke.

Zum Glück befindet der Recorder sich nicht in dem Safe. Das Kabel kommt durch die Wand zum Laden, verläuft, von Klammern gehalten, weitere anderthalb Meter waagerecht und dann senkrecht hinab in einen der Schränke. Nicht der geringste Versuch einer Tarnung.

Er öffnet die oberste Tür dieses Schranks, findet nicht, was er sucht, und sieht tiefer unten nach. Dort stehen drei Videorecorder aufeinander.

In dem untersten flüstert eine Kassette, und über dem Wort RECORD brennt ein Lämpchen. Er drückt zuerst auf die STOP- und dann auf die EJECT-Taste und schiebt die Kassette in die Tasche seines Regenmantels.

Vielleicht wird er sie Ariel vorspielen. Da es sich um ein altes System, um überholte Technik handelt, wird die Qualität nicht erstklassig sein. Aber das liebe Mädchen wird von seiner kühnen Tat beeindruckt sein, auch wenn sie in überbelichteten Szenen auf einem Schwarzweißband festgehalten ist, das schon zu oft überspielt wurde.

Auf dem Schreibtisch steht ein Telefon. Er reißt es von der Schnur, die es mit der Buchse in der Wand verbindet, und zertrümmert das Tastenfeld mit dem Gewehrkolben.

Die nächste Schicht der Verkäufer wird wahrscheinlich um acht oder neun Uhr den Dienst antreten, in vier oder fünf Stunden. Bis dahin wird Vess schon über alle Berge sein. Aber er sieht nicht ein, wieso er es ihnen so leicht machen soll, die Polizei zu rufen. Irgend etwas könnte schiefgehen, ihn hier oder auf dem Highway aufhalten, und dann wird er froh sein, sich eine zusätzliche halbe Stunde verschafft zu haben, indem er das Telefon zerstört hat.

Neben der Tür befindet sich eine gelochte Platte, an der acht Schlüssel hängen, jeder mit einem Schildchen versehen. Mit Ausnahme der derzeitigen bedauerlichen Unterbrechung hat diese Tankstelle rund um die Uhr geöffnet – und trotzdem hängt dort ein Schlüssel für die Ladentür. Er nimmt ihn an sich.

Vess verläßt den Raum, zieht die Tür hinter sich zu und drückt, wieder im Arbeitsbereich hinter der Theke, einen Schalter, und die Neonlampen unter der Decke erlöschen wieder.

Um die Leichen herum geht er zur Theke und nimmt lediglich seine vierzig Dollar aus der Registrierkasse.

Der Smith & Wesson Chief's Special des jungen Asiaten liegt auf der Theke, im Lichtkegel der Schreibtischlampe; Vess hat ihn vor ein paar Minuten dorthin gelegt. An dem Revolver ist er ebensowenig interessiert wie an dem Geld, das ihm nicht gehört.

Die Slim-Jim-Wurst, von der der Asiat ein großes Stück abgebissen hat, liegt ebenfalls auf der Theke. Leider hat er die Verpackung aufgerissen, so daß sie für Vess nutzlos ist.

Er nimmt eine andere Wurst vom Regal, kaut das Ende der Plastikumhüllung vorsichtig ab und schüttelt den Inhalt aus der Verpackung. Er schiebt die kürzere Wurst (der das Teil fehlt, das der Asiat abgebissen hat) in die Hülle und dreht das Ende zusammen. Dann steckt er die Wurst in die Tasche zu der Videokassette – für Ariel.

Er bezahlt die Wurst, die er weggeworfen hat, und nimmt sich das Wechselgeld aus der Registrierkasse.

Auf der Theke steht ein Telefon. Er stöpselt es aus der Buchse aus und zertrümmert das Tastenfeld mit dem Gewehrkolben.

Dann geht er einkaufen.

Chyna war erleichtert, als das Licht ausging, doch dann jagte ein Hämmern ihr einen Schreck ein, und nun lauschte sie wachsam in die nachfolgende Stille.

Sie war aus dem Gang, der von den Kühlschränken erhellt wurde, zu ihrem Versteck am Ende der Regalreihe zurückgekrochen, wo sie leise die Verpackung aus Pappe und Plastik geöffnet hatte, in der das Wegwerffeuerzeug steckte. Als die Neonlampen unter der Decke noch geleuchtet hatten und die flackernde Flamme sie nicht verraten konnte, hatte sie das Feuerzeug ausprobiert, und es hatte funktioniert.

Nun umklammerte sie diese elende Waffe und betete, daß der Mörder beenden würde, was immer er tat – vielleicht plünderte er gerade die Registrierkasse –, und dann, um Gottes willen, einfach verschwinden würde. Sie wollte nicht mit einem Bic-Feuerzeug gegen ihn antreten müssen. Wenn er zufällig über sie stolperte, konnte sie vielleicht seine Überraschung ausnutzen, ihm das Feuerzeug ins Gesicht stoßen und ihm eine häßliche kleine Verbrennung zufügen – oder vielleicht sogar sein Haar in Brand setzen –, bevor er zurückschreckte. Wahrscheinlich waren seine Reflexe jedoch unheimlich schnell, und er würde ihr das Feuerzeug aus der Hand schlagen, bevor sie auch nur den geringsten Schaden anrichten konnte.

Selbst wenn es ihr gelingen sollte, ihn anzusengen, würde sie sich damit nur ein paar wertvolle Sekunden für ihre Flucht verschaffen können. Dann würde er ihr folgen, und mit seinen langen Beinen war er ziemlich schnell. Der Ausgang des Rennens würde wohl davon abhängen, ob ihr Entsetzen oder seine irrsinnige Wut die größere Schubkraft freisetzte.

Sie hörte eine Bewegung, das Knarren der Thekenklappe, Schritte. Ihr war schon schlecht, weil die Anspannung sich so in die Länge zog, und sie jubelte innerlich, als es den Anschein hatte, daß er ging.

Dann wurde ihr klar, daß die Schritte nicht auf die Eingangstür des Ladens zuhielten. Vielmehr näherten sie sich ihr.

Sie setzte sich auf den Hintern und preßte den Rücken gegen die Stirnwand der Regalreihe. Sie wußte nicht genau, wo er war. Im ersten der drei Gänge, im vorderen Teil des Ladens? Im mittleren Gang, unmittelbar links von ihr?

Nein.

Der dritte Gang.

Rechts von ihr.

Er ging an den Kühlschränken vorbei. Nicht schnell. Nicht, als wüßte er, daß sie hier war, und wolle sie erledigen.

Sie erhob sich in die Hocke, zog die Schultern ein und rutschte nach links in den mittleren der drei Gänge. Hier wurde der Lichtschein der Kühltruhen, die sich nun eine Reihe entfernt befanden, zwar von der gefliesten Decke zurückgeworfen, spendete aber wenig Helligkeit. Alle Waren wurden von Schatten eingehüllt.

Sie setzte sich in Bewegung, in Richtung Kassentheke, und war dankbar, daß die Sohlen ihrer Schuhe kaum Geräusche verursachten – da fiel ihr die Packung ein, aus der sie das Einwegfeuerzeug genommen hatte. Sie hatte sie auf dem Boden am Ende der Regalreihe liegenlassen.

Er würde sie sehen, vielleicht sogar darauf treten. Vielleicht würde er annehmen, früher am Abend hätte ein Ladendieb das Feuerzeug aus der Verpackung genommen, um es leichter in die Tasche stecken zu können. Aber vielleicht würde er es auch *wissen.*

Die Intuition mochte ihm genauso dienlich sein, wie sie gelegentlich Chyna dienlich war. Wenn Intuition das Flüstern Gottes war, sprach zu einem Mann wie diesem vielleicht ein anderer, nicht so gütiger Gott.

Sie kehrte zurück, beugte sich um die Ecke und hob die leere Verpackung auf. Das steife Plastik knisterte in ihrem zitternden Griff, doch das Geräusch war leise und wurde zum Glück von seinen Schritten übertönt.

Als sie den zweiten Gang entlanghuschte, befand er sich mindestens auf halber Höhe des dritten. Doch er ließ sich Zeit, während sie so schnell lief, wie sie es wagte, und sie erreichte den Kopf ihres Gangs, bevor er am Ende des seinen angelangt war.

Am Ende der Reihe stand kein flaches Regal wie auf der anderen Seite, sondern ein freistehendes Drehgestell mit Taschenbüchern, und Chyna wäre fast dagegen geprallt, als sie um die Ecke bog. Sie konnte gerade noch rechtzeitig anhalten und um das Gestell schlüpfen, das ihr nun Deckung bot.

Auf dem Boden lag ein Polaroid-Foto: die Nahaufnahme eines

betörend schönen Mädchens von etwa sechzehn Jahren mit langem platinblondem Haar. Die Gesichtszüge des Teenagers waren gefaßt, aber nicht entspannt, in einstudierter Freundlichkeit erstarrt, als wären die wahren Gefühle des Mädchens so explosiv, daß sie es zerstören würden, sollte es sie eingestehen. Nur die Augen straften die vermeindliche Gelassenheit Lügen; sie waren etwas geweitet, aufmerksam, schmerzhaft ausdrucksstark, Fenster einer gequälten Seele, voller Zorn und Furcht und Verzweiflung.

Das mußte das Foto sein, das er den Verkäufern gezeigt hatte. Ariel. Das Mädchen im Keller.

Obwohl sie und Ariel sich nicht im geringsten ähnelten, hatte Chyna den Eindruck, sie schaue eher in einen Spiegel als auf ein Foto. In Ariel erkannte sie ein Entsetzen, das mit der Furcht verwandt war, die ihre eigene Kindheit geprägt hatte, eine vertraute Verzweiflung, Einsamkeit, die so tief und kalt war wie ein Polarmeer.

Die Schritte des Mörders holten sie wieder in die Gegenwart zurück. Dem Geräusch nach zu urteilen, war er nicht mehr im dritten Gang. Er war am Ende des Ladens um die Ecke gebogen und befand sich nun im mittleren Gang.

Er kam zurück, auf demselben Weg, den Chyna gerade entlanggeflitzt war.

*Verdammt, was macht er nur?*

Sie wollte das Foto an sich nehmen, wagte es aber nicht. Sie legte es dorthin auf den Boden zurück, wo sie es gefunden hatte.

Sie ging um das Taschenbuchgestell herum in den dritten Gang, den der Mörder gerade verlassen hatte, und lief wieder zum Ende der Regalreihe. Sie hielt sich dicht neben den Waren auf der linken Seite, fern von den Glastüren der beleuchteten Kühlschränke rechts, um keinen verräterischen Schatten auf die Plattendecke zu werfen.

Obwohl sie sich bewegte, konnte sie seine schweren Schritte hören, doch wenn sie nicht stehenblieb, um zu lauschen, konnte sie nicht sagen, welche Richtung er eingeschlagen hatte. Und doch wagte sie es nicht, anzuhalten und sich zu überzeugen, denn es war möglich, daß er erneut in diesen Gang trat und sie dann sofort sah. Als sie das Ende des Ganges erreichte und um die Ecke bog, rechnete sie halbwegs damit, daß er kehrtgemacht hatte und nun direkt vor ihr stand.

Aber er war nicht zu sehen.

Chyna ging wieder in die Hocke und lehnte sich gegen das letzte Regal der Reihe. Sie befand sich nun wieder genau dort, wo sie zuvor gehockt hatte. Vorsichtig legte sie die leere Feuerzeugverpackung zwischen ihren Füßen auf den Boden, an dieselbe Stelle, von der sie sie vor kaum einer Minute aufgehoben hatte.

Sie lauschte. Keine Schritte. Abgesehen vom Geräusch der Kühltruhen nur Stille.

Mit abgeknicktem Daumen nahm sie das Feuerzeug in die Hand, bereit, am Zündrädchen zu drehen.

Vess steckt zwei Päckchen mit Käse-Erdnußbutter-Crackern, einen Erdnußriegel und zwei Hershey-Riegel mit Mandeln in die Taschen seines Regenmantels, in denen er bereits die Pistole, die Polaroid-Kamera und die Videokassette verstaut hat.

Er berechnet die Summe im Kopf. Da er keine Zeit damit verschwenden will, hinter die Registrierkasse zu treten und das Wechselgeld herauszunehmen, rundet er den Betrag auf den nächsten Dollar auf und legt das Geld auf die Theke.

Nachdem er Ariels Foto vom Boden aufgehoben hat, verharrt er, saugt die Atmosphäre des Nachspiels in sich auf. Ein Raum, in dem vor kurzem Menschen gestorben sind, hat eine ganz spezielle Stimmung, ähnlich jenem Augenblick im Theater, in dem absolute Stille herrscht, sobald nach einer perfekten Vorstellung der letzte Vorhang gefallen ist und bevor frenetischer Applaus einsetzt: ein Gefühl des Triumphs, aber auch das ernste Bewußtsein einer Ewigkeit, das wie ein kalter Tropfen an der Spitze eines schmelzenden Eiszapfens hängt. Wenn die Schreie verstummt sind und das Blut in der Stille Pfützen bildet, kann Edgler Vess die Folgen seiner kühnen Taten besser würdigen und die leise Intensität des Todes genießen.

Schließlich verläßt er den Laden. Mit dem Schlüssel, den er vom Brett genommen hat, schließt er die Tür ab.

An der Ecke des Gebäudes steht eine öffentliche Telefonzelle. Die gepanzerte Schnur macht es unmöglich, den Hörer abzureißen, also hämmert er ihn fünf, zehn, zwanzig Mal gegen den Telefonkasten, bis das Plastik zerbricht und das Mikrofon enthüllt. Er reißt es aus der zerbrochenen Sprechmuschel, wirft es auf den

Boden und zermalmt es methodisch mit dem Stiefelabsatz. Dann hängt er den nutzlosen Hörer wieder in die Gabel.

Seine Arbeit hier ist getan. Dieses Zwischenspiel war zwar befriedigend, kam aber unerwartet; es hat ihn in seinem Zeitplan zurückgeworfen.

Er muß noch eine weite Strecke fahren. Er ist nicht müde. Am vergangenen Nachmittag hat er bis in den Abend hinein geschlafen, bevor er dann die Templetons besuchte. Aber er will keine Zeit verschwenden. Er sehnt sich nach seinem Zuhause.

Weit im Norden flattern weiche Blitze zwischen dichten Wolkenschichten, eher Bogen als Zacken. Vess freut die Aussicht auf einen großen Sturm. Hier auf Bodenhöhe, wo das Leben gelebt wird, sind Aufruhr und Durcheinander grundlegende Bestandteile des menschlichen Klimas, und aus Gründen, die er nicht versteht, beruhigt ihn jedesmal der Anblick von Gewalt in höheren Gefilden. Obwohl er nichts fürchtet, stört ihn der Anblick eines ruhigen Himmels – ob nun blau oder bewölkt – manchmal auf unerklärliche Weise, und wenn in einer klaren Nacht der Himmel voller Sterne ist, vermeidet er es, in diese Ungeheuerlichkeit zu schauen.

Jetzt sind keine Sterne sichtbar. Über ihm liegen nur düstere Wolkenmassen, die von einem kalten Wind getrieben werden. Blitze durchziehen sie kurz wie Adern, und sie scheinen mit einer Sintflut schwanger zu gehen.

Vess eilt über den Asphalt zu seinem Wohnmobil, versessen darauf, die Fahrt gen Norden wieder aufzunehmen, in den verheißenen Sturm zu geraten und den besten Ort der Nacht zu finden, an dem die Blitze mit zerschmetternder Gewalt und die Regenfälle in zerstörerischen Fluten kommen und starke Böen die Bäume entwurzeln werden.

Am Ende der Regalreihe kauernd, hatte Chyna gehört, wie die Tür geöffnet und wieder geschlossen wurde, und hatte nicht zu glauben gewagt, daß der Mörder endlich gegangen und ihre schwere Prüfung vorüber war. Mit angehaltenem Atem wartete sie darauf, daß sich die Tür wieder öffnete und seine Schritte erklangen, wenn er den Laden wieder betrat.

Als sie statt dessen hörte, wie der Schlüssel im Schloß kratzte und klickte und der Riegel an Ort und Stelle schnappte, schlich sie durch die mittlere der drei Reihen vor, blieb dabei geduckt und war mäuschenstill, weil sie damit rechnete, so irrational es auch sein mochte, daß er selbst draußen das leiseste Geräusch hörte.

Ein wütendes Hämmern, das durch die Mauern des Gebäudes widerhallte, ließ sie am Kopf des Ganges plötzlich innehalten. Er schlug heftig auf irgend etwas ein, doch sie konnte sich nicht vorstellen, worum es sich dabei handelte.

Als das Hämmern aufhörte, zögerte Chyna kurz, erhob sich dann aus der Hocke und beugte sich um das Ende der Regalreihe. Sie schaute nach rechts, am ersten Gang vorbei, zur Glastür und den Schaufenstern an der Vorderseite des Ladens.

Da er die Außenbeleuchtung ausgeschaltet hatte, lagen die Zapfsäulen in tiefer Dunkelheit da, so tief wie die auf dem Grund eines Flusses.

Zuerst konnte sie den Mörder nicht sehen; in seinem schwarzen Regenmantel war er eins mit der Nacht. Doch dann bewegte er sich, bewegte sich durch die Dunkelheit auf sein Wohnmobil zu.

Selbst wenn er zurückblickte, würde er sie in dem nur schwach beleuchteten Laden nicht sehen können. Ihr Herz hämmerte trotzdem, als sie in den freiliegenden Bereich zwischen dem Anfang der drei Gänge und der Theke trat.

Das Foto von Ariel lag nicht mehr auf dem Boden. Sie wünschte, sie könnte glauben, es habe nie existiert.

Im Augenblick waren die beiden Angestellten, die das Geheimnis ihrer Anwesenheit nicht preisgegeben hatten, wichtiger als Ariel oder der Mörder. Das Dröhnen der Flinte und das plötzliche Ende der nervtötenden Schreie hatten sie überzeugt, daß sie tot waren. Aber sie mußte sich vergewissern. Wenn einer von ihnen sich auf wundersame Weise ans Leben klammerte und sie Hilfe für ihn holen konnte – die Polizei und einen Krankenwagen –, würde sie vielleicht einen Teil ihrer Schuld begleichen können.

Sie war nicht imstande gewesen, das blutrünstige Arschloch aufzuhalten; sie hatte sich nur verstecken und inbrünstig beten können, daß er sie nicht fand. Nun rollte die Übelkeit wie ein Klumpen kalter Austern in ihrem Magen – und gleichzeitig verspürte sie eine widerliche Freude darüber, daß sie überlebt hatte, während so viele andere gestorben waren. So verständlich diese

Begeisterung sein mochte, sie schämte sich, und um ihrer selbst wie auch um der beiden Angestellten willen hoffte sie, daß sie noch helfen konnte.

Sie drängte sich durch die Klapptür in der Theke, und das spitze Ächzen der Scharniere ging ihr durch Mark und Bein.

Eine Schreibtischlampe spendete etwas Licht.

Die beiden Männer lagen am Boden.

»Ah«, sagte sie. Und dann: »Gott.«

Ihnen war nicht mehr zu helfen, und sie wandte sich sofort ab, während ihr alles vor den Augen verschwamm.

Auf der Theke, direkt unter der Lampe, lag ein Revolver. Sie betrachtete ihn ungläubig und blinzelte gegen ihre Tränen an.

Offensichtlich hatte er einem der Kassierer gehört. Sie hatte das Gespräch zwischen dem Mörder und den beiden Männern mitgehört, und sie erinnerte sich vage an eine barsche Ermahnung, bei der es sich um eine Warnung hatte handeln können, eine Waffe fallenzulassen. Diese Waffe.

Sie griff danach, hielt sie in beiden Händen – ein Gewicht, das sie aufrecht hielt.

Sollte der Mörder zurückkehren, war sie bereit, nicht mehr hilflos, denn sie wußte mit Waffen umzugehen. Einige der verrückten Freunde ihrer Mutter waren Waffennarren gewesen, haßerfüllte Leute mit einem seltsamen Glanz in den Augen, der bei einigen ein Indiz für Drogenmißbrauch war, bei anderen aber nur sichtbar wurde, wenn sie leidenschaftlich über ihre tiefe Verpflichtung gegenüber der Wahrheit und Gerechtigkeit sprachen. Als Chyna erst zwölf Jahre alt gewesen war, hatten auf einer abgelegenen Farm in Montana eine Frau namens Doreen und ein Mann namens Kirk sie im Gebrauch einer Pistole unterwiesen, und ihre schlanken Arme waren beim Rückstoß jedesmal heftig hochgerissen worden. Doch sie hatten sie geduldig das Schießen gelehrt und ihr erklärt, daß sie eines Tages ein wahrer Soldat und eine Bereicherung für die Bewegung sein würde.

Chyna hatte alles über Feuerwaffen lernen wollen, aber nicht, um sie eines Tages für die eine oder andere edle Sache einzusetzen, sondern um sich vor den seltsamen Leuten schützen zu können, mit denen ihre Mutter Umgang pflegte und deren Drogenkonsum manchmal Wutanfälle auslösten – und die sie gelegentlich mit kranker Begierde anstarrten. Sie war zu jung gewesen, um sich für Männer zu interessieren, und hatte zu viel Selbstachtung gehabt, um sie zu ermutigen – doch dank ihrer Mutter war sie nicht mehr so unschuldig gewesen, daß sie nicht begriffen hätte, was diese Typen mit ihr anstellen wollten.

Mit dem Revolver des toten Verkäufers in der Hand drehte sie sich um und sah das zerstörte Telefon.

»Scheiße.«

Sie kehrte durch die Klappe in den Laden zurück und lief zur Tür des Minimarkts.

Das Wohnmobil stand noch an der entfernteren der beiden Zapfsäulenreihen. Die Scheinwerfer waren nicht eingeschaltet.

Der Mörder war zuerst nicht zu sehen – doch dann kam er in Sicht, als er um das hintere Ende des Wohnmobils lief. Sein offener Mantel wehte im Wind wie ein Umhang.

Obwohl der Mann nur etwa zwanzig Meter entfernt war, konnte er sie an der Tür bestimmt nicht sehen. Er schaute nicht einmal in ihre Richtung, doch Chyna trat trotzdem einen Schritt zurück.

Offensichtlich hatte er den Zapfhahn wieder an die Säule gehängt und den Benzintank verschlossen. Er ging um den Wagen herum zur Fahrertür.

Sie hatte vorgehabt, die Polizei anzurufen und ihr mitzuteilen, daß der Mörder auf dem Highway 101 in nördliche Richtung fuhr. Doch bis sie ein Telefon erreicht, die Cops angerufen und ihnen die Lage erklärt hätte, würde er vielleicht schon eine Stunde Vorsprung haben. Innerhalb einer Stunde würde er mehrmals Gelegenheit gehabt haben, von der 101 auf andere Highways zu wechseln. Vielleicht fuhr er weiter nach Norden, in Richtung Oregon, oder er bog nach Osten in Richtung Nevada ab – oder sogar nach Westen zur Küste, um dann an der Pazifikküste entlang wieder in südliche Richtung und nach San Francisco zu fahren und im Labyrinth der Großstadt unterzutauchen. Je mehr Meilen er zurücklegte, bevor eine Großfahndung ausgeschrieben wurde, desto schwerer würde er zu finden sein. Er würde sich schon bald im Zuständigkeitsbereich einer anderen Polizeidienststelle befinden, zuerst in einem anderen County und dann vielleicht sogar in einem anderen Bundesstaat, und das würde die Suche nach ihm komplizieren.

Nun, wo sie darüber nachdachte, wurde Chyna klar, daß sie

kaum Informationen besaß, die der Polizei weiterhelfen würden. Das Wohnmobil konnte blau sein, aber auch grün; vielleicht hatte es auch eine ganz andere Farbe. Sie wußte es nicht genau, da sie es zuerst nur in der Dunkelheit und dann an der Tankstelle im farbverzerrenden gelben Schein der Natriumdampflampen gesehen hatte. Sie wußte weder, um was für ein Modell es sich handelte, noch hatte sie das Nummernschild gesehen.

Er fuhr los.

Ohne die geringste Eile, eindeutig davon überzeugt, nicht unmittelbar in Gefahr zu sein, stieg er in das Wohnmobil ein und zog die Fahrertür zu.

*Er wird entkommen. O Gott. Nein, das ist unerträglich, undenkbar. Ich darf nicht zulassen, daß er davonkommt, nie dafür bezahlt, was er Laura angetan hat, ihnen allen – und, was noch schlimmer ist, die Gelegenheit bekommt, es erneut zu tun. Nein, Gott, bitte, mach, daß ich das verdammte, verhaßte Arschloch mit einem Kopfschuß niederstrecke.*

Sie trat wieder an die Tür. Man konnte sie nur mit einem Schlüssel öffnen. Sie hatte keinen Schlüssel.

Sie hörte, wie der Motor des Wohnmobils angeworfen wurde.

Er würde es hören, wenn sie die Glasscheibe mit einem Schuß zerstörte. Selbst aus dieser Entfernung und beim Dröhnen des Motors würde er es hören.

Selbst wenn sie das Gebäude verlassen könnte, befand sie sich zu weit entfernt, um ihn zu erschießen. Fünfzehn bis zwanzig Meter, nachts, mit einem Revolver, und zwischen ihnen noch die Zapfsäulen. Unmöglich. Sie mußte näher heran, unmittelbar an das Wohnmobil, die Mündung ans Fenster drücken.

Doch wenn er hörte, wie sie sich den Weg durch die abgeschlossene Tür schoß, und sah, wie sie aus dem Laden stürmte, hatte sie nicht mehr die geringste Chance, in seine Nähe zu kommen, nicht in einer Million Jahren, und dann würde er wieder hinter ihr her sein, würde ihr nachsetzen, wohin sie auch ging, und seine Flinte war eine bessere Waffe als ihr Revolver.

Er schaltete die Scheinwerfer des Wohnmobils ein.

»Nein.«

Sie lief zur Thekentür, schob sich hindurch und ging um die Toten herum zu der Tür in der Rückwand.

Es mußte einen Hintereingang geben. Das gebot sowohl die Zweckmäßigkeit als auch die Brandschutzvorschrift.

Die Tür öffnete sich ins Dunkel. Soweit sie es sagen konnte, gab es vor ihr keine Fenster. Vielleicht war das nur ein kleiner Lagerraum oder eine Toilette. Sie trat über die Schwelle, schloß die Tür hinter sich, um zu verhindern, daß Licht in den Verkaufsraum fiel, tastete links an der Wand, fand einen Schalter und riskierte es, Licht zu machen.

Sie war in einem engen Büro. Auf dem Schreibtisch stand ein weiteres Telefon.

Direkt gegenüber der Tür, durch die sie den Raum betreten hatte, befand sich eine weitere. Kein Schloß daran. Das mußte die Toilette sein.

Links von ihr, in der Rückwand des Gebäudes, befand sich eine Metalltür, die durch zwei Riegel oben und unten gesichert war. Sie löste sie und öffnete die Tür, und eine Flutwelle kalten Windes spülte in das Büro.

Hinter dem Minimarkt lag eine sechs Meter breite, gepflasterte Fläche, hinter der sich ein steiler Hang mit dichtem Baumbewuchs erhob, nachtschwarz und windgeschüttelt. Eine Lampe in einem Drahtkäfig enthüllte zwei parkende Autos, die wahrscheinlich den Verkäufern gehörten.

Fluchend suchte Chyna den kürzeren Weg ums Gebäude, wandte sich nach rechts und sprintete an der Wand des Gebäudes entlang, um die Ecke und vorbei an öffentlichen Toiletten. Sie hatte nie jemandem körperlichen Schaden zugefügt, kein einziges Mal in ihrem Leben, aber jetzt war sie bereit, einen Menschen zu töten, und sie wußte, sie würde es ohne das geringste Zögern tun, ohne einen einzigen Gedanken an Gnade, zur Strafe dafür, daß er sie dazu befähigt hatte. Darauf hatte er sie reduziert – auf diesen blinden, animalischen Zorn –, und das Schlimmste daran war, daß sie sich gut anfühlte, diese Wut, so gut im Vergleich zu der Furcht und Hilflosigkeit, die sie hatte ertragen müssen, ein süßes Singen im Blut, das durch ihre Adern raste, ein erhebendes Gefühl wilder Kraft. Die Blutlust, die sie ergriffen hatte, hätte sie abstoßen müssen, doch sie gefiel ihr, und sie wußte, diese Lust würde sich noch steigern, sollte sie das Wohnmobil einholen und durch das Fenster auf der Beifahrerseite auf ihn schießen. Dann würde sie die Tür aufreißen und erneut auf ihn feuern, während er blutend hinter dem Lenkrad saß, und ihn herauszerren, auf den Boden werfen und Blei in ihn hineinpumpen, und er würde nie wieder auf die Jagd gehen können.

Sie lief um die zweite Ecke und erreichte die Vorderseite des Gebäudes.

Das Wohnmobil entfernte sich von den Zapfsäulen.

Sie rannte ihm nach, schneller, als sie je in ihrem Leben gerannt war, durchpflügte den Gegenwind, der ihr neue Tränen in die Augen trieb, und ihre Schuhe schlugen laut auf den Asphalt.

Jetzt bat sie: *Lieber Gott, laß mich ihn einholen!* statt: *Lieber Gott, laß mich ihm entkommen!*, und jetzt hieß es: *Lieber Gott, laß mich ihn töten!* statt: *Lieber Gott, laß ihn mich nicht töten!*

Das Wohnmobil wurde schneller. Es hatte den Bereich der Tankstelle bereits verlassen und die zweihundert Meter lange Auffahrt erreicht, die zum Highway zurückführte.

Sie würde es nicht mehr einholen können.

Er entkam.

Sie blieb stehen und spreizte die Beine. Der Revolver war in ihrer rechten Hand. Sie hob ihn, umfaßte ihn mit beiden Händen, die Arme ausgestreckt, die Ellbogen angewinkelt. Die klassische Haltung eines Schützen. Jedes brave Mädchen mußte sie kennen, um für die Revolution gewappnet zu sein.

Ihr Herz schlug nicht nur, es donnerte, und jedes explosive Pumpen ließ ihre Arme erzittern, so daß sie nicht genau zielen konnte. Das Wohnmobil war sowieso schon zu weit entfernt. Sie würde es meterweit verfehlen. Und selbst wenn sie Glück haben und die Kugel in die Rückseite einschlagen sollte, würde sie den Fahrer nicht gefährden. Er war außerhalb ihrer Reichweite, fuhr davon, und sie konnte ihm nicht mehr schaden.

Es war vorbei. Sie konnte Hilfe rufen, das nächste noch funktionierende Telefon suchen, die örtliche Polizei anrufen und versuchen, seinen Vorsprung so kurz wie möglich zu halten – aber hier und jetzt war es vorbei.

Abgesehen davon, daß es *nicht* vorbei war, und das wußte sie auch, ganz gleich, wie sehr sie sich wünschte, mit der Geschichte fertig zu sein, denn sie sagte laut: »Ariel.«

*Sechzehn. Das schönste Ding auf Erden. Der reinste Engel.*

*Haut wie Porzellan. Atemberaubend. Seit einem Jahr im Keller eingesperrt. Ich habe sie nie angerührt – nicht so. Ich warte darauf, daß sie etwas reifer wird, noch etwas süßer.*

Vor Chynas geistigem Auge war das Polaroid-Foto von Ariel so klar und deutlich wie in dem Moment, da sie es in der Hand gehalten hatte. Dieser freundliche Ausdruck, den sie mit offensichtlicher Anstrengung aufrechterhielt. Diese Augen, randvoll mit Schmerz.

Als sie zuvor das Gespräch zwischen dem Mörder und den beiden Angestellten mitgehört hatte, hatte Chyna gewußt, daß er nicht nur Spielchen mit ihnen trieb, sondern die Wahrheit sagte. Das Schwein weihte sie in seine Geheimnisse ein, gab seine perversen Verbrechen zu, zog seinen Kitzel daraus, seine Schuld einzugestehen, weil er wußte, daß sie sterben würden und keine Chance hätten, seine Eingeständnisse jemals zu wiederholen. Selbst wenn sie das Foto nicht gesehen hätte, hätte sie es gewußt.

Ariel. Diese Augen. Der Schmerz.

Als Chyna sich auf ihr Überleben konzentriert hatte, hatte sie alle Gedanken an das gefangene Mädchen aus ihrem Verstand verdrängt. Und als sie den Revolver gefunden hatte, war sie sofort überzeugt gewesen, daß sie dieses Arschloch umbringen, ihm das Gehirn aus dem Kopf pusten wollte, weil sie noch nicht imstande gewesen war, der Wahrheit ins Auge zu sehen.

Die Wahrheit war, daß sie es nicht wagte, ihn zu töten, denn wenn er tot war, würde man Ariel vielleicht nie finden – oder ein paar Tage zu spät, nachdem sie in ihrer Zelle im Keller verhungert oder verdurstet war. Vielleicht hatte er das Mädchen unter seinem Haus eingeschlossen – das man wahrscheinlich anhand der Papiere identifizieren konnte, die er bei sich trug –, vielleicht aber auch irgendwo anders, an einem abgelegenen Ort, zu dem er und nur er sie führen konnte. Chyna hätte den Mörder verfolgt, um ihn kampfunfähig zu machen, damit die Cops aus ihm herausquetschen konnten, wo er Ariel versteckt hatte. Hätte sie das Wohnmobil einholen können, hätte sie versucht, die Fahrertür aufzureißen, den Scheißkerl ins Bein zu schießen, während sie neben dem Wagen herlief, ihn so schwer zu verwunden, daß er das Fahrzeug hätte anhalten müssen. Aber sie hatte die Wahrheit vor sich verbergen müssen, weil es viel riskanter war, ihn zu verletzen, als ihm einfach durch das Fenster in den Kopf zu schießen, und vielleicht hätte sie den Mut nicht aufgebracht, so schnell zu laufen und so genau zu zielen, wenn sie sich eingestanden hätte, was in Wirklichkeit getan werden mußte.

Mit seiner Leichenfracht und dem Fahrer, dessen Name Satan oder sonstwie sein mochte, wurde das große Wohnmobil auf der Auffahrt zum Highway 101 immer kleiner. Es kam ihr buchstäblich wie die Hölle auf Rädern vor.

Irgendwo hatte der Mörder ein Haus, und unter dem Haus war ein Keller, und in dem Keller war ein sechzehnjähriges Mädchen namens Ariel, das seit einem Jahr dort gefangengehalten wurde. Noch war es unberührt, doch schon bald würde er ihm Gewalt antun; noch lebte es, aber nicht mehr lange.

»Es gibt sie wirklich«, flüsterte Chyna dem Wind zu.

Die Rücklichter schrumpften in der Nacht.

Sie suchte hektisch die einsame Straße ab, konnte aber in keiner Richtung Hilfe ausmachen. Keine Lichter von Häusern in der unmittelbaren Umgebung. Nur Bäume und Dunkelheit. Im Norden leuchtete etwas schwach, hinter dem nächsten oder übernächsten Hügel, aber sie erkannte die Lichtquelle nicht, und zu Fuß konnte sie die Stelle sowieso nicht schnell genug erreichen.

Mit flammenden Scheinwerfern tauchte auf dem Highway ein riesiger Lastwagen auf, doch er bog nicht ab, um zu tanken. Er rauschte vorbei; der Fahrer hatte Chyna offensichtlich nicht gesehen.

Das schwerfällige Wohnmobil hatte das Ende der Verbindungsstraße fast erreicht.

Chyna schluchzte – vor Enttäuschung, vor Zorn, vor Furcht um das Mädchen, das sie gar nicht kannte, und vor Verzweiflung über ihre Schuld am möglichen Tod dieses Mädchens – und wandte sich von dem Wohnmobil ab. Lief an den Tanksäulen vorbei. Um das Gebäude, den Weg entlang, den sie gekommen war.

Während ihrer gesamten Kindheit hatte ihr nie jemand auch nur die Hand gereicht. Keinen hatte es je geschert, daß sie in der Falle saß, Angst hatte und hilflos war.

Als sie nun an die Polaroid-Aufnahme dachte, kam sie ihr vor wie eins dieser Hologramme, die sich mit dem Winkel und der Richtung veränderten, aus der sie betrachtet wurden. Mal zeigte es Ariels Gesicht, mal Chynas.

Als sie lief, betete sie, daß sie den Minimarkt nicht noch einmal betreten und die Toten durchsuchen mußte.

In der Ferne zuckte ein Blitz, und ein schwacher Donner polterte wie Stiefelabsätze auf einer hohlen Kellertreppe. Auf den steilen Hügeln hinter dem Gebäude knüppelte der anschwellende Sturm auf schwarze Bäume ein.

Der erste Wagen war ein weißer Chevrolet. Zehn Jahre alt. Unverschlossen.

Als sie sich hinter das Lenkrad setzte, ächzten die verschlissenen Sprungfedern, und unter ihren Füßen knisterte die Verpackung eines Schokoriegels oder etwas ähnliches. Das Wageninnere stank nach abgestandenem Zigarettenrauch.

Die Schlüssel steckten nicht in der Zündung. Sie sah hinter dem Blendschirm nach. Unter dem Fahrersitz. Nichts.

Der zweite Wagen war ein Honda, neuer als der Chevy. Er roch nach einem Luftauffrischer mit Zitronenaroma, und die Schlüssel lagen in einem Münzfach in der Konsole.

Sie legte den Revolver auf den Beifahrersitz, wo sie ihn jederzeit erreichen konnte. Aus irgendeinem Grund zögerte sie, ihn aus der Hand zu geben. Als Erwachsene hatte sie stets auf ihre Besonnenheit gebaut und war jedem Ärger vorsichtig aus dem Weg gegangen. Sie hatte keine Waffe mehr in der Hand gehalten, seit sie mit sechzehn Jahren ihre Mutter verlassen hatte. Jetzt konnte sie sich nicht vorstellen, ohne eine Waffe an ihrer Seite zu leben, und sie bezweifelte, daß sie je wieder dazu imstande sein würde – eine Entwicklung, die sie bestürzte.

Der Motor sprang sofort an. Die Reifen kreischten, und sie fuhr so scharf an, daß sich Gummi von den Reifen schälte. Rauch quoll von den durchdrehenden Rädern empor, doch dann schoß sie hinter dem Gebäude hervor und an den Tanksäulen vorbei.

Die Auffahrt zum Highway war verlassen. Das Wohnmobil war nicht mehr zu sehen.

Die 101 war hier ein geteilter Highway mit je zwei Spuren pro Richtung; das Wohnmobil hatte also nicht wenden und nach Süden fahren können. Der Mörder mußte in nördliche Richtung fahren, und in den paar Minuten Vorsprung, die er hatte, konnte er nicht weit gekommen sein.

Chyna folgte ihm.

# KAPITEL 5

Um vier Uhr morgens herrscht nur wenig Gegenverkehr, aber jedes Scheinwerferpaar läßt die feinen Härchen in Edgler Vess' Ohren vibrieren: ein angenehmes Geräusch, das sich von dem vorbeiziehenden Dröhnen der Motoren und dem Dopplereffekt-Heulen der Reifen anderer Fahrzeuge auf dem Asphalt unterscheidet.

Während er fährt, ißt er einen Hershey-Riegel. Das samtige Gefühl der schmelzenden Schokolade auf seiner Zunge erinnert ihn an die Musik von Angelo Badalamenti, und Badalamentis Musik ruft ihm die wächserne Oberfläche einer scharlachroten Flamingoblume in Erinnerung, und die Flamingoblume spült eine intensive sinnliche Erinnerung an den kühlen Geschmack und die Knackigkeit von kleinen sauren Gurken hervor, die ein paar Sekunden lang den tatsächlichen Geschmack der Schokolade völlig überlagern.

Vess ist glücklich, als er dem Gemurmel der sich nähernden Scheinwerfer lauscht und sich in diese freie Assoziation von Sinneseindrücken und Erinnerungen vertieft. Er nimmt das Leben viel intensiver wahr als andere Menschen, er ist einzigartig. Da sein Geist nicht von Trivialitäten und falscher Rücksichtnahme verstopft wird, kann er wahrnehmen, was andere nicht wahrnehmen können. Er versteht die Natur der Welt, den Sinn der Existenz und die Wahrheit hinter der Großen Lüge; dieses Verständnis macht ihn frei, und weil er frei ist, ist er immer glücklich.

Die Natur der Welt besteht aus Wahrnehmung. Wir treiben in einem Meer der Sinnesreize: Bewegung, Farbe, Struktur, Form, Wärme, Kälte, natürliche Symphonien von Tönen, eine unendliche Anzahl von Gerüchen, mehr Geschmacksnoten, als ein gewöhnlicher Mensch unterscheiden kann. Nur Wahrnehmungen überdauern. Alle Lebewesen sterben. Große Städte sind dem

Untergang geweiht. Metall verrostet, und Stein zerbröckelt. Im Verlauf der Äonen werden Kontinente neu geformt, ganze Gebirgszüge verschwinden, und Meere trocknen aus. Der gesamte Planet wird verdampfen, wenn die Sonne sich selbst zerstört. Doch sogar in der Leere des tiefen Alls, zwischen den Sonnensystemen, in diesem absoluten Vakuum, das kein Geräusch überträgt, gibt es Licht und Dunkelheit, Kälte, Bewegung, Form und das unbeschreibliche Panorama der Ewigkeit.

Der einzige Sinn der Existenz liegt darin, sich den Wahrnehmungen zu öffnen und jedes Verlangen zu befriedigen, sobald es entsteht. Edgler Vess weiß, daß es so etwas wie gute oder schlechte Wahrnehmung nicht gibt – nur die reine Wahrnehmung an sich – und daß eine jede Sinneserfahrung lohnend ist. Negative und positive Werte sind lediglich menschliche Interpretationen wertneutraler Stimuli und daher nur so beständig – soll heißen, so bedeutungslos – wie menschliche Wesen selbst. Er genießt den bittersten Geschmack genauso wie die Süße eines reifen Pfirsichs; in der Tat kaut er gelegentlich ein paar Aspirin, aber nicht, um Kopfschmerzen zu lindern, sondern um das unvergleichliche Aroma des Medikaments zu kosten. Wenn er sich zufällig schneidet, hat er nie Angst oder ist wütend, denn er findet Schmerz faszinierend und heißt ihn willkommen; selbst der Geschmack seines eigenen Blutes fasziniert ihn.

Mr. Vess weiß nicht genau, ob es so etwas wie die unsterbliche Seele gibt, er ist jedoch felsenfest davon überzeugt, daß sie uns, falls es sie gibt, nicht auf dieselbe Weise angeboren ist wie Augen und Ohren. Er glaubt, daß die Seele, falls es sie wirklich gibt, *wächst* wie ein Korallenriff aus den unzähligen Millionen kalkhaltiger Skelette, die Meerespolypen abgesondert haben. Doch wir bauen das Riff der Seele nicht aus toten Polypen, sondern aus den ständig miteinander verwachsenden Erfahrungen auf, die wir im Lauf des Lebens machen. Nach Vess' fester Überzeugung muß man, um sich eine beeindruckende Seele zu verdienen – oder *überhaupt* eine Seele –, sich jeder möglichen Erfahrung öffnen, sich in den unerschöpflichen Ozean der Sinnesanregungen stürzen, der unsere Welt ausmacht, und sie furchtlos und unerschrocken *erfahren*, ohne ein Urteil darüber zu fällen, ob sie gut oder schlecht sind, richtig oder falsch. Wenn seine Annahme richtig ist, baut er sich mit seiner Art zu leben die komplizierteste, ausgeklügeltste – um nicht zu sagen: barockste – und *wichtigste* Seele auf Erden auf.

Die große Lüge besteht darin, daß es solche Vorstellungen wie Liebe, Schuld und Haß gibt. Man kann Mr. Vess mit einem beliebigen Priester in ein Zimmer stecken und den beiden einen Bleistift zeigen, und beide werden bezüglich der Farbe, Größe und Form übereinstimmende Aussagen treffen. Man kann ihnen die Augen verbinden und Zimt unter die Nase halten, und sie werden ihn aufgrund des Geruchs identifizieren. Aber wenn man ihnen eine Mutter zeigt, die mit ihrem Baby schmust, wird der Priester Liebe sehen, wo Mr. Vess nur eine Frau sieht, welche die Sinneseindrücke genießt, die das Baby ihr verschafft – den Geruch des frisch gebadeten Kindes, die Weichheit seiner rosa Haut, die unbestreitbar angenehme Rundheit seines einfach geformten Gesichts, die Musikalität seines Gekichers; seine offensichtliche Hilflosigkeit und Abhängigkeit befriedigen sie zutiefst. Der größte Fluch der menschlichen Intelligenz besteht darin, daß sie bei den meisten Angehörigen dieser Spezies die Sehnsucht weckt, mehr zu sein, als sie sind. Vess ist der Ansicht, daß alle Männer und Frauen im Prinzip nichts als Tiere sind – in der Tat kluge Tiere, aber trotzdem Tiere; Reptilien, die sich aus jenem ersten Fisch entwickelt haben, der als erster aus dem Urmeer kroch. Sie werden, wie er weiß, ausschließlich von Sinneseindrücken motiviert und gelenkt, sind aber nicht bereit, die Vorherrschaft der körperlichen Wahrnehmung über den Intellekt und das Gefühl einzugestehen. Ja, sie haben Angst vor ihrer Reptilienseele, vor ihren Bedürfnissen und Begierden, und versuchen sie zu vergessen, indem sie sie mit Lügenkonstrukten wie Liebe, Schuld, Haß, Mut, Treue und Ehre zukleistern.

Das ist die Philosophie von Mr. Edgler Vess. Er heißt seine reptilische Natur willkommen. Seine Großartigkeit liegt in einer einzigartigen Verschmelzung der Wahrnehmungen. Es ist eine funktionelle Philosophie, die ihren Anhängern sowohl verbietet, die Werte-Schwarzweißmalerei religiöser Menschen mitzumachen, als auch die peinlichen Widersprüche der Situationsethik vermeidet, die sowohl dem modernen Atheisten als auch dem Menschentypus zu eigen ist, dessen Religion die Politik ist.

Leben *ist.* Vess lebt. Das kommt unter dem Strich dabei heraus.

Während Vess auf dem Highway 101 in Richtung Norden fährt und den zweiten Hershey-Riegel ißt, sinnt er wieder einmal über die Ähnlichkeit zwischen der Beschaffenheit schmelzender Schokolade und der von sich verdickendem Blut nach.

Er erinnert sich an die friedliche Stille des Blutes, das in der Duschkabine eine Lache um Mrs. Templeton bildete, und wie er sie störte, indem er das kalte Wasser aufdrehte.

Die Erinnerung an das hohle Trommeln in dieser Dusche hält ihm die Kälte all des Regens vor Augen, den der angekündigte Sturm freisetzen wird, in den er hineinfährt.

Er sieht einen Blitz über die Oberfläche der Wolken huschen und weiß, daß er nach Ozon schmeckt.

Über dem monotonen Motordröhnen hört er einen Donnerschlag, und dieses Geräusch verbindet sich ebenfalls mit einem lebhaften inneren Bild: die Augen des jungen Asiaten, die weit, weit, weit aufgerissen werden, als der erste Schuß aus der Flinte kracht.

Selbst in der luftlosen Leere zwischen den Galaxien: das Licht und die Dunkelheit, Farbe, Struktur, Bewegung, Form – und Schmerz.

Der Highway stieg leicht an, und die Bäume rückten näher. In einer langgezogenen Kurve glitten die Scheinwerfer des Honda über die flankierenden Hügel und enthüllten, daß einige der sich abzeichnenden Bäume gewaltige Hemlocktannen und Kiefern waren. Bald würde sie vielleicht Mammutbäume sehen.

Chyna hielt den Fuß auf dem Gaspedal. Soweit sie sich erinnerte, war dies das erste Mal, daß sie gegen eine Geschwindigkeitsbegrenzung verstieß. Sie war noch nie wegen eines Verkehrsvergehens verwarnt worden, aber jetzt wäre sie dankbar, hielte ein Cop sie an.

Ihre makellose Akte beim Straßenverkehrsamt resultierte aus ihrer Vorliebe für Mäßigung in allen Dingen, einschließlich der Geschwindigkeit, mit der sie normalerweise fuhr. Aus den Katastrophen, die anderen widerfahren waren, hatte sie geschlossen, daß Überleben und Mäßigung in einem engen Zusammenhang standen, und ihr ganzes Dasein galt dem Überleben, wie man das

Leben einer Nonne mit dem Begriff Glauben und das eines Politikers mit Macht charakterisieren konnte. Sie trank nur selten mehr als ein Glas Wein, nahm niemals Drogen, betrieb keine gefährlichen Sportarten, achtete bei ihrer Ernährung darauf, nur wenig Fett, Salz und Zucker zu sich zu nehmen, hielt sich von Gegenden fern, die als gefährlich galten, tat niemals nachdrücklich ihre Meinung kund und verhielt sich im allgemeinen so, daß sie nicht auffiel – alles nur, um durchzukommen, zu überleben.

Allen Widrigkeiten zum Trotz hatte sie die Ereignisse der letzten paar Stunden überlebt. *Der Mörder wußte gar nicht, daß es sie gab.* Sie hatte es geschafft. Sie war frei. Es war vorbei. Klug, sicher, vernünftig – und ihrem Wesen entsprechend – wäre es nun, ihn einfach entkommen zu lassen, am Straßenrand anzuhalten, sich dem Zittern hinzugeben, das sie mit aller Kraft unterdrückte, und Gott zu danken, daß sie es geschafft hatte: unberührt und lebend.

Während Chyna das Wohnmobil verfolgte, argumentierte sie gegen ihre frühere Überzeugung an und beharrte darauf, daß es das junge Mädchen im Keller, Ariel mit dem Engelsgesicht, gar nicht gab. Vielleicht war es das Foto eines Mädchens, das er bereits ermordet hatte. Die Kerker-Geschichte mochte nur eine krankhafte Phantasievorstellung sein, die psychotische Version eines Märchens der Gebrüder Grimm, Rapunzel nicht im Turm, sondern unter der Erde, lediglich ein Verwirrspiel, das er mit den beiden Verkäufern getrieben hatte.

»Lügnerin«, sagte sie zu sich selbst.

Das Mädchen auf dem Foto lebte noch und war irgendwo eingesperrt. Ariel war keine Phantasievorstellung. Ganz im Gegenteil, sie war Chyna; sie waren ein und dieselbe, weil alle vermißten, verlorenen Mädchen ein und dasselbe Mädchen sind, vereint durch ihr Leid.

Sie behielt den Fuß fest auf dem Gaspedal, und der Honda fuhr über einen Hügelkamm, und das alte Wohnmobil war auf dem sanften Gefälle vor ihr, etwa einhundertfünfzig Meter entfernt. Der Atem stockte ihr in der Kehle, und dann stieß sie ihn mit einem leisen *»O Gott!«* aus.

Sie holte viel zu schnell auf. Sie nahm den Fuß vom Gaspedal.

Als sie noch sechzig Meter von dem Wohnmobil entfernt war,

hatte sie ihre Geschwindigkeit dem anderen Fahrzeug angepaßt. Sie ließ sich zurückfallen und hoffte, daß er ihre anfängliche Eile nicht bemerkt hatte.

Er fuhr zwischen fünfundsiebzig und achtzig Stundenkilometern, eine besonnene Geschwindigkeit auf diesem Highway, vor allem, da es nun keinen Mittelstreifen mehr gab und die Fahrbahnen etwas schmaler geworden waren. Er würde nicht unbedingt erwarten, daß sie ihn überholte, und nicht mißtrauisch werden, wenn sie hinter ihm blieb; schließlich war zu dieser nachtschlafenden Stunde nicht jeder Fahrer in Kalifornien wahnsinnig in Eile oder selbstmörderisch tempogeil.

Bei diesem vernünftigen Tempo mußte sie sich nicht mehr so stark wie zuvor auf die Straße konzentrieren. In der Hoffnung, ein Mobiltelefon zu finden, sah sie sich im Wagen um. Sie hielt es für unwahrscheinlich, daß ein Verkäufer, der die Nachtschicht in einer Tankstelle übernommen hatte, ein Handy besaß, aber andererseits schien jetzt die halbe Welt diese Dinger mit sich herumzuschleppen, nicht nur Vertreter, Makler und Anwälte. Sie sah in der Konsole nach. Im Handschuhfach. Unter dem Fahrersitz. Leider erwies ihr Pessimismus sich als begründet.

Südwärts fahrender Verkehr kam ihr auf der anderen Fahrspur entgegen: ein großer Tankwagen, dessen Fahrer einen Bleifuß hatte, dicht in dessen Windschatten ein Mercedes – und dann, in beträchtlichem Abstand, ein Ford. In der Hoffnung, zufällig einem Polizeiauto zu begegnen, bedachte Chyna die Fahrzeuge mit besonderer Aufmerksamkeit.

Sollte sie einen Cop entdecken, würde sie ihn mit der Hupe auf sich aufmerksam machen oder indem sie in Schlangenlinien fuhr. Wenn sie die Hupe zu spät einsetzte und er ihren übertriebenen Slalom im Rückspiegel nicht bemerkte, würde sie zögernd wenden und ihm folgen, auch wenn sie das Wohnmobil dann aus den Augen verlor.

Sie hegte aber keine allzu große Hoffnung, in Bälde einen Cop zu sehen.

Der Mörder schien das Glück auf seiner Seite zu haben. Er legte eine Zuversicht an den Tag, die Chyna entnervte. Vielleicht war diese Zuversicht der einzige Garant für sein Glück – obwohl selbst Chyna, die eigentlich fest in der Wirklichkeit verwurzelt war, sich schnell dem Aberglauben hingeben und ihm dunkle, übersinnliche Kräfte zuschreiben konnte.

Nein. Er war nur ein Mensch.

Und jetzt hatte sie einen Revolver. Sie war nicht mehr hilflos.

Das Schlimmste war vorbei.

Im Norden zuckten wieder Blitze durch den Himmel, diesmal nicht mehr so schwach, nicht durch dicke Wolkenschichten gefiltert. Sie waren so hell, als würde die nackte Sonne von der anderen Seite der Nacht durchbrechen.

In dieser stroboskopischen Helligkeit schien das Wohnmobil zu vibrieren, als wolle ein göttlicher Zorn es mitsamt seinem Fahrer zerschmettern.

Doch in dieser Welt war die Vergeltung sterblichen Männern und Frauen vorbehalten. Gott begnügte sich damit, auf das nächste Leben zu warten, um Sündern eine Bestrafung zuteil werden zu lassen; nach Chynas Auffassung war das seine einzige erbarmungslose Eigenschaft, doch darin lag genug Grausamkeit.

Den Blitzen folgten krachend Donnerschläge. Obwohl sie so laut waren, daß sie die Schleusen des Himmels hätten zerschlagen müssen, blieb der Regen vorerst in seinem finsteren Reservoir.

Sie hoffte ein Schild zu entdecken, das eine Wache der Autobahnpolizei ankündigte, doch es war nichts dergleichen zu sehen. Der nächste größere Ort, in dem sie vielleicht auf ein Polizeirevier oder einen Streifenwagen stoßen könnte, war Eureka, und auch das war nicht gerade eine Großstadt. Außerdem befand sich Eureka noch mindestens eine Autostunde weit entfernt.

Als Kind hatte sie sich unter Betten gepreßt und sich in Schränke gekauert, sich auf Dächer gehockt und in die obersten Äste der Bäume gerettet, im Winter in Scheunen und in warmen Nächten am Strand ausgeharrt und darauf gewartet, daß die Leidenschaft, der Zorn der Erwachsenen sich verflüchtigten, immer in Angst, aber auch mit Geduld, zen-haft losgelöst vom Fluß der Zeit. Nun machte die Ungeduld ihr zu schaffen wie nie zuvor. Sie wollte, daß dieser Mann gefaßt, in Handschellen gelegt, der Gerechtigkeit zugeführt und *verletzt* wurde. Sie wollte es unbedingt, und zwar ohne jede weitere Minute der Verzögerung, bevor er erneut töten konnte. Ihr eigenes Überleben stand im Augenblick nicht auf dem Spiel, aber das eines jungen Mädchens. Sie kannte es gar nicht, und so war sie überrascht – ja, besorgt –, daß sie sich so stark für eine Fremde einsetzte.

Vielleicht hatte diese Eigenschaft schon immer in ihr geschlummert, und sie war einfach noch nie in einer Situation gewesen, in der sie darauf hatte zurückgreifen müssen. Aber nein. Damit machte sie sich selbst etwas vor. Vor zehn Jahren wäre sie dem Wohnmobil nie gefolgt. Auch nicht vor fünf Jahren. Oder letztes Jahr. Vielleicht nicht mal gestern.

Irgend etwas hatte sie grundlegend verändert, und das war nicht die Brutalität gewesen, die sie vor ein paar Stunden im Haus der Templetons gesehen hatte. Tief im Inneren wußte sie, daß diese Metamorphose schon vor langer Zeit eingesetzt und Jahre unbemerkt in ihr gewirkt hatte, wie die Verschiebung der Mäander eines Flusses – Tag für Tag um nicht wahrnehmbare Bruchteile eines Zentimeters. Dann plötzlich genügte das bloße Überleben ihr nicht mehr; der letzte Erdwall zerbröckelte, der letzte Stein wurde beiseite gespült, und der Lauf des Flusses änderte sich.

Sie hatte Angst vor sich selbst. Diese unbesonnene Fürsorge für eine andere Person.

Weitere Blitze, wütender als zuvor, enthüllten gewaltige Mammutbäume, die an Kathedralentürme erinnerten. Dem kirchturmzerschmetternden Licht folgten so heftige Donnerschläge, daß es sich anhörte, als hätte die Sankt-Andreas-Spalte sich verlagert. Der Himmel riß auf, und Regen fiel.

Im ersten Augenblick waren die Tropfen im Scheinwerferlicht fett und milchig weiß, als sei die Nacht ein erloschener Kronleuchter, an dem Myriaden von Kristallen baumelten. Sie prallten gegen die Windschutzscheibe, die Motorhaube, auf den Asphalt.

Auf dem Highway vor ihr verschwand das Wohnmobil allmählich in dem Wolkenbruch.

Innerhalb von ein paar Sekunden wurden die Tropfen dramatisch kleiner und fielen dichter. Sie warfen das Licht der Scheinwerfer silbergrau zurück und fielen nicht mehr senkrecht zu Boden, sondern so, wie der gnadenlose Wind es gerade wollte.

Chyna schaltete die Scheibenwischer auf die höchste Stufe, aber während die Sicht sich dramatisch verschlechterte, glitt das Wohnmobil weiterhin schnell durch den Sturm. Der Mörder war im Sturm nicht langsamer geworden, sondern hatte beschleunigt.

Chyna wollte ihn auch nicht eine Sekunde lang aus den Augen lassen und reduzierte den Abstand zwischen ihnen auf etwa sechzig Meter. Sie befürchtete, daß er die Bedeutung ihres Manövers erkennen und begreifen würde, daß sie es irgendwie auf ihn abgesehen hatte.

Der nach Süden fahrende Verkehr war von Anfang an spärlich gewesen, schien nun jedoch proportional zur Stärke des anschwellenden Sturms abzunehmen, als wären die meisten Autofahrer vom Highway gespült worden.

Auch im Rückspiegel tauchten keine Scheinwerfer auf. Der Psychopath im Wohnmobil hatte eine Geschwindigkeit vorgegeben, bei der kein vernünftiger Mensch mithalten würde.

Obwohl sie sich ein gutes Stück von ihm entfernt in einem anderen Fahrzeug befand, fühlte sie sich in diesem Augenblick genauso allein mit ihm wie noch vor kurzem in seinem Schlachthaus auf Rädern.

Dann, als so viel Zeit verstrichen war, daß die einsamen Asphaltspuren und die düsteren Katarakte des Regens weniger bedrohlich als monoton wirkten, überraschte der Mörder sie plötzlich. Ohne sich die Mühe zu machen, den Blinker zu setzen, trat er kurz auf die Bremse und bog nach rechts auf eine Ausfahrt ab.

Chyna ließ sich etwas zurückfallen, erneut besorgt, er könne argwöhnisch werden, wenn er sah, daß sie dieselbe Ausfahrt nahm. Da ihre Fahrzeuge die einzigen weit und breit waren, konnte sie sich einfach nicht unauffällig verhalten. Sie hatte keine Wahl, sie mußte ihm folgen.

Als sie das Ende der Auffahrt erreichte, war das Wohnmobil im Regen und dünnen Nebel verschwunden, doch sie hatte zuvor erkannt, daß es nach links abgebogen war. In der Tat führte die zweispurige Straße nur nach Westen, und ein Schild informierte sie darüber, daß sie sich nun im Humboldt Redwood State Park befanden.

Drei Gemeinden lagen vor ihr: Honeydew, Petrolia und Capetown. Sie hatte noch nie von ihnen gehört und war sicher, daß es sich um kleine Kaffs ohne eigene Polizeiwache handelte.

Sie beugte sich über das Lenkrad vor, blinzelte durch die regennasse Windschutzscheibe und fuhr in den Park, eifrig bemüht, wieder zum Mörder aufzuschließen: Vielleicht wohnte er in einer dieser Kleinstädte oder zumindest in der Nähe. Sie war gut beraten, eine Weile außerhalb seiner Sichtweite zu bleiben, damit er nicht Verdacht schöpfte, sie sei ihm auf der Spur. Doch sie mußte den Sichtkontakt wiederherstellen, bevor er das andere Ende des Parks erreichte und danach vielleicht von der Landstraße auf eine Auffahrt oder Privatstraße abbog.

Je tiefer sich die Straße zwischen die himmelhohen Bäume schlängelte, desto schwächer schlug der Regen gegen den Honda. Der Sturm flaute zwar nicht ab, doch die Mammutbäume bildeten einen gewaltigen Schutzschild, der die Straße vor dem sintflutartigen Regen abschirmte.

Auf dieser schmalen, gewundenen Straße war es nicht möglich, die Geschwindigkeit beizubehalten, die sie auf dem Highway 101 gehabt hatten. Außerdem schien der Mörder zur Auffassung gelangt zu sein, daß er nicht mehr so auf die Tube drücken mußte, vielleicht, weil er sich inzwischen ausreichend weit von den Toten in der Tankstelle entfernt hatte. Als Chyna ihn kaum eine Minute später einholte, fuhr er jedenfalls deutlich unterhalb der erlaubten Höchstgeschwindigkeit.

Als sie dem Wohnmobil nun näher war als je zuvor, fiel ihr auf, daß es keine Nummernschilder hatte. Kalifornien gab – wie wohl auch einige andere Staaten – keine provisorischen Schilder für neu angemeldete Fahrzeuge aus, und es war darum auch legal, »ohne« zu fahren, bis einem das Straßenverkehrsamt die Schilder zugestellt hatte. Vielleicht hatte der Mörder sie abgeschraubt, bevor er zum Haus der Templetons aufgebrochen war, um zu vermeiden, daß ein Zeuge mit gutem Gedächtnis sich das Kennzeichen einprägte.

Chyna nahm den Fuß vom Gaspedal, warf einen Blick auf den Tachometer – und sah eine rote Warnleuchte. Die Nadel der Benzinuhr stand auf Reserve.

Da sie sich auf das Wohnmobil und die gefährlich nasse Fahrbahn konzentriert hatte, konnte sie nicht sagen, seit wann die Warnlampe brannte. Es mochten noch drei oder fünf Liter im Tank sein – oder vielleicht nur noch ein paar Tropfen.

Damit war ihr Plan, den Mörder bis zu seinem Wohnort zu verfolgen, geplatzt.

Die Bedeutung der Mammutbäume liegt nicht in Größe, Schönheit, Frieden oder der Zeitlosigkeit der Natur. Mammutbäume bedeuten Macht.

Edgler Vess dreht während des Fahrens die Fensterscheibe neben sich herunter und atmet tief die kalte Luft ein, die schwer vom Duft der Mammutbäume ist, einem Machtgeruch. Diese Macht fließt mit dem Duft in ihn hinein, und seine Macht wird auf diese Weise größer.

Mammutbäume sind Macht, weil ihre Größe von keinem anderen Baum auch nur annähernd erreicht wird, weil sie uralt werden – viele der Exemplare links und rechts der Straße sind Jahrhunderte vor der Geburt Jesu Christi ausgekeimt – und weil ihre außergewöhnlich dicke, tanninreiche Rinde sie wie ein Panzer fast perfekt vor Insekten, Krankheiten und Feuer schützt. Sie sind Macht, weil sie überdauern, während alles um sie herum stirbt; Menschen und Tiere schreiten an ihnen vorüber ins Jenseits; Vögel lassen sich auf ihren hohen Ästen nieder und wirken viel freier als alles, was in Fels und Erde wurzelt, doch irgendwann setzt ihr kleines Herz plötzlich aus, ihnen schwinden die Sinne, sie stürzen aus dem dichten Geäst oder fallen direkt aus dem freien Flug auf den Boden, und der Baum wächst immer noch; auf dem schattigen Boden der Wälder schlagen lichtscheue Farne und Rhododendren Jahr um Jahr im Frühling aus, doch letztlich ist auch ihre Unsterblichkeit Illusion, denn auch sie sterben, und neue Generationen ihrer Spezies erheben sich aus den verfaulenden Überresten der alten. Jesus, der Friedensfürst, Prophet des Lebens, starb, so heißt es, an einem Kreuz aus Blutweide, und während seines ganzen Lebens habe kein Sturm auch nur einen dieser Bäume entwurzeln können. Obwohl sie nichts um Frieden geben und nichts von Liebe wissen, haben sie überdauert. Der Tod fährt unablässig seine Ernten ein und wirft wilde Schatten in der Säulenhalle aus stoischen Mammutbäumen, ein unaufhörliches Flackern, das zwischen den gewaltigen Stämmen tanzt wie das dunkle Gegenbild heiteren Feuerscheins im Herd, und sein Treiben hat auf diese Bäume keinerlei Effekt.

Macht heißt: leben, während andere unausweichlich umkommen. Macht heißt, gegen das Leid anderer gleichgültig zu bleiben. Macht heißt, Nahrung aus dem Tod anderer zu ziehen, so wie die mächtigen Mammutbäume sich von dem immerwährenden Zerfall dessen ernähren, was einst um sie herum gelebt hat, kurz gelebt hat. Auch das ist Teil der Philosophie von Edgler Foreman Vess.

Durch das offene Fenster atmet er den Geruch der Mammutbäume ein, und die Moleküle ihrer Duftstoffe haften sich an die Zelloberflächen seiner Lungenbläschen, und auf diese Weise wird die Macht von Jahrtausenden in sein mit Sauerstoff angereichertes Blut getragen, erreicht jede Extremität und erfüllt ihn mit Kraft und Energie.

Macht ist Gott, Gott ist Natur, Natur ist Macht, und die Macht ist in ihm.

Seine Macht nimmt ständig zu.

Wäre er gläubig, so wäre er ein leidenschaftlicher Pantheist, der Ansicht verpflichtet, daß alle Dinge heilig sind, jeder Baum und jede Blume und jeder Grashalm, jeder Vogel und jeder Käfer. Die Welt ist heutzutage voller Atheisten; auch bei ihnen würde er sich weltanschaulich zu Hause fühlen. Wenn alles heilig ist, ist nichts heilig. Das ist für ihn die Schönheit des Pantheismus. Wenn das Leben eines Kindes genauso viel wert ist wie das eines Sonnenfisches oder einer Schleiereule, dann kann Vess attraktive kleine Mädchen mit derselben Selbstverständlichkeit töten, mit der er einen Skorpion unter seinem Stiefel zerquetscht, ohne größere Skrupel, aber mit beträchtlich größerem Vergnügen.

Aber er glaubt an nichts.

Als sich nach einer Kurve eine lange gerade Strecke auftut, die von den größten Mammutbäumen gesäumt ist, die er je gesehen hat, krachen scharf umrissene Blitze wie weiße Knochen durch die schwarze Haut des Himmels. Ein gewaltiger Donnerschlag, der wie wütendes Bellen klingt, läßt die Luft erzittern.

Der Regen spült den Geruch des Blitzes durch die Nacht hinab. Nun bieten sich ihm zwei Duftnoten der Macht dar, Blitze und Mammutbäume – Elektrizität und Zeit, starke Hitze und Widerstandskraft –, und entzückt atmet er tief ein.

Der Umweg über diese Landstraße, die zwischen den Mammutbäumen an der Küste entlangführt und südlich von Eureka wieder auf den Highway 101 stößt, wird seine Fahrtzeit um etwa eine halbe bis ganze Stunde verlängern, je nach seiner Fahrgeschwindigkeit und der Stärke des Sturms. So sehr es ihn auch nach Hause und zu Ariel hinzieht, der Macht der Mammutbäume hat er nicht widerstehen können.

Scheinwerfer tauchen hinter ihm auf; er sieht sie im Seitenspiegel. Ein Wagen. Fast eine Stunde lang ist ihm auf dem Highway jemand gefolgt, stets einen gewissen Abstand haltend. Das hier muß ein anderes Fahrzeug sein: Dieser Fahrer ist aggressiver und schließt mit hoher Geschwindigkeit zu ihm auf.

Leichtsinnig schert der Honda auf die Gegenfahrspur aus, um an dem Wohnmobil vorbeizuziehen, obwohl hier Überholverbot herrscht. Es gibt keinen Gegenverkehr, und sie befinden sich auf einem langen geraden Stück Straße, aber der Honda ist nicht schnell genug, um das Manöver vor der nächsten Kurve abzuschließen, besonders nicht auf dieser regennassen, unberechenbaren Fahrbahn.

Vess reduziert die Geschwindigkeit.

Der rasende Honda zieht neben ihn.

Vess schaut durch die Windschutzscheibe des Wagens, kann die Person hinter dem Lenkrad jedoch nicht richtig ausmachen, da der Regen und die mit voller Kraft arbeitenden Scheibenwischer seine Sicht behindern. Nichts weiter als die Andeutung eines dunkelroten Hemds oder Pullis. Eine bleiche Hand auf dem Lenkrad. Das Gelenk ist so zart, daß höchstwahrscheinlich eine Frau am Steuer sitzt. Sie scheint allein im Wagen zu sein. Dann zieht der Wagen ein Stück weiter vor, und Vess schaut auf das Dach und kann die Windschutzscheibe nicht mehr sehen.

Sie nähern sich schnell der Kurve.

Vess nimmt die Geschwindigkeit weiter zurück.

Durch das offene Fenster hört er, wie der Honda aufheult, als die Fahrerin beschleunigt. Die beträchtliche Kraft des Motors kommt ihm angesichts des majestätischen Waldes erbärmlich schwach vor, wie das wütende Summen einer Stechmücke inmitten einer Elefantenherde.

Es würde Vess keinerlei Anstrengung kosten, seinen Herzschlag kein bißchen beschleunigen, das Lenkrad nach links zu reißen, das Wohnmobil gegen den Honda zu knallen und ihn von der Straße zu drängen. Der kleine Wagen würde sich entweder überschlagen und dann explodieren oder frontal gegen einen der sechs Meter durchmessenden Baumstämme prallen.

Er spürt die Versuchung.

Das Schauspiel wäre spektakulär.

Er verschont die Frau in dem Honda lediglich, weil er gerade auf subtilere Erfahrungen aus ist; ein solcher Lärm würde die Stimmung zerstören. Diese befriedigende Expedition hat ihm nicht nur, wie ursprünglich geplant, die Auslöschung der Familie im Napa Valley eingebracht, sondern auch den Anhalter, der nun im Schlafzimmer hängt wie Poes Amontillado-Liebhaber in der Steinwand eines Weinkellers, und die beiden Angestellten der Tankstelle. Das ist bereits ein bunter Reigen. Das Riff der Seele setzt sich aus unterschiedlichen Erfahrungen zusammen und nicht aus eintönigen Wiederholungen. Im Augenblick verlangt es ihn nicht nach der ernsten Musik des Blutes und nicht nach der flüchtigen Wärme der Schreie; statt dessen muß er jetzt die Nässe des Regens riechen, die sich auftürmende Masse der Bäume fühlen und dem kühlen Wanken der Farnwedel im Dunkel der Nacht lauschen.

Er tritt auf die Bremse.

Der Honda zieht an ihm vorbei und wirbelt eine Gischt schmutzigen Wassers auf. In der Kurve blitzen seine Bremslichter auf: rot im schwarzen Sturm, ein rotes Schimmern auf der feuchten grauen Rinde der großen Koniferen, apokalyptische rote Leuchtspuren, die sich über den Asphalt schlängeln. Und dann verschwinden.

Edgler Vess ist wieder allein hinter dem Lenkrad seiner Arche, in einer farblosen Welt aus grauem Regen, schwarzen Schatten und funkelnden weißen Scheinwerferlichtern, er kann wieder ungestört mit den Mammutbäumen Zwiesprache halten und einen Teil ihrer Macht aufsaugen.

Er denkt an Christus auf dem senkrechten Bett aus Blutweide, und die Vorstellung, daß die Sanftmütigen das Reich erben werden, läßt ihn lächeln. Er will gar nichts erben. Er ist ein wütendes Feuer, mächtig und heiß; er wird alle Farbe aus dieser Welt brennen, jedes Fünkchen der Erfahrung aufnehmen, das sie zu bieten hat, und nichts als Asche zurücklassen. Sollen die Sanftmütigen doch Asche erben.

Während Chyna das Gaspedal fast durchtrat, um das Wohnmobil zu überholen und wieder diesseits der durchgezogenen gelben Doppellinie zu landen, bevor sie in die Kurve kam, befürchtete sie, der ausgetrocknete Motor könne husten und stottern und den Geist aufgeben. Jetzt, da sie das rote Warnlicht gesehen hatte, blieb es ihr ständig im Bewußtsein – ein peripheres Leuchten –, auch wenn sie nicht aufs Armaturenbrett schaute. Doch der Honda fuhr zuverlässig mit dem letzten Tropfen Benzin oder vielleicht nur noch mit Benzindämpfen oder aus reiner Freundlichkeit.

Sie mußte einen gewissen Abstand zwischen sich und den Mörder bringen und Zeit gewinnen, um ihren Plan in die Tat umzusetzen, und fuhr den Wagen so schnell, wie sie es auf dem regennassen Pflaster wagte.

Nach einer weiteren Kurve kam eine gerade Strecke, die gemächlich anstieg, dann erneut eine Kurve und eine kleine Steigung, erst hinauf, dann sofort wieder hinab. Die gelegentlich auftauchenden Hügel hatten alle nur schwache Steigungen, das Land war insgesamt recht flach und sanft konturiert; es führte gleichmäßig zum Pazifik hinab, der nur wenige Meilen westlich begann. Nun flankierten niedrige Wälle aus weicher Erde die schmale Straße zu beiden Seiten, und das war für ihre Zwecke nicht besonders geeignet. Doch bald lagen die Straße und der Wald wieder auf derselben Höhe, und eine weitere, fast unmerklich abfallende Gerade bot ihr das ideale Umfeld für ihren Plan.

Sie vermutete, daß sie ihm gegenüber eine volle Minute gutgemacht hatte, oder vielleicht sogar anderthalb, je nachdem, wie stark er wieder beschleunigt hatte, nachdem sie ihn überholt hatte. Aber auch eine Minute müßte eigentlich reichen.

Sie bremste auf fünfzig Stundenkilometer ab und schien trotzdem durch den Wald zu *fliegen.* Sie nahm die Geschwindigkeit auf vierzig herunter und wunderte sich erneut über ihren plötzlichen Anflug von Heldenmut, den sie sich nicht recht erklären konnte. Dann fuhr sie von der Straße herunter, flog über den rechten Seitenstreifen, rumpelte durch einen flachen Entwässerungsgraben und prallte gegen den festungsähnlichen Stamm eines gigantischen Mammutbaums. Der linke Scheinwerfer zerplatzte, und Metall kreischte kurz auf, die Stoßstange wurde zusammengedrückt und zerknitterte und zerknautschte und absorbierte den Aufprall, wie es ihre Aufgabe war.

Da sie den Sicherheitsgurt angelegt hatte, wurde sie nicht gegen das Lenkrad oder durch die Windschutzscheibe geschleudert. Doch der diagonale Streifen spannte sich so hart über ihre Brust, daß sie vor Schock und Schmerz aufstöhnte.

Der Motor lief noch.

Chyna hatte keine Zeit, auszusteigen und die Front des Wagens zu inspizieren, und sie befürchtete, daß der Schaden nicht dramatisch genug wirkte, um den Mörder davon zu überzeugen, daß bei dem Unfall jemand zu Schaden gekommen sein könnte. Wenn er sie in ein paar Sekunden erreichte, mußte er alles ohne das geringste Zögern für bare Münze nehmen. Denn wenn er Verdacht schöpfte, würde ihr Plan auf keinen Fall funktionieren.

Sie legte schnell den Rückwärtsgang ein und setzte zurück; der Baum hatte den Aufprall unbeschadet überstanden. Der Boden war mit nassen Nadeln bedeckt, auf denen die Reifen zunächst durchdrehten, aber es war noch nicht genug Regen gefallen, um die Erde in Schlamm zu verwandeln. Als die Reifen endlich griffen, stieß der Wagen ratternd und scheppernd über den flachen Entwässerungsgraben zurück, in dem das schlammige Wasser nur fünf, sechs Zentimeter hoch stand, und kam wieder auf Asphalt.

Chyna warf einen Blick auf die Kuppe des sanften Hügels, den sie gerade hinabgefahren war. Noch war hinter der Kurve auch nicht der schwächste Schimmer sich nähernder Scheinwerferlichter auszumachen.

Aber er kam. Daran bestand nicht der geringste Zweifel.

Bald.

Sie hatte keine Zeit, um rückwärts ein Stück des Hügels hinaufzufahren. Aber sie mußte irgendwie Geschwindigkeit gewinnen.

Mit dem linken Fuß trat sie das Bremspedal so tief durch, wie es ihr möglich war, und den rechten setzte sie auf das Gaspedal. Der Motor winselte und kreischte dann auf. Der Wagen erzitterte wie ein Rodeopferd, dem der Reiter die Sporen gab und das sich ängstlich gegen das Gatter drückte. Chyna spürte seinen Drang, vorwärts zu preschen, als sei er ein Lebewesen, und sie fragte sich, wie stark sie beschleunigen durfte, ohne getötet oder in dem

Wrack eingeklemmt zu werden. Sie gab noch etwas mehr Gas, roch, daß etwas durchschmorte, und nahm den Fuß vom Bremspedal.

Die Reifen drehten auf dem nassen Asphalt heftig durch, und dann machte der Honda einen Satz, schepperte und spritzte durch den Straßengraben und prallte erneut gegen den Stamm des Mammutbaums. Der rechte Scheinwerfer zersplitterte, Metall kreischte, die Motorhaube verzog sich und ächzte und sprang auf, was sich seltsamerweise wie ein hartes Klimpern auf einem Banjo anhörte, aber die Windschutzscheibe zerbrach nicht.

Der Motor stotterte. Entweder hatte sie nun tatsächlich kein Benzin mehr, oder der Aufprall hatte einen ernsthaften mechanischen Schaden angerichtet.

Chyna rang nach Atem, sobald der schmerzhaft gestraffte Sicherheitsgurt es zuließ, betete darum, daß der Motor noch einen Augenblick durchhielt, und legte erneut den Rückwärtsgang ein.

Im Idealfall sollte der Honda die Straße blockieren, wenn der Mörder durch die Kurve kam. Sie mußte ihn zwingen, anzuhalten und das Wohnmobil zu verlassen.

Der mitgenommene Wagen schnaufte; der Motor drohte zu versagen und heulte dann wieder auf, und Chyna dankte Gott, als der Honda rückwärts auf die Straße rollte.

Sie stellte ihn quer über beide Fahrbahnen, schwang ihn aber etwas herum und drehte ihn so, daß der Mörder den beschädigten Kühler sah, sobald er durch die Kurve fuhr.

Der Motor murrte zweimal auf und erstarb dann, aber das war schon in Ordnung. Sie war in Position.

Nun, wo er nicht mehr mit dem Motorengeräusch konkurrierte, fiel der Regen viel lauter. Er schlug auf das Dach und schnalzte auf der Windschutzscheibe.

Die Kurve über ihr lag noch immer in Dunkelheit.

Sie legte den Parkgang des Automatikgetriebes ein, damit der Honda nicht rückwärts rollte, sobald sie den Fuß von der Bremse nahm.

Beide Scheinwerfer waren zerbrochen, aber die batteriebetriebenen Scheibenwischer bewegten sich noch immer hin und her. Sollten sie.

Im Licht der Innenbeleuchtung kam sie sich entsetzlich exponiert vor. Sie öffnete die Tür und wollte aussteigen. Wenn das Wohnmobil auftauchte – in zwanzig Sekunden, vielleicht auch schon in zehn –, mußte sie den Wagen verlassen und sich versteckt haben. Es war schwer zu sagen, wieviel Zeit ihr blieb, denn sie konnte nicht abschätzen, wieviel Zeit verstrichen war, seit sie gegen den Baum gefahren war.

Der Revolver.

Während sie ausstieg, fiel Chyna der Revolver ein. Sie wandte sich um, griff nach der Waffe – doch sie lag nicht mehr auf dem Beifahrersitz.

Beim ersten oder zweiten Aufprall mußte der Revolver auf den Boden geschleudert worden sein. Sie beugte sich über die Konsole zwischen den Vordersitzen, tastete hektisch in der Dunkelheit und fand schließlich kalten Stahl, den Lauf. Ihr kleiner Finger war tatsächlich in die glatte Mündung geglitten. Mit einem Stoßseufzer hob sie den Revolver auf und umfaßte den Griff.

Mit der Waffe in der Hand zwängte sie sich aus dem Honda. Die Fahrertür ließ sie offenstehen.

Kalter Regen durchnäßte sie sofort. Wind schlug auf sie ein.

In der Richtung, aus der sie gekommen war, wurde die Nacht heller, und in der Kurve fingen die Stämme der Mammutbäume an zu leuchten, als seien sie plötzlich vom Mond angestrahlt.

Chyna spurtete über die schlüpfrige Straßendecke und spritzte durch einen weiteren flachen Abzugsgraben. Sie erzitterte, als das eisige Wasser sich in ihre Schuhe ergoß. Hier standen die Bäume fünf bis zehn Meter vom Straßenrand entfernt. Sie lief auf einen Mammutbaum zu, der direkt gegenüber dem Riesen stand, gegen den sie den Honda gefahren hatte.

Lange, bevor sie den Baum erreichte, rutschte sie auf der schwammigen Matte der nassen Nadeln aus, stürzte und landete auf einem Haufen Zapfen. Sie gaben etwas nach, ein hartes, knirschendes Geräusch unter ihrem Kreuz, doch dem Schmerz zufolge, der sie durchzuckte, hätte es auch ihr Rückgrat sein können, das da knirschte.

Sie wäre am liebsten auf Händen und Knien in ihr Versteck gekrochen, doch sie mußte den Revolver mitnehmen und befürchtete, den Lauf versehentlich mit Erde oder feuchten Nadeln zu verstopfen. Daher sprang sie auf und lief weiter, als auf dem Highway hinter ihr Licht aufflammte und ein Motor lautstark gegen den Sturm antönte.

Das Wohnmobil hatte die Kurve erreicht.

Sie war nur etwa fünf Meter vom Highway entfernt, was auf keinen Fall reichte, denn zwischen den gigantischen Mammutbäumen bot der spärliche Unterbewuchs kaum einen Schutz – hauptsächlich Farn, und mehr davon in dem Halbdunkel vor ihr als in ihrer unmittelbaren Umgebung. Er durfte sie nicht sehen. Alles war verloren, wenn er auch nur einen Blick auf sie erhaschen konnte, während sie in Deckung lief.

Zum Glück waren ihre Jeans ziemlich dunkel, nicht stonewashed oder gar gebleicht, und ihr Pullover war preiselbeerrot, was immerhin besser war als weiß oder gelb, und ihr Haar war nicht blond, sondern dunkel. Und doch kam sie sich wie ein Leuchtschild vor, oder als laufe sie in einem Hochzeitskleid in Deckung.

Er würde zunächst den Honda sehen, überrascht sein, daß er quer auf beiden Fahrbahnen stand. Er würde nicht sofort zum Straßenrand schauen, und wenn er seine Aufmerksamkeit schließlich von dem Wagen abwandte, würde er wahrscheinlich nach rechts sehen, wo der Honda von der Straße abgekommen und gegen den Baum geprallt war, und nicht nach links, wo Chyna ein Versteck suchte.

Sie redete sich ein, sie sei in Sicherheit, er habe sie nicht gesehen, glaubte aber nicht so recht daran. Dann erreichte sie die erste Phalanx der riesigen Mammutbäume. In Anbetracht ihrer erschreckenden Größe wuchsen sie erstaunlich dicht nebeneinander. Sie glitt um den stark zerfurchten Stamm eines Riesen von fünf Metern Durchmesser herum, der so nah neben einem noch größeren Exemplar stand, daß der Spalt zwischen den beiden turmhohen Giganten nur gut einen halben Meter betrug.

Die tiefsten Äste über ihr befanden sich fünfzig bis sechzig Meter über dem Boden und waren nur sichtbar, wenn ein Blitz sie erhellte. Als sie zwischen diesen Stämmen stand, kam sie sich vor, als stünde sie im Hauptschiff einer Kathedrale, die viel zu groß war, um jemals auf Erden errichtet zu werden; die gespickten Äste bildeten fünfzehn Stockwerke über ihr ein majestätisches Gewölbe.

Aus ihrer feuchten, klösterlichen Zuflucht spähte sie vorsichtig auf den Highway.

Hinter dem filigranen Schirm der niedrigen Farne rückten die Scheinwerfer des Wohnmobils näher. Sie färbten den Regen silbern und wurden von Sekunde zu Sekunde heller. Das leise Winseln der Luftdruckbremsen begleitete sie.

Mr. Vess hält auf der Straße an, da das Bankett weder breit noch fest genug ist, um sein Wohnmobil zu tragen. Obwohl dieser landschaftlich schöne Highway in den Stunden vor der Dämmerung und bei so schlechtem Wetter offensichtlich kaum benutzt wird, vermeidet er es, den Verkehr länger als absolut nötig zu blockieren. Er kennt die kalifornischen Verkehrsregeln sehr gut.

Er legt den Parkgang ein, zieht die Handbremse, läßt den Motor aber laufen und die Scheinwerfer eingeschaltet. Er macht sich nicht die Mühe, in seinen Regenmantel zu schlüpfen, und als er aussteigt, läßt er die Fahrertür offenstehen.

Der Regen trommelt auf den Asphalt, singt auf dem Metall der Fahrzeuge und summt auf den Blättern der Bäume im Chor. Die Regenmusik gefällt ihm, wie auch die Kälte und der fruchtbare Geruch der Farne und des lehmigen Bodens.

Das ist derselbe Honda, der ihn vor ein paar Minuten überholt hat. Angesichts der leichtsinnigen Raserei überrascht es ihn nicht, ihn in diesem bemitleidenswerten Zustand zu sehen.

Offensichtlich ist der Wagen ins Schleudern geraten und gegen den Baum geprallt. Dann hat die Fahrerin ihn wieder auf die Straße zurückgesetzt, bevor der Motor ausfiel.

Aber wo ist die Fahrerin?

Vielleicht ist ein anderer Autofahrer aus entgegengesetzter Richtung vorbeigekommen und hat die Verletzte mitgenommen, um sie in ein Krankenhaus zu bringen. Aber das kommt ihm nicht sehr wahrscheinlich vor; da wäre zu viel Zufall im Spiel. Schließlich kann der Unfall sich ja erst vor ein, zwei Minuten ereignet haben.

Die Fahrertür steht offen, und als Vess sich in den Wagen beugt, sieht er, daß der Zündschlüssel steckt. Die Scheibenwischer fegen über das Glas. Die Rücklichter, die Innenbeleuchtung und die Anzeiger im Armaturenbrett sind allesamt erhellt.

Er tritt vom Wagen zurück und sieht sich den Baum an, zu dem die Reifenspuren führen. Der Aufprall hat die Rinde nur oberflächlich angekratzt.

Gespannt sucht er den Rest des Waldes auf dieser Seite des Highway ab.

Es ist gut möglich, daß die Fahrerin beim Aufprall eine Gehirnerschütterung erlitten hat, aus dem beschädigten Wagen gestiegen und in den Wald gelaufen ist. Vielleicht irrt sie in diesem Augenblick völlig verwirrt immer tiefer in den Naturschutzpark hinein – oder sie ist aufgrund ihrer Verletzungen zusammengebrochen und liegt jetzt bewußtlos in einem Farndickicht.

Die dicht stehenden Bäume bilden ein Labyrinth schmaler Korridore; hier gibt es mehr Wald als offene Flächen. Selbst um die Mittagszeit an einem wolkenlosen Tag dringt das Sonnenlicht nur vereinzelt in dünnen Fäden zum Waldboden durch, und der Großteil dieses ausgedehnten Waldgebiets ist in ewige, undurchdringliche Finsternis getaucht, als habe jede der vielen hunderttausend Nächte, die sich seit dem Auskeimen der Bäume auf sie hinabgesenkt haben, einen dunklen Film hinterlassen. Nun, zwischen Geisterstunde und Dämmerung, ist diese Schwärze so rein, daß sie fast zu leben scheint: ein geducktes Wesen, das auf Beute lauert und jeden Eindringling listig in sich hineinlockt.

Diese eigentümliche Dunkelheit weckt Mr. Vess' Phantasie und verheißt ihm Erfahrungen, von denen er spürt, daß sie ihm offenstehen, auch wenn sie seine Vorstellungskraft noch übersteigen, geheimnisvolle Erfahrungen, die einen Menschen von Grund auf verändern können... Er hat nicht die leiseste Ahnung, worum es sich dabei handeln könnte. Tief im Reich der Mammutbäume, in Korridoren aus rissiger Rinde, in einer geheimen Zitadelle tierhafter Leidenschaft, dort, wo das lauernde Dunkel älter ist als die menschliche Zivilisation, dort erwartet ihn ein mystisches Abenteuer.

Sollte die Frau in der Tat durch den Wald wandern, könnte er das Wohnmobil ordnungsgemäß parken und nach ihr suchen. Vielleicht ist das Messer, das er bei der Tankstelle gefunden hat, doch ein Omen, und es ist ihm bestimmt, diese Klinge mit ihrem Blut zu benetzen.

Er stellt sich vor, wie es wäre, seine Kleidung abzulegen und den Wald nackt mit dem Messer in der Hand zu betreten, sich völlig auf seine primitiven Instinkte zu verlassen, um sie aufzuspüren und zur Strecke zu bringen. Regen und Nebel kalt auf seiner Haut. Dampfende Atemluft, die seine Wärme der Nacht vermacht. Die Kälte der Nacht kann ihm nichts anhaben. Er wird die Frau auf den Waldboden zerren und ihre Kleidung mühelos in Fetzen reißen. Die Phantasie hat ihn bereits erregt, und er fragt sich, ob er sie zuerst mit dem Messer oder dem Phallus angreifen soll – oder vielleicht mit seinen Zähnen. Diese Entscheidung wird er im Augenblick ihrer Gefangennahme treffen müssen, und viel hängt davon ab, wie attraktiv sie ist. Aber er ist überzeugt, daß das, was zwischen ihnen geschehen wird, was auch immer es sei, beispiellos und magisch sein wird – vor allem: unbeschreiblich intensiv.

Doch in etwa einer Stunde wird die Dämmerung anbrechen, und er wäre gut beraten, dann wieder unterwegs zu sein. Er muß noch mehr Abstand zwischen sich und die Orte bringen, an denen er sich in dieser Nacht vergnügt hat.

Das Geheimnis von Edgler Vess' Erfolg liegt zum Teil in seiner Fähigkeit, seine inbrünstigsten Leidenschaften zu unterdrücken, wenn es zu gefährlich wäre, ihnen nachzugeben. Würde er jedes Verlangen augenblicklich befriedigen, wäre er mehr Tier als Mensch – und entweder schon lange tot oder im Gefängnis. Edgler Vess zu sein bedeutet, frei, aber nicht unbesonnen zu sein, schnell, aber nicht impulsiv. Er muß sich den Sinn für das richtige Verhältnis bewahren. Und gutes Timing. Verdammt, er braucht das Timing eines erstklassigen Steptänzers. Und ein nettes Lächeln. Ein wirklich nettes Lächeln kann im Verbund mit Selbstbeherrschung einen Menschen weit bringen.

Er lächelt dem Wald zu.

Das Wohnmobil stand auf der Straße, etwa sechs Meter von dem Honda entfernt, und wirkte nun, im Vergleich zu den Mammutbäumen, viel kleiner.

Als der Mörder im Licht der Scheinwerfer des Wohnmobils die Straße zu dem verlassenen Wagen entlanggegangen war, war Chyna durch den dunklen Wald gekrochen, parallel zu ihm, aber in die entgegengesetzte Richtung. Sie hatte sich hinter den Baum rechts von ihr geduckt und den Revolver in die rechte Hand genommen, während sie die linke flach gegen den Baumstamm drückte, um nicht das Gleichgewicht zu verlieren, falls sie über eine Wurzel oder ein anderes Hindernis stolpern sollte. Unter der Handfläche hatte sie das Muster der tiefen Risse in der dicken Rinde gespürt: endlose Reihen gotischer Bögen. Mit jedem unsicheren Schritt, den sie um diese große Säule getan hatte, war ihr stärker bewußt geworden, daß dieser Baum weniger eine Pflanze als vielmehr ein Gebäude war, eine fensterlose Festung, die dem geballten Zorn der Welt standhalten konnte.

Nachdem sie den Baum halb umrundet hatte und in der schulterbreiten Lücke zwischen ihm und seinem nächsten Nachbarn stand, spähte sie erneut hinaus. Der Mörder stand neben der geöffneten Tür des Honda und schaute in den Wald auf der anderen Seite des Highway.

Plötzlich bekam sie es mit der Angst zu tun, ein anderer Autofahrer könne vorbeikommen, bevor sie ihren Plan ausführen konnte.

Sie ging weiter, umkreiste den nächsten Baum. Er war noch größer als der Gigant nebenan. Die Rinde bot die vertrauten gotischen Muster.

Trotz des schneidenden Winds, der hoch über ihr schrillte und einen leichten Sprühregen von den kaum auszumachenden Ästen fegte, kam der Wald ihr wie ein guter, sicherer Ort vor, dunkel, aber nicht im Geiste, kalt, aber nicht unwirtlich. Sie war mit ihren Problemen noch immer allein – aber seltsamerweise fühlte sie sich zum erstenmal in dieser Nacht nicht allein.

Als Chyna die nächste Lücke in der Palisade des Waldes erreichte, schaute sie wieder hinaus und sah, daß der Mörder in den Honda stieg. Da kein Platz war, mit dem Wohnmobil um den beschädigten Wagen herumzufahren, mußte er ihn aus dem Weg schaffen.

Sie warf einen Blick auf das Wohnmobil. Vielleicht, weil sie wußte, was sich darin befand – ein Toter in Ketten in einem Schrank, ein in ein weißes Leichentuch gehüllter Körper –, kam ihr das Fahrzeug so bedrohlich wie ein Panzer vor.

Sie konnte einfach hier in diesem Wald warten. Ihren Plan vergessen. Er würde fahren, und das Leben würde weitergehen.

Es war so leicht, einfach zu warten. Zu überleben.

Die Polizei würde das Mädchen finden. Ariel. Irgendwie. Rechtzeitig. Ohne ihre Heldentat.

Chyna lehnte sich gegen den Baum. Plötzlich war sie ganz schwach. Schwach und zittrig. Sie zitterte, und ihr wurde fast schlecht vor Verzweiflung, vor Furcht.

Die Rücklichter und die Innenbeleuchtung des Honda verdunkelten sich, als der Anlasser knirschte und der Mörder versuchte, den Motor zu starten.

Dann vernahm Chyna ein anderes Geräusch. Viel näher als der Wagen. Hinter ihr. Ein Rascheln, ein Knacken, ein sanftes Schnauben, als würde ein erschrockenes Pferd ausatmen.

Verängstigt drehte sie sich um.

Im diffusen Licht des Wohnmobils auf dem Highway sah Chyna im Wald der Mammutbäume Engel. Den Anschein hatte es jedenfalls einen Augenblick lang. Sanfte Gesichter musterten sie, bleich in der Dunkelheit, mit leuchtenden, fragenden und freundlichen Augen.

Doch selbst in diesem schwachen Schein, schwach wie Mondlicht, konnte sie die Hoffnung auf Engel nicht lange aufrechterhalten. Nach einer kurzen anfänglichen Verwirrung wurde ihr klar, daß es sich bei diesen Geschöpfen um eine Gruppe Küstenelche ohne Geweihe handelte.

Sechs standen nebeneinander auf einer fünf Meter breiten freien Fläche zwischen dieser Baumreihe und der nächsten, so nah, daß Chyna mit drei Schritten bei ihnen hätte sein können. Sie hatten die Köpfe vornehm erhoben, die Ohren gespitzt, die Blicke eindringlich auf sie gerichtet.

Die Elche waren neugierig, und wenn sie auch von Natur aus scheu waren, so schienen sie doch vor ihr keine Angst zu haben.

Einmal hatten sie und ihre Mutter zwei Monate lang auf einer Ranch im Mendocino County gewohnt, auf der eine Gruppe gut bewaffneter Milizionäre auf einen Rassenkrieg wartete, von dem sie glaubte, er werde die Nation bald in den Untergang reißen, und in dieser Atmosphäre des Jüngsten Tags hatte Chyna soviel Zeit wie möglich damit verbracht, die nähere Umgebung zu erkunden, Hügel und Täler von einzigartiger Schönheit, Kiefernwälder, goldene Felder, auf denen vereinzelte Eichen standen – schön im Wuchs und ausladend, mit dicken Ästen, die gegen den Himmel pechschwarz wirkten. Hier hatte sie gelegentlich kleine Herden von Küstenelchen gesehen, die immer eine gewisse Entfernung zu den Menschen und ihren Behausungen hielten. Sie hatte sich an sie herangepirscht, nicht mit der Routine eines Jägers, sondern auf unbeholfene, mädchenhafte Weise, so scheu wie die Elche selbst, aber unwiderstehlich von der Ruhe und dem Frieden angezogen, den sie in einer Welt ausstrahlten, die ansonsten mit Gewalt gesättigt war.

In jenen zwei Monaten war es ihr nie gelungen, näher als fünfundzwanzig oder dreißig Meter an die Tiere heranzukommen, bevor sie auf ihre unbekümmerte Annäherung aufmerksam wurden und sich zu weiter entfernten Feldern und Waldrändern zurückzogen.

Nun hatten *sie* sich *ihr* genähert, wachsam, aber nicht verängstigt, als seien sie die Elche ihrer Kindheit, die nun endlich bereit waren, an ihre friedliche Absicht zu glauben.

Küstenelche hätten sich eigentlich näher an der See aufhalten müssen, auf den offenen Wiesen hinter dem Mammutbaumwald, wo das saftige, grüne Gras im Winterregen gedieh und genug Nahrung bot. Obwohl sie durchaus auch in die Wälder vordrangen, war ihre Anwesenheit hier, in der verregneten Schwärze vor Anbruch der Dämmerung, bemerkenswert.

Dann sah sie weitere Tiere – eins hier, eins dort, und da ein drittes, und noch mehr – zwischen den Bäumen verteilt und weiter entfernt als die Sechsergruppe. Einige waren im dichten Wald kaum auszumachen, standen ganz am Rand des schwachen Streulichts der Wohnmobil-Scheinwerfer, aber sie schätzte, daß es sich insgesamt um ein volles Dutzend handelte, allesamt in aufmerksamer, aufrechter Haltung, als würden sie von einer Waldmusik im Bann gehalten, die menschlichen Ohren verborgen blieb.

Ein Blitz breitete seine Äste über den Himmel aus, jagte zackige Wurzeln zur Erde und erhellte den Wald kurz so stark, daß Chyna alle Elche deutlicher als zuvor sehen konnte. Es waren mehr, als sie gedacht hatte. Im Nebel, im Farn und in blühenden roten Rhododendren, enthüllt von flatternden Lichtblättern. Die Köpfe erhoben, Atemdampf aus schwarzen Nüstern verströmend. Die Augen auf sie gerichtet.

Sie schaute auf den Highway.

Der Mörder hatte den Versuch aufgegeben, den Motor anzulassen. Er legte den Leerlauf ein, und der Honda rollte auf der leicht geneigten Straße zurück.

Nach einem letzten Blick auf die Elche trat Chyna zwischen den beiden Mammutbäumen hervor.

Der Mörder drehte das Lenkrad hart nach rechts, und von seinem eigenen Schwung befördert, rollte der Wagen in einem Bogen zurück, bis die Schnauze hügelabwärts stand.

Vereinzelte Farne und verstreute Grasbüschel boten Chyna kaum Deckung, als sie sich dem Highway näherte. Die Schwäche war aus ihren Beinen gewichen, und ihr Anfall von Verzagtheit war vorüber.

Vom Mörder gelenkt, rollte der Honda hügelabwärts und auf das rechte Bankett.

Sie könnte zu ihm laufen, auf ihn schießen, während er im Wagen saß oder gerade ausstieg. Aber er war jetzt fünfzig, sechzig Meter entfernt und würde sie bestimmt kommen sehen. Sie müßte den Überraschungsvorteil aufgeben und gezielt schießen und ihn töten, was Ariel nicht helfen würde, denn wenn dieses Schwein tot war, würde man nach dem Mädchen suchen müssen, wo auch immer es steckte. Und vielleicht würde man es nie finden. Außerdem trug das Arschloch wahrscheinlich eine Waffe bei sich, und wenn hier eine große Schießerei ausbrach, würde er gewinnen, weil er viel mehr Übung hatte als sie – und kaltblütiger war.

Sie hatte niemanden, an den sie sich wenden konnte. Wie in ihrer Kindheit.

Also mußte sie jetzt schnell in Deckung gehen. Nichts überstürzen. Auf den richtigen Augenblick warten. Den Moment der Konfrontation sorgsam wählen und die Auseinandersetzung beherrschen, wenn sie kam.

Wieder ein greller Blitz und ein langer, harter Donnerschlag, als würden hoch in der Nacht gewaltige Strukturen zusammenbrechen.

Sie erreichte das Wohnmobil.

*O Gott.*

Die Fahrertür stand offen.

*Lieber Gott. Gott im Himmel.*

Sie konnte es nicht.

Sie *mußte.*

Hügelabwärts wurde der scheppernde, quietschende, verzogene Honda am Straßenrand immer langsamer.

Sie hatte den Revolver. Das machte den ganzen Unterschied aus. Solange sie die Waffe hatte, konnte ihr nichts passieren.

*Wer wird dieses Mädchen aus seinem Keller retten, dieses Mädchen, das für dieses verdammte, wahnsinnige Schwein heranreift, dieses Mädchen, das so ist wie ich? Wen kümmern überhaupt all die verängstigten Mädchen, die sich in Schränken oder unter Betten verstecken, wen außer zappelnden Kakerlaken? Wer wird für sie da sein, wenn nicht ich, wo werde ich sein, falls nicht dort, warum ist das die einzige Möglichkeit – und warum stelle ich mir überhaupt diese Frage, wenn die Antwort so offensichtlich ist?*

In der Senke kam der Honda vollends zum Stehen.

Der Revolver lag ihr schwer in der Hand, als Chyna ins Führerhaus und hinter das Lenkrad kletterte. Sie drehte sich mit dem Fahrersitz um, sprang auf und stürmte durch das Wohnmobil nach hinten, murmelte »O Gott, o Gott«, sagte sich, daß sie das Richtige tat, daß es zwar völlig verrückt war, aber richtig, weil sie diesmal den Revolver hatte.

Aber sie fragte sich, ob diese Waffe Vorteil genug war, wenn der Augenblick kam, diesem Mann gegenüberzutreten.

Natürlich mußte es nicht unbedingt zu einer direkten Konfrontation kommen. Chyna hatte vor, sich zu verstecken, bis sie sein Haus erreicht hatten, und dann herauszufinden, wo das Mädchen festgehalten wurde. Mit dieser Information konnte sie sich dann an die Polizei wenden, und sie konnten dieses Monster festnageln und Ariel befreien und...

Und was?

Und indem sie das Mädchen rettete, würde sie sich selbst retten. Wovor, das wußte sie nicht genau. Vor einem Leben, das lediglich ein Überleben war? Vor dem endlosen und vergeblichen Kampf, es zu verstehen?

Es war verrückt, verrückt, aber jetzt gab es kein Zurück mehr. Und im Grunde wußte sie, daß es nicht so verrückt war, dieses Risiko einzugehen, als ein Leben zu führen, das kein höheres Ziel als das Überleben hatte.

Als hätte das harten Hämmern ihres Herzens sie vorangetrieben, erreichte Chyna den hinteren Teil des Wohnmobils. Die geschlossene Tür zum einzigen Schlafzimmer.

*O Gott.*

Sie wollte da nicht hinein. Da, wo die tote Laura lag. Der Mann in dem Schrank. Das Nähkästchen, das darauf wartete, erneut benutzt zu werden.

*O Gott.*

Aber es war das beste Versteck, und sie öffnete die Tür und ging hinein, schob sich durch die fühlbare Dunkelheit nach links und drückte den Rücken gegen die Wand.

Vielleicht würde er nicht sofort nach Hause fahren. Vielleicht hielt er irgendwo an und kam nach hinten, um sich seine Trophäen anzusehen.

Dann würde sie ihn in dem Augenblick töten, da er durch die Tür kam. Den gesamten Revolver in ihn entleeren. Kein Risiko eingehen.

Wenn er tot war, würden sie Ariel vielleicht nie finden. Oder erst, nachdem sie verhungert war, eine außergewöhnlich schmerzhafte Todesart.

Dennoch ... wenn der Mörder dieses Schlafzimmer betrat, würde Chyna keine halben Sachen machen. Sie würde nicht versuchen, ihn nur zu verletzen, damit die Polizei ihn noch verhören konnte, nicht in diesem engen Raum, während er über ihr stand und so viele Dinge schiefgehen konnten.

Mit ausgeschalteten Scheinwerfern und Scheibenwischern sitzt Edgler Vess in dem beschädigten Wagen am Straßenrand und denkt nach.

Es gibt zahlreiche Möglichkeiten, wie er nun weitermachen kann. Das Leben ist stets ein üppig gedeckter Tisch, ein gewaltiges Buffet, das unter der Last unendlicher Wahrnehmungs- und Erfahrungsmöglichkeiten ächzt, die alle prickelnde Erregung auslösen können – und im Augenblick ist es üppiger als je zuvor. Er möchte die Gelegenheit bis zur Neige auskosten, die größtmögliche Erregung und die tiefsten Einsichten aus ihr ziehen, und daher darf er nicht vorschnell handeln.

Das Glück hat seinen Blick im richtigen Moment kurz in den Rückspiegel gelenkt, und da war sie: Flüchtig wie ein Reh ist sie über die Fahrbahn gehuscht, hat an der offenen Tür des Wohnmobils kurz gezögert und ist schließlich hinauf- und hineingestiegen, außer Sicht.

Das muß die Frau aus dem Honda sein. Als sie zuvor an ihm vorbeigefahren ist, hat er durch die Windschutzscheibe des Wagens geschaut und ihren roten Pullover gesehen.

Womöglich hat sie bei dem Unfall einen schweren Schlag auf den Kopf bekommen. Jetzt ist sie vielleicht benommen, verwirrt, verängstigt. Das würde erklären, warum sie sich nicht direkt an ihn gewandt und um Hilfe gebeten hat oder darum, daß er sie bis zur nächsten Tankstelle mitnimmt. Wenn ihre Gedanken verwirrt sind, mag ihr die irrationale Entscheidung, sich in dem Wohnmobil zu verstecken, völlig logisch vorkommen.

Sie scheint jedoch nicht an einer Kopfverletzung zu leiden oder überhaupt an einer Verletzung. Sie ist nicht über den Highway gestolpert oder getorkelt, sondern schnell und sicher gelaufen. Auf diese Entfernung hätte Vess im Rückspiegel kein Blut sehen können, selbst wenn sie geblutet hätte, doch er weiß intuitiv, daß sie nicht blutet.

Je länger er über die Situation nachdenkt, desto stärker drängt sich der Verdacht auf, daß der Unfall inszeniert ist.

Aber warum?

Wäre das Motiv Raub, dann hätte sie ihn sofort angesprochen, als er aus dem Auto stieg.

Außerdem fährt er keine dieser hochmodernen Landjachten für dreihunderttausend Dollar, welche Diebe schon allein durch ihre Protzigkeit herausfordern. Sein Fahrzeug ist siebzehn Jahre alt und zwar gut erhalten, aber beträchtlich weniger als fünfzigtausend Dollar wert. Es kommt ihm sinnlos vor, einen relativ neuen Honda zu Schrott zu fahren, um ein ziemlich altes Fahrzeug auszuplündern, das keine großen Schätze verspricht.

Er hat die Schlüssel in der Zündung stecken und den Motor laufen lassen. Wäre dies ihre Absicht gewesen, hätte sie bereits mit dem Wohnmobil davonfahren können.

Und eine Frau, die des Nachts allein auf einem einsamen Highway unterwegs ist, plant wohl kaum einen Raub. So ein Verhalten paßt zu keinem ihm bekannten Verbrecherprofil.

Er ist verblüfft.

Zutiefst.

Mr. Vess' Leben wird nicht oft von Geheimnissen berührt. Es gibt Dinge, die man töten kann, und solche, die man nicht töten kann. Einige Dinge sind schwerer zu töten als andere, und bei einigen macht es mehr Spaß als bei anderen. Einige schreien, einige weinen, einige machen beides, manche zittern nur stumm und warten auf das Ende, als hätten sie ihr ganzes Leben in Erwartung dieses Schmerzes verbracht. So verstreichen die Tage – angenehm geradlinig, ein Strom der puren Empfindungen, auf dem das Rätsel selten Segel setzt.

Aber diese Frau in dem roten Pullover ist ein Rätsel und geheimnisvoller und faszinierender als die meisten Menschen, die Mr. Vess kennengelernt hat. Er kann sich nur schwer vorstellen, welche Erfahrungen er mit ihr machen wird, und die Aussicht auf eine solche Neuheit erregt ihn.

Er steigt aus dem Honda und schließt die Tür.

Einen Augenblick lang steht er im kalten Regen und betrachtet den Wald. Er hofft, unverdächtig zu erscheinen, sollte die Frau ihn aus dem Wohnmobil beobachten. Vielleicht fragt er sich, was mit dem Fahrer des Honda geschehen ist. Vielleicht ist er ein guter Bürger, der sich Sorgen um sie macht und überlegt, ob er den Wald nach ihr durchsuchen soll.

Mehrere Blitze jagen über den Himmel, so weiß und zerklüftet wie laufende Skelette. Die nachfolgenden Donnerschläge sind so heftig, daß sie durch Mr. Vess' Knochen dröhnen, eine Vibration, die er höchst angenehm findet.

Ungerührt vom Sturm tauchen am Waldrand plötzlich mehrere Elche auf, treten zwischen den Bäumen hervor und auf den angrenzenden Streifen mit den Farnen. Sie bewegen sich mit stattlicher Anmut und einer Stille, die hinter dem ausklingenden Echo des Donners ätherisch anmutet. Ihre Augen leuchten im Licht der Scheinwerfer. Sie kommen ihm eher wie Gespenster als wie reale Tiere vor.

Zwei, fünf, sieben, immer mehr Tiere treten hervor. Einige bleiben stehen, als würden sie für ein Foto posieren, und andere gehen weiter, bleiben dann aber ebenfalls stehen, bis er schließlich ein Dutzend oder noch mehr von ihnen ausmachen kann, und ein jedes von ihnen sieht ihn an.

Ihre Schönheit ist überirdisch, und es wäre enorm befriedigend, sie zu töten. Hätte er eine seiner Waffen zur Hand, würde er so viele wie möglich erschießen, bevor sie außer Reichweite liefen.

Als Junge hat er sein Werk mit Tieren begonnen. Anfangs mit Insekten, doch schon bald war er zu Schildkröten und Echsen übergegangen und dann zu Katzen und größeren Spezies. Kaum hatte er als Teenager seinen Führerschein gemacht, da fuhr er manchmal nachts und früh morgens vor der Schule die abgelegenen Straßen ab und erschoß alle Rehe, die er finden konnte, und streunende Hunde, die Kühe auf den Feldern und die Pferde in den Pferchen, wenn er halbwegs sicher war, nicht erwischt zu werden.

Bei dem Gedanken, diese Elche zu töten, wird er von Nostalgie durchflutet. Der Anblick ihres Blutes würde die Röte seines eigenen Blutes intensivieren und seine Arterien zum Singen bringen.

Obwohl Elche normalerweise scheu sind und sich leicht verschrecken lassen, sehen diese ihn kühn an. Sie scheinen nicht beunruhigt zu sein und nicht im geringsten schreckhaft oder fluchtbereit. Ihre Direktheit kommt ihm seltsam vor. Er fühlt sich nicht wohl in seiner Haut, was selten vorkommt.

Auf jeden Fall wartet die Frau in dem roten Pullover auf ihn, und sie ist wesentlich interessanter als noch so viele Elche. Er ist jetzt ein erwachsener Mann und kein Kind mehr, und seine Suche nach intensiven Erfahrungen kann auf den Seitenwegen der Vergangenheit nicht befriedigt werden. Edgler Vess ist über solchen Kinderkram schon lange hinausgewachsen.

Er kehrt zum Wohnmobil zurück.

An der Tür sieht er, daß die Frau sich weder auf dem Fahrer- noch auf dem Beifahrersitz befindet.

Als er sich hinter das Lenkrad schwingt, wirft er einen Blick zurück, kann sie aber weder im Wohn- noch im Eßbereich ausmachen. Der kurze, dunkle Gang am Ende des Wohnmobils scheint ebenfalls verlassen zu sein.

Er schaut wieder nach vorn, hält den Blick aber auf den Rückspiegel gerichtet und öffnet die Klappe der Konsole zwischen den Sitzen. Seine Pistole liegt noch dort, wohin er sie gelegt hat, ohne Schalldämpfer.

Mit der Waffe in der Hand dreht er sich auf seinem Stuhl, erhebt sich und geht zur Koch- und Eßecke. Das Fleischermesser, das er bei der Tankstelle gefunden hat, liegt wie zuvor auf der Arbeitsfläche. Er öffnet den Schrank links vom Ofen und stellt fest, daß die Mossberg wie gehabt in ihren Klammern hängt, zwischen die er sie wieder gesteckt hat, nachdem er die beiden Angestellten getötet hat.

Er weiß nicht, ob sie bereits bewaffnet war. Auf die Entfernung, aus der er sie gesehen hat, konnte er nicht ausmachen, ob sie etwas bei sich trug und ob sie, was genauso wichtig ist, so attraktiv ist, daß es ihm Spaß machen wird, sie zu töten.

Also noch weiter zurück durch sein schmales Reich, mit besonderer Vorsicht am Ende der Eckbank, hinter der die Stufen der Tür liegen. Dort hockt sie auch nicht.

In den Gang.

Das Geräusch des Regens. Der Motor im Leerlauf.

Ihm ist klar, daß in dieser schwingenden Blechdose auf Rädern Verstohlenheit ein Ding der Unmöglichkeit ist, und er öffnet die Badezimmertür schnell und laut. Das kleine Bad ist so, wie es sein sollte, kein blinder Passagier auf dem Klo oder in der Duschkabine.

Dann der schmale Kleiderschrank mit der Schiebetür. Aber darin ist sie auch nicht.

Der einzige Ort, den er noch nicht durchsucht hat, ist das Schlafzimmer.

Vess steht vor dieser letzten geschlossenen Tür, hell entzückt von dem Gedanken, daß die Frau, die sich dort zusammengekauert hat, nicht weiß, mit wem sie ihr Versteck teilt.

Auf der Schwelle und am Türrahmen ist nicht das geringste Licht zu sehen; also hat sie den Raum zweifellos im Dunkeln betreten. Offenbar hat sie sich noch nicht auf das Bett gesetzt und die schlafende Schönheit gefunden.

Vielleicht hat sie sich vorsichtig durch den kleinen Raum getastet und durch blinde Erkundung die Falttür des Schranks gefunden. Wenn Vess jetzt die Schlafzimmertür öffnet, wird sie vielleicht im selben Augenblick die Kunststofftür öffnen, um schnell und leise in den Schrank zu schlüpfen, nur um zu spüren, daß dort statt Sporthemden ein seltsames kaltes Etwas hängt.

Mr. Vess ist erheitert.

Nur mühsam widersteht er der Versuchung, die Tür aufzureißen und zu beobachten, wie sie von der Leiche im Schrank und dann von dem toten Mädchen auf dem Bett zurückprallt, wie sie sich schreiend erst vom zugenähten Gesicht des Jungen abwendet, dann von dem gefesselten Mädchen und schließlich von Vess selbst, und entsetzt herumwirbelt wie in einem komischen Flipper.

Doch nach diesem Spektakel wird er sofort zur Sache kommen müssen. Er wird schnell herausbekommen, wer sie ist und was sie hier zu suchen hat.

Mr. Vess wird klar, daß er diese seltene Begegnung mit einem Geheimnis noch gar nicht beenden will. Es gefiele ihm besser, die Spannung zu verlängern und noch eine Weile an dem Rätsel zu kauen.

Die Aktivitäten der letzten Stunden haben ihn etwas erschöpft. Nun gibt ihm diese unerwartete Entwicklung neue Energie.

Es sind natürlich gewisse Risiken damit verbunden, es auf diese Art und Weise zu versuchen. Aber es ist unmöglich, intensiv zu leben und Risiken zu vermeiden. Risiko ist das Herz einer intensiven Existenz.

Er tritt leise von der Schlafzimmertür zurück.

Dann trampelt er lautstark ins Bad, pinkelt und drückt die Spülung, damit die Frau denkt, er sei nicht nach hinten ins Wohnmobil gekommen, um nach ihr zu suchen, sondern um dem Ruf der Natur zu folgen. Wenn sie weiterhin davon ausgeht, daß er nichts von ihrer Gegenwart weiß, wird sie weiter ihren Plan verfolgen, der sie an Bord geführt hat, und er möchte zu gern herausfinden, was sie hier tut.

Er geht wieder nach vorn und bleibt in der Küche stehen, um sich eine Tasse heißen Kaffee aus der großen Thermoskanne neben dem Ofen einzuschenken. Er schaltet auch ein paar Lampen ein, damit er das Innere des Wohnmobils im Rückspiegel deutlich sehen kann.

Als er wieder hinter dem Lenkrad sitzt, nippt er an dem Kaffee. Er ist heiß, schwarz und bitter, genau so, wie er ihn mag. Er stellt den Becher in einen Halter, der an das Armaturenbrett festgeschraubt ist.

Die Pistole legt er entsichert und mit dem Griff nach oben in die offene Konsole zwischen den Sitzen. Er kann die Hand sofort darauf legen, sich im Sitz umdrehen, die Frau erschießen, bevor sie in seine Nähe kommt, und trotzdem die Kontrolle über das Wohnmobil behalten.

Aber er glaubt nicht, daß sie versuchen wird, ihm zu schaden, zumindest nicht in nächster Zeit. Wäre das ihre grundlegende Absicht, hätte sie es bereits versucht.

Seltsam.

»Warum? Was nun?« sagt er laut und genießt die Dramatik seiner eigentümlichen Situation. »Was nun? Was jetzt? Was liegt an? Überraschung, Überraschung.«

Er trinkt noch einen Schluck Kaffee. Das Aroma erinnert ihn an die knusprige Beschaffenheit verbrannten Toasts.

Draußen sind die Elche verschwunden.

Eine Nacht der Geheimnisse.

Der heftige Wind peitscht die langen Farnwedel. Wie als Beweise einer Gewalttat sprühen helle, nasse Rhododendronblüten durch die Nacht.

Der Wald wirkt völlig unberührt. Die Macht der Zeit ist in diesen massiven, dunklen, senkrechten Strukturen gespeichert.

Mr. Vess löst die Handbremse und legt den Gang ein. Es geht weiter.

Nachdem er an dem beschädigten Honda vorbeigefahren ist, schaut er in den Rückspiegel. Die Schlafzimmertür ist geschlossen. Die Frau bleibt in ihrem Versteck.

Nun, da das Wohnmobil wieder rollt, geht die blinde Passagierin vielleicht das Risiko ein, das Licht einzuschalten, und hat auf diese Weise Gelegenheit, ihre Zimmergenossen kennenzulernen.

Mr. Vess lächelt.

Von allen Expeditionen, die er durchgeführt hat, ist das die interessanteste und aufregendste. Und sie ist noch nicht vorbei.

Chyna saß in der Dunkelheit auf dem Boden, den Rücken gegen die Wand gelehnt. Der Revolver lag neben ihr.

Sie war unberührt und lebte.

»Chyna Shepherd, unberührt und lebend«, flüsterte sie, und es war sowohl ein Gebet als auch ein Scherz.

Während ihrer Kindheit hatte sie häufig für diesen doppelten Segen gebetet – ihre körperliche Unversehrtheit und ihr Leben –, und ihre Gebete waren oft zerstreut und unzusammenhängend oder hektisch gewesen. Schließlich hatte sie schon befürchtet, Gott sei ihre endlosen, verzweifelten Bitten um Erlösung leid und ihre Unfähigkeit, sich um sich selbst zu kümmern und sich von Ärger fernzuhalten, und er könne zu dem Schluß kommen, sie habe die ihr zustehende göttliche Gnade verbraucht. Gott mußte sich schließlich um das gesamte Universum kümmern, auf zahlreiche Trunkenbolde und Narren aufpassen, wobei der Teufel überall seine Hand im Spiel hatte, während Vulkane ausbrachen, Seeleute im Sturm verschollen gingen und Spatzen vom Himmel fielen. Als Chyna zehn oder elf Jahre alt war, hatte sie in Anbetracht von Gottes vollgestopftem Terminplan ihre weitschweifigen Bitten auf folgendes Gebet zusammengefaßt: »Gott, hier ist Chyna Shepherd, hier in« – hier setzte sie den Namen ihres jeweiligen Aufenthaltsorts ein – »und ich bitte dich, bitte, bitte, bitte, laß mich das alles einfach unberührt und lebend überstehen.« Bald erkannte sie, daß Gott, da er ja schließlich Gott war, genau wußte, wo sie sich aufhielt, und reduzierte ihre flehentliche Bitte auf »Gott, hier ist Chyna Shepherd. Bitte laß mich das unberührt und lebend überstehen.« Und als sie schließlich überzeugt war, Gott ärgere sich darüber, daß sie mit immer demselben Sprüchlein seine Zeit und Geduld über Gebühr beanspruche, hatte sie ihre Anliegen auf ein knappes Telegramm reduziert: »Chyna Shepherd, unberührt und lebend.« In Krisen – unter Betten oder in vollgestopften Kleiderschränken oder auf spinnwebenverhangenen Dachböden oder, einmal, flach auf dem Bauch im Zwischenraum unter einem verfallenden Haus in Rattenscheiße liegend – hatte sie diese fünf Worte immer und immer wieder geflüstert oder sie leise und unermüdlich wie einen Gesang angestimmt: *Chyna-Shepherd-unberührt-und-lebend*, ihn unaufhörlich rezitiert, nicht weil sie befürchtete, Gott könne mit anderen Sachen beschäftigt sein und würde sie nicht hören, sondern weil sie sich selbst versichern wollte, daß er dort draußen war, ihre Nachricht erhalten hatte und sich um sie kümmern würde, wenn sie nur Geduld hatte. Und wenn die jeweilige Krise dann beigelegt war und die schwarze Flut des Entsetzens sich zurückzog, ihr stotterndes Herz endlich wieder klar, ruhig und gleichmäßig schlug, hatte sie die fünf Worte erneut gesprochen, aber mit einem anderen Tonfall als zuvor, diesmal nicht als Bitte um Erlösung, sondern als pflichtbewußte Rückmeldung, *Chyna-Shepherd-unberührt-und-lebend*, genau so, wie ein Matrose im Krieg seinem Kapitän Meldung erstattet, nachdem das Schiff einen wütenden Angriff feindlicher Flugzeuge überstanden hat: »Alle an Bord und wohlauf, Sir.« Sie war wohlauf; sie war nicht verschollen; und sie ließ Gott ihre Dankbarkeit mit denselben fünf Worten wissen und stellte sich vor, daß er den Unterschied in ihrer Betonung heraushörte und verstand. Das war zwischen Gott und der jungen Chyna zu einem kleinen Scherz geworden, und manchmal hatte sie der Meldung auch einen militärischen Gruß hinzugefügt, was ihr nicht schlimm vorkam, da sie herausbekommen hatte, daß Gott, da er ja schließlich Gott war, einen gewissen Sinn für Humor haben mußte.

»Chyna Shepherd, unberührt und lebend.«

Diesmal, im Schlafzimmer des Wohnmobils, war es sowohl die Rückmeldung einer Überlebenden als auch ein inbrünstiges Gebet, von der nächsten Brutalität, wie auch immer sie aussehen mochte, verschont zu bleiben.

»Chyna Shepherd, unberührt und lebend.«

Als kleines Mädchen hatte sie ihren Namen verabscheut – außer, wenn sie um ihr Überleben gebetet hatte. Er war extravagant, eine dumme, falsche Schreibweise eines richtigen Wortes, und wenn andere Kinder sie deshalb aufzogen, konnte sie sich nicht dagegen verteidigen. In Anbetracht der Tatsache, daß ihre Mutter Anne hieß – ein so einfacher Name! –, kam ihr die Entscheidung für Chyna nicht nur extravagant, sondern gedankenlos und sogar gemein vor. Während des Großteils ihrer Schwangerschaft hatte Anne in einer Kommune radikaler Umweltschützer gelebt – einer Zelle der berüchtigten Earth Army –, die der Ansicht waren, daß bei der Verteidigung der Natur jedes Ausmaß an Gewalt gerechtfertigt war. In der Hoffnung, Holzfäller würden bei Unfällen mit elektrischen Sägen ihre Hände verlieren, hatten sie große Nägel in Bäume geschlagen. Sie hatten zwei Fabriken, in denen Fleischkonserven hergestellt wurden, mitsamt den unglücklichen Nachtwächtern darin niedergebrannt, Baugeräte sabotiert, mit denen in der Wildnis neue Wohngebiete erschlossen werden sollten, und einen Wissenschaftler der Stanford-Universität ermordet, weil sie mißbilligten, daß er bei seinen Laborversuchen

Tiere benutzte. Unter dem Einfluß dieser Freunde hatte Anne Shepherd zahlreiche Namen für ihre Tochter in Betracht gezogen: Hyacinth, Meadow, Ocean, Sky, Snow, Rain, Leaf, Butterfly... Doch als sie dann entbunden wurde, hatte sie sich von der Earth Army getrennt und Chyna nach China benannt, weil, wie sie ihr einmal erklärt hatte, »mir gerade klar geworden war, Schatz, daß China die einzige gerechte Gesellschaft auf der Erde hat, und ich fand den Namen wunderschön«. Sie hatte sich nicht erinnern können, wieso sie aus dem *i* ein *y* gemacht hatte, denn damals hatte sie in einem Methamphetamin-Labor gearbeitet, das Speed zu erschwinglichen Fünf-Dollar-Päckchen verpackte, und die Ware so oft probiert, daß ihr immer mal wieder ein paar Tage in ihrer Erinnerung fehlten. Nur wenn die junge Chyna um Erlösung betete, hatte ihr Name ihr gefallen, denn sie hatte angenommen, daß Gott sich deshalb leichter an sie erinnerte und sie nicht mit den Millionen von Marys und Carolines und Lindas und Heathers und Tracys und Janes verwechselte.

Nun liebte oder haßte sie den Namen nicht mehr. Es war einfach ein Name wie jeder andere.

Sie hatte gelernt, daß das, was sie war – der wahre *Mensch*, der sie war –, nicht das geringste mit ihrem Namen und nur wenig mit dem Leben zu tun hatte, das sie sechzehn Jahre lang mit ihrer Mutter geführt hatte. Sie trug nicht die Schuld an dem schrecklichen Haß und der furchtbaren Lust, die sie gesehen, an den Obszönitäten, die sie gehört, an den Verbrechen, die sie beobachtet hatte, oder an den Dingen, die einige der Freunde ihrer Mutter von ihr gewollt hatten. Sie wurde weder durch einen Namen noch durch schändliche Erfahrungen definiert; statt dessen wurde sie von Träumen und Hoffnungen geformt, von ihrem Streben, ihrer Selbstachtung und Beharrlichkeit. Sie war nicht Lehm in den Händen anderer; sie war Gestein, und mit ihren eigenen entschlossenen Händen konnte sie die Person herausmeißeln, die sie sein wollte.

Sie war erst vor einem Jahr zu dieser Erkenntnis gelangt, als sie fünfundzwanzig geworden war. Die Einsicht war nicht wie ein blendender Blitz in sie gefahren, sondern langsam gewachsen, so wie ein Fleck kahlen Erdreichs allmählich mit kriechendem Ajuga bedeckt wird, bis eines Tages wie durch ein Wunder die braune

Erde verschwunden ist und überall smaragdgrüne Blätter und winzige blaue Blumen wachsen. Wertvolle Einsichten schien man sich stets mühsam erringen zu müssen – und in der Rückschau war dann alles so klar und einfach!

Das alte Wohnmobil rumpelte durch die Nacht, ächzte wie eine lange nicht benutzte Tür, tickte wie eine verrostete Uhr, die zu korrodiert war, um jede Sekunde genau anzuzeigen, der Dämmerung entgegen.

Verrückt. Es war verrückt, diese Fahrt anzutreten.

Aber sie konnte sonst nirgendwo hin.

Zu dieser Reise hatte ihr gesamtes Leben geführt. Tollkühner Mut war nicht nur eine Sache des Schlachtfelds – oder der Männer.

Sie war durchnäßt und fror und hatte Angst – und seltsamerweise hatte sie zum erstenmal in ihrem gesamten Leben mit sich Frieden geschlossen.

»Ariel«, sagte Chyna leise, ein Mädchen in der Dunkelheit, das einem anderen Mut zusprach.

# KAPITEL 6

Mr. Vess fährt aus dem Wald der Mammutbäume in eine nieselnde Dämmerung, die zuerst eisengrau und dann etwas bleicher ist, an Küstenwiesen vorbei, die denselben trostlosen Metallfarbton wie der Himmel haben, zurück auf den Highway 101, erneut in Wälder, welche diesmal aber aus Kiefern und Fichten bestehen, aus dem Humboldt County ins Del Norte County, ein noch abgelegeneres Terrain, und verläßt die 101 schließlich auf einer Straße, die nach Nordnordosten führt.

Zunächst schaut er noch häufig in den Rückspiegel, doch die Schlafzimmertür bleibt geschlossen, und die Frau scheint sich bei den Leichen recht wohl zu fühlen. Vielleicht weiß sie aber auch gar nichts von ihnen. In ihrem Versteck ist das Fenster mit Sperrholz vernagelt, und das Licht der Dämmerung kann nicht eindringen.

Vess ist ein ausgezeichneter Fahrer und schafft auch bei schlechtem Wetter ein hervorragendes Tempo. Wir tun jene Dinge am besten, die wir gern tun; deshalb ist Mr. Vess beim Töten so erfolgreich, und deshalb verbindet er diese Begeisterung auch mit seiner Liebe zum Fahren, statt sich darauf zu beschränken, sich seine Opfer in der Nähe seines Wohnsitzes zu suchen.

Wenn Edgler Vess auf einer freien Strecke ist und die Landschaft sich ständig ändert, erhält er einen immerwährenden Zustrom frischer visueller Eindrücke. Und für jemanden mit seinen ausgezeichneten, kultivierten Sinnen und seiner Fähigkeit, sie auf hologrammatische Weise einzusetzen, kann ein wunderschöner Anblick auch ein musikalischer Klang sein. Ein Geruch, der durch das offene Fenster weht, kann nicht nur eine olfaktorische Wahrnehmung, sondern auch eine taktile sein: süßer Fliederduft wie der warme Atem einer Frau auf seiner Haut. Behaglich in den Fahrersitz seines Wohnmobils gekuschelt, reist er durch ein reiches Meer der Erfahrungen, das ihn umspült, wie Wasser unaufhörlich die Hülle eines tief untergetauchten U-Boots umspült.

Nun überquert er die Grenze von Oregon. Die Berge kommen auf ihn zu und ziehen ihn in ihre Festigkeit hinein.

Die immer dichter stehenden Bäume auf den steilen Hügeln sind in dem hartnäckigen Regen eher grau als grün, und ihr Anblick erweckt bei ihm den Eindruck, er beiße auf ein Stück Eis, das zwischen seinen Zähnen ganz hart ist, ein leichter, aber angenehm metallischer Geschmack und eine betäubende Kälte an seinen Lippen.

Nur noch selten wirft er einen Blick in den Rückspiegel. Die Frau ist ein Geheimnis, und Geheimnisse dieser Art können nicht durch den reinen Wunsch, sie aufzuklären, aufgeklärt werden. Irgendwann wird sie sich zeigen, und die Intensität der Erfahrung wird davon abhängen, welche Ziele sie verfolgt und welche Geheimnisse sie hat.

Das Warten ist köstlich.

Während der letzten paar Stunden der Fahrt verzichtet Vess darauf, das Radio einzuschalten, wenn auch nicht aus Angst, die Musik könne die Geräusche der Frau übertönen, falls sie durch das Wohnmobil vorwärts schleicht. Eigentlich hört er beim Fahren nur selten Radio. In seinem Gedächtnis ist ein gewaltiges Archiv von Aufzeichnungen der Musik gespeichert, die ihm am besten gefällt: das Schreien und Kreischen, die gehauchten Gebete, das feine Schluchzen, zart wie zerreißendes Papier, das pulsierende Gnadengewimmer und der erotische Anreiz der letzten Verzweiflung.

Als er vom Highway auf die Landstraße abbiegt, erinnert er sich ganz besonders deutlich an Sarah Templeton in ihrer Duschkabine, an ihre Schreie und ihr hektisches Würgen, das von dem grünen Schwamm, den er ihr in den Mund gestopft hat, und den beiden Streifen Klebeband, die ihre Lippen versiegeln, gedämpft wurde. Nichts aus dem Radio, von Elton John über Garth Brooks und Pearl Jam bis hin zu Sheryl Crow – bis hin zu Mozart oder Beethoven, um genau zu sein –, kann sich mit diesem Unterhaltungsprogramm messen.

Er folgt der regennassen, zweispurigen Landstraße zu seiner Privatauffahrt, die durch ein Tor gesichert ist und von Dickichten aus Fichten und dornigem Unterholz flankiert wird.

Das Tor besteht aus Stahlrohr und Stacheldraht, seine rostfreien Stahlpfosten sind in Zementfundamente eingelassen. Es hat einen funkgesteuerten Elektromotor, und als Mr. Vess auf einen Knopf der Fernbedienung drückt, die er aus der Konsole gefischt hat, schwingt die Barriere majestätisch nach innen und links auf.

Nachdem er das Wohnmobil auf sein Grundstück gefahren hat, hält er noch einmal an, dreht das Fenster herunter, hält die Fernbedienung hinaus und drückt erneut auf einen Knopf. Im Seitenspiegel beobachtet er, wie das Tor sich schließt.

Die Auffahrt ist fast so lang wie die in den Weinbergen der Familie Templeton, denn sein Land umfaßt vierundfünfzig Morgen, und daran schließt sich kilometerweite Wildnis in Regierungsbesitz an. Allerdings ist er keineswegs so wohlhabend wie die Templetons; hier ist das Land viel billiger als im Napa Valley.

Obwohl die Auffahrt nicht asphaltiert ist, besteht keine Gefahr, daß das Wohnmobil im Schlamm steckenbleibt. Der Mutterboden ist dünn, und die Fahrspur verläuft praktisch direkt auf dem darunter liegenden Schiefer. Der Weg ist ein wenig holprig, aber das ist schließlich nicht New York City.

Vess fährt zwischen bedrohlich wirkenden Reihen hoher Kiefern, Fichten und vereinzelten Tannen einen flachen Hang hinauf, dann weichen die Bäume ein wenig zurück, und er erreicht die kahle Kuppe des Hügels. Die Straße fällt nun leicht in einer anmutigen Kurve ab und führt in ein kleines Tal, an dessen Ende sich das Haus befindet. Dahinter erheben sich im strömenden Regen und Morgennebel Hügel.

Sein Herz schlägt schneller, als er das Haus erblickt. Zu Hause ist, wo seine Ariel geduldig wartet.

Das zweistöckige Gebäude ist klein, aber solide, es besteht aus Baumstämmen, die mit Zement vermörtelt wurden. Die alten Stämme sind fast schwarz vor Pechschichten, und die Zeit hat den Zement tabakbraun gefärbt, einmal abgesehen von den hellbraunen und grauen Flecken, die von kürzlich erfolgten Reparaturen künden.

Das Haus wurde in den späten zwanziger Jahren von einem Holzhändler errichtet, lange bevor die kleinen Unternehmen dem Verdrängungswettbewerb zum Opfer fielen und die Regierung das Holzfällen in den umliegenden öffentlichen Wäldern untersagte. Elektrifiziert wurde es irgendwann während der vierziger Jahre.

Edgler Vess besitzt das Haus seit sechs Jahren. Nachdem er es gekauft hatte, hat er neue Leitungen gelegt, die sanitären Anlagen modernisiert und das Bad im ersten Stock ausgebaut. Und – natürlich völlig allein – umfassende und geheime Umbauten im Keller vorgenommen.

Einigen Menschen mag das Grundstück abgelegen vorkommen, unangenehm weit von einem 7-Eleven oder einem Multiplex-Kino entfernt. Für Mr. Vess hingegen, dessen Vergnügungen die meisten Nachbarn sowieso nicht verstehen würden, war Abgeschiedenheit das wichtigste Kriterium beim Grundstückskauf.

Doch selbst der überzeugteste Stadtbewohner würde an einem Sommernachmittag oder -abend eingestehen, daß auch die Abgeschiedenheit ihre Reize hat, wenn er in einem Schaukelstuhl auf der Veranda sitzt und den großen Garten und die wilden Blumen auf den weiten Feldern betrachtet, die der Holzhändler und seine Söhne gerodet haben, oder den unendlichen Sternenhimmel.

Bei gutem Wetter ißt Mr. Vess gern auf der Veranda und trinkt danach ein paar Bierchen. Wenn die Stille der Berge langweilig wird, lauscht er den Stimmen jener, die auf dem Grundstück begraben liegen: ihrem Flehen und Klagen, der Musik, die er jeder Radioübertragung vorzieht.

Neben dem Haus steht eine kleine Scheune, nicht, weil der ursprüngliche Besitzer des Grundstücks Ackerbau auf den gerodeten Flächen betrieben hätte, sondern weil er Pferde züchtete. Dieses zweite Gebäude ist eine traditionelle Holzkonstruktion mit einem Betonfundament und einer steinernen Stützwand; Wind, Regen und Sonne haben schon vor langer Zeit eine silberne Patina auf die haltbaren Zedernstämme gelegt, die Vess sehr hübsch findet.

Da er keine Pferde besitzt, benutzt er die Scheune als Garage.

Doch nun hält er neben dem Haus an, statt zur Scheune weiterzufahren. Die Frau befindet sich im Wohnmobil, und er wird sich bald mit ihr befassen müssen. Er zieht es vor, hier zu parken, wo er sie aus dem Haus beobachten und die weitere Entwicklung abwarten kann.

Er wirft einen Blick in den Rückspiegel.

Noch immer nichts von ihr zu sehen.

Vess schaltet den Motor aus, aber nicht die Scheinwerfer, und wartet darauf, daß seine Wächter auftauchen. Dieser Morgen im Spätmärz wird von schräg fallendem Regen belebt und von Dingen, die der Wind durch die Luft trägt, aber nichts bewegt sich aus eigenem Antrieb.

Sie wurden darauf ausgebildet, sich nähernde Fahrzeuge nicht sofort anzuspringen und sich sogar bei zu Fuß kommenden Eindringlingen Zeit zu lassen, um sie in einen Bereich zu locken, aus dem ein Entkommen unmöglich ist. Diese Wächter wissen, daß Heimlichkeit genauso wichtig ist wie wilder Zorn, daß vielen erfolgreichen Angriffen kalkulierte Ruhe vorangeht, die das Opfer in falscher Sicherheit wiegt.

Schließlich erscheint der erste stromlinienförmige, schwarze Kopf mit gespitzten Ohren, dicht über dem Boden an der hinteren Ecke des Hauses. Der Hund zögert, mehr von sich zu zeigen, und inspiziert das Fahrzeug, um sich zu vergewissern, daß er auch versteht, was hier geschieht.

»Braver Bursche«, flüstert Vess.

An der vorderen Ecke der Scheune, zwischen den Zedernstämmen und dem Stamm eines winterkahlen Ahornbaums, taucht ein weiterer Hund auf. Er ist im Regen kaum mehr als der Schatten eines Schattens.

Selbst Vess hätte diese Wachen nicht bemerkt, hätte er nicht gewußt, daß er nach ihnen Ausschau halten muß. Ihre Selbstbeherrschung ist bemerkenswert, ein Beweis seiner Fähigkeiten als Ausbilder.

Zwei weitere Hunde liegen irgendwo in der Nähe auf Lauer, vielleicht hinter dem Wohnmobil, oder sie kriechen dort, wo er sie nicht sehen kann, bäuchlings durchs Gebüsch. Sie sind allesamt Dobermänner, fünf und sechs Jahre alt, in den besten Jahren.

Vess hat weder ihre Ohren kupiert noch ihre Schwänze gestutzt, wie es bei Dobermännern fast immer gehandhabt wird, denn er fühlt sich zu den Raubtieren der Natur hingezogen. Er ist imstande, zu einem gewissen Grad die Welt so wahrzunehmen, wie er vermutet, daß Tiere sie wahrnehmen – die elementare Natur ihrer Sehweise, ihrer Bedürfnisse, die Bedeutung unverfälschter Wahrnehmungen. Sie sind miteinander verwandt.

Der Hund an der Ecke des Hauses schleicht ins Freie, und der an der Scheune kommt hinter dem Ahorn mit den schwarzen Ästen hervor. Ein dritter Dobermann erhebt sich seitlich von der Scheune hinter dem gewaltigen und halb versteinerten Stumpf einer vor langer Zeit gefällten Zeder, um den ein Gewirr von Stechpalmen gewachsen ist.

Sie kennen das Wohnmobil. Ihre Sehfähigkeit mag zwar nicht ihre stärkste Eigenschaft sein, ermöglicht es ihnen aber wahrscheinlich, ihn durch die Windschutzscheibe zu erkennen. Mit einem Geruchssinn, der zwanzigtausendmal besser ist als der eines durchschnittlichen Menschen, nehmen sie seine Witterung zweifellos auch durch den Regen auf und obwohl er sich im Inneren des Wohnmobils befindet. Dennoch wedeln sie weder mit den Schwänzen, noch drücken sie auf andere Weise Freude aus, denn sie sind noch im Dienst.

Der vierte Hund bleibt verborgen, doch diese drei nähern sich ihm vorsichtig durch Dunst und Regen. Ihre Köpfe sind erhoben, die spitzen Ohren aufgerichtet und nach vorn gestellt.

In ihrer disziplinierten Stille und Gleichgültigkeit gegenüber dem Sturm erinnern sie ihn an die auf so unheimliche Weise konzentrierte Herde Elche, die er in der vergangenen Nacht im Mammutbaumwald gesehen hat. Der große Unterschied besteht natürlich darin, daß diese Geschöpfe, sollte ihnen irgendein anderer als ihr geliebter Herr gegenübertreten, nicht mit der Furchtsamkeit von Elchen reagieren, sondern diesem unglücklichen Menschen die Kehle herausreißen würden.

Obwohl Chyna es nicht für möglich gehalten hätte, hatte das Summen der Räder und das Schaukeln des Wohnmobils sie in den Schlaf gelullt. Sie träumte von seltsamen Häusern, in denen die Geometrie der Zimmer bizarr war und sich ständig veränderte; etwas Gieriges und Hungriges wohnte innerhalb der Mauern, und des Nachts sprach es durch Lüftungsschächte und Steckdosen zu ihr und erzählte ihr flüsternd von seinen Bedürfnissen.

Die Bremsen weckten sie. Sofort wurde ihr klar, daß das Wohnmobil unmittelbar zuvor schon einmal angehalten hatte und dann wieder losgefahren war. Sie hatte während dieses ersten Halts weitergedöst, war zwar in ihrem Schlaf gestört worden, aber nicht richtig erwacht. Obwohl sie nun wieder unterwegs waren und der Mörder offensichtlich noch hinter dem Lenkrad saß, hob Chyna den Revolver auf, der neben ihr auf dem Boden lag, rappelte sich hoch und drückte, angespannt und wachsam, den Rücken gegen die Wand.

Aufgrund der Neigung des Bodens und des Geräuschs des sich abmühenden Motors wußte sie, daß sie einen Hügel hinauffuhren. Dann erreichten sie dessen Kuppe und fuhren wieder hinab. Kurz darauf hielten sie erneut an, und der Motor wurde ausgeschaltet.

Der Regen war das einzige Geräusch.

Sie wartete auf Schritte.

Obwohl sie wußte, daß sie wach war, schien sie sich in einem Traum zu befinden, starr in der Dunkelheit, und der leise säuselnde Regen war wie diese Stimme, die in den Mauern flüsterte.

Mr. Vess nimmt sich die Zeit, den Regenmantel überzuziehen und die Heckler & Koch P7 in eine Tasche zu stecken. Für den Fall, daß die Frau das Wohnmobil durchsucht, nachdem er es verlassen hat, entfernt er die Mossberg-Flinte aus dem Schrank in der Kochnische. Dann schaltet er die Lichter aus.

Als er das Wohnmobil verläßt, ohne dem kalten Regen Beachtung zu schenken, laufen die drei großen Hunde zu ihm, und dann kommt der vierte hinter dem Fahrzeug hervor. Alle zittern vor Freude über seine Rückkehr, beherrschen sich aber noch, da sie nicht wollen, daß er sie für nachlässig in der Erfüllung ihrer Pflichten hält.

Bevor er zu dieser Expedition aufbrach, hat Mr. Vess die Dobermänner scharfgemacht, indem er den Namen *Nietzsche* aussprach. Sie werden jeden töten, der das Grundstück betritt, bis er den Namen *Seuss* ausspricht, woraufhin sie so freundlich wie Schoßhündchen werden – natürlich nur, solange niemand den kapitalen Fehler begeht, ihren Herrn zu bedrohen.

Nachdem er das Gewehr an die Seite des Wohnmobils gestellt hat, hält er den Hunden die Hände hin. Sie scharen sich eifrig um ihn, um an seinen Fingern zu schnüffeln. Sie schnüffeln, hecheln, lecken, lecken, ja, ja, sie haben ihn so sehr vermißt.

Er geht in die Hocke, begibt sich auf ihre Höhe hinab, und nun können sie ihre Freude nicht mehr zurückhalten. Ihre Ohren zucken, Schauder reinen Vergnügens laufen deutlich sichtbar über ihre schlanken Flanken, und sie jaulen leise vor reinem Glück, drücken sich eifersüchtig alle gleichzeitig gegen ihn, um berührt, gestreichelt, gekrault zu werden.

Sie leben in einem riesigen Zwinger hinter der Scheune, den sie nach Belieben betreten und verlassen können. Um ihr Wohlbefinden und ihre Gesundheit zu gewährleisten, wird er während der Kaltwetterperiode elektrisch geheizt.

»Hallo, Munster. Wie geht's dir, Edamer? Tilsiter, Junge, du siehst aber wie ein gemeiner Mistkerl aus. He, Limburger, bist du ein braver Junge, bist du mein braver Junge?«

Ein jeder von ihnen freut sich dermaßen, als sein Name fällt, daß er sich am liebsten auf den Rücken rollen, die Kehle darbieten, mit den Pfoten durch die Luft schlagen und breit grinsen würde – wäre er nicht noch im Dienst. Es bereitet Vess Spaß, bei jedem Tier den Kampf zwischen der Ausbildung und seiner Natur zu beobachten, eine süße Qual, die zwei von ihnen dazu bringt, vor nervöser Frustration zu pinkeln.

Mr. Vess hat in dem Zwinger elektrisch betriebene Automaten aufgestellt, die während seiner Abwesenheit genau berechnete Nahrungsmengen an die Dobermänner abgeben. Das System ist mit einer Batterie ausgerüstet, die auch während eines kurzen Stromausfalls die regelmäßige Fütterung gewährleistet. Bei einem längeren Stromausfall können die Hunde auf die Jagd gehen, um sich zu ernähren; die umliegenden Wiesen sind voller Feldmäuse, Kaninchen und Eichhörnchen, und die Dobermänner jagen leidenschaftlich gern. Ihr gemeinsamer Wassertrog wird von einem Überlaufrohr gespeist, und sollte das einmal nicht funktionieren, können sie sich jederzeit an einem Bach bedienen, der durch das Grundstück fließt.

Die meisten von Mr. Vess' Expeditionen finden an verlängerten Wochenenden statt, dauern drei, selten einmal fünf Tage, und die Hunde haben einen Nahrungsvorrat für zehn Tage, Kaninchen, Mäuse und Eichhörnchen nicht eingerechnet. Sie stellen ein wirksames und zuverlässiges Sicherheitssystem dar: nie ein Kurzschluß in einem Schaltkreis, nie ein ausgefallener Bewegungsdetektor, nie ein verrosteter Magnetkontakt – und nie ein falscher Alarm.

Oh, und wie diese Hunde ihn lieben, so uneingeschränkt und treu! Computerspeicher, Chips, Drähte, Kameras und Infrarot-Wärmesensoren können das nicht leisten. Sie riechen die Blutflecken auf seiner Jeans und der Jacke und schieben die schlanken Köpfe unter seinen geöffneten Regenmantel, die Ohren zurückgelegt, und schnüffeln eifrig, nehmen nicht nur das Blut wahr, sondern auch den verweilenden Gestank des Entsetzens, den seine Opfer ausströmten, als sie sich in seinen Händen befanden, ihren Schmerz, ihre Hilflosigkeit, den Sex, den er mit dem Mädchen namens Laura hatte. Diese Mischung aus scharfen Gerüchen erregt die Hunde nicht nur, sie erhöht auch den Respekt, den sie Vess entgegenbringen. Sie wurden unterwiesen, nicht nur zur Selbstverteidigung zu töten, nicht nur, um Nahrung zu bekommen; mit einem gewissen Maß an eiserner Selbstbeherrschung wurden sie darauf trainiert, um des reinen, wilden Vergnügens willen zu töten, um ihrem Herrn zu gefallen. Sie wissen ganz genau, daß die Wildheit ihres Herrn der ihren überlegen ist. Und im Gegensatz zu ihnen mußte er nicht dazu ausgebildet werden. Ihre Hochachtung für Edgler Vess wird noch größer, und sie jaulen leise, zittern und betrachten ihn mit abgöttischer Ehrfurcht aus ihren gefühlvollen Augen.

Mr. Vess erhebt sich. Er nimmt das Gewehr wieder an sich und schlägt die Tür des Wohnmobils zu.

Die Hunde springen an seine Seite, rempeln sich an, um ihm so nah wie möglich zu sein, durchmustern den Regentag aber weiterhin nach jeder möglichen Bedrohung für ihren Herrn.

»Seuss«, sagt er leise, damit die Frau im Wohnmobil ihn auf keinen Fall hören kann.

Die Hunde erstarren, schauen zu ihm hoch, legen die Köpfe auf die Seite.

»Seuss«, wiederholt er.

Die vier Dobermänner sind nicht mehr im Angriffsstatus und werden nicht mehr automatisch jeden in Stücke reißen, der das Grundstück betritt. Sie schütteln sich, als wollten sie ihre Anspannung abwerfen, laufen dann leicht verwirrt im Kreis, riechen am Gras und den Vorderreifen des Wohnmobils.

Sie sind wie Mafia-Killer, die hingerichtet, dann wiedergeboren wurden und nun verblüfft feststellen müssen, daß sie in ihrem neuen Leben Buchhalter sind.

Würde ein Besucher versuchen, ihrem Herrn Schaden zuzufügen, würden sie natürlich zu seiner Verteidigung eingreifen, ob er nun Zeit genug hätte, das Wort *Nietzsche* zu rufen oder nicht. Das Ergebnis wäre nicht schön anzusehen.

Sie sind darauf trainiert, zuerst an die Kehle zu gehen. Dann werden sie ins Gesicht beißen, um das größte Entsetzen und den größten Schmerz zu erzeugen – die Augen, die Nase, die Lippen. Dann den Hodensack. Dann den Bauch. Wenn sie töten, wenden sie sich danach nicht sofort ab; nachdem sie ihr Opfer zur Strecke gebracht haben, beschäftigen sie sich noch eine Weile mit ihm, um sicherzustellen, daß sie ihre Aufgabe tatsächlich erfüllt haben.

Selbst ein Mann mit einem Gewehr könnte nicht alle vier erschießen, bevor es wenigstens einem von ihnen gelänge, die Zähne in die Kehle des Fremden zu schlagen. Schüsse vertreiben sie nicht, lassen sie nicht mal zusammenzucken. Nichts kann sie erschrecken. Wahrscheinlich könnte der hypothetische Mann mit dem Gewehr nur zwei von ihnen ausschalten, bevor die beiden anderen ihn überwältigten.

»Krippe«, sagt Mr. Vess.

Dieses Wort weist die Hunde an, in ihren Zwinger zu laufen, und sie gehorchen sofort, jagen der Scheune entgegen. Sie bellen noch immer nicht, denn er hat sie unterwiesen, Stille zu bewahren.

Normalerweise würde er ihnen erlauben, bei ihm zu bleiben, seine Gesellschaft zu genießen, den Tag mit ihm im Haus zu verbringen und sich sogar wie eine schwarzbraune Steppdecke neben ihn zu legen, während er den Nachmittag verschläft. Er würde mit ihnen schmusen und gurren, denn sie sind ja schließlich so brave Hunde gewesen. Sie haben ihre Belohnung verdient.

Doch die Frau in dem roten Pullover hält Mr. Vess davon ab, mit den Hunden zu verfahren, wie er es gewöhnlich täte. Sollte sie die Tiere bemerken, würde sie es vielleicht mit der Angst zu tun bekommen und im Wohnmobil ausharren.

Er muß der Frau genug Handlungsfreiheit lassen. Oder zumindest die Illusion davon.

Er ist neugierig darauf, was sie tun wird.

Sie muß irgend etwas bezwecken, irgendein Motiv für die seltsamen Dinge haben, die sie bislang getan hat. Jeder hat eine bestimmte Absicht.

Mr. Vess' Absicht ist es, alle Bedürfnisse zu befriedigen, sobald sie entstehen, noch ungeheuerlichere Erlebnisse zu suchen, tief in Erfahrungen einzutauchen.

Welchen Zweck diese Frau auch immer zu verfolgen glaubt, Vess weiß, ihr wahrer Zweck ist es, *seinen* Absichten zu dienen. Sie ist eine herrliche Abwechslung, ein Bündel starker und exquisiter Erfahrungen in Menschenhaut, einzig zu seinem Vergnügen darin eingehüllt – ganz ähnlich wie ein Hershey-Riegel in seiner braunsilbernen Verpackung oder eine Slim-Jim-Wurst in ihrer engen Plastikhülle.

Der letzte Dobermann verschwindet auf dem Weg zum Zwinger hinter der Scheune.

Mr. Vess geht durch das nasse Gras zu dem alten Blockhaus und steigt ein paar steinerne Stufen zur Veranda hinauf. Obwohl er die Mossberg trägt, versucht er ansonsten ganz unbekümmert zu wirken für den Fall, daß die Frau das Schlafzimmer am Ende des Wohnmobils verlassen hat und ihn durch ein Fenster beobachtet.

Den Schaukelstuhl hat er bis zum Frühling in die Scheune gestellt.

Mehrere Schnecken, die schon recht früh im Jahr hervorgekommen sind, testen die Luft mit ihren transparenten, gelatineartigen Fühlern. Auf ihrer seltsamen Suche schleppen sie ihre spiralförmigen Häuser mit sich und ziehen silberne Schleimspuren über die nassen Dielenbretter der Veranda. Mr. Vess achtet sorgsam darauf, nicht auf sie zu treten.

Ein Mobile hängt in einer Ecke der Veranda an dem Faszienbrett am Rand des mit Schindeln gedeckten Dachs. Es besteht aus achtundzwanzig weißen Muscheln und Seeschnecken, alle ziemlich klein, einige mit hübschem rosa Innern; die meisten sind spiralförmig, alle recht exotisch.

Das Mobile stellt kein gutes Windspiel dar, da die meisten Töne, die es erzeugt, unrein sind. Es begrüßt ihn mit einem scheppernden atonalen Stoß, doch er lächelt, weil es ... nun ja, keinen sentimentalen, aber zumindest einen nostalgischen Wert für ihn hat.

Dieses schöne Stück Kunsthandwerk gehörte einst einer jungen Frau, die in einem Vorort von Seattle, Washington, lebte. Sie war Anwältin gewesen, zweiunddreißig Jahre alt und so erfolgreich, daß sie allein in einem Eigenheim in einem gehobenen Viertel wohnen konnte. Für eine Frau, die so hart war, daß sie sich in der brutalen Juristerei durchsetzen konnte, hatte sie ein überraschend verspieltes – ja glattweg mädchenhaftes – Schlafzimmer gehabt: ein mit Spitze und Fransen besetztes rosa Himmelbett mit rosa gemusterter Tagesdecke und gestärkten Borten, eine große Sammlung von Teddybären, Gemälde von englischen Landhäusern, an denen Winden wuchsen und die von üppigen Gärten mit Schlüsselblumen umgeben wurden, und mehrere Muschelmobiles.

Er hatte in diesem Schlafzimmer aufregende Dinge mit ihr angestellt. Dann hatte er sie mit dem Wohnmobil an so abgelegene Orte gebracht, daß er dort noch aufregendere Dinge mit ihr machen konnte. Sie hatte *Warum?* gefragt – und er hatte geantwortet: *Weil ich das nun einmal tue.* Das war die ganze Wahrheit und der einzige Grund gewesen.

Obwohl Mr. Vess sich nicht mehr an ihren Namen erinnern kann, fallen ihm bereitwillig zahlreiche andere Einzelheiten ein. Teile von ihr waren so rosa und glatt und wunderschön wie das Innere dieser baumelnden Muscheln gewesen. Besonders lebhaft erinnert er sich an ihre kleinen Hände, die fast so schlank und zart wie die eines Kindes gewesen sind.

Ihre Hände haben ihn fasziniert. Bezaubert. Er hat die Verletzlichkeit eines Menschen nie zuvor so intensiv gespürt wie bei ihr, als er ihre kleinen, zitternden, aber starken Hände in die seinen nahm. Oh, von ihren Händen hat er geschwärmt wie ein Schuljunge von seiner ersten Liebe.

Als er das Mobile als Erinnerung an die Anwältin auf der Veranda aufhängte, hat er einen Gegenstand hinzugefügt. Er baumelt nun an einer grünen Schnur: ihr schlanker Zeigefinger, der nur noch aus nackten Knochen besteht, aber noch immer unbestreitbar elegant ist, die drei Fingerglieder von der Spitze bis zum Ansatz, die nun gegen die kleinen Gehäuse von Meeresschnecken und winzigen Trompetenmuscheln und die anderen kleinen Spiralen scheppern.

*Klirr-klirr.*

*Klirr-klirr.*

Er schließt die Tür auf und betritt das Haus. Er macht die Tür wieder zu, schließt sie aber nicht ab, um der Frau den Zutritt zu ermöglichen, falls sie darauf aus sein sollte.

Wer weiß schon, worauf sie aus ist?

Ihr Verhalten ist bereits jetzt gleichermaßen erstaunlich wie geheimnisvoll.

Sie erregt ihn.

Vess dreht sich von der schemenhaften Haustür zu der schmalen Treppe unmittelbar links von ihm um. Er steigt die Stufen zum Obergeschoß schnell hinauf, nimmt, die Hand auf dem Eichengeländer, zwei auf einmal. Ein kurzer Gang führt zu zwei Zimmern und einem Bad. Sein Schlafzimmer liegt auf der linken Seite.

In seinem Zimmer läßt er die Mossberg auf das Bett fallen und geht zum Fenster auf der Südseite, das von einem blauen, dicht schließenden Vorhang bedeckt ist. Er muß den Vorhang nicht öffnen, um das Wohnmobil auf der Auffahrt sehen zu können. Die beiden gefältelte Stoffbahnen treffen nicht ganz aufeinander, und wenn er das Auge an die fünf Zentimeter breite Lücke hält, kann er das gesamte Fahrzeug deutlich sehen.

Wenn die Frau nicht unmittelbar, nachdem er das Haus betreten hat, aus dem Wohnmobil geschlüpft ist, was ihm höchst unwahrscheinlich vorkommt, befindet sie sich noch darin. Er kann schräg durch die Windschutzscheibe auf den Fahrer- und Beifahrersitz schauen, und dort ist sie auch nicht.

Er nimmt die Pistole aus seiner Tasche und legt sie auf die Kommode. Er schlüpft aus dem Regenmantel und wirft ihn auf die Tagesdecke, die auf dem ordentlich gemachten Bett ausgebreitet liegt.

Als er wieder aus dem Fenster schaut, kann er die geheimnisvolle Frau in dem Wohnmobil unter ihm noch immer nicht sehen.

Er eilt durch den Gang ins Bad. Weiße Fliesen, weißer Anstrich, weiße Wanne, weißes Waschbecken, weiße Toilette, polierte Messingarmaturen mit weißen Keramikgriffen. Alles strahlt. Kein einziger Fleck entstellt den Spiegel.

Mr. Vess mag helle, saubere Badezimmer. Eine Zeitlang, vor Menschengedenken, hat er bei seiner Großmutter in Chicago gewohnt, und sie war nicht imstande gewesen, ein Bad so sauber zu halten, daß es seinem Niveau entsprach. Als er schließlich unerträglich verärgert war, hatte er die alte Schachtel getötet. Er war elf gewesen, als er das Messer in ihren Leib gerammt hatte.

Nun greift er hinter den Duschvorhang und dreht den Kaltwasserhahn ganz auf. Er will nicht duschen, also ist es sinnlos, warmes Wasser zu verschwenden.

Er justiert schnell den Duschkopf, bis der Strahl so kräftig wie möglich ist. Das Wasser hämmert in die Fiberglaswanne und erfüllt das Badezimmer mit einem donnernden Geräusch. Er weiß aus Erfahrung, daß der Lärm im ganzen Haus zu vernehmen ist. Auch wenn der Regen auf das Dach trommelt, ist dieses Geräusch viel lauter als das der Dusche in Sarah Templetons Badezimmer, und man wird es unten hören.

Auf einem Wandregal über der Toilette steht ein Radiowecker. Er schaltet die Musik ein und justiert die Lautstärke.

Das Radio ist auf einen Sender in Portland eingestellt, der rund um die Uhr Nachrichten bringt. Wenn Mr. Vess badet oder die Toilette benutzt, hört er normalerweise Nachrichten; nicht, weil er sich auch nur im geringsten für die neuesten politischen oder kulturellen Entwicklungen interessiert, sondern weil die Berichte sich heutzutage größtenteils um Leute drehen, die einander verstümmeln und töten – Krieg, Terrorismus, Vergewaltigung, Totschlag, Mord. Und wenn sich einmal nicht genug Menschen gegenseitig getötet haben, um die Reporter auf Trab zu halten, greift stets die Natur hilfreich mit einem Tornado, einem Hurrikan, einem großen Erdbeben oder einem Ausbruch fleischverseuchender Bakterien ein.

Manchmal, wenn er den Nachrichten lauscht und die verschiedenen Berichte schöne Funken der Erinnerung an seine eigenen mörderischen Heldentaten zünden, wird ihm klar, daß auch er selbst eine Naturgewalt ist: ein Hurrikan, ein Gewitter, ein planetenzerschmetternder Asteroid, der durch die Leere rast, das Destillat aller menschlichen Wildheit in einem einzigen Körper. Eine Urgewalt. Der Gedanke gefällt ihm.

Nun jedoch werden Nachrichten seinen Zwecken nicht genügen. Er dreht schnell den Wahlknopf, bis er einen Sender findet, der Musik spielt. »Take the A Train« von Duke Ellington.

Perfekt.

Der Sound der Big Band ruft in ihm Bilder eines Lichts hervor, das sich in geschliffenem Kristall bricht, und von leuchtenden Perlen, die in einem Sektglas aufsteigen, und er muß an den Geruch frisch aufgeschnittener Limonen und Zitronen denken. Er kann die Noten in der Luft *fühlen;* einige schimmern wie Seifenblasen und platzen dann, andere prallen von ihm ab wie Hunderte kleiner Gummibälle, und wieder andere schweben wie vom Wind aufgewirbelte, herbstgetrocknete Blätter durch die Luft: eine sehr taktile Musik, überschwenglich und erhebend.

Der Taktschlag des Swing wird die Frau auf subtile Weise einlullen. Sie wird wohl nur sehr schwer glauben, wirklich glauben können, daß ihr vor dem Hintergrund solcher Musik etwas Schlimmes zustoßen kann.

Perfekt.

Er eilt ins Schlafzimmer zurück, ans Fenster, von dem er keine Minute lang fort war.

Regen schlägt gegen das Glas und strömt herab.

Auf der Auffahrt steht das Wohnmobil wie zuvor.

Die Frau muß sich noch darin befinden. Sie wird wahrscheinlich nicht einfach aus dem Fahrzeug stürmen und Hals über Kopf loslaufen, sondern es mit der gebotenen Vorsicht verlassen und auf beiden Seiten der Tür zögern. Obwohl sie Zeit genug gehabt hätte, sich aus dem Wohnmobil zu schleichen, während Mr. Vess im Bad war, würde sie sich höchstwahrscheinlich in seiner Nähe verstecken, sich orientieren, die Situation einschätzen. Von diesem hohen Aussichtspunkt kann er fast das gesamte Fahrzeug überblicken, abgesehen von den toten Winkeln links hinten und der Rückseite, und er kann die Frau nicht ausmachen.

»Ich bin soweit, wenn Sie es sind, Miß Desmond«, sagt er, womit er sich auf Gloria Swansons Rolle in *Sunset Boulevard* bezieht.

Dieser Film hat ihn stark beeindruckt, als er ihn zum erstenmal im Fernsehen sah. Er war damals dreizehn gewesen und befand sich wegen des Mordes an seiner Großmutter seit einem Jahr in psychiatrischer Behandlung. Auf einer Ebene hatte er gewußt, daß

Norma Desmond die tragische Schurkin des Streifens sein sollte und Autor und Regisseur beabsichtigten, daß sie diese Rolle ausfüllte – aber er hatte sie bewundert, ja geradezu geliebt. Ihr Egoismus war mitreißend, ihre Egozentrik heroisch. Sie war der glaubwürdigste Charakter, den er je in einem Film gesehen hatte. *So* waren Menschen wirklich, unter ihrer Verstellung und Heuchelei, unter all dem Gebrabbel von Liebe, Leidenschaft und Selbstlosigkeit; sie alle waren wie Norma Desmond, konnten es sich aber nicht eingestehen. Norma war der Rest der Welt scheißegal, und sie zwang jedem ihren eisernen Willen auf, auch als sie nicht mehr jung oder schön oder berühmt war, und als sie den von William Holden gespielten Mann nicht so stark zurechtbiegen konnte, wie sie es wollte, nahm sie einfach kühn eine Pistole und erschoß ihn, was so mächtig, so dreist war, daß der junge Edgler in dieser Nacht vor Aufregung nicht schlafen konnte. Er hatte wachgelegen und sich gefragt, wie es wohl sein mochte, einer Frau zu begegnen, die so überlegen und authentisch wie Norma Desmond war – und sie dann zu brechen, zu töten, die gesamte Kraft ihrer Selbstsucht aufzunehmen und zu der seinen zu machen.

Vielleicht ist diese geheimnisvolle Frau ein klein wenig wie Norma Desmond. Sie ist kühn, soviel steht fest. Verdammt, er kommt nicht dahinter, was sie tut, worauf sie aus ist; und wenn er ihr Motiv endlich versteht, wird sie vielleicht gar nicht wie Norma Desmond sein. Doch zumindest ist sie schon jetzt eine neue und interessante Erfahrung.

Der Regen.

Der Wind.

Das Wohnmobil.

Auf »Take the A Train« folgt »String of Pearls«.

»Ich bin soweit, wenn Sie es sind«, murmelt Mr. Vess leise gegen die blauen Vorhänge.

Nachdem der Mörder aus dem Wohnmobil gestiegen war und die Tür zugeschlagen hatte, hatte Chyna eine geraume Weile im eintönigen Wiegenlied des Regens in dem dunklen Schlafzimmer gewartet.

Sie hatte sich daran erinnert, daß sie vorsichtig und besonnen war. Lausche. Warte. Sei dir sicher. Absolut sicher.

Aber dann hatte sie sich zu dem Eingeständnis gezwungen, daß sie die Nerven verloren hatte. Obwohl ihre Sachen während der Fahrt fast völlig getrocknet waren, war ihr noch immer kalt, und die Quelle dieser Kälte war das Eis des Zweifels tief in ihrem Bauch.

Der Spinnenfresser war fort, und Chyna wäre selbst trotz der zwei Leichen viel lieber in dieser Dunkelheit geblieben, als hinauszugehen und ihm vielleicht wieder zu begegnen. Sie wußte, daß er zurückkommen würde, daß sie in diesem Schlafzimmer nicht in Sicherheit war, doch eine Zeitlang wurde das, was sie wußte, von dem, was sie fühlte, überstimmt.

Als sie ihre Lähmung schließlich überwand, bewegte sie sich ganz energisch, als könnte jedes Zögern zu einer weiteren und noch schlimmeren Lähmung führen, die sie unmöglich überwinden konnte. Sie riß die Schlafzimmertür auf und stürzte auf den Gang, wobei sie den Revolver in der ausgestreckten Hand hielt, weil der Schweinehund vielleicht gar nicht ausgestiegen war, und dann ging sie am Bad vorbei und durch die Eßecke bis in den Wohnbereich, wo sie einen Meter hinter dem Fahrersitz stehenblieb.

Das einzige Licht war ein schwacher grauer Schimmer, der durch die Dachluke im Gang hinter ihr und durch die Windschutzscheibe vor ihr fiel, doch sie konnte ausmachen, daß der Mörder nicht hier war. Sie war allein.

Draußen, direkt vor dem Wohnmobil, befanden sich ein durchnäßter Garten, ein paar tropfende Bäume und eine holprige Auffahrt, die zu einer verwitterten Scheune führte.

Chyna ging zum Fenster auf der rechten Seite, zog vorsichtig eine Ecke des schmierigen Vorhangs zurück und sah in etwa sechs Metern Entfernung ein Blockhaus. Altersfleckig und mit ungleichmäßig dicken Schichten Holzschutzmittel überzogen, glitzerten die Wände, an denen der Regen in Strömen herabrann, wie eine dunkle Schlangenhaut.

Obwohl sie es nicht hundertprozentig wußte, ging sie davon aus, daß es sich um das Haus des Mörders handelte. Er hatte in der Tankstelle den Verkäufern erzählt, er würde nach seinem »Jagdausflug« nach Hause fahren, und alles, was er ihnen gesagt hatte, hatte wie die reine Wahrheit geklungen, einschließlich der spöttischen Bemerkungen über die junge Ariel.

Der Mörder mußte im Haus sein.

Chyna ging ganz nach vorn, beugte sich über den Fahrersitz und warf einen Blick auf die Zündung. Die Schlüssel steckten nicht. Sie lagen auch nicht in der Konsole.

Sie glitt auf den Beifahrersitz und kam sich trotz des alles verwischenden Regens, der über die Windschutzscheibe herabfloß, schrecklich sichtbar vor. Sie fand nichts in der Konsole, in dem flachen Handschuhfach, in den Ablagen der Türen oder unter den beiden Vordersitzen, was den Namen des Besitzers oder irgend etwas anderes über ihn enthüllt hätte.

Er würde bald zurückkommen. Aus irgendeinem verrückten Grund hatte er große Mühen und Risiken auf sich genommen, um die Leichen hierher zu bringen, und höchstwahrscheinlich würde er sie nicht lange in dem Wohnmobil liegenlassen.

Der Regen erschwerte die Sicht, sie glaubte jedoch zu erkennen, daß die Vorhänge der Fenster im Erdgeschoß auf dieser Seite des Hauses zugezogen waren. Also konnte der Mörder nicht zufällig hinausschauen und sie erblicken, wenn sie aus dem Wohnmobil trat. Die beiden Fenster des Obergeschosses konnte sie nicht annähernd so deutlich ausmachen wie die unteren, doch bei ihnen schien es genauso zu sein.

Sie öffnete die Tür einen Spaltbreit, und der Wind stach wie ein kaltes Messer durch die Lücke auf sie ein. Sie stieg aus und schloß die Tür hinter sich so leise wie möglich.

Der Himmel war bedeckt und turbulent.

Reihe um Reihe bewaldeter Hügel erhob sich hinter dem Haus; die letzten verschwanden im perlmuttenen Dunst. Auch wenn sie es nicht sehen konnte, spürte Chyna, daß sich hinter den Hügeln Berge erhoben; so zeitig im Frühling würden sie noch mit Schnee bedeckt sein.

Sie lief zu der steinernen Treppe und die Veranda hinauf, aus dem Regen, aber es regnete so stark, daß sie schon wieder bis auf die Haut durchnäßt war. Sie drückte den Rücken gegen die rauhe Wand.

Fenster flankierten die Haustür, und hinter den beiden nächstliegenden waren die Vorhänge zugezogen.

Im Haus Musik.

Swing.

Sie schaute auf die Wiesen hinaus, die Fahrspur entlang, die vom Haus auf einen niedrigen Hügel und dann außer Sicht führte. Vielleicht standen hinter diesem Hügel andere Häuser an dieser ungepflasterten Straße, in denen sie Menschen finden würde, die ihr helfen konnten.

Aber wer hatte ihr in all diesen langen Jahren je geholfen?

Ihr fiel ein, daß sie zweimal kurz angehalten hatten – dabei war sie wach geworden –, und sie vermutete, daß das Wohnmobil durch ein Tor gefahren war. Aber auch wenn es sich tatsächlich um eine private Auffahrt handelte, würde sie früher oder später zu einer öffentlichen Straße führen, wo ihr Anwohner oder vorbeikommende Autofahrer Beistand leisten konnten.

Die Kuppe des Hügels lag etwa vierhundert Meter vom Haus entfernt. Damit mußte sie eine beträchtliche offene Strecke zurücklegen, bevor sie außer Sichtweite war. Sollte er sie sehen, würde er sie wahrscheinlich einholen können, bevor sie die Straße erreichte.

Und sie wußte noch immer nicht genau, ob es sich tatsächlich um sein Haus handelte. Und selbst, wenn es sein Haus war, konnte sie nicht unbedingt davon ausgehen, daß er Ariel hier festhielt. Falls Chyna die Behörden alarmierte und Ariel nicht hier versteckt war, würde der Mörder ihnen vielleicht nie verraten, wo sie das Mädchen finden konnten.

Sie mußte sich überzeugen, daß Ariel im Keller war.

Aber falls das Mädchen tatsächlich hier war, würde der Mörder sich vielleicht im Haus verbarrikadieren, wenn Chyna mit der Polizei zurückkam. Man würde eine Spezialeinheit einsetzen müssen, um ihn herauszuholen – und bevor das gelang, würde er Ariel vielleicht töten und dann Selbstmord begehen.

So würde es sich wohl auf jeden Fall abspielen, sobald hier Cops auftauchten. Er würde wissen, daß seine Zeit der Freiheit und seine Spielchen vorüber waren, er keinen *Spaß* mehr haben könnte, und nur noch einen letzten Ausweg sehen, eine apokalyptische Feier seines Wahnsinns.

Chyna konnte es nicht ertragen, dieses gefährdete Mädchen zu verlieren, nachdem sie gerade erst Laura verloren hatte. Das war nicht auszuhalten. Sie durfte die Menschen nicht im Stich lassen, wie man sie ihrerseits das ganze Leben lang im Stich gelassen hatte. Der Sinn lag nicht in Psychologiekursen und -lehrbüchern, sondern in der Fürsorge, der Selbstaufopferung, im Vertrauen, der *Tat.* Sie wollte diese Risiken nicht eingehen. Sie wollte leben – aber nicht für sich selbst, sondern für einen anderen Menschen.

Wenigstens hatte sie jetzt den Revolver.

Und den Vorteil der Überraschung.

Zuvor, im Haus der Templetons, im Wohnmobil und dann in der Tankstelle, hatte sie zwar das Überraschungsmoment auf ihrer Seite gehabt, aber keine Schußwaffe.

Ihr wurde klar, daß sie sich selbst überredete, den gefährlichsten Weg einzuschlagen, der ihr offenstand, und Ausreden suchte, um in das Haus einzudringen. Es war völlig verrückt, in dieses Haus zu gehen, Gott im Himmel, ein offensichtlich verrückter Schachzug, aber sie bemühte sich, eine Scheinbegründung dafür zu finden, denn sie hatte sich bereits entschlossen, genau das zu tun.

Als die Frau aus dem Wohnmobil kommt, hält sie eine Schußwaffe in der rechten Hand. Dem Aussehen nach könnte es sich um eine .38er handeln – vielleicht um eine Chief's Special.

Diese Waffe ist bei Polizisten sehr beliebt. Aber diese Frau bewegt sich nicht wie eine Polizistin, hält die Waffe nicht so, wie eine Polizistin es tun würde – obwohl sie eindeutig damit umzugehen versteht.

Nein, sie ist keine Gesetzeshüterin. Etwas anderes. Etwas Bizarres.

Mr. Vess war noch nie von jemandem so fasziniert wie von dieser mutigen kleinen Lady, dieser geheimnisvollen Abenteurerin. Sie ist eine richtige Wohltat.

In dem Augenblick, da sie vom Wohnmobil zum Haus und damit außer Sicht spurtet, tritt Vess vom Fenster in der Südwand seines Schlafzimmers zu dem in der Ostwand. Es wird ebenfalls von einem blauen Vorhang bedeckt, den er nun öffnet.

Keine Spur von ihr.

Er wartet, hält den Atem an, aber sie spurtet nicht in östliche Richtung, die Auffahrt entlang. Nach etwa einer halben Minute weiß er, daß sie nicht davonlaufen wird.

Wäre sie abgehauen, hätte sie ihn zutiefst enttäuscht. Er hält sie nicht für eine Person, die einfach davonläuft. Sie ist tapfer. Er will, daß sie mutig ist.

Wäre sie davongelaufen, hätte er ihr die Hunde hinterhergeschickt, nicht um sie zu töten, sondern lediglich um sie aufzuhalten. Dann hätte er sie zurückgeholt, um sie in aller Ruhe zu verhören.

Aber *sie* kommt zu *ihm*. Aus welchen unvorstellbaren Gründen auch immer, sie wird ihm ins Haus folgen. Mit ihrem Revolver.

Er muß vorsichtig sein. Aber was für einen Spaß er hat! Ihre Waffe läßt das Spiel lediglich intensiver werden.

Die vordere Veranda befindet sich unmittelbar unter diesem Fenster, doch wegen des Dachs kann er sie nicht sehen. Die geheimnisvolle Frau ist irgendwo auf der Veranda. Er kann ihre Nähe *spüren*; vielleicht ist sie direkt unter ihm.

Er nimmt die Pistole vom Nachttisch und gleitet leise über den Teppichboden zur offenen Tür. Er tritt in den Korridor und geht schnell zum oberen Ende der Treppe, wo er stehenbleibt. Er kann nur die Brüstung darunter sehen, nicht das Wohnzimmer, aber er lauscht.

Sollte sie die Haustür öffnen, wird er es mitbekommen, denn eines der Scharniere gibt ein trockenes, knarrendes Geräusch von sich. Es ist nicht laut, aber unverwechselbar. Da er eigens auf das Ächzen dieses verrosteten Scharniers lauscht, kann nicht einmal das Trommeln des Regens auf dem Dach, das Rauschen des Wassers in der Dusche und »In the Mood« im Radio das Geräusch völlig übertönen.

Verrückt. Aber sie wird es tun. Für Ariel. Für Laura. Aber auch für sich selbst. Vielleicht sogar hauptsächlich für sich selbst.

Nach all diesen Jahren unter Betten, in Schränken, auf dämmrigen Dachböden – kein Verstecken mehr. Nach all diesen Jahren, die sie so gerade eben über die Runden gekommen war, mit stets gesenktem Kopf, um keine Aufmerksamkeit auf sich zu ziehen, mußte *sie* plötzlich etwas *tun*, oder sie wäre explodiert. Seit dem Tag ihrer Geburt hat sie in einem Gefängnis gelebt, auch noch, nachdem sie ihre Mutter verlassen hatte, einem Gefängnis der Furcht und Scham und niedrigen Erwartungen, und sie hatte sich an ihr eingeschränktes Leben dermaßen gewöhnt, daß sie die Gitterstäbe gar nicht mehr wahrgenommen hatte. Nun hatte rechtschaffener Zorn sie befreit, und sie war geradezu verrückt vor Freiheit.

Der frostige Wind schlug um, und Regenfetzen peitschten unter dem Verandadach auf sie ein.

Ein Windspiel aus Muscheln klapperte, ein Ärgernis unreiner Töne.

Chyna glitt an dem Fenster vorbei und versuchte, auf keine der vielen Schnecken zu treten. Die Vorhänge blieben geschlossen.

Die Haustür war zu, aber nicht abgeschlossen. Sie schob sie langsam nach innen auf. Ein Scharnier schnarrte.

Die Big-Band-Melodie endete mit einer Fanfare, und sofort erklangen irgendwo im Haus zwei Stimmen. Chyna erstarrte auf der Schwelle, doch dann wurde ihr klar, daß sie einen Werbespot hörte. Die Musik war aus einem Radio gekommen.

Es war möglich, daß der Mörder das Haus mit einer anderen Person als Ariel beziehungsweise der Prozession von Opfern oder Leichen teilte, die er von seinen Ausflügen mitgebracht hatte. Chyna konnte sich nicht vorstellen, daß er eine Familie hatte, Frau und Kinder, daß ein Haufen Psychopathen hier auf ihn wartete; aber es waren einige wenige Fälle bekannt, in denen soziopathische Mörder zusammengearbeitet hatten, zum Beispiel die beiden Männer, die sich vor ein paar Jahrzehnten in Los Angeles als der Hillside Strangler erwiesen hatten.

Doch Stimmen aus dem Radio waren keine Bedrohung.

Mit dem Revolver in der ausgestreckten Hand ging sie hinein. Der auffrischende Wind pfiff ins Haus, rüttelte an einem wackligen Lampenschirm und drohte sie zu verraten; also schloß sie die Tür wieder.

Die Radiostimmen kamen links von ihr eine eingefaßte Treppe herab. Sie hielt ein Auge auf die türlose Öffnung am Fuß der Stufen gerichtet, für den Fall, daß dort mehr als nur Stimmen herunterkommen sollten.

Der vordere Raum des Erdgeschosses vereinnahmte die gesamte Breite des kleinen Hauses, und das, was sie in dem grauen Licht, das durch die Fenster fiel, erkennen konnte, entsprach ganz und gar nicht ihren Erwartungen. Sie sah waldgrüne Ledersessel mit Fußbänken, ein mit Schottenkaro bezogenes Sofa auf großen

Kugelfüßen, rustikale Eichentischchen und Regale, die vielleicht dreihundert Bücher bargen. Im Kamin aus großen Flußsteinen befand sich ein Feuerbock aus leuchtendem Messing, und auf dem Sims stand eine alte Uhr mit zwei Bronzehirschen, die sich auf ihre Hinterläufe erhoben. Die Einrichtung war durch und durch männlich, aber nicht aggressiv – keine Reh- oder Bärenköpfe mit glasig starrenden Augen an den Wänden, keine Bilder mit Jagdszenen, keine Gewehre in Schaukästen. Das Zimmer war einfach freundlich und behaglich. Wo sie als Ausdruck seines ernsthaft gestörten Geistes ein umfassendes Durcheinander erwartet hatte, herrschte Ordnung. Statt Schmutz Sauberkeit; selbst in der Dunkelheit konnte Chyna sehen, daß der Raum blitzsauber war. Statt mit dem Gestank des Todes belastet zu sein, roch das Haus nach Zitronenöl von Möbelpolitur und unaufdringlichem Luftauffrischer mit Kiefernduft, aber auch nach dem schwachen und angenehmen Geruch des Feuerholzes im Kamin.

Die Radiostimmen dröhnten weiterhin begeistert die Treppe herab, priesen zuerst eine Steuerberatungsagentur und dann irgendwelche Doughnuts an. Der Mörder hatte das Gerät viel zu laut gestellt; der Lautstärkenpegel kam Chyna falsch vor, als wolle er versuchen, damit andere Geräusche zu übertönen.

Da *war* ein weiteres Geräusch, ganz ähnlich wie der Regen, aber doch anders, und nach einem Augenblick erkannte sie es. Eine Dusche.

Deshalb hatte er das Radio so laut gestellt. Er hörte Musik, während er duschte.

Sie hatte Glück. Solange der Mörder unter der Dusche stand, konnte sie nach Ariel suchen, ohne Gefahr zu laufen, entdeckt zu werden.

Chyna eilte schnell durch das Wohnzimmer zu einer halb offenstehenden Tür, ging hindurch und fand eine Küche. Kanariengelbe Fliesen und Kiefernschränke. Auf dem Boden graue, gelb und grün und rot gesprenkelte PVC-Fliesen. Blitzblank geschrubbt und alles ordentlich an Ort und Stelle.

Sie war naß bis auf die Haut; Regen tropfte von ihrem Haar und sickerte noch immer aus ihrer Jeans auf den sauberen Boden.

An der Seite des Kühlschranks hing ein bereits auf den April umgeblätterter Kalender mit einem Farbfoto, das ein weißes und ein schwarzes Kätzchen mit überwältigend grünen Augen zeigte, die beide aus einem großen Strauß Maiglöckchen hervorlugten.

Die Normalität des Hauses erschreckte sie: die glänzenden Oberflächen, die Ordnung, die Häuslichkeit, das Gefühl, daß hier ein Mensch wohnte, der bei hellichtem Tag über jede Straße spazieren und trotz der Greueltaten, die er begangen hatte, als Mensch durchgehen konnte.

Denk nicht darüber nach!

Bleib in Bewegung! In der Bewegung liegt Sicherheit.

Sie ging an der Hintertür vorbei. Durch die vier Glasscheiben in der oberen Hälfte sah sie die hintere Veranda, einen grünen Garten, ein paar große Bäume und die Scheune.

Ohne jede architektonische Abgrenzung öffnete die Küche sich zu einer Eßecke, und beides gemeinsam nahm wohl zwei Drittel der Breite des Hauses ein. Der runde Eßtisch war aus dunkler Kiefer und wurde nicht von Beinen, sondern einem großen, zylindrischen Bock in der Mitte getragen; auf den vier großen Kiefernstühlen mit geraden Rückenlehnen lagen Sitzkissen.

Oben setzte die Musik wieder ein, doch in der Küche war sie leiser als im Wohnzimmer. Wäre sie ein Fan von Big Bands gewesen, hätte sie das Stück jedoch auch hier erkannt.

Da die Rohre durch die Rückwand des alten Hauses führten, war der Lärm der laufenden Dusche in der Küche deutlicher zu hören als im Wohnzimmer. Das ins Bad hochgepumpte Wasser erzeugte in dem Kupfer ein eindringliches, hohles Rauschen. Außerdem war das Rohr nicht so gut befestigt und isoliert, wie es eigentlich der Fall sein sollte, und an irgendeiner Stelle auf seinem Weg vibrierte es an einem Nagel in der Wand; ein schnelles Klopfen hinter einer Gipsplatte, *tatta-tatta-tatta-tatta-tatta*.

Wenn dieses Geräusch abrupt aufhörte, wußte sie, daß sie in diesem Haus nicht mehr lange sicher war. In der nachfolgenden Stille konnte sie höchstens auf eine Gnadenfrist von ein oder zwei Minuten hoffen, die er zum Abtrocknen brauchte. Danach konnte er jederzeit überall auftauchen.

Chyna sah sich nach einem Telefon um, entdeckte aber nur eine Wandbuchse, in die man eins einstöpseln konnte. Hätte sie ein Telefon gefunden, hätte sie vielleicht die Polizei angerufen, vorausgesetzt, hier am Arsch der Welt – wo auch immer sie sich befinden mochte – gab es überhaupt eine Polizeidienststelle. Hätte sie gewußt, daß Hilfe unterwegs war, wäre der Rest der Suche weniger nervenaufreibend gewesen.

Am nördlichen Ende der Eßecke befand sich eine weitere Tür. Obwohl der Mörder oben unter der Dusche stand, drehte sie den Knopf so leise wie möglich und schritt vorsichtig über die Schwelle.

Dahinter lag ein kombinierter Wasch- und Vorratsraum. Eine Waschmaschine. Ein Wäschetrockner. Schachteln und Flaschen mit Waschmitteln standen ordentlich auf zwei offenen Regalbrettern, und die Luft roch nach Wäschepulver und Bleiche.

Das fließende Wasser und das klopfende Rohr waren hier noch lauter zu vernehmen als in der Küche.

Links neben der Waschmaschine und dem Trockner befand sich eine weitere Tür – Kiefer, limettengrün gestrichen. Sie öffnete sie und sah eine Treppe, die in einen dunklen Keller führte, und ihr Herz schlug plötzlich schneller.

»Ariel«, sagte sie leise, aber da sie eher zu sich selbst als zu dem Mädchen gesprochen hatte, erfolgte keine Antwort.

Unten kein einziges Fenster. Nicht mal trübes graues Licht sickerte durch schmale Luken oder vergitterte Luftschächte. Es war dunkel wie in einem Verlies.

Aber es kam ihr komisch vor, daß das Arschloch die obere Tür nicht mit einem Riegel gesichert hatte, falls er hier unten ein Mädchen gefangenhielt. Da war nur das Schnappschloß, das sich bei einem Drehen des Knopfs öffnete und den Namen Schloß kaum verdiente.

Die Gefangene konnte natürlich unten in einem fensterlosen Raum eingesperrt oder sogar angekettet sein. Ariel hatte vielleicht nicht die geringste Möglichkeit, diese Treppe und die obere Tür zu erreichen, auch wenn sie tagelang hier allein zurückgelassen wurde.

Dennoch kam es ihr seltsam vor, daß er keinerlei Vorsorge für den Fall getroffen hatte, daß während seiner Abwesenheit ein Dieb in das Haus einbrach, in den Keller hinabging und das eingekerkerte Mädchen zufällig fand. Angesichts des offensichtlichen Alters des Gebäudes, seiner Rustikalität und des Fehlens entsprechender Bedienelemente bezweifelte Chyna, daß das Haus über eine Alarmanlage verfügte. Bei all den Geheimnissen, die der Mörder hatte, hätte er den Keller mit einer Stahltür und Schlössern sichern müssen, die so unüberwindbar waren wie die Tresorraumtür einer Bank.

Das Fehlen solcher Sicherheitsvorkehrungen konnte bedeuten, daß das Mädchen, das sie suchte, nicht hier war.

Chyna wollte sich mit dieser Möglichkeit nicht befassen. Sie *mußte* Ariel finden.

Sie beugte sich durch die Türöffnung, tastete an der Wand des Treppenhauses nach dem Lichtschalter und betätigte ihn. Sowohl am Anfang der Treppe als auch im Keller selbst leuchteten Birnen auf.

Die kahle Betontreppe – eine einzige Flucht – war steil. Sie schien viel neuer als das Haus selbst zu sein, war vielleicht erst vor relativ kurzer Zeit hinzugefügt worden.

Das schnelle Rauschen des Wassers durch die Leitungen und das harte Klopfen des lockeren Rohrs in der Wand verrieten ihr, daß der Mörder noch im Bad im ersten Stock beschäftigt war und alle Spuren seiner Verbrechen abschrubbte. *Tatta-tatta-tatta ...*

Lauter als zuvor, aber noch immer flüsternd, sagte sie wieder: »Ariel.«

Keine Antwort aus der stehenden Luft unter ihr.

Lauter: »Ariel.«

Nichts.

Chyna wollte nicht in diese fensterlose Grube hinabsteigen, die man nur über diese Treppe wieder verlassen konnte, auch wenn die Tür oben über kein Schloß verfügte. Aber sie wußte nicht, wie sie den Abstieg vermeiden sollte, falls sie sich wirklich überzeugen wollte, ob Ariel hier war.

*Tatta-tatta-tatta-tatta-tatta ...*

Es lief immer darauf hinaus, auch, nachdem die Kindheit schon lange vorbei und sie erwachsen war und angeblich alles unter Kontrolle, angeblich alles in Ordnung war; selbst jetzt lief es noch darauf hinaus. Allein, schwindlig vor Furcht, allein, hinab in einen öden-dunklen-engen Raum, keine Ausgänge, nur von einer verrückten Hoffnung aufrechterhalten. Der Welt war sie völlig egal, niemand würde sich Gedanken um sie machen oder nachforschen, wenn sie tot war.

Chyna lauschte aufmerksam auf die geringste Veränderung der Geräusche, die das fließende Wasser und das vibrierende Rohr erzeugten, und ging eine Stufe nach der anderen hinab. Die linke Hand umfaßte das Eisengeländer, und in der ausgestreckten rechten hielt sie den Revolver. Sie umklammerte ihn so fest, daß ihre Knöchel schmerzten.

»Chyna Shepherd, unberührt und lebend«, sagte sie zitternd. »Chyna Shepherd, unberührt und lebend.«

Auf halber Höhe der Treppe schaute sie zurück und hinauf. Am Ende einer Spur, die ihre nassen Schuhabdrücke hinterlassen hatten, schien die Kellertür einen halben Kilometer über ihr zu sein, so weit entfernt wie die Hügelkuppe von der Veranda des Hauses.

Alice hinab in das Kaninchenloch, in einen Aberwitz ohne Fünf-Uhr-Tee.

Auf der Schwelle zwischen der Eßecke und dem Wäscheraum hört Mr. Edgler Vess, wie die geheimnisvolle Frau Ariel ruft. Sie ist nur ein paar Schritte von ihm entfernt, um die Ecke, hinter der Waschmaschine und dem Trockner; es gibt also nicht den geringsten Zweifel daran, wessen Namen sie ausspricht.

Ariel.

Wie vor den Kopf geschlagen, steht er mit zusammengekniffenen Augen und offenem Mund im Geruch der Waschmittel und dem von der Wand gedämpften Scheppern der Kupferrohre da, und ihre Stimme hallt in seiner Erinnerung.

Sie kann unmöglich etwas von Ariel wissen.

Und doch ruft sie das Mädchen erneut, lauter als zuvor.

Mr. Vess kommt sich plötzlich schrecklich verletzt, bedroht, beobachtet vor. Er wirft einen Blick zu den Fenstern der Eßecke und Küche zurück und erwartet halbwegs, die strahlenden Gesichter anklagender Fremder gegen die Scheiben gedrückt zu finden. Er sieht zwar nur den Regen und das ertränkte graue Licht, ist jedoch noch immer erschüttert.

Das ist kein Spaß mehr. Ganz und gar nicht.

Das Geheimnis ist *zu* unergründlich. Und beunruhigend.

Er hat den Eindruck, diese Frau sei nicht aus dem Honda zu ihm gekommen, sondern durch eine unsichtbare Barriere zwischen den Dimensionen, aus einer Welt jenseits seiner eigenen, aus der sie ihn heimlich beobachtet hat. Der Geschmack ist entschieden übernatürlich, die Struktur überirdisch, und nun riechen die Waschmittel wie brennender Weihrauch, und in der übersättigten Luft scheinen unsichtbare Wesen zu schweben.

Mr. Vess wird erfüllt von Angst und geplagt von Zweifeln, und an keines dieser Gefühle ist er gewöhnt. Er tritt in den Wäscheraum und hebt die Heckler & Koch P7. Sein Finger krümmt sich um den Abzug, als wolle er schon jetzt einen Schuß abfeuern.

Die Kellertür steht offen. Das Licht im Treppenhaus brennt.

Die Frau ist nicht zu sehen.

Sein Finger entspannt sich, ohne daß er geschossen hat.

Bei den seltenen Gelegenheiten, bei denen er Gäste im Haus hat, zum Abendessen oder zu einer beruflichen Besprechung, läßt er immer einen Dobermann im Wäschezimmer. Der Hund liegt da, leise und dösend, und wenn ein anderer als Vess den Raum betritt, bellt und schnaubt der Hund und treibt den Eindringling zurück.

Wenn ihr Herr unterwegs ist, bewachen die Dobermänner aufmerksam das gesamte Grundstück, und niemand kann darauf hoffen, in das Haus zu gelangen, geschweige denn in den Keller.

Mr. Vess hat an der Kellertür nie einen Riegel angebracht, weil er befürchtet, die Tür könne zufällig zuschlagen und ihn dort unten einsperren, während er seine Aufmerksamkeit auf sein Spiel richtet. Bei einem mit einem Schlüssel verstellbaren Schließriegel könnte es natürlich nie zu solch einer Katastrophe kommen. Er kann sich nicht vorstellen, wie bei einem solchen Mechanismus eine Fehlfunktion auftreten könnte; dennoch ist die Vorstellung, sich versehentlich selbst dort unten einzusperren, so unangenehm, daß er das Risiko nicht eingeht.

Im Lauf der Jahre hat er beobachten können, wie der Zufall sein Werk in der Welt tut und Menschen deshalb umkommen. Als Mr. Vess eines Spätnachmittags Ende Juni, kurz vor Anbruch der Dämmerung, auf der Interstate 80 nach Reno, Nevada, fuhr, überholte eine junge Blondine in einem Mustang-Cabrio sein Wohnmobil. Sie trug weiße Shorts und eine weiße Bluse, und ihr langes Haar floß rotgolden im Wind des Zwielichts. Von dem augenblicklich eintretenden und starken Bedürfnis erfüllt, ihr wunderschönes Gesicht zu zerschmettern, hatte er das Wohnmobil auf Höchstgeschwindigkeit beschleunigt, um ihren schnelleren Mustang nicht aus den Augen zu verlieren, doch der Versuch schien aussichtslos zu sein. Als der Highway zu den Sierras hinaufführte, konnte sein Wohnmobil nicht mehr mithalten, und der Mustang zog davon. Selbst wenn er dicht hinter der Frau hätte bleiben können, wäre der Verkehr zu dicht gewesen – zu viele Zeugen –, als daß er eine so kühne Tat wagen könnte, sie vom Highway zu drängen. Dann war einer der Reifen des Mustang geplatzt. Da sie so schnell fuhr, kam sie ins Schleudern und hätte sich fast überschlagen, doch dann bekam sie den Wagen wieder unter Kontrolle und fuhr ihn auf die Standspur. Mr. Vess hielt an und erbot sich, ihr zu helfen. Sie war ihm sehr dankbar gewesen und hatte angenehm schüchtern gelächelt, ein nettes Mädchen mit einem drei Zentimeter großen goldenen Kreuz an einer Halskette, und später hatte sie so bitterlich geweint und sich so aufregend gewehrt, um ihre Schönheit nicht hergeben zu müssen, hatte das Gesicht immer wieder von den diversen scharfen Gegenständen abgewandt; einfach eine gut gelaunte, junge Frau voller Leben unterwegs nach Reno, bis der Zufall sie ihm schenkte.

Und wenn ein Reifen platzen kann, kann auch ein Sperrschloß versagen.

Wo der Zufall zuschlagen kann, schlägt er zu.

Mr. Vess lebt intensiv, aber nicht ohne Vorsicht.

Und jetzt ist wie ein geplatzter Reifen diese Frau in sein Leben getreten, die nach Ariel ruft, und plötzlich ist er sich nicht mehr sicher, ob sie ein Geschenk für ihn ist oder er eins für sie.

Ihr Revolver fällt ihm ein. Während er durch die Waschküche schleicht, wünscht er sich, die Dobermänner wären hier.

Unten auf der Treppe erklingt die Stimme der Frau: »China Shepherd unberührt und lebend.«

Die Worte sind so seltsam, ihre Bedeutung ist so unklar, daß er sie als Beschwörung deutet, deren Sinn sich nur Eingeweihten erschließt.

Als wolle sie diese Wahrnehmung bestätigen, wiederholt die Frau sich wie bei einem Sprechgesang: »China Shepherd unberührt und lebend.«

Obwohl Vess normalerweise nicht abergläubisch ist, stellt er nun bei sich eine verstärkte Empfindsamkeit für das Übernatürliche fest, die über alles hinausgeht, was er bislang wahrgenommen hat. Seine Kopfhaut prickelt, über seinen Nacken läuft eine Gänsehaut, und er verstärkt seinen Griff um die Pistole.

Nach kurzem Zögern beugte er sich durch die Türöffnung vor und schaut die Kellertreppe hinab.

Die Frau ist nur noch ein paar Stufen vom Fuß der Treppe entfernt. Sie hat eine Hand auf das Geländer gelegt und hält in der anderen den Revolver.

Kein Cop. Eine Amateurin.

Trotzdem könnte sie Mr. Vess' geplatzter Reifen sein, und er ist unentschlossen und nervös. Überdies ist er noch immer äußerst neugierig, aber nicht bereit, dieser Neugier seine Sicherheit zu opfern.

Er schieb sich durch die Türöffnung auf die oberste Stufe.

Obwohl sie ihm ganz nah ist, hört sie ihn nicht, weil die Treppe aus Beton besteht und nichts knarren kann.

Er zielt mit der Pistole auf die Mitte ihres Rückens. Der erste Schuß wird sie von den Füßen reißen, mit ausgebreiteten Armen auf den Kellerboden unter ihr schleudern, und der zweite wird sie treffen, während sie durch die Luft fliegt. Dann wird er die Kellertreppe hinablaufen, den dritten und vierten Schuß abgeben und sie, wenn möglich, in die Beine treffen. Er wird sich auf sie werfen, die Mündung gegen ihren Hinterkopf drücken und dann, dann, dann, wenn er die absolute Kontrolle über sie hat, entscheiden, ob sie noch immer eine Bedrohung ist oder nicht, ob er das Risiko eingehen kann, sie zu verhören, oder sie so gefährlich ist, daß ihm nichts anderes übrig bleibt, als ihr noch ein paar Kugeln ins Gehirn zu schießen.

Als die Frau unter der Lampe am Fuß der Treppe hergeht, kann Mr. Vess ihren Revolver besser ausmachen. Wie er bereits vermutet hat, als er ihn aus dem Schlafzimmerfenster im ersten Stock sah, handelt es sich in der Tat um eine Smith & Wesson Chief's Special, doch plötzlich haben Hersteller und Modell der Waffe eine geradezu elektrifizierende Bedeutung für ihn.

Er riecht eine Slim-Jim-Wurst. Er erinnert sich an Augen, dunkel wie die Nacht, die vor Schock, Entsetzen und Verzweiflung weit aufgerissen werden.

Er hat in den letzten paar Stunden zwei dieser Waffen gesehen. Die erste gehörte dem jungen asiatischen Gentleman in der Tankstelle, der sie zur Selbstverteidigung unter der Theke hervorzog, aber nicht mehr die Zeit hatte, damit auch zu schießen.

Obwohl der Chief's Special ein beliebter Revolver ist, ist er keineswegs so weit verbreitet, daß einfach jeder ihn benutzt. Edgler Vess *weiß*, mit der Sicherheit eines Fuchses, der im Unterholz ein Kaninchen riecht, daß es sich um ein und dieselbe Waffe handelt.

Obwohl die Frau auf der Treppe unter ihm noch immer viele Geheimnisse hat, obwohl ihre Anwesenheit nun kaum weniger erstaunlich als zuvor ist, hat sie nichts Übernatürliches mehr an sich. Sie kennt den Namen Ariel nicht, weil sie ihn aus einer Welt jenseits von dieser belauscht hat oder in den Diensten einer höheren Macht steht, sondern weil sie *dort* gewesen sein muß, in der Tankstelle, als Vess mit den beiden Verkäufern plauderte und sie kurz darauf tötete.

Wo sie sich hat verstecken, wie er sie hat übersehen können, warum sie den Drang verspürte, ihm zu folgen, woher sie den Mut für dieses tollkühne Abenteuer hat – das sind Dinge, die er nicht allein durch Intuition herausfinden kann. Aber jetzt wird er die Gelegenheit bekommen, ihr diese Fragen zu stellen.

Er senkt seine Pistole und tritt in die Waschküche zurück, damit sie ihn nicht sieht, falls sie zufällig die Treppe hinaufschaut.

Die für ihn so untypische Furcht und das beklemmende Gefühl, im Banne übersinnlicher Mächte zu stehen, heben sich wie ein Nebel von ihm, und er verspürt nur noch Erstaunen über seinen kurzen Anfall von Leichtgläubigkeit. Er, der sich keine Illusionen über die Natur der Existenz macht. Er, der alles so klar sieht. Er, der den Vorrang der reinen Wahrnehmung kennt. Selbst ihm, dem rationalsten aller Menschen, ist richtig unheimlich zumute geworden.

Fast hätte er über seine Torheit gelacht – und sofort streicht er sie aus seinem Gedächtnis.

Die Frau muß jetzt den Fuß der Treppe erreicht haben.

Er wird ihr erlauben, den Keller zu erkunden. Schließlich ist sie ja, aus welchen bizarren Gründen auch immer, genau deshalb hierher gekommen, und Vess ist neugierig auf ihre Reaktion auf die Dinge, die sie entdeckt.

Er hat wieder Spaß.

Das Spiel geht weiter.

Chyna erreichte den Fuß der Treppe.

Die Außenwand aus verputztem Stein befand sich rechts von ihr. In diese Richtung ging es nicht weiter.

Links von ihr befand sich ein etwa drei Meter tiefer Raum, der über die gesamte Breite des Hauses verlief. Sie trat vom Fuß der Treppe in diese neue Kammer.

Am einen Ende standen der Brennkörper einer Ölheizung und ein großer elektrischer Wasserboiler. Am anderen Ende befanden sich hohe Vorratsschränke aus Metall mit Lüftungsschlitzen in den Türen, eine Werkbank und ein Werkzeugschrank auf Rollen.

Direkt vor ihr wartete in einer Wand aus Betonblöcken eine seltsame Tür.

*Klick-wusch.*

Chyna wirbelte nach rechts und hätte fast einen Schuß abgefeuert, bevor ihr klar wurde, daß das Geräusch von dem Ölofen gekommen war: Die elektrische Zündflamme war angesprungen und entfachte den Brennstoff.

Über dem Geräusch des Ofens konnte sie noch immer das schwingende Rohr hören. *Tatta-tatta-tatta.* Hier war es schwächer als auf der Treppe, aber noch immer deutlich zu vernehmen.

Die Musik aus dem Bad im ersten Stock hingegen konnte sie kaum ausmachen; da war nur noch ein ungleichmäßiger Melodiefaden, der hauptsächlich aus den Passagen der Blechbläser und einer klagenden Klarinette bestand.

Offensichtlich der Schallisolierung halber war die Tür in der Rückwand wie in einem Theater mit kastanienbraunem Lederimitat gepolstert, das von acht Nägeln mit großen runden Köpfen, die mit farblich passendem Vinyl bezogen waren, ähnlich wie bei einer Steppdecke in gleichmäßig große Rechtecke geteilt wurde. Die Türrahmen waren mit demselben Material gepolstert.

Kein Riegel, nicht einmal ein Schnappschloß behinderte ihr weiteres Vorgehen.

Chyna legte eine Hand auf das Vinyl und stellte fest, daß die Polsterung noch dicker sein mußte, als es den Anschein hatte. Mindestens fünf Zentimeter Schaumstoff bedeckten das darunterliegende Holz.

Sie ergriff die lange, U-förmige Klinke aus rostfreiem Stahl. Als sie daran zog, scharrte und kratzte die Tür leise an der Polsterung des Rahmens. Sie saß darin wie maßgeschneidert: Als sie die Tür so weit aufgezogen hatte, daß sie nicht mehr vom Rahmen umschlossen wurde, ertönte ein leises Geräusch, das an das Zischen erinnerte, mit dem sich eine Dose vakuumverpackter Erdnüsse öffnete.

Die Tür war auch auf der Innenseite weit über fünf Zentimeter dick gepolstert.

Hinter dieser neuen Schwelle lag ein zwei Meter durchmessender Raum mit niedriger Decke, der sie an eine Fahrstuhlkabine erinnerte, einmal davon abgesehen, daß außer dem Boden jede Oberfläche gepolstert war. Der Boden war mit einer Art Gummimatte bedeckt, wie man sie in vielen Restaurantküchen benutzte, damit die Köche es etwas bequemer hatten, die stundenlang im Stehen arbeiten mußten. Im schwachen Licht der in die Decke eingelassenen Lampe sah sie, daß es sich bei dem hier verwendeten Material nicht um Vinyl, sondern um graue Baumwolle mit knotiger Struktur handelte.

Die Seltsamkeit dieses Raums schärfte ihre Furcht, doch gleichzeitig war sie so sicher, den Zweck des gepolsterten Vorraums zu verstehen, daß sich ihr der Magen umzudrehen drohte.

Direkt gegenüber der Tür, die Chyna aufhielt, befand sich eine weitere. Sie war ebenfalls gepolstert und in einen gepolsterten Rahmen eingelassen.

Hier gab es endlich Schlösser. Der graue Stoff sparte zwei schwere Zylinderköpfe aus Messing aus. Ohne Schlüssel kam sie nicht weiter.

Dann bemerkte sie ein kleines, gepolstertes Paneel in der Tür selbst – auf Augenhöhe, vielleicht fünfzehn mal fünfundzwanzig Zentimeter groß und mit Hilfe eines Griffs zu bedienen. Es sah aus wie die Schiebefläche über der Sichtluke in der Metalltür einer Zelle im Hochsicherheitstrakt.

*Tatta-tatta-tatta …*

Der Mörder schien ein ungewöhnlich langes Duschbad zu nehmen. Andererseits befand Chyna sich noch keine drei Minuten in dem Haus; es kam ihr einfach länger vor. Wenn er sich genüßlich und in aller Ruhe abschrubbte, würde er vielleicht noch einmal dieselbe Zeitspanne brauchen.

*Tatta-tatta …*

Sie hätte es vorgezogen, die äußere Tür aufhalten zu können, während sie in den Vorraum trat und das Paneel in der inneren Tür aufschob, doch die Entfernung war zu groß. Sie mußte die Tür hinter sich zufallen lassen.

In dem Augenblick, da die gepolsterte Tür mit dem schabenden Flüstern aufgerauhten Vinyls den gepolsterten Rahmen berührte, war das Geräusch des vibrierenden Wasserrohrs wie abgeschnitten. Die Stille war so tiefgründig, daß selbst ihr holpriger Atem kaum noch zu hören war. Unter der Polsterung mußten die Wände von mehreren schalldämpfenden Isolierschichten bedeckt sein.

Oder der Mörder hatte die Dusche vielleicht in dem Augenblick abgestellt, da die Tür zugefallen war. Und trocknete sich jetzt ab. Oder zog einen Bademantel über, ohne sich die Mühe zu machen, sich vorher trockenzureiben. Und war jetzt auf dem Weg hinab.

Angsterfüllt, nicht mehr zum Atmen fähig, öffnete sie die Tür wieder.

*Tatta-tatta-tatta* und das Rauschen von Wasser, das unter Druck schnell floß.

Vor Erleichterung stieß sie den Atem aus.

Sie war noch in Sicherheit.

*Na schön, alles klar, sei ganz cool, bleib in Bewegung, finde heraus, ob das Mädchen hier ist, und tu dann, was getan werden muß.*

Zögernd ließ sie die Tür wieder zufallen. Das Rasseln des Rohrs verstummte erneut.

Sie hatte den Eindruck, sie würde ersticken. Vielleicht war die Belüftung des Raums unzureichend, aber die schalldämpfende Wirkung des gepolsterten Wände trug mindestens genauso sehr wie die schlechte Belüftung zu dem Eindruck bei, die Luft sei dick wie Rauch und nicht atembar.

Chyna schob das gepolsterte Paneel der Innentür zur Seite.

Dahinter sah sie rosiges Licht.

Die Luke war mit einem stabilen Gitter ausgestattet, das verhindern sollte, daß der Betrachter von dem Insassen der Zelle angegriffen wurde.

Chyna drückte das Gesicht gegen die Luke und sah einen Raum, der fast so groß war wie das Wohnzimmer, unter dem er sich befand. Teile der Kammer lagen in tiefem Dunkel; das einzige

Licht kam von drei Lampen mit fransenbesetzten Schirmen und rosa Birnen von je vielleicht vierzig Watt.

An zwei Stellen an der hinteren Wand befanden sich Bahnen aus rotem und goldenem Brokat, die an Messingstangen hingen, als würden sie Fenster bedecken, aber hier unter der Erde konnte es ja gar keine Fenster geben; der Brokat sollte den Raum nur wohnlicher erscheinen lassen. An der linken Wand, kaum vom Licht berührt, hing ein großer Bildteppich: Er zeigte Frauen in langen Kleidern und mit Glockenhüten, die auf ihren Pferden im Damensitz durch eine Frühlingswiese ritten, an einem grünen Wald vorbei.

Die Einrichtung bestand unter anderem aus einem stämmigen Sessel mit Schonbezug, einem Doppelbett, dessen weißes Kopfende mit einer Szene bemalt war, die im rosa Licht nicht ganz klar auszumachen war, Bücherregalen mit Zierleisten in Form von Akanthusblättern, Schränkchen mit längs unterteilten Türen, einem kleinen Eßtisch mit massivem Schnitzwerk an der Blende, zwei Directoire-Stühlen mit blumengemusterten Kissen neben dem Tisch und einem Kühlschrank. Ein gewaltiger, dunkel melierter Kleiderschrank mit Blumenverzierungen aus krakelierter Glasur auf allen Türflächen war alt, aber wahrscheinlich nicht echt antik, schon etwas ramponiert, aber noch immer ansehnlich. Eine gepolsterte Frisierbank stand vor einem Schminktisch, der einen dreiteiligen Spiegel in vergoldeten, gerillten Rahmen trug. In einer der hinteren Ecken waren eine Toilette und ein Waschbecken untergebracht.

So unheimlich dieser unterirdische Raum auch war – er mutete wie ein Lagerraum für Kulissen einer Produktion von *Arsen und Spitzchenhäubchen* an –, noch seltsamer war die Puppensammlung. Pausbäckige Engel mit hohen Haarknoten, lebensechte Porzellangesichter, zerlumpte Stoffgebilde und zahlreiche andere Exemplare, sowohl alt als auch neu, einige über einen Meter groß, andere kleiner als eine Milchtüte, bekleidet mit Windeln, Skianzügen, kunstvollen Brautkleidern, karierten Spielanzügen, Cowboyanzügen, Tennisklamotten, Schlafanzügen, Hularöckchen, Kimonos, Clownkostümen, Overalls, Nachthemdchen und Matrosenanzügen. Sie füllten die Regalbretter, spähten aus einigen Glastüren der Kommode, hockten auf dem Kleiderschrank, saßen auf dem Kühlschrank und standen und lehnten an den Wänden auf dem Boden. Andere lagen in einer Ecke und am Fuß des Bettes aufeinander; ihre Arme und Beine standen in seltsam steifen Winkeln ab, die Köpfe auf die Seite gelegt, als sei ihr Genick gebrochen, wie Stapel unbekümmert aufgeschichteter Leichen, die auf den Abtransport in ein Krematorium warteten. Zwei-, dreihundert oder noch mehr kleine Gesichter leuchteten entweder im sanften Licht oder blickten geisterhaft bleich aus dem Halbdunkel, einige aus Biskuitporzellan, einige aus Stoff, einige aus Holz und einige aus Plastik. Ihre Augen aus Glas, Zinn, Knöpfen, Stoff und bemalter Keramik reflektierten das Licht, leuchteten hell, wenn die Puppen in der Nähe einer der drei Lampen saßen, und so düster wie erloschene Kohlen, wenn sie in die dunkleren Ecken verbannt waren.

Einen Augenblick lang hatte Chyna das Gefühl, daß diese Puppen tatsächlich sehen konnten, mit der Ausnahme einiger weniger Exemplare, die hinter Katarakten rosa Lichts blind zu sein schienen, und daß in ihren schrecklichen Augen Bewußtsein aufschimmerte. Obwohl keine von ihnen sich bewegte – oder auch nur den Blick veränderte –, hatten sie eine lebendige Aura um sich. Ihre Macht war unheimlich, als sei der Mörder auch ein Hexenmeister, der die Seelen seiner Opfer stahl und sie in diesen Formen einsperrte.

Dann eine leise Bewegung im Raum, ein Schatten, der aus dem Dunkel kam und sich als die Gefangene entpuppte, und als sie ins Licht trat, verloren die Puppen ihre unheimliche Magie. Sie war das schönste Kind, das Chyna je gesehen hatte, sogar noch schöner als auf dem Polaroid-Schnappschuß, mit glattem, schimmerndem Haar, das in dem eigentümlichen Licht eine bezaubernde kastanienbraune Schattierung hatte, obwohl es in Wirklichkeit platinblond war. Sie war zart gebaut, schlank, anmutig und hatte eine ätherische, engelhafte Schönheit, und sie schien kein echtes Mädchen zu sein, sondern eine Erscheinung, welche die Botschaft von der Erlösung, von der Krippe, der Hoffnung und dem Morgenstern verkündete.

Sie trug schwarze Halbschühchen, weiße Kniesocken, einen blauen oder schwarzen Rock und eine kurzärmelige Bluse mit dunklen Paspeln auf dem Kragen und dem Taschenaufschlag; es sah aus, als sei sie mit der Uniform einer kirchlichen Schule bekleidet.

Zweifellos versorgte der Mörder das Mädchen mit der Kleidung, die ihm gefiel, und Chyna begriff sofort, warum er solch eine Aufmachung bevorzugte. Obwohl sie körperlich zweifellos sechzehn war, wirkte sie jünger, wenn sie sich auf diese Weise kleidete; mit ihren schlanken Armen, zarten Gelenken und Händen ließ die sittsame Uniform sie in diesem trüben Licht wie ein Kind von elf aussehen, das schüchtern seinem Konfirmationssonntag entgegensah, naiv und unschuldig.

Soziopathen wie dieser Mann wurden von Schönheit und Unschuld angezogen, weil sie den Drang verspürten, sie zu beflecken. Wenn das Opfer seiner Unschuld beraubt, wenn die Schönheit zerschnitten und zermalmt wurde, konnte das mißgebildete Ungeheuer sich der Person, die er begehrt hatte, endlich überlegen fühlen. Wenn Unschuld und Schönheit zerstört waren und verrotteten, war die Welt der wüsten Seelenlandschaft des Mörders wieder ein Stück ähnlicher geworden.

Das Mädchen setzte sich in den Sessel.

Es hielt ein Buch in der Hand, öffnete es, blätterte ein paar Seiten um und schien zu lesen.

Obwohl es bestimmt gehört hatte, daß das Paneel von der Luke in der Tür zurückgeschoben worden war, schaute es nicht auf. Offensichtlich vermutete es, daß ihr Besucher, wie immer, der Spinnenfresser war.

Mit einem Ansturm von Gefühlen, die ihr das Herz schwer machten und deren Intensität sie überraschte, sagte Chyna: »Ariel.«

Der Name fiel durch die Sichtluke wie in einen luftlosen Abgrund, in dem er nicht die geringste Entfernung zurücklegte und nirgends widerhallte.

Die Zelle des Mädchens war offensichtlich mit mehreren Schichten des schallisolierenden Materials gepolstert worden, vielleicht sogar mit mehr Lagen als der Vorraum, und daß der Mörder so sorgsam darauf geachtet hatte, ihre Schreie und Rufe zu verbergen, schien darauf hinzuweisen, daß er gelegentlich Gäste in sein Haus einlud. Vielleicht zum Abendessen. Oder auf ein paar Bier, während sie sich ein Footballspiel ansahen. Daß er so etwas wagte, war lediglich ein weiterer Beweis für seine unverschämte Kühnheit.

Aber daß er überhaupt Freunde hatte, ließ eine Gänsehaut über Chynas Rücken laufen, Freunde, die nicht wahnsinnig wie er waren, die entsetzt reagierten, würden sie das Mädchen in seinem Keller entdecken und erfahren, daß ihr Gastgeber zu seiner Unterhaltung ganze Familien abschlachtete. Im Alltag ging er als Mensch durch. Die Leute lachten über seine Scherze. Suchten seinen Rat. Teilten Freud und Leid mit ihm. Vielleicht ging er regelmäßig zur Kirche. Ging manchmal am Samstagabend tanzen, glitt mit einer lächelnden Frau in den Armen im Twostep über den Boden, bewegte sich im Rhythmus zu derselben Musik, die alle anderen hörten ...

Chyna hob die Stimme: »Ariel.«

Das Mädchen schaute nicht auf.

*»Ariel!«* sagte sie noch lauter, schrie es fast durch die vergitterte Öffnung in der gepolsterten Tür.

Ariel saß in dem Sessel, als sei sie taub, die Knie züchtig zusammengedrückt, das Buch auf dem Schoß, den Großteil des Gesichts von Haarsträhnen bedeckt. Oder als sei sie ein Mädchen in einem Schrank, das den lautstarken Streit betrunkener und unter Drogen stehender Erwachsener einfach nicht hören wollte, ihn immer weiter zurückdrängte, bis sie sich unantastbar an einem völlig ruhigen Ort befand, der ihr allein gehörte.

Chyna erinnerte sich an Zeiten, da sie sich als junges Mädchen noch immer nicht völlig sicher fühlte, obwohl sie sich versteckt hatte. Manchmal wurden die Streitigkeiten oder die Feiern zu gewalttätig und wild; das Chaos des Lärms und irren Gelächters und der Flüche wirbelte selbst in ihrem Versteck wie ein Tornado um sie, und ihre Furcht wurde immer stärker und geriet außer Kontrolle, bis sie glaubte, ihr Herz müsse platzen oder ihr Kopf explodieren. Dann begab sie sich an die angenehmeren Orte in ihrer Phantasie, durch die Rückwand des alten Kleiderschranks ins Land Narnia, von dem sie in den wunderbaren Büchern von C. S. Lewis gelesen hatte, oder auf einen Besuch zum Kröterich in Krötinhall und zum Wilden Wald aus *Der Wind in den Weiden* oder in die Reiche, die sie selbst erfand.

Sie war immer imstande gewesen, von diesen Fluchtorten

zurückzukehren. Doch gelegentlich hatte sie darüber nachgedacht, wie schön es doch wäre, in solch einem fernen Land zu bleiben, wo weder ihre Mutter noch die Freunde ihrer Mutter sie je finden würden, ganz gleich, wie lange sie suchten. In diesen exotischen Reichen gab es wohl Gefahren, aber auch treue und vertrauenswürdige Freunde, wie man sie auf *dieser* Seite des magischen Kleiderschranks nicht fand.

Als Chyna nun durch die Luke das Mädchen in dem Sessel betrachtete, war sie überzeugt, daß Ariel ebenfalls Zuflucht an einem solchen fernen Ort gesucht und sich so weit wie möglich von dieser elenden Welt gelöst hatte. Nach einem Jahr in diesem abscheulichen Loch, in dem der Soziopath da oben sie von Zeit zu Zeit mit seiner widerwärtigen Aufmerksamkeit bedacht hatte, war sie vielleicht auf dieser Straße der inneren Abenteuer so weit gewandert, daß sie nicht mehr so leicht – oder womöglich überhaupt nicht mehr – zurückkehren konnte.

In der Tat hob das Mädchen nun den Blick von dem Buch, sah jedoch weder Chynas Gesicht in der Luke noch anscheinend irgend etwas im Zimmer an, sondern betrachtete etwas in einer Welt, die weit von dieser entfernt war. Selbst in dem unzureichenden rosa Licht sah Chyna, daß Ariels Augen ins Leere blickten wie die der seltsamen Puppen, die sie umgaben.

Der Mörder hatte den Männern in der Tankstelle erzählt, er habe Ariel noch nicht »auf diese Weise« angerührt, und Chyna glaubte ihm. Denn sobald er ihr erst einmal die Unschuld genommen hatte, würde er ihre Schönheit zerstören müssen, und wenn das erledigt war, würde er sie töten. Die Tatsache, daß sie noch lebte, war praktisch ein Indiz dafür, daß er sie noch nicht berührt hatte.

Doch Tag um Tag, Monat um Monat hatte sie mit dieser erschöpfenden Spannung gelebt und darauf gewartet, daß das verhaßte Arschloch zu der Auffassung gelangte, sie sei »reif«, hatte sie auf seinen brutalen Überfall gewartet, damit gerechnet, seinen sauren Atem auf ihrem Gesicht zu spüren, seine heißen und beharrlichen Hände, sein schreckliches, bezwingendes Gewicht, jede Demütigung und Erniedrigung. In ihrer Einzelzelle gab es keine Verstecke; sie konnte nicht auf das Dach fliehen, an den Strand, auf den Speicher, in den Zwischenraum unter dem Haus, auf die oberen Äste des Baums im Garten.

»Ariel.«

Der Ort, an den sie geflohen war, befand sich vielleicht in den Seiten des Buches, das sie gerade las. Sie funktionierte in dieser Welt, pflegte sich und aß und badete und zog sich an, doch sie lebte in einer anderen Dimension.

Chynas Herz rollte in einem Meer des Leids, das ein Sturm des Zorns aufwühlte. »Ich bin hier, Ariel«, sagte sie durch die Luke in der gepolsterten Tür, »ich bin hier. Du bist nicht mehr allein.«

Ariels Blick verließ ihr Traumreich nicht, und sie saß genauso ruhig da wie ihre Puppen.

»Ich bin dein Schutzengel, Ariel. Ich lasse nicht zu, daß dir etwas passiert.«

Während das Mädchen einer langen, gewundenen Straße immer tiefer in ihr privates Anderswo folgte, entspannten sich seine Hände, und das Buch entglitt ihnen. Es rutschte von der Sesselkante und fiel zu Boden, und die besonderen Wände und die Decken absorbierten alles bis auf den Hauch eines Geräusches. Das Mädchen hatte gar nicht gemerkt, daß es das Buch fallen gelassen hatte, und saß reglos da.

»Ich bin dein Schutzengel«, wiederholte Chyna und wunderte sich vage über ihre Wortwahl.

Sie hatte um Ariel größere Angst als um sich selbst, und ihr Herz raste schneller denn je zuvor.

»Dein Schutzengel.«

Heiße Tränen nahmen Chyna die Sicht, störende Tränen, ein Luxus, den sie sich nicht leisten konnte. Sie blinzelte wütend, bis ihre Augen trockneten und ihr Blick wieder klar war.

Sie wandte sich von der verschlossenen Innentür ab und stieß die äußere auf.

*Tatta-tatta-tatta-tatta-tatta ...*

Als sie aus dem stark schallgedämpften Vorraum in den ersten Kellerraum trat, kam ihr das Klappern des Rohrs lauter vor, als sie es in Erinnerung hatte.

*Tatta-tatta-tatta ...*

Vielleicht eine Minute war verstrichen, seit sie das gepolsterte Paneel der Tür beiseite geschoben hatte.

Das verdammte Arschloch stand noch immer unter der Dusche, nackt und wehrlos. Und nun, da Chyna wußte, wo Ariel war, mußte sie keine Rücksicht mehr darauf nehmen, daß die Cops ihn noch brauchen würden, um Ariel zu finden.

Die Waffe in ihrer Hand fühlte sich gut an.

Sie fühlte sich wunderbar an.

Hätte sie Ariel befreien und hier herausholen können, hätte sie dies getan, statt auf die gewalttätige Alternative zurückzugreifen. Aber sie hatte keinen Schlüssel und konnte die Innentür auch nicht so leicht aufbrechen.

*Tatta-tatta-tatta...*

Sie hatte nur eine Wahl. Sie ging zur Kellertreppe.

Blauer Stahl funkelte in ihrer Hand.

Selbst wenn er das Duschbad beendet und das Wasser abgestellt hatte, bevor Chyna ihn erreichen konnte, würde er noch immer nackt und wehrlos sein, während er sich abtrocknete. Also würde sie ins Bad gehen, aus kürzester Entfernung auf ihn zielen, ihn niederschießen, den Revolver in ihn entleeren, den ersten Schuß direkt durch sein verdammtes Herz, dann noch mindestens einen in sein Gesicht, um sicherzugehen, daß er wirklich erledigt war. Kein Risiko eingehen. Nicht das geringste. Alle Kugeln benutzen, den Abzug drücken, bis der Hammer hohl auf die leeren Patronenhülsen in einem völlig leeren Zylinder klickte. Sie war dazu imstande. Den verrückten Freak töten, ihn immer und immer wieder töten, bis er auch wirklich tot bleibt. Sie war dazu imstande, und sie würde es tun.

Sie stieg die Kellertreppe hinauf, trat auf nasse Fußabdrücke, die sie bei ihrem Abstieg hinterlassen hatte: Chyna Shepherd versteckte sich nicht mehr, kam aus diesem Loch gekrochen, unberührt und lebend. Sie verließ Narnia für immer.

*Tatta-tatta-tatta...*

Sie dachte voraus, während sie sich bewegte, und fragte sich, ob sie ihn durch den Duschvorhang erschießen sollte – falls die Dusche tatsächlich einen Vorhang und nicht eine Glastür hätte –, denn wenn sie ihn nicht durch den Vorhang erschoß, würde sie den Revolver nur in einer Hand halten können, während sie mit der anderen den Vorhang beiseite zerrte oder die Tür aufriß. Das wäre riskant, denn eine seltsame und bestürzende Schwäche kroch in ihre Finger und das Handgelenk. Ihre Arme zitterten so heftig, daß sie die Waffe bereits mit beiden Händen halten mußte, wollte sie sie nicht fallenlassen.

Während ihr Herz aus Angst vor der bevorstehenden Auseinandersetzung klapperte wie das Kupferrohr – auch wenn das wahnsinnige Schwein nackt und wehrlos war, versetzte es sie noch in Panik –, erreichte Chyna das obere Ende der Treppe und betrat den Waschraum.

Sie konnte ihn nicht durch den Vorhang erschießen, denn dann würde sie nicht wissen, ob sie ihn getroffen hatte oder nicht. Als sie über die Schwelle trat, nahm sie verspätet etwas Wichtiges wahr, das sie auf dem Absatz der Kellertreppe gesehen hatte: nasse Schuhabdrücke, die größer als die ihren waren und sie überlagerten, dort, wo er vor kurzem noch gestanden hatte.

Sie stürmte bereits mit zu viel Schwung in die Küche, um noch anzuhalten, und der Mörder griff sie von rechts an, stürzte an der Eßecke vorbei auf sie zu. Er war groß, stark und weder nackt noch wehrlos; die Dusche war von Anfang an eine List gewesen.

Er war schnell, aber sie war eine Spur schneller. Er versuchte sie rückwärts gegen die Schränke zu drücken, doch sie glitt zur Seite und hob den Revolver. Die Mündung war kaum einen Meter von seinem Gesicht entfernt, und sie drückte ab, und der Hammer erzeugte ein trockenes Geräusch, wie das Knacken eines trockenen Astes, als er auf eine leere Kammer fiel.

Sie prallte schwer gegen die Seite des Kühlschranks und an den Kalender mit den Kätzchen und Maiglöckchen, der klappernd zu Boden fiel.

Der Mörder griff sie erneut an.

Sie zog den Abzug durch, und der Revolver klickte erneut, was überhaupt keinen Sinn ergab – *Scheiße* –, weil der Verkäufer in der Tankstelle gar keine Gelegenheit gehabt hatte, die Waffe zu benutzen, bevor die Flinte ihn umgeblasen hatte. Es dürften eigentlich keine Patronen fehlen.

Nun hatte sie zum erstenmal das Gesicht des Mörders gesehen. Zuvor hatte sie lediglich ein paar Blicke auf seinen Hinterkopf erhascht, die Schädeldecke, das Profil, aber das nur aus der Ferne. Er sah nicht so aus, wie sie es erwartet hatte, mit einem Mondgesicht, bleichen Lippen und schwerem Kiefer. Er war stattlich, hatte klare blaue Augen, die einen wunderschönen Kontrast zu seinem dunklen Haar bildeten und in denen nichts Verrücktes lag, breite, frische Gesichtszüge und ein nettes Lächeln.

Lächelnd kam er weiter direkt auf sie zu, während sie ein drittes Mal abdrückte und der Hammer erneut auf eine leere Kammer fiel. Lächelnd riß er ihr mit solcher Kraft den Revolver aus der Hand, daß sie glaubte, er habe ihr den Finger gebrochen, bevor er aus dem Abzugsloch glitt, und sie schrie vor Schmerz auf.

Der Mörder trat von ihr zurück, hielt den Revolver in der Hand, und seine Augen funkelten vor Aufregung. »Was war das für ein Spaß.«

Chyna drückte sich gegen die Seite des Kühlschranks und trampelte auf den Gesichtern der Kätzchen herum.

»Ich habe gewußt, daß es dieselbe Waffe war«, sagte er, »aber was, wenn ich mich geirrt hätte? Dann hätte ich jetzt ein großes Loch in meinem Gesicht, nicht wahr, kleine Lady?«

Schwach und benommen vor Entsetzen sah sie sich verzweifelt nach irgend etwas um, das sie als Waffe benutzen konnte, aber es befand sich nichts in ihrer Nähe.

»Ein großes Loch in meinem Gesicht«, wiederholte er, als käme ihm die Aussicht amüsant vor.

In einem der Schränke mochten sich Messer befinden, aber sie wußte nicht, welche Schublade sie aufreißen mußte.

»Intensiv«, sagte er und betrachtete lächelnd den Revolver in seiner Hand.

Eine Pistole lag auf der anderen Seite der Küche auf der Arbeitsfläche neben der Spüle, aber weit außerhalb ihrer Reichweite. Chyna konnte es nicht fassen: Er hatte eine Waffe mitgenommen, sie aber nicht benutzt, sondern beiseite gelegt und sie statt dessen mit bloßen Händen angegriffen.

»Sie sind eine attraktive Frau.«

Sie wandte den Blick von der Pistole ab in der Hoffnung, er habe nicht bemerkt, daß sie sie gesehen hatte. Aber sie machte sich selbst etwas vor, und sie wußte es auch, denn er sah alles, einfach alles.

Er richtete den Revolver auf sie. »Sie waren diese Nacht in der Tankstelle.«

Sie rang nach Atem, schien aber kaum Luft zu bekommen. Sie atmete zu schnell und zu flach, stand kurz vor dem Hyperventilieren, und sie war wütend auf sich, wütend, weil er so ruhig war.

»Ich weiß, daß Sie dort waren«, sagte er, »irgendwie, irgendwo, und ich weiß, daß Sie den Chief's Special gefunden haben, nachdem ich gegangen war, aber ich kann mir beim besten Willen nicht erklären, warum Sie jetzt hier sind.«

Vielleicht kam sie an die Pistole heran, bevor er sie aufhalten konnte. Es war eine Chance von einer Million zu eins. Zwei Millionen, drei. Verdammt, sieh es ein, es war unmöglich.

Der Mörder stand jetzt anderthalb Meter von ihr entfernt, zielte mit dem Revolver auf ihre Nasenwurzel. Seine Stimme schien vor Hochgefühl überzuschäumen, als er sagte: »Aber obwohl Sie die Waffe des Asiaten hatten, bin ich hier in den Löwenkäfig gestiegen. Ich habe einfach Glück gehabt. Haben Sie auch Glück?«

Obwohl es so gut wie unmöglich war, an die Pistole zu kommen, hatte sie keine Alternativen. Nichts zu verlieren.

»Schätzchen, hören Sie mir bitte zu, ich spreche mit Ihnen«, sagte er mit einem Anflug von Ungeduld. »Sind Sie der Ansicht, Sie könnten Glück haben? Soviel Glück wie ich?«

Sie versuchte, nicht zu der Pistole zu starren, zögerte aber, in seine allzu normalen Augen zu sehen, und schaute statt dessen in die Mündung des Revolvers. »Nein«, brachte sie mühsam hervor, und sie glaubte halbwegs, daß dieses eine Wort durch den Lauf der Waffe zu ihr zurückhallte: *Nein.*

»Dann wollen wir mal sehen, ob Sie Glück haben.«

»Nein.«

»Ach, zeigen Sie doch etwas Abenteuergeist, Schätzchen. Mal sehen, ob Sie ein Glückspilz sind«, sagte er und drückte ab.

Obwohl die Waffe dreimal versagt hatte, erwartete sie, nun eine Kugel ins Gesicht zu bekommen, denn das Schicksal schien sich gegen sie verschworen zu haben, und sie zuckte zusammen.

*Klick.*

»Sie *haben* Glück, sogar noch mehr als ich.«

Chyna wußte nicht, wovon er sprach. Sie konnte ihre Gedanken auf nichts anderes als die Pistole neben der Spüle konzentrieren, auf diese letzte, wundersame Chance.

»Haben Sie nicht gehört, was ich Fuji versprochen habe«, sagte der Mörder, »als er dieses Ding auf mich richten wollte?«

All dieses Geschwätz und die Ruhe und Gelassenheit dieses Schweins entnervten Chyna noch zusätzlich. Sie erwartete, daß er auf sie schoß, sie mit einem Messer angriff, sie schlug und wahrscheinlich auch vergewaltigte, sie vorher oder nachher folterte, um Antworten von ihr zu bekommen, aber nicht, daß sie mit ihm plaudern mußte, um Gottes willen, als hätten sie nur einen netten kleinen Ausflug zusammen unternommen, einen gemeinsamen Urlaub, bei dem es ein paar interessante Überraschungen gegeben hatte.

Er richtete den Revolver noch immer auf sie. »›Tun Sie's nicht, oder ich schieb' Ihnen die Kugeln in den Arsch‹, habe ich zu Fuji gesagt«, fuhr er fort, »und ich halte meine Versprechen immer. Sie etwa nicht?«

Seine Sprüche fanden endlich ihre ungeteilte Aufmerksamkeit.

»Sie sind wahrscheinlich zartbesaitet und wollten nicht genau hinschauen, und bei dem schlechten Licht und dem Blut überall haben Sie wahrscheinlich nicht gesehen, daß Fujis Hosen runtergelassen waren.«

Er hatte recht. Nachdem sie auf den ersten Blick gesehen hatte, daß beide Verkäufer tot waren, hatte sie weggeschaut und war über die Leichen hinweggetreten.

»Ich habe es geschafft, vier Kugeln in ihn reinzuschieben«, sagte er.

Jetzt schloß sie die Augen. Öffnete sie sofort wieder. Sie wollte ihn nicht sehen, wie er groß und bedrohlich und mit seinem netten Lächeln so stattlich vor ihr stand, mit getrockneten Blutflecken auf seiner Kleidung und nichts Störendem in den Augen. Aber sie wagte es nicht, den Blick abzuwenden.

*Chyna Shepherd, unberührt und lebend.*

»Ich habe vier Kugeln in ihn geschoben«, sagte er, »aber dann sprangen sie wieder raus. Eine kleine postmortale Gasfreisetzung. Es war lächerlich, eigentlich sogar ziemlich komisch, aber ich stand unter Zeitdruck, wie Sie vielleicht verstehen, und es war mir zu mühsam, auch noch die fünfte reinzuschieben.«

Vielleicht war es so am besten. Vielleicht noch eine Runde russisches Roulette und dann endlich Frieden, und sie mußte nicht mehr zu verstehen versuchen, warum es so viel Grausamkeit in der Welt gab, wo Freundlichkeit doch die leichtere Wahl war.

»Diese Waffe hat fünf Schuß«, sagte er.

Die leere Mündung starrte sie matt an, und sie fragte sich, ob sie den Blitz sehen und den Knall hören würde oder ob die Schwärze im Lauf nahtlos in eigene Schwärze übergehen würde, ohne daß sie die Veränderung mitbekam.

Dann wandte der Mörder den Lauf von ihr ab und schoß. Der Knall ließ die Fenster scheppern, und die Kugel schlug durch eine Schranktür neben ihr, verspritzte Kiefernholzsplitter und zerschlug im Schrank Geschirr.

Die Holzstückchen flogen noch durch die Luft, als Chyna eine Schublade packte und aus dem Schrank riß. Sie war so schwer, daß sie ihr fast aus der Hand fiel, doch die Verzweiflung verlieh ihr plötzlich neue Kräfte, und sie schleuderte sie dem Mörder an den Kopf, und der Inhalt purzelte heraus, als sie in hohem Bogen auf seine Stirn zuflog.

Löffel, Gabeln und Streichmesser duellierten sich in der Luft, und kalte, fluoreszierende Reflexionen blitzten auf, während sie auf ihn und den gefliesten Boden herabklirrten und ihn gegen den Eßtisch trieben.

Noch während der Mörder überrascht zurückstolperte, lief Chyna zur Spüle. Einen Augenblick, nachdem sie die leere Schublade irgendwo aufschlagen hörte, legte sie die Hand auf den Griff der Pistole. Sie sah einen roten Punkt auf dem Stahlkörper, der wahrscheinlich freigelegt war, wenn die Waffe entsichert war, wie bei anderen Pistolen, mit denen sie sich auskannte, und im Gegensatz zum Revolver mußte sie nicht mit leeren Kammern rechnen, denn wenn auch nur eine Kugel im Magazin war, nur eine, würde sie im Verschluß stecken, *bitte*, und auf diese kurze Entfernung brauchte sie vielleicht nicht mehr als diese eine Kugel.

Aber ihr Zeigefinger war bereits steif und geschwollen, und als sie versuchte, ihn um den Abzug zu legen, erschütterte sie der auflodernde Schmerz. Sie trieb auf einer schwarzen Welle der Übelkeit, schwankte und fummelte mit dem Mittelfinger am Abzug herum.

Verstreutes Besteck klapperte kalt und schepperte spröde, als der Mörder über den Boden fegte, und er erreichte Chyna, bevor sie die Waffe heben und auf ihn richten konnte. Er schlug ihren Arm herunter und drückte ihre Hand auf die Arbeitsfläche.

Reflexartig krümmte ihr Finger sich um den Abzug. Eine Kugel zerschmetterte Fliesen hinter der Spüle. Gelbe Keramiksplitter flogen ihr ins Gesicht, und hätte sie die Lider nicht sofort geschlossen, hätte sie sich die Augen verletzen können. Er rammte ihr den Ballen seiner Hand an die Schläfe, und eine dunkle Gischt schlug über ihren Augen zusammen wie schwarze Scherben von explodierendem Glas, und dann schlug er ihr die Faust in den Nacken.

Chyna erinnerte sich nicht an den Sturz, aber sie lag auf dem Küchenboden, schaute aus der Perspektive eines Käfers über die Vinylfliesen und in ein verheerendes Gewirr von Eßutensilien. Interessant. Löffel waren so groß wie Schaufeln. Gabeln so groß wie Harken. Messer waren Lanzen.

Die Stiefel des Mörders. Schwarze Stiefel. Sie bewegten sich.

Einen Augenblick lang war sie völlig verwirrt, glaubte, wieder im Haus der Templetons im Napa Valley zu sein, sich im Gästezimmer unter dem Bett zu verstecken. Aber auf dem Boden jenes Raums war kein Besteck verstreut gewesen, und als sie sich dann auf die Teile aus rostfreiem Stahl konzentrierte, fiel ihr alles wieder ein.

»Jetzt muß ich das alles spülen und wieder einsortieren«, sagte der Mörder.

Er ging durch die Küche, hob das Besteck auf und ging dabei ganz methodisch vor, legte Löffel zu Löffel, Messer zu Messer.

Chyna stellte überrascht fest, daß sie ihren Arm bewegen konnte, obwohl er so schwer war wie ein großer Ast, der Ast eines versteinerten Baumes, der einst aus Holz bestanden hatte, nun aber Fels war. Dennoch gelang es ihr, auf den Mörder zu zielen und sogar den Zeigefinger zu krümmen, ihren Schmerz und den bitteren Geschmack, der mit ihm kam, herunterzuschlucken.

Es löste sich kein Schuß.

Sie drückte erneut auf den Abzug, und noch immer kam kein Knall, und dann merkte sie, daß ihre Hand leer war. Sie hielt die Pistole nicht mehr darin.

Seltsam.

Neben ihrer Hand lag ein Messer. Es war ein Tischmesser mit einer fein geriffelten Schneide, dafür geeignet, Butter zu verstreichen, Hähnchenfleisch durchzuschneiden oder grüne Bohnen in mundgerechte Stücke zu trennen, doch nicht gerade ideal, um jemanden zu erstechen. Aber ein Messer war ein Messer und besser als gar keine Waffe, und sie schloß leise die Hand darum.

Nun mußte sie nur noch die Kraft finden, sich vom Boden zu erheben. Seltsamerweise bekam sie nicht mal den Kopf hoch. Sie hatte sich nie zuvor so müde gefühlt.

Sie hatte einen schweren Schlag auf den Nacken abbekommen. Sie fragte sich, ob ihr Rückgrat verletzt war.

Sie weigerte sich zu weinen. Sie hatte das Messer.

Der Mörder kam zu ihr, bückte sich und wand ihr das Messer aus der Hand. Sie war erstaunt, wie leicht es aus ihren Fingern glitt, obwohl sie es fest umklammerte – als wäre es gar kein Messer, sondern ein schmelzender Eiszapfen.

»Böses Mädchen«, sagte er und schlug ihr die flache Klinge gegen den Hinterkopf.

Dann räumte er weiter auf.

Chyna versuchte, nicht an ihre Wirbelsäule zu denken, und es gelang ihr, eine Hand um eine Gabel zu schließen.

Er kam zurück und nahm ihr auch die Gabel ab. »Nein«, sagte er, als würde er einen aufsässigen Welpen ausbilden. »Nein.«

»Schwein«, sagte sie, bestürzt darüber, wie undeutlich sie sprach.

»Sie haben aber Haare auf den Zähnen.«

»Verdammtes Schwein.«

»Ach, wie hübsch«, sagte er verächtlich.

»Scheißer.«

»Ich sollte Ihnen den Mund mit Seife auswaschen.«

»Arschloch.«

»Ihre Mutter hat Ihnen solche Ausdrücke bestimmt nicht beigebracht.«

»Sie kennen meine Mutter nicht«, sagte sie mit schwerer Zunge.

Er schlug sie erneut, diesmal ein harter Hieb auf den Hals.

Dann lag Chyna im Dunkeln da und lauschte besorgt dem fernen, heiteren Gelächter ihrer Mutter und den Stimmen fremder Männer. Zerbrechendes Glas. Flüche. Donner und Wind. Palmen rauschten in der Nacht über Key West. Der Klang des Gelächters veränderte sich. Spott. Ein Knall, der kein Donner war, und noch einer. Und der Palmetto-Käfer huschte über ihre nackten Beine und den Rücken. Andere Zeiten. Andere Orte. Im dunstigen Reich der Träume die eiserne Faust der Erinnerung.

# KAPITEL 7

Nachdem Mr. Vess sich mit der Frau befaßt und das Besteck gespült hat, läßt er um kurz nach neun Uhr morgens die Hunde frei.

An der Hintertür, der Vordertür und in seinem Schlafzimmer sind Ruftasten angebracht, die, wenn man sie betätigt, in dem Zwinger hinter der Scheune einen Summer ertönen lassen. Wenn er die Hunde mit dem Befehl *Krippe* dorthin zurückgeschickt hat, wie zuvor geschehen, stellt das Summen den Befehl dar, ihre Rundgänge sofort wieder aufzunehmen.

Er benutzt die Ruftaste neben der Küchentür und tritt dann an das große Fenster neben der Eßecke, um den Garten zu beobachten.

Der Himmel ist bewölkt und grau, und die Wolken hüllen noch immer die Siskiyou Mountains ein, aber es regnet nicht mehr. Von den herabhängenden Zweigen der Nadelbäume tropft es stetig. Die Rinde der Laubbäume ist ein durchnäßtes Schwarz; ihre Äste – einige mit den ersten zerbrechlichen Knospen des Frühlings, andere noch kahl – wirken so verkohlt, daß man annehmen könnte, ein Feuer hätte sie verbrannt.

Einige Leute sind vielleicht der Ansicht, nun, da der Donner sich verbraucht hat und die Blitze erloschen sind, sei die Szene passiv, doch Mr. Vess weiß, daß die Nachwirkungen eines Sturms genauso stark sein können wie sein Toben an sich. Er befindet sich mit dieser neuen Art der Macht in Harmonie, mit der stillen Macht des Wachstums, die das Wasser dem Land zuteil werden läßt.

Hinter der Scheune kommen die Dobermänner hervor. Ein Stück trotten sie nebeneinander her, doch dann trennen sie sich, und ein jeder läuft in eine andere Richtung.

Jetzt befinden sie sich nicht im Angriffsstatus. Sie werden

jeden Eindringling aufstöbern und festhalten, ihn aber nicht töten. Um sie auf Blut scharf zu machen, muß Mr. Vess den Namen *Nietzsche* aussprechen.

Einer der Hunde – Edamer – kommt auf die hintere Veranda, wo er durch das Fenster schaut und seinen Herrn anhimmelt. Er wedelt einmal mit dem Schwanz, dann ein zweites Mal, doch er ist im Dienst, und mehr als diese kurze und gemessene Demonstration seiner Zuneigung gesteht er sich nicht zu.

Edamer kehrt in den Garten zurück. Er steht groß und wachsam da. Er schaut zuerst nach Süden, dann nach Westen, dann nach Osten. Er senkt den Kopf, riecht am nassen Gras und läuft schließlich, noch immer fleißig schnüffelnd, über den Rasen. Er legt die Ohren an, während er sich auf einen Geruch konzentriert und einer Fährte folgt, die von jemandem stammen könnte, der eine Bedrohung für seinen Herrn darstellt.

Ein paarmal – als Belohnung für die Dobermänner und um sie scharf zu halten – hat Mr. Vess eine Gefangene laufen lassen und den Hunden erlaubt, sie zu verfolgen, womit er sich des Vergnügens beraubte, sie eigenhändig zu töten. Das ist ein unterhaltsames Spektakel.

Sicher abgeschirmt hinter dem Wall seiner vierbeinigen Prätorianergarde, geht Mr. Vess ins Badezimmer hinauf und stellt das Wasser ein, bis es luxuriös heiß ist. Er dreht die Lautstärke des Radios herunter, läßt es aber auf den Kanal eingestellt, der Swing bringt.

Als er seine verschmutzte Kleidung auszieht, quellen Dampfwolken über den oberen Rand des Duschvorhangs. Diese Feuchtigkeit verstärkt den Geruch der dunklen Flecken im Gewebe. Er steht ein paar Minuten lang nackt da, das Gesicht in den Jeans vergraben, dem T-Shirt, der Denim-Jacke, atmet zuerst tief ein, riecht dann aber feinsinnig eine exquisite Duftnuance nach der anderen heraus und wünscht sich, sein Geruchssinn wäre zwanzigtausendmal intensiver, als er es ist, wie der eines Dobermanns.

Diese Duftnoten bringen ihn in die gerade vergangene Nacht zurück. Er hört erneut das leise Ploppen des Schalldämpfers auf der Pistole, die gedämpften Schreie des Entsetzens und das dünne Gnadengewimmer in der nächtlichen Ruhe des Hauses. Er riecht Mrs. Templetons nach Flieder duftende Körperlotion, die sie auf ihre Haut aufgetragen hatte, bevor sie sich zur Nacht zurückzog, den Wohlgeruch des Duftkissens in der Schublade, in der die Tochter ihre Unterwäsche aufbewahrte. Er schmeckt in der Erinnerung die Spinne.

Bedauernd legt er die Kleidungsstücke beiseite, um sie zu waschen, denn an diesem Abend muß er wieder als der Durchschnittsmensch durchgehen, der er nicht ist, und diese Verwandlung von Mr. Hyde in Dr. Jekyll beansprucht eine gewisse Zeit, wenn sie überzeugend sein soll.

Als Benny Goodman »One O'clock Jump« spielt, taucht Mr. Vess daher in das brennend heiße Wasser ein und geht besonders energisch mit dem Waschlappen und verschwenderisch mit dem Stück Irish Spring um, schrubbt die stechenden Gerüche von Sex und Tod weg, welche die Schafe beunruhigen könnten. Sie dürfen niemals den Verdacht schöpfen, der Schäfer könne unter seiner Verkleidung als Hirte eine Schnauze mit hervorstehenden Eckzähnen und einen buschigen Schwanz haben. Er läßt sich Zeit, tanzt zu einem Song nach dem anderen, shampooniert sein dichtes Haar zweimal ein und behandelt es dann mit einem durchdringenden Frisiermittel. Mit einer kleinen Bürste schrubbt er seine Fingernägel. Er ist ein perfekt proportionierter Mann, schlank, aber muskulös. Wie immer bereitet das Einseifen ihm großes Vergnügen; er genießt die plastischen Konturen seines Körpers unter seinen schlüpfrigen Händen; er fühlt sich, wie die Musik klingt, wie die Seife riecht, wie der Geschmack gesüßter Schlagsahne.

Leben *ist*. Vess lebt.

Chyna kam aus der Dunkelheit von Key West und einem tropischen Gewitter in ein grelles Neonlicht, das in ihren trüben Augen brannte. Zuerst glaubte sie fälschlich, die Furcht, die ihr Herz hämmern ließ, gelte Jim Woltz, dem Freund ihrer Mutter; sie glaubte, sie habe ihr Gesicht unter dem Bett in seinem Haus am Strand auf den Boden gedrückt. Doch dann erinnerte sie sich an den Mörder und das gefangene Mädchen.

Sie saß aufrecht auf einem Stuhl, vornübergebeugt auf den runden Tisch in der Eßecke der Kiefernholzküche. Ihr Kopf war nach rechts gedreht, und sie schaute durch ein Fenster auf die hintere Veranda und den Garten hinaus.

Der Mörder hatte von einem der anderen Stühle ein Sitzkissen entfernt und es unter ihren Kopf gelegt, damit ihr Gesicht nicht unangenehm gegen das Holz drückte. Sie erschauerte angesichts dieser Aufmerksamkeit.

Als sie versuchte, den Kopf zu heben, schoß ein Schmerz ihren Nacken hinauf und pochte an ihrer rechten Schläfe. Sie wäre fast ohnmächtig geworden und kam zu dem Schluß, daß sie es mit dem Aufstehen nicht eilig hatte.

Als sie ihr Gewicht auf dem Stuhl verlagerte, deutete das Klirren von Ketten darauf hin, daß sie vielleicht gar nicht die Wahl hatte, sich sofort oder erst später zu erheben. Ihre Hände lagen auf ihrem Schoß, und als sie versuchte, eine zu heben, hoben sich beide, denn ihre Gelenke waren mit Handschellen verbunden.

Sie versuchte, die Beine zu spreizen – und stellte fest, daß auch ihre Knöchel gefesselt waren. Dem lauten Klappern und Rasseln zufolge, das ihre schwachen Bewegungen auslösten, lagen auch noch weitere Fesseln um ihre Glieder.

Draußen sprang etwas Rußschwarzes über den grünen Rasen, flitzte die Stufen hinauf und lief über die Veranda. Es kam zum Fenster, sprang hinauf, legte die Pfoten auf den hölzernen Fensterrahmen und schaute sie durch die Scheibe an. Ein Dobermannpinscher.

Ariel preßt ein geöffnetes Buch vor ihre Brüste, als sei es ein Schild; die Hände hat sie über dem Einband gespreizt. Sie sitzt in dem riesigen Sessel, die Beine unter sich herangezogen, die einzige perfekte Puppe unter all jenen, die sich in dem Raum befinden.

Mr. Vess sitzt vor ihr auf einem Schemel.

Er macht sich sehr gut. Geduscht, mit gewaschenem Haar, rasiert und gekämmt ist er in jeder Gesellschaft vorzeigbar, und jede Mutter, die ihre Tochter an seinem Arm sieht, würde denken, daß er eine gute Partie ist. Er trägt Halbschuhe ohne Socken, beige Baumwollhosen, einen geflochtenen Ledergürtel und ein hellgrünes Baumwollhemd.

Auch Ariel sieht in ihrer Schulmädchen-Uniform gut aus. Vess stellt erfreut fest, daß sie sich, wie er es ihr aufgetragen hat, während seiner Abwesenheit regelmäßig gewaschen hat. Es ist nicht leicht für sie, da sie sich nur mit einem Schwamm säubern kann und ihr prachtvolles Haar im Becken shampoonieren muß.

Er hat diesen Raum für andere errichtet, die vor ihr kamen, und keine von ihnen blieb länger als zwei Monate. Bevor er seine Ariel kennengelernt und erfahren hat, wie erfrischend unabhängig sie ist, hat er sich nicht vorstellen können, jemals einen Menschen so lange hier festzuhalten. Daher hat er eine Dusche nicht für nötig gehalten.

Er hat das Mädchen zum erstenmal auf einem Foto in einer Zeitung gesehen. Obwohl sie erst in der zehnten Klasse war, galt sie schon als eine Art Genie und hatte ihre High-School-Mannschaft aus Sacramento beim Academic Decathlon, dem landesweiten kalifornischen Schulwettbewerb, zum Sieg geführt. Sie hatte so jung und zart ausgesehen. Die Zeitung hatte in seinen Händen gezittert, als er sie gesehen hatte, und er wußte sofort, daß er nach Sacramento fahren und sie kennenlernen mußte. Den Vater hatte er erschossen. Die Mutter hatte eine riesige Puppensammlung besessen und als Hobby selbst Puppen hergestellt. Vess hatte sie mit einer Bauchredner-Puppe totgeschlagen, die einen großen Kopf aus Ahornholz hatte und so wirkungsvoll wie ein Baseballschläger war.

»Du bist schöner denn je«, sagt er zu Ariel, und seine Stimme wird von der Schallisolierung gedämpft, als sei er lebendig begraben und spreche aus einem Sarg heraus.

Sie antwortet nicht, nimmt seine Anwesenheit nicht mal zur Kenntnis. Sie ist in ihrer stummen Phase, die ohne Unterbrechungen schon seit sechs Monaten anhält.

»Ich habe dich vermißt.«

Dieser Tage sieht sie ihn nie mehr an, sondern starrt auf einen Punkt über seinem Kopf und seitlich von ihm. Würde er sich von der Fußbank erheben und in ihre Blickrichtung treten, würde sie trotzdem noch über seinen Kopf und zur Seite schauen, obwohl er nie mitbekam, daß sie den Blick abwandte, um ihm auszuweichen.

»Ich habe etwas mitgebracht, das ich dir zeigen will.«

Aus einem Schuhkarton, der neben dem Schemel auf dem Boden steht, holt er zwei Polaroid-Fotos hervor. Sie wird sie nicht an sich nehmen oder den Blick auf sie richten, doch Vess weiß, daß sie diese Andenken untersuchen wird, nachdem er gegangen ist.

Sie ist für diese Welt nicht ganz so verloren, wie sie tut. Sie sind in ein kompliziertes Spiel mit hohen Einsätzen vertieft, und sie ist eine gute Spielerin.

»Das hier ist eine Lady namens Sarah Templeton, wie sie aussah, bevor ich sie hatte. Sie war in den Vierzigern, aber sehr attraktiv. Eine hübsche Frau.«

Der Sessel ist so tief, daß das Polster vor Ariel einen Vorsprung bildet, auf den Vess das Foto legen kann.

»Hübsch«, wiederholt er.

Ariel blinzelt nicht. Sie ist imstande, überraschend lange starr geradeaus zu sehen, ohne zu blinzeln. Dann und wann macht Mr. Vess sich Sorgen, daß sie damit ihren betörenden blauen Augen Schaden zufügen könnte; die Hornhäute müssen regelmäßig befeuchtet werden. Doch wenn sie zu lange geradeaus starrt, ohne zu blinzeln, und ihre Augen gefährlich trocken werden, wird die Reizung natürlich bewirken, daß unwillkürlich Tränen in ihre Augen treten.

»Das ist ein zweites Foto von Sarah, nachdem ich mit ihr fertig war«, sagt Mr. Vess und legt auch dieses Bild auf den Sessel. »Wie du sehen kannst, wenn du mal hinschaust, trifft das Wort *hübsch* nicht mehr zu. Schönheit ist nie von Dauer. Die Dinge verändern sich.«

Er holt zwei weitere Fotos aus dem Schuhkarton.

»Das ist Sarahs Tochter, Laura. Vorher und nachher. Du kannst sehen, daß sie wunderschön war. Wie ein Schmetterling. Aber du weißt ja, ein Schmetterling ohne Flügel ist kaum mehr als ein Wurm.«

Er legt auch diese Schnappschüsse auf den Sessel und greift erneut in den Karton.

»Das war Lauras Vater. Oh, und hier ist ihr Bruder ... und seine Frau. Sie sind unwichtig.«

Schließlich holt er die drei Polaroid-Bilder von dem jungen asiatischen Gentleman und die abgebissene Slim-Jim-Wurst hervor.

»Sein Name ist Fuji. Wie der Berg in Japan.«

Vess legt zwei der drei Fotos auf den Stuhl.

»Eins behalte ich für mich. Um es zu essen. Und dann werde ich Fuji sein, mit der Macht des Fernen Ostens und der Macht des Berges, und wenn der Tag kommt, an dem ich dich nehme, wirst du sowohl den Jungen als auch den Berg in mir spüren, und so viele andere Leute, all ihre Macht. Es wird sehr aufregend für dich werden, Ariel, so aufregend, daß es dir völlig gleichgültig ist, daß du hinterher tot bist.«

Das ist eine lange Rede für Mr. Vess. Er ist zumeist nicht besonders gesprächig. Doch die Schönheit des Mädchens veranlaßt ihn dann und wann zu kleinen Reden.

Er hält die Slim Jim hoch.

»Das abgebissene Stück wurde von Fuji verzehrt, unmittelbar, bevor ich ihn getötet habe. Sein Speichel wird auf dem Fleisch getrocknet sein. Du kannst ein wenig von seiner stillen Macht schmecken, seiner unerforschlichen Natur.«

Er legt die eingepackte Wurst auf den Sessel.

»Ich komme nach Mitternacht zurück«, verspricht Mr. Vess. »Dann gehen wir zum Wohnmobil, damit du Laura sehen kannst, die richtige Laura, nicht nur das Bild von ihr. Ich habe sie mitgebracht, damit du sehen kannst, was aus allen hübschen Dingen wird. Und da ist auch ein junger Mann, ein Anhalter, den ich unterwegs mitgenommen habe. Ich habe ihm ein Foto von dir gezeigt, und mir gefiel einfach nicht, wie er dich ansah. Er hatte keinen Respekt. Er war lüstern. Mir hat nicht gefallen, was er über dich gesagt hat, und so habe ich ihm den Mund zugenäht, und die Augen habe ich ihm zugenäht, weil er dein Bild so angesehen hat. Wenn du siehst, was ich mit ihm gemacht habe, wirst du begeistert sein. Du kannst ihn anfassen ... und Laura.«

Vess hält aufmerksam nach einer nervösen Muskelzuckung, einem Erschauern, Zurückschrecken oder einer leichten Veränderung in ihren Augen Ausschau, nach irgend etwas, das ihm verrät, daß sie ihn hört. Er *weiß*, daß sie ihn hört, doch sie ist so klug, ein ernstes Gesicht und den Anschein katatonischer Losgelöstheit zu bewahren.

Wenn er ein schwaches Schaudern bei ihr erzwingen kann, ein nervöses Zucken, dann wird er sie bald völlig zerbrechen, und sie wird heulen wie ein glotzäugiger Patient in einer geschlossenen Anstalt. Es ist stets faszinierend, einen solchen Zusammenbruch zum kreischenden Wahnsinn zu beobachten.

Aber dieses Mädchen ist zäh und hat eine überraschende innere Kraft. Gut. Die Herausforderung elektrisiert ihn.

»Und vom Wohnmobil gehen wir dann mit den Hunden auf die Wiese, Ariel, und du kannst zusehen, wie ich Laura und den Anhalter begrabe. Vielleicht ist der Himmel bis dahin aufgeklart, und du kannst Sterne oder sogar den Mond sehen.«

Ariel kauert sich mit dem Buch auf dem Sessel zusammen – die Augen schauen ins Leere, die Lippen sind leicht geöffnet – und verhält sich völlig ruhig.

»He, bevor ich's vergesse, ich habe dir eine neue Puppe mitgebracht. Ein interessanter kleiner Laden in Napa, Kalifornien, in dem Kunsthandwerk aus der Gegend verkauft wird. Eine hübsche Stoffpuppe. Sie wird dir gefallen. Ich gebe sie dir später.«

Mr. Vess erhebt sich von der Fußbank und nimmt eine beiläufige Bestandsaufnahme des Kühlschranks und des Schranks vor, in dem die Lebensmittel für das Mädchen liegen. Sie hat genug Vorräte für weitere drei Tage, und morgen wird er ihre Regale wieder auffüllen.

»Du ißt nicht so viel, wie du eigentlich solltest«, tadelt er sie. »Das ist undankbar von dir. Ich gebe dir einen Kühlschrank, eine Mikrowelle, fließendes kaltes und warmes Wasser. Du hast alles, was du brauchst, um ein gutes Leben zu führen. Du solltest essen.«

Die Puppen können kaum weniger auf ihn eingehen als das Mädchen.

»Du hast zwei oder drei Pfund abgenommen. Es beeinträchtigt dein Aussehen noch nicht, aber du darfst nicht noch mehr abnehmen.«

Sie starrt in die Luft, als warte sie darauf, daß jemand an ihrer Schnur zieht, damit sie ihre aufgezeichneten Sprüche aufsagt.

»Glaub ja nicht, du könntest hungern, bis du hager und häßlich bist. Auf diese Weise kannst du mir nicht entkommen, Ariel. Notfalls werde ich dich fesseln und künstlich ernähren. Ich zwinge dich, einen Gummischlauch zu schlucken, und pumpe Babynahrung in deinen Magen. Das würde mir sogar Spaß machen. Magst du Erbsenpüree? Möhren? Apfelbrei? Aber das spielt wohl keine Rolle, denn du wirst es nicht schmecken – außer, du übergibst dich.«

Er betrachtet ihr seidenes Haar, das in dem gefilterten Licht rotblond ist. Dieser Anblick wird von allen fünf seiner außerordentlichen Sinne verarbeitet, und er badet im sinnlichen Glanz ihres Haars, in all den Tönen und Gerüchen und ertastbaren Strukturen, welche dieses Bild ihm vermittelt. Ein Stimulus bringt für ihn so viele Assoziationen mit sich, daß er sich stundenlang in der Kontemplation eines einzigen Haars – oder auch eines Regentropfens – vertiefen kann, denn dieser Gegenstand kann für ihn eine vollständige Wahrnehmungswelt sein.

Er geht zum Sessel und schaut auf das Mädchen hinab.

Es nimmt ihn nicht zur Kenntnis, und obwohl er in seine Blickrichtung getreten ist, schaut es irgendwie nach oben und zur Seite, ohne daß er bemerkt hat, wann genau es seinen Blick verlagerte.

Wie durch Zauberei weicht es ihm aus.

»Vielleicht bekomme ich zwei oder drei Worte aus dir heraus, wenn ich dich anzünde. Was hältst du davon? Etwas Feuerzeugbenzin auf das goldene Haar – und *wusch*!«

Sie blinzelt nicht mal.

»Oder ich werfe dich den Hunden vor, wenn das deine Zunge lockert.«

Kein Zurückschrecken, kein Zusammenzucken, kein Erschauern. Was für ein Mädchen!

Mr. Vess bückt sich und hält sein Gesicht vor das Ariels, bis ihre Nasen sich fast berühren.

Ihre Augen sind nun direkt auf die seinen gerichtet – und doch sieht sie ihn noch immer nicht an. Sie scheint durch ihn *hindurch* zu schauen, als sei er kein Mensch aus Fleisch und Blut, sondern ein flüchtiges Gespenst, das sie nicht wahrnehmen kann. Das ist nicht nur der alte Trick, die Augen unscharf einzustellen, sondern eine viel cleverere List, die er überhaupt nicht versteht.

»Nach Mitternacht gehen wir auf die Wiese«, flüstert Vess Nase an Nase mit ihr. »Ich begrabe Laura und den Anhalter. Vielleicht lege ich dich mit ihnen in die Grube und schaufle Erde auf dich, drei in einem Grab. Sie tot, und du lebendig. Würdest du dann sprechen, Ariel? Würdest du *bitte* sagen?«

Keine Antwort.

Er wartet.

Ihr Atem geht langsam und gleichmäßig. Er ist ihr so nah, daß die von ihr ausgeatmete Luft warm und stetig über seine Lippen streicht, wie das Versprechen auf zukünftige Küsse.

Sie muß seinen Atem ebenfalls spüren.

Vielleicht hat sie Angst vor ihm, wird sogar von ihm abgestoßen, aber sie findet ihn auch reizvoll. Daran hat er keinen Zweifel. Alle finden böse Buben faszinierend.

»Vielleicht wirst du Sterne sehen«, sagt er.

Dieses Blau in ihren Augen, diese funkelnde Tiefe.

»Oder sogar den Mond«, flüstert er.

Die stählernen Fesseln um Chynas Knöchel wurden von einer stabilen Kette zusammengehalten. Eine zweite und wesentlich längere Kette, die mit einem Karabinerhaken mit der ersten verbunden war, umschlang die dicken Stuhlbeine und die Spannstäbe dazwischen, kehrte zu ihren Füßen zurück, lief um den großen, faßähnlichen Sockel, der die runde Tischplatte trug, und dann zu dem Haken zurück. Die Ketten ließen ihr nicht so viel Spielraum, daß sie sich erheben konnte. Selbst wenn sie hätte aufstehen können, hätte sie den Stuhl auf dem Rücken tragen müssen, und seine Form und sein Gewicht hätten sie gezwungen, sich vornüber zu beugen wie ein buckliger Troll. Und dann hätte sie sich trotzdem nicht von dem Tisch entfernen können, an den sie gekettet war.

Ihre Hände waren vor ihrem Bauch gefesselt. Eine Kette war in die Handschelle gehakt, die ihr rechtes Handgelenk umschlang. Von dort aus führte sie um sie herum, schlang sich hinter dem Sitzpolster zwischen den Latten der Rücklehne des Stuhls hindurch und verlief dann zur linken Handschelle. Diese Kette war so lang, daß sie die Arme auf den Tisch legen konnte, falls sie es wünschte.

Sie saß vorgebeugt mit gefalteten Händen da, starrte den roten, geschwollenen Zeigefinger ihrer rechten Hand an und wartete.

Der Finger pochte, und sie hatte Kopfschmerzen, aber die Stiche im Nacken hatten nachgelassen. Sie wußte jedoch, daß sie in vielleicht vierundzwanzig Stunden wie die verzögerten Qualen einer schlimmen Tracht Prügel schlimmer denn je zurückkehren würden.

Doch die Schmerzen im Nacken würden natürlich ihre geringste Sorge sein, falls sie in vierundzwanzig Stunden noch leben sollte.

Der Dobermann war nicht mehr am Fenster. Sie hatte zwei von ihnen gleichzeitig auf dem Rasen gesehen, wie sie hin und her liefen, ihre Nasen ins Gras und in die Luft hielten, gelegentlich stehenblieben, um die Ohren zu spitzen, konzentriert zu lauschen und sich dann wieder in Bewegung zu setzen. Offensichtlich bewachten sie das Grundstück.

In der vergangenen Nacht hatte Chyna ihren Zorn benutzt, um ihre Angst zu überwinden, bevor sie sie handlungsunfähig machte, doch nun stellte sie fest, daß Erniedrigung noch besser geeignet war, Furcht zu zügeln. Daß sie sich nicht hatte wehren können und nun gefesselt hier saß – das war nicht die Quelle ihrer Erniedrigung; viel mehr beschämte sie ihre Unfähigkeit, das Versprechen zu erfüllen, das sie dem Mädchen in dem Keller gegeben hatte.

*Ich bin dein Schutzengel. Ich lasse nicht zu, daß dir etwas passiert.*

Sie kehrte in der Erinnerung immer wieder in den gepolsterten Vorraum und zu der Sichtluke in der inneren Tür zurück. Das Mädchen, das inmitten der Puppen saß, hatte nicht gezeigt, daß es das Versprechen gehört hatte. Doch Chyna war ganz krank vor Sorge, daß sie falsche Hoffnungen geweckt hatte, daß das Mädchen sich mehr denn je verraten und verkauft fühlen und sich noch tiefer in ihr privates Anderswo zurückziehen würde.

*Ich bin dein Schutzengel.*

In der Rückschau kam Chyna ihre Arroganz nicht nur erstaunlich, sondern pervers und größenwahnsinnig vor. Sie war keine Heldin, keine dieser Gestalten aus den Kriminalroman-Serien, die durch einen kleinen Spritzer Furchtsamkeit und ein paar sympathische Charakterschwächen besonders lebensecht wirkten, aber ansonsten die Kombinationsgabe von Sherlock Holmes und den Kampfgeist von James Bond in sich vereinigten. Am Leben zu bleiben, geistig gesund und emotional unbeschadet – das war schon Kampf genug für sie gewesen. Sie war noch immer ein Mädchen, das sich verirrt hatte und ziellos durch die Jahre stolperte, auf der Suche nach irgendeiner Einsicht oder Lösung, die sich dort draußen wahrscheinlich gar nicht finden ließ, und doch hatte sie an dieser Sichtluke gestanden und Erlösung versprochen.

*Ich bin dein Schutzengel.*

Sie öffnete die gefalteten Hände. Sie legte sie flach auf den Tisch und ließ sie über das Holz gleiten, als wolle sie Falten in einer Tischdecke glätten, und während sie sich bewegte, rasselten ihre Ketten.

Sie war schließlich keine Kämpferin und niemandes Paladin; sie arbeitete als Kellnerin. Sie war gut in ihrem Beruf, sackte jede Menge Trinkgelder ein, weil sechzehn Jahre in der verdrehten Welt ihrer Mutter ihr beigebracht hatten, daß man sein Überleben unter anderem dadurch sichern konnte, daß man sich bei anderen Menschen einschmeichelte. Zu ihren Kunden war sie unermüdlich charmant, freundlich und hilfsbereit. Die Beziehung zwischen einem Gast in einem Restaurant und einer Kellnerin war ihrer Auffassung zufolge eine ideale Beziehung, weil sie stets kurz und formell war, normalerweise mit einem hohen Maß an Höflichkeit geführt wurde und nicht erforderte, daß man jemandem sein Herz ausschüttete.

*Ich bin dein Schutzengel.*

In ihrer zwanghaften Entschlossenheit, sich unter allen Umständen zu schützen, war sie zu ihren Kolleginnen zwar stets nett gewesen, hatte sich jedoch nie mit einer angefreundet. Freundschaften beinhalten Verpflichtungen und Risiken. Sie hatte gelernt, sich gegen den Schmerz und Verrat abzuschirmen, die stets mit Bindungen einhergingen.

Im Lauf der Jahre war sie nur mit zwei Männern Beziehungen eingegangen. Sie hatte beide gemocht, den zweiten sogar geliebt, aber die erste Affäre hatte nur elf Monate und die zweite nur dreizehn gedauert. Wenn Beziehungen halten sollten, verlangten Liebhaber mehr als nur einfache Hingabe; man mußte sich ihnen offenbaren, sie am eigenen Leben beteiligen, eine intensive emotionale Verbindung mit ihnen eingehen. Ihr fiel es schwer, viel über ihre Kindheit oder ihre Mutter zu enthüllen, zum Teil, weil ihre völlige Hilflosigkeit während dieser Jahre ihr peinlich war. Noch wichtiger war, daß sie zu der harten Erkenntnis gelangt war, daß ihr Mutter sie niemals wirklich geliebt hatte, vielleicht niemals imstande gewesen war, sie oder einen anderen Menschen zu lieben. Und wie konnte sie erwarten, von einem Mann geliebt zu werden, der wußte, daß nicht einmal ihre Mutter sie geliebt hatte?

Ihr war klar, daß diese Einstellung irrational war, doch diese

Erkenntnis befreite sie nicht. Sie verstand, daß sie keine Verantwortung für das trug, was ihre Mutter ihr angetan hatte, doch ganz gleich, was all die Therapeuten in ihren Büchern und Radio-Talkshows behaupteten, Einsicht allein führte nicht zur Heilung. Selbst ein Jahrzehnt, nachdem sie die Kontrolle ihrer Mutter abgeschüttelt hatte, hatte Chyna manchmal das Gefühl, daß all die quälenden Ereignisse dieser dunklen Jahre hätten vermieden werden können, wäre sie, Chyna, nur ein besseres, würdigeres Mädchen gewesen.

*Ich bin dein Schutzengel.*

Sie faltete erneut die Hände auf dem Tisch. Sie beugte sich vor, bis ihre Stirn auf den Daumen zu liegen kam, und schloß die Augen.

Die einzige Freundin, die sie je gehabt hatte, war Laura Templeton. Ihre Beziehung war etwas, das sie stets ersehnt, aber nie gesucht hatte, das sie verzweifelt brauchte, aber nicht großartig aufbauen mußte; es war einfach die Konsequenz aus Lauras Lebhaftigkeit, Beharrlichkeit und Selbstlosigkeit angesichts von Chynas Vorsicht und Zurückhaltung, eine Folge von Lauras freundlichem Naturell und ihrer einzigartigen Fähigkeit zu lieben. Und jetzt war Laura tot.

*Ich bin dein Schutzengel.*

In Lauras Zimmer hatte Chyna unter Freuds starrem Blick neben dem Bett gekniet und ihrer gefesselten Freundin zugeflüstert: *Ich hole dich hier raus.* Mein Gott, was tat es weh, daran zu denken. *Ich hole dich hier raus.* Ihr Magen zog sich qualvoll zusammen, so sehr ekelte sie sich vor sich selbst. *Ich werde schon eine Waffe finden*, hatte sie versprochen. Laura, selbstlos bis zum Ende, hatte sie gedrängt, zu fliehen und das Haus zu verlassen. *Stirb nicht für mich*, hatte Laura gesagt. Aber Chyna hatte geantwortet: *Ich werde zurückkommen.*

Nun kam die Trauer erneut, stieß wie ein großer, dunkler Vogel in ihr Herz hinab, und sie ließ sich fast von den Schwingen einhüllen, war begierig auf den seltsamen Trost dieser schlagenden Schwingen – bis ihr klar wurde, daß sie die Trauer benutzte, um das Gefühl der Erniedrigung loszuwerden. Die Trauer ließ keinen Platz mehr für Abscheu vor sich selbst.

*Ich bin dein Schutzengel.*

Obwohl der Verkäufer den Revolver nicht abgefeuert hatte, hätte sie ihn überprüfen müssen. Sie hätte es wissen müssen. Irgendwie. Auf irgendeine Weise. Obwohl sie unmöglich wissen konnte, was Vess mit den Kugeln getan hatte, hätte sie es *wissen* müssen.

Laura hatte ihr immer gesagt, daß sie zu hart zu sich selbst war und ihre Wunden niemals heilen würden, wenn sie sich in endloser Selbstgeißelung immer neue blaue Flecken auf die alten schlug.

Aber Laura war tot.

*Ich bin dein Schutzengel.*

Chynas Erniedrigung schwärte zu Scham.

Und wenn Erniedrigung ein gutes Mittel war, um Entsetzen zu unterdrücken, war Scham ein noch besseres. Wenn sie in Scham schwelgte, kannte sie überhaupt keine Furcht mehr, obwohl sie gefesselt im Haus eines sadistischen Mörders saß und kein Mensch auf der Welt sie vermissen würde. Der Gerechtigkeit war Genüge getan, indem sie sich hier befand.

Dann hörte sie sich nähernde Schritte.

Sie hob den Kopf und öffnete die Augen.

Der Mörder kam aus der Waschküche herein; offensichtlich war er bei dem Mädchen im Keller gewesen.

Ohne mit Chyna zu sprechen, ohne einen Blick auf sie zu werfen, ganz so, als gäbe es sie gar nicht, ging er zum Kühlschrank, holte einen Karton Eier heraus und stellte ihn neben der Spüle auf die Arbeitsfläche. Geschickt schlug er acht Eier in einer Schüssel auf und warf die Schalen in den Abfall. Die Schüssel stellte er in den Kühlschrank; dann schälte und hackte er eine Gemüsezwiebel.

Chyna hatte seit über zwölf Stunden nichts mehr gegessen; trotzdem bestürzte sie die Entdeckung, daß sie einen Bärenhunger hatte. Der Zwiebel entströmte der süßeste Geruch, den sie je wahrgenommen hatte, und ihr lief das Wasser im Mund zusammen. Nach so viel Blut, nachdem sie die engste Freundin verloren hatte, die sie je gehabt hatte, kam es ihr herzlos vor, so schnell wieder Appetit zu entwickeln.

Der Mörder kippte die gehackte Zwiebel in einen Tupperware-Behälter, drückte den Deckel fest darauf und stellte ihn neben der

Schüssel mit den Eiern in den Kühlschrank. Dann raspelte er einen halben Keil Cheddarkäse in einen anderen Tupperware-Behälter.

Er erledigte die Küchenarbeiten flott und effizient und schien seinen Spaß daran zu haben. Er hielt seine Arbeitsfläche sauber. Und er wusch sich vor jedem Arbeitsgang gründlich die Hände und trocknete sie an einem Handtuch ab, nicht am Geschirrtuch.

Schließlich kam er an den Eßtisch. Er setzte sich Chyna entspannt gegenüber, war voller Selbstvertrauen und wirkte in seinen Baumwollhosen, dem geflochtenen Gürtel und dem weichen Baumwollhemd lässig wie ein College-Junge.

Die Scham, die drauf und dran gewesen war, sie zu verzehren, war statt dessen einfach ausgebrannt. Eine seltsame Mischung aus schwelendem Zorn und bitterer Niedergeschlagenheit hatte sie ersetzt.

»Sie sind bestimmt hungrig«, sagte er, »und nachdem wir ein wenig geplaudert haben, werde ich Käseomeletts und Toast machen. Aber um sich Ihr Frühstück zu verdienen, müssen Sie mir sagen, wo Sie sich in dieser Tankstelle versteckt haben und weshalb Sie hier sind.«

Sie starrte ihn an.

»Glauben Sie ja nicht, Sie könnten es mir verschweigen«, sagte er lächelnd.

Lieber wollte sie sterben als ihm irgend etwas sagen.

»Es läuft folgendermaßen«, fuhr er fort. »Ich werde Sie sowieso töten. Ich weiß nur noch nicht genau, wie. Wahrscheinlich vor Ariel. Sie hat schon Leichen gesehen, war aber noch nie im entscheidenden Augenblick dabei, um diesen letzten Schrei zu hören, um die plötzliche Nässe zu sehen.«

Chyna versuchte, den Blick auf ihn gerichtet zu halten und keine Schwäche zu zeigen.

»Doch ganz gleich, wie ich Sie erledigen werde«, sagte er, »wenn Sie nicht freiwillig mit mir sprechen, werde ich es Ihnen viel schwerer machen. Manche Dinge, die mir Spaß machen, kann ich tun, bevor oder nachdem Sie sterben. Arbeiten Sie mit mir zusammen, und ich werde sie danach tun.«

Chyna suchte ohne Erfolg nach einem Anzeichen von Wahnsinn in seinen Augen. So ein prächtiger blauer Farbton.

»Nun?«

»Sie sind ein krankes Arschloch.«

»Daß Sie einfach nur langweilig sind, hätte ich von Ihnen nicht erwartet«, sagte er und lächelte wieder.

»Ich weiß, warum Sie ihm die Augen und den Mund zugenäht haben«, sagte sie.

»Ach, also haben Sie ihn im Schrank gefunden.«

»Sie haben ihn vergewaltigt, bevor oder während Sie ihn getötet haben. Sie haben ihm die Augen zugenäht, weil er Sie gesehen hat, und den Mund, weil Sie sich Ihrer Tat schämten und befürchtet haben, er könne es jemandem verraten, obwohl er tot ist.«

»Ich habe keinen Sex mit ihm gehabt«, sagte er ungerührt.

»Lügner.«

»Und wenn ich mit ihm geschlafen hätte, wäre es mir wirklich nicht peinlich. Wissen Sie nicht, daß wir alle bisexuell sind? Manchmal habe ich Lust auf einen Mann, und bei einigen habe ich der Lust nachgegeben. Das sind alles Erfahrungen. Nur Erfahrungen.«

»Zecke.«

»Ich weiß, was Sie vorhaben«, sagte er freundschaftlich und eindeutig erheitert, »aber es wird ganz bestimmt nicht funktionieren. Sie hoffen, daß die eine oder andere Beleidigung mich auf die Palme bringt. Als wäre ich ein schießwütiger Psychopath, der einfach explodiert, wenn Sie mich mit dem richtigen Schimpfwort belegen, den richtigen Knopf drücken, vielleicht meine Mutter beleidigen oder häßliche Dinge über Gott sagen. Sie hoffen, daß ich dann in Rage gerate und Sie schnell töte, damit Sie es hinter sich haben.«

Chyna wurde klar, daß er recht hatte, wenngleich sie sich ihrer Absicht nicht völlig bewußt gewesen war. Ihr Versagen, die Scham und die Hilflosigkeit, an einen Stuhl gefesselt zu sein, hatten ihre Empfindungen auf eine Verzweiflung reduziert, die sie lieber nie kennengelernt hätte. Nun widerte er sie weniger an als sie sich selbst; sie fragte sich, ob sie doch eine Verliererin und ein Feigling war, genau wie ihre Mutter.

»Aber ich bin kein Psychopath«, sagte er.

»Was sind Sie dann?«

»Ach, nennen Sie mich einen ... gemeingefährlichen Abenteurer. Oder vielleicht den einzigen klar denkenden Menschen, den Sie je kennengelernt haben.«

»›Zecke‹ klingt in meinen Ohren besser.«

Er beugte sich auf seinem Stuhl vor. »Das Spiel läuft so: Entweder Sie erzählen mir alles über sich, alles, was ich wissen will, oder ich bearbeite Ihr Gesicht mit einem Messer, während Sie auf diesem Stuhl sitzen. Für jede Frage, die Sie nicht beantworten, werde ich Ihnen ein Stück abschneiden – ein Ohrläppchen, die Spitze Ihrer hübschen Nase. Ich werde an Ihnen schnitzen wie an einem Holzblock.«

Er sagte das nicht drohend, sondern ganz sachlich, und sie wußte, daß er dazu imstande war.

»Es wird den ganzen Tag lang dauern«, sagte er, »und lange, bevor Sie sterben, werden Sie verrückt.«

»Na schön.«

»Was na schön – Gespräch oder Schnitzerei?«

»Gespräch.«

»Braves Mädchen.«

Sie war bereit zu sterben, falls es darauf hinauslaufen sollte, sah jedoch keinen Sinn darin, unnötig zu leiden.

»Wie heißen Sie?« fragte er.

»Shepherd. Chyna Shepherd. C-h-y-n-a.«

»Ach, also doch keine geheimnisvolle Beschwörung.«

»Was?«

»Ein komischer Name.«

»Ach ja?«

»Legen Sie sich nicht mit mir an, Chyna. Weiter.«

»Na schön. Aber darf ich vorher etwas zu trinken haben? Ich bin völlig ausgetrocknet.«

Er holte ihr ein Glas Wasser von der Spüle. Er gab drei Eiswürfel hinein. Er wollte ihr das Glas bringen, blieb dann stehen und sagte: »Ich kann eine Scheibe Zitrone hineintun.«

Sie wußte, daß er keinen Witz machte. Er war von der Pirsch nach Hause zurückgekehrt und war nun dabei, die Rolle des wilden Jägers abzulegen und die des Buchhalters wieder anzunehmen, oder die des Verkäufers, des Grundstückmaklers oder Automechanikers, oder was immer er im normalen Leben tat. Manche Soziopathen konnten eine falsche Persönlichkeit aufsetzen, die überzeugender war als die beste Leistung des besten Schauspielers, der je gelebt hatte, und dieser Mann gehörte wahrscheinlich in diese Kategorie, obwohl er nach dem Auftauchen aus seinen Schlachtorgien eine gewisse Adaptationszeit benötigte, um sich wieder an die Manieren und Höflichkeiten der zivilisierten Gesellschaft zu erinnern.

»Nein, danke«, sagte sie.

»Es macht mir keine Mühe«, versicherte er ihr liebenswürdig.

»Nur Wasser.«

Bevor er das Glas auf den Tisch stellte, schob er einen korkgesäumten Keramik-Untersetzer darunter. Dann nahm er wieder ihr gegenüber am Tisch Platz.

Chyna widerte die Aussicht an, aus einem Glas trinken zu müssen, das er berührt hatte, aber ihr Mund war ausgedörrt, und ihr Hals schmerzte leicht.

Wegen der Fesseln nahm sie das Glas in beide Hände.

Sie wußte, daß er beobachtete, ob sie Anzeichen von Furcht zeigte.

Das Wasser schwappte nicht im Glas. Der Rand des Glases schlug nicht gegen ihre Zähne.

Sie hatte wirklich keine Angst mehr vor ihm, zumindest nicht im Augenblick, wenn auch vielleicht später wieder. Später ganz bestimmt. Nun war ihre Seelenlandschaft eine Wüste unter einem düsteren Himmel: betäubende Einöde, an deren fernem Horizont ein Gewitter wütend flackerte.

Sie trank die Hälfte des Wassers, bevor sie das Glas wieder abstellte.

»Als ich gerade den Raum betrat«, sagte der Mörder, »haben Sie mit gefalteten Händen und gesenktem Kopf am Tisch gesessen. Haben Sie gebetet?«

Sie dachte darüber nach. »Nein.«

»Es ist sinnlos, mich zu belügen.«

»Aber ich lüge nicht. Ich habe in diesem Augenblick nicht gebetet.«

»Aber Sie beten?«

»Manchmal.«

»Gott fürchtet mich.«

Sie wartete.

»*God fears me*«, sagte er. »Diese Worte kann man aus den Buchstaben meines Namens zusammenstellen.«

»Ich verstehe.«

*»Dragon seed.«*

»Aus den Buchstaben Ihres Namens«, sagte sie.

»Ja. Und ... *forge of rage.*«

»Ein interessantes Spiel.«

»Namen sind interessant. Ihrer ist passiv. Ein Ort als Vorname. Und *Shepherd* ... Schäfer, bukolisch, vage christlich. Wenn ich mir Ihren Namen bildlich vorstelle, sehe ich einen asiatischen Bauern mit Schafen auf einem Hügel ... oder einen schlitzäugigen Christus, der die Heiden bekehrt.« Er lächelte, amüsiert über sein spöttisches Geplänkel. »Aber Ihr Name definiert Sie eindeutig sehr schlecht. Sie sind kein passiver Mensch.«

»Ich war einer«, sagte sie, »fast mein ganzes Leben lang.«

»Wirklich? Na ja, gestern nacht waren Sie nicht passiv.«

»Gestern nacht nicht«, stimmte sie zu. »Aber bis dahin.«

»Mein Name hingegen ist ein Machtname. Edgler Foreman Vess.« Er buchstabierte ihn. »Nicht Edgar. Edge-ler. Wie in *on the edge* – am Rande, zur Neige, auf Messers Schneide. Und Vess ... wenn man das Wort in die Länge zieht, klingt es wie das Zischen einer Schlange.«

*»Anger.«*

»Ja, genau. Das ist in meinem Namen – Zorn.«

*»Demon.«*

Ihre Bereitschaft, das Spiel mitzumachen, schien ihn zu erfreuen. »Sie sind ziemlich gut darin, besonders, wenn man bedenkt, daß sie keinen Stift und Papier haben.«

*»Vessel«*, sagte sie. »Auch das ist in Ihrem Namen.«

»Das war einfach. Aber auch *semen.* Samen und Gefäß, männlich und weiblich. Möchten Sie eine Beleidigung daraus fabrizieren, Chyna?«

Anstatt zu antworten, hob sie das Glas und trank die Hälfte des restlichen Wassers. Die Eiswürfel schlugen kalt an ihre Zähne.

»Und jetzt, da Sie Ihre Kehle angefeuchtet haben«, sagte Vess, »möchte ich alles über Sie wissen. Vergessen Sie nicht – die feine Schnitzerei.«

Chyna erzählte ihm alles, angefangen in dem Augenblick, da sie einen Schrei gehört hatte, als sie im Gästezimmer der Templetons am Fenster saß. Sie lieferte ihren Bericht mit monotoner

Stimme ab, nicht aus Berechnung, sondern weil sie plötzlich nicht anders sprechen konnte. Sie versuchte, ihre Betonung zu variieren, Leben in ihre Worte zu bringen – schaffte es aber nicht.

Der Klang ihrer Stimme, welche die Ereignisse der Nacht herunterleierte, verängstigte sie stärker, als Edgler Vess es noch tat. Ihre Erzählung hörte sich an, als trüge eine andere Person sie vor, und diese Stimme gehörte zu einem verzweifelten und besiegten Menschen.

Sie sagte sich, sie sei nicht besiegt, habe noch Hoffnung, würde diesen mörderischen Schweinehund auf die eine oder andere Art erwischen. Aber ihrer inneren Stimme fehlte jede Überzeugungskraft.

Trotz Chynas stumpfsinniger Aufzählung der Ereignisse hörte Vess aufmerksam zu. Anfangs flegelte er sich entspannt zurückgelehnt auf dem Stuhl, doch als Chyna fertig war, hatte er die Arme auf den Tisch gelegt und sich zu ihr hinübergebeugt.

Er unterbrach sie mehrmals, um Fragen zu stellen. Am Ende saß er eine Weile in nachdenklichem Schweigen da.

Sie konnte es nicht ertragen, ihn anzusehen. Sie faltete die Hände auf dem Tisch, schloß die Augen und legte die Stirn auf die nebeneinander liegenden Daumen, wie sie es auch getan hatte, als Vess aus der Waschküche gekommen war.

Auch diesmal betete sie nicht. Es mangelte ihr an der Hoffnung, die für ein Gebet nötig war.

Nach ein paar Minuten hörte sie, daß Vess seinen Stuhl vom Tisch zurückschob. Er stand auf. Sie hörte, daß er sich bewegte, und dann erklang das vertraute Geklapper, das stets mit Küchenarbeit einhergeht.

Sie roch, daß Butter in einer Pfanne erhitzt wurde und dann Zwiebeln schmorten.

Als Chyna ihre Geschichte erzählt hatte, hatte sie den Appetit verloren, und er kehrte auch mit dem Duft der Zwiebeln nicht zurück.

»Komisch«, sagte Vess schließlich, »daß ich Sie bei den Templetons nicht sofort gerochen habe.«

»Das können Sie?« fragte sie, ohne den Kopf von den Händen zu heben. »Sie können Menschen einfach riechen, als wären Sie ein Hund?«

»Normalerweise schon«, sagte er, ohne beleidigt zu sein, und er schien es völlig ernst zu meinen. »Und Sie müssen im Verlauf der Nacht mehr als nur ein Geräusch gemacht haben. *So* geschickt können Sie gar nicht sein. Ich hätte sogar ihren Atem hören müssen.«

Dann kam das Geräusch eines Schneebesens, mit dem die Eier in der Schüssel heftig verquirlt wurden.

Sie roch frisch getoastetes Brot.

»In einem so ruhigen Haus, in dem alles tot ist, hätten Ihre Bewegungen Luftströmungen verursachen müssen. Ein kühler Hauch auf meinem Nacken, die feinen Härchen auf meinen Händen hätten erzittern müssen... Jede Ihrer Bewegungen hätte eine besondere Struktur auf meinen Augen erzeugen müssen. Und als ich durch einen Raum ging, in dem Sie gerade gewesen waren, hätte ich die Luftverdrängung spüren müssen, die Ihre Bewegungen verursacht haben.«

Er war völlig verrückt. So hübsch in seinem Baumwollhemd, mit seinen wunderschönen blauen Augen, das dichte schwarze Haar glatt von der Stirn zurückgekämmt, ein Grübchen in der linken Wange – aber innerlich warzig, vereitert, völlig verfault.

»Meine Sinne sind nämlich ungewöhnlich scharf.«

Wasser floß in die Spüle. Ohne hinzuschauen, wußte sie, daß er den Schneebesen abspülte. Er würde ihn nicht schmutzig beiseite legen.

»Meine Sinne sind so scharf, weil ich mich Gefühlen und Wahrnehmungen vollkommen hingebe«, sagte er. »Die Wahrnehmung ist sozusagen meine Religion.«

Ein Zischen erklang, viel lauter als das Geräusch, mit dem die Zwiebeln angebraten worden waren. Dann ein neuer Geruch.

»Aber Sie waren für mich unsichtbar«, sagte er. »Wie ein Geist. Was ist an Ihnen so besonders?«

»Wäre ich etwas Besonderes«, murmelte sie verbittert gegen die Tischplatte, »dann säße ich wohl kaum in Ketten hier.«

Obwohl Chyna eigentlich gar nicht zu ihm gesprochen hatte und nicht gedacht hätte, daß er sie über dem scharfen Brutzeln der Eier und Zwiebeln hören konnte, sagte Vess: »Da haben Sie wohl recht.«

Als er später die Teller auf den Tisch stellte, hob sie den Kopf und bewegte die Hände.

»Anstatt Sie mit den Händen essen zu lassen, gebe ich Ihnen lieber eine Gabel«, sagte er, »denn Sie haben sicher eingesehen, daß es sinnlos ist, sie nach mir zu werfen, um mir ein Auge auszustechen.«

Sie nickte.

»Braves Mädchen.«

Auf ihrem Teller lag ein pralles Omelett aus vier Eiern, aus dem Cheddar-Käse quoll und in das geröstete Zwiebeln eingebacken waren. Darauf lagen drei feste Tomatenscheiben und ein Gesprenkel gehackter Petersilie. Zwei Scheiben gebutterten Toasts, beide fein säuberlich diagonal in der Mitte durchtrennt, rahmten das Omelett ein.

Er füllte ihr Glas wieder auf und gab zwei weitere Eiswürfel in das Wasser.

Obwohl Chyna vor kurzem noch halb verhungert gewesen war, konnte sie den Anblick von Essen jetzt kaum ertragen. Sie wußte jedoch, daß sie essen mußte, und so stocherte sie in den Eiern herum und knabberte am Toast. Aber sie würde niemals alles aufessen können, was er ihr vorgesetzt hatte.

Vess aß mit Appetit, aber ohne zu schmatzen oder zu schaufeln. Seine Tischmanieren waren tadellos, und er griff häufig nach seiner Serviette, um sich die Lippen abzutupfen.

Chyna befand sich tief in ihrer grauen Innenwelt, und je mehr Vess sein Frühstück zu genießen schien, desto stärker schmeckte ihr Omelett nach Asche.

»Sie könnten ziemlich attraktiv sein, wenn Sie nicht so zerzaust und verschwitzt, Ihr Gesicht nicht so dreckverschmiert und Ihre Haare nicht so strähnig wären. Sehr attraktiv sogar. Ein echtes Schmuckstück unter dem Schmutz. Vielleicht werde ich Sie später baden.«

*Chyna Shepherd, unberührt und lebend.*

Es war furchtbar und unheimlich, als Edgler Vess nach kurzem Schweigen sagte: »Unberührt und lebend.«

Sie *wußte*, daß sie das Gebet nicht laut gesprochen hatte.

»Unberührt und lebend«, wiederholte er. »Haben Sie das nicht gesagt ... auf der Treppe, als Sie zu Ariel hinabgingen?«

Sie starrte ihn sprachlos an.

»Haben Sie es gesagt?«

Schließlich: »Ja.«

»Ich habe mir darüber den Kopf zerbrochen. Sie haben Ihren Namen gesagt und dann diese drei Worte, und nichts davon ergab einen Sinn, solange ich nicht wußte, daß Sie Chyna Shepherd heißen.«

Sie wandte den Blick von ihm ab, schaute zum Fenster. Ein Dobermann streifte auf dem Rasen umher.

»War es ein Gebet?« fragte er.

In ihrer Verzweiflung hatte Chyna geglaubt, er könne ihr keine Angst mehr machen, doch sie hatte sich geirrt. Seine Intuition war erschreckend – und zwar aus Gründen, die sie nicht vollständig verstehen konnte.

Sie wandte dem Blick von dem Dobermann ab und schaute in Vess' Augen. Einen kurzen Moment lang sah sie den Hund darin, ein dunkler und gnadenloser Ausdruck.

»War es ein Gebet?« fragte er erneut.

»Ja.«

»Glauben Sie tief im Herzen, Chyna, ganz tief im Herzen, daß es Gott wirklich gibt? Seien Sie jetzt ehrlich, nicht nur zu mir, sondern auch zu sich selbst.«

Irgendwann – vor gar nicht langer Zeit – war sie sich ihres Glaubens so sicher gewesen, daß sie mit *ja* geantwortet hätte. Nun schwieg sie.

»Und wenn es Gott gibt«, fragte Vess, »weiß er auch, daß es *Sie* gibt?«

Sie nahm einen weiteren Bissen von dem Omelett zu sich. Es kam ihr jetzt fetter vor. Die Eier und die Butter und der Käse waren einfach zu üppig und verklumpten in ihrem Mund, und sie konnte kaum schlucken.

Sie legte die Gabel beiseite. Sie war fertig. Sie hatte nicht mehr als ein Drittel der Mahlzeit gegessen.

Vess aß seinen Teller restlos leer, spülte den letzten Bissen mit Kaffee hinunter, den er ihr nicht angeboten hatte – zweifellos, weil er glaubte, sie würde versuchen, ihm das heiße Gebräu in die Augen zu schütten.

»Sie sehen so sauer aus«, sagte Vess.

Sie antwortete nicht.

»Sie kommen sich wie eine furchtbare Versagerin vor, nicht

wahr? Sie haben die arme Ariel im Stich gelassen, sich selbst und auch Gott, wenn es ihn gibt.«

»Was wollen Sie von mir?« fragte sie. Sie meinte: *Warum tun Sie mir das an, warum bringen Sie mich nicht einfach um, dann habe ich es hinter mir!*

»Das weiß ich noch nicht genau«, sagte Vess. »Was immer ich mit Ihnen tun werde, es muß etwas ganz Besonderes sein. Ich spüre, daß Sie etwas Besonderes sind, ob Sie es nun selbst glauben oder nicht, und was immer wir gemeinsam tun, sollte ... intensiv sein.«

Sie schloß die Augen und fragte sich, ob sie nach all diesen Jahren Narnia wiederfinden konnte.

»Ich kann Ihre Frage, was ich mit Ihnen anstellen will, noch nicht beantworten«, sagte er, »aber ich habe eine genaue Vorstellung davon, was ich mit Ariel tun will. Möchten Sie gern hören, was ich mit ihr vorhabe?«

Höchstwahrscheinlich war sie zu alt, um an irgend etwas zu glauben, und sei es auch nur ein magischer Kleiderschrank.

Vess' Stimme kam aus ihrer grauen Innenwelt, als sei er dort schon genauso zu Hause wie in der Außenwelt: »Ich habe Ihnen eine Frage gestellt, Chyna. Erinnern Sie sich an unsere Abmachung? Sie können Sie entweder beantworten – oder ich schneide Ihnen ein Stück von Ihrem Gesicht ab. Möchten Sie gern hören, was ich mit Ariel vorhabe?«

»Ich bin mir sicher, daß ich es schon weiß.«

»Ja, einen Teil davon. Sex, das ist offensichtlich. Sie ist wirklich knackig. Ich habe sie noch nicht angefaßt, aber das werde ich mir nicht entgehen lassen. Und ich glaube, sie ist noch Jungfrau. In der Zeit, als sie noch sprach, hat sie das zumindest behauptet, und sie kommt mir nicht wie ein Mädchen vor, das mich anlügt.«

Und da gab es einen Wilden Wald hinter dem Fluß, die Wasserratte, den Maulwurf und den Herrn Dachs, grüne Äste, die üppig in der Sommersonne hingen, und Pan, der in den kühlen Schatten unter den Bäumen seine kleine Melodie erklingen ließ.

»Und ich will hören, wie sie schreit, wenn sie völlig hilflos ist. Ich will die Reinheit ihrer Tränen riechen. Ich will die exquisite Struktur ihrer Schreie fühlen, den sauberen Geruch und den Geschmack ihres Entsetzens kennenlernen. Das gehört immer dazu. Immer.«

Weder der träge Fluß noch der Wilde Wald erschienen, obwohl Chyna sich bemühte, sie zu sehen. Ratte, Maulwurf, Herr Dachs und der Kröterich waren den verhaßten Weg alles Irdischen gegangen: Sie waren tot. Und das war auf seine Weise genauso traurig wie das, was mit Laura geschehen war und bald auch mit Chyna geschehen würde.

»Manchmal sperre ich eine von ihnen in den Kellerraum«, sagte Vess. »Und immer zum selben Zweck.«

Sie wollte das nicht hören. Aber die Handschellen machten es ihr schwer, sich die Ohren zuzuhalten. Und hätte sie es versucht, hätte er ihr die Handgelenke an die Knöchel gefesselt. Er würde darauf bestehen, daß sie ihm zuhörte.

»Die intensivsten Erfahrungen meines Lebens haben allesamt in diesem Raum stattgefunden, Chyna. Nicht der Sex. Nicht die Schläge und Schnitte. Das kommt alles später, und es ist nur eine Zugabe. Zuerst breche ich sie, und *das* ist wirklich intensiv.«

Sie bekam Beklemmungen und konnte nur noch flach atmen.

»In den ersten ein oder zwei Tagen glauben sie alle, sie würden vor Angst den Verstand verlieren, aber sie irren sich«, sagte er. »Man braucht länger als einen oder zwei Tage, um jemanden wirklich und unwiederbringlich in den Wahnsinn zu treiben. Ariel ist meine siebte Gefangene, und alle anderen sind wochenlang geistig gesund geblieben. Eine von ihnen ist am achtzehnten Tag zusammengebrochen, aber drei haben volle zwei Monate durchgehalten.«

Chyna gab den flüchtigen Wilden Wald auf und schaute über den Tisch und in seine Augen.

»Psychologische Folter ist viel interessanter und schwerer zu bewerkstelligen als die körperliche Variante, obwohl auch die zweifellos faszinierend sein kann«, sagte Vess. »Der Verstand ist viel stärker als der Körper, eine sehr viel größere Herausforderung. Und ich schwöre, wenn der Verstand schließlich nachgibt, kann ich das *Knacken* hören, viel härter, als wenn ein Knochen bricht – ach, und wie es widerhallt.«

Sie versuchte, das Tier in seinen Augen aufzuspüren, das sie kurz zuvor völlig unerwartet flüchtig zu Gesicht bekommen hatte. Sie *mußte* es sehen.

»Wenn sie zerbrechen, winden sich einige von ihnen auf dem

Boden, schlagen um sich, zerreißen ihre Kleidung. Sie zerren an ihrem Haar, Chyna, und zerkratzen sich das Gesicht, und einige von ihnen beißen sich so kräftig, daß es blutet. Sie verstümmeln sich auf so viele einfallsreiche Weisen. Sie schluchzen unentwegt, können stundenlang, manchmal tagelang, nicht damit aufhören, schluchzen selbst im Schlaf. Sie bellen wie Hunde, Chyna, und kreischen und flattern mit den Armen, als glaubten sie, fliegen zu können. Sie halluzinieren und sehen Dinge, die für sie erschreckender sind, als ich es bin. Manche sprechen wirres Zeug. Das nennt man *Glossolalie*. Kennen Sie den Zustand? Ziemlich faszinierend. Es hört sich wie eine Fremdsprache an, völlig überzeugend, ist aber in Wirklichkeit ohne jede Bedeutung, ein zeterndes oder flehendes Kauderwelsch. Einige können ihre Körperfunktionen nicht mehr kontrollieren und wälzen sich in ihrem Dreck. Unappetitlich, aber sehr fesselnd – der wahre, grundlegende Zustand des Menschseins, den die meisten Leute nur im Wahnsinn eingestehen können.«

So sehr sie sich auch bemühte, Chyna konnte nichts Tierisches in seinen Augen sehen, nur ein friedliches Blau und das aufmerksame Dunkel der Pupille, und sie war sich nicht mehr sicher, daß sie es je gesehen hatte. Er war nicht halb Mensch und halb Wolf, kein Geschöpf, das im Licht des Vollmonds auf alle Viere fiel. Er war schlimmer, war ganz Mensch, zwar am äußersten Ende des Spektrums menschenmöglicher Grausamkeit, aber trotzdem nur ein Mensch.

»Einige suchen Zuflucht in katatonischem Schweigen«, fuhr Vess fort, »wie zum Beispiel Ariel. Aber da hole ich sie jedesmal heraus. Ariel ist die bei weitem starrsinnigste, aber das macht sie gerade interessant. Ich werde auch sie brechen, und wenn ihr großer *Knall* kommt, Chyna, wird er umwerfend sein. Herrlich. Intensiv.«

»Die intensivste Erfahrung überhaupt besteht darin, Gnade zu zeigen«, sagte Chyna und hatte nicht die geringste Ahnung, woher sie diese Worte nahm. Sie klangen wie eine Bitte, und sie wollte nicht, daß er glaubte, sie würde um ihr Leben bitten. Selbst in ihrer Verzweiflung würde sie sich nicht so weit herabwürdigen, daß sie vor ihm kroch.

Ein plötzliches Lächeln ließ Vess fast wie einen Jungen aussehen, einen Burschen, der Wortspiele und Streiche mag, Baseballkarten sammelt, Fahrrad fährt, Modellflugzeuge baut und sonntags als Ministrant neben dem Pfarrer steht. Sie glaubte, er lächle über ihre Worte, amüsiere sich über ihre Naivität, aber dem war nicht so, wie er mit seiner nächsten Bemerkung klarmachte.

»Vielleicht ... will ich von Ihnen«, sagte Vess, »daß Sie bei mir sind, wenn ich Ariel endlich breche. Statt Sie vor ihren Augen zu töten, um sie zu brechen, werde ich sie auf andere Weise in den Wahnsinn treiben. Und Sie können zusehen.«

*O Gott.*

»Sie sind schließlich Psychologiestudentin, fast schon ein richtiger *Magister* der Psychologie, nicht wahr? Sie sitzen da und fällen ein so strenges Urteil über mich, sind absolut davon überzeugt, daß mein Verstand ›anomal‹ ist und Sie genau wissen, was ich denke. Tja, dann wollen wir doch mal sehen, ob wir diese modernen Theorien über die Arbeitsweise des menschlichen Geistes nicht mit einem kleinen Experiment über den Haufen werfen können. Das interessiert Sie doch sicher, oder? Wenn ich Ariel gebrochen habe, könnten Sie eine Abhandlung darüber schreiben, die nur ich lesen werde. Mir könnte es Spaß machen, Ihre wohlerwogenen Betrachtungen zu lesen.«

Lieber Gott, dazu würde es niemals kommen. Sie würde sich so etwas niemals ansehen. Obwohl sie gefesselt war, würde sie eine Möglichkeit finden, Selbstmord zu begehen, bevor er sie in diesen Raum brachte, damit sie zusah, wie dieses hübsche Mädchen ... wie es aufgelöst wurde. Chyna würde sich die Handgelenke aufbeißen, die Zunge verschlucken, stolpern, die Kellertreppe hinunterfallen und sich das Genick brechen, irgend etwas. Irgend etwas.

Vess hatte offensichtlich bemerkt, daß er sie aus ihrer grauen Verzweiflung aufgeschreckt und in nacktes Entsetzen gestürzt hatte. Er lächelte wieder – und richtete seine Aufmerksamkeit auf ihren Teller. »Wollen Sie das nicht mehr aufessen?«

»Nein.«

»Dann esse ich es.«

Er schob seinen leeren Teller beiseite und zog den ihren zu sich heran. Mit ihrer Gabel trennte er einen Bissen des kalten Omeletts ab, steckte ihn in den Mund und stöhnte leise vor Genuß. Langsam, sinnlich, zog Vess die Zinken aus seinem Mund, drückte die

Lippen fest um sie, als sie hinausglitten, und streckte dann die Zunge heraus und leckte ein letztes Mal darüber.

»Ich kann Sie auf der Gabel schmecken«, sagte er, nachdem er den Bissen Ei hinuntergeschluckt hatte. »Ihr Speichel schmeckt gut – abgesehen von einer leicht bitteren Note. Die ist aber sicher kein normaler Bestandteil, sondern die Folge eines übersäuerten Magens.«

Sie konnte nicht entfliehen, indem sie die Augen schloß, also sah sie zu, wie er den Rest ihres Frühstücks verschlang.

Als er fertig war, hatte auch sie eine Frage. »Letzte Nacht ... warum haben Sie die Spinne gegessen?«

»Warum nicht?«

»Das ist keine Antwort.«

»Es ist die beste Antwort auf jede Frage.«

»Dann geben Sie mir die zweitbeste.«

»Kam Ihnen das widerwärtig vor?«

»Ich bin nur neugierig.«

»Sie sehen das zweifellos als negative Erfahrung – eine haarige, sich windende Spinne zu essen.«

»Zweifellos.«

»Aber es gibt keine negativen Erfahrungen, Chyna. Nur Wahrnehmungen. Eine reine Wahrnehmung ist immer völlig wertfrei.«

»Das stimmt nicht.«

»Wenn Sie der Ansicht sind, leben Sie im falschen Jahrhundert. Auf jeden Fall schmeckte die Spinne sehr interessant, und ich verstehe Spinnen jetzt besser. Haben Sie mal etwas von der Weitergabe von Information bei Plattwürmern gehört?«

»Bei Plattwürmern?«

»Sie sind doch auf dem Weg, eine überaus gebildete Frau zu werden, da hätten Sie das in ihrem Biologie-Grundkurs lernen müssen. Es ist nämlich so: Gewisse Plattwürmer können allmählich lernen, ein Labyrinth zu passieren ...«

Ihr fiel es wieder ein, und sie unterbrach ihn. »Wenn man sie dann zerkleinert und an andere Plattwürmer verfüttert, kommen die mit weniger Versuchen durch dasselbe Labyrinth.«

»Gut. Ja.« Vess nickte zufrieden. »Sie absorbieren das Wissen mit dem Fleisch.«

Sie mußte nicht überlegen, wie sie ihre nächste Frage formulieren sollte, denn man konnte Vess weder beleidigen, noch ihm schmeicheln. »Großer Gott, Sie glauben doch nicht allen Ernstes, daß Sie jetzt wissen, wie es ist, eine Spinne zu sein, und daß Ihnen das gesamte Wissen einer Spinne zur Verfügung steht, nur weil Sie sie gegessen haben?«

»Natürlich nicht, Chyna. Würde ich so simpel denken, wäre ich verrückt. Nicht wahr? Dann würde ich in irgendeiner Anstalt sitzen und mit einem Haufen eingebildeter Freunde sprechen. Aber durch meine scharfen Sinne habe ich tatsächlich von der Spinne eine unbeschreibliche Spinnenhaftigkeit absorbiert, die Sie niemals verstehen könnten. Ich habe mein Bewußtsein geschärft und weiß nun genauer als zuvor, daß eine Spinne ein wunderbar konstruierter kleiner Jäger ist, ein Machtgeschöpf. *Spinne* ist nämlich ein Machtwort, auch wenn man es nicht aus den Buchstaben meines Namens bilden kann.« Er zögerte, dachte kurz nach und fuhr dann fort: »Aber man kann es mit den Buchstaben *Ihres* Namens bilden.«

Sie verzichtete darauf, ihn an die affektierte Schreibweise ihres Namens zu erinnern. In den Buchstaben von »Chyna Shepherd« steckte lediglich *spyder.*

»Und es war riskant, eine Spinne zu essen, was beträchtlich zu dem Reiz beigetragen hat«, fuhr Vess fort. »Wenn man kein Entomologe ist, weiß man nie genau, ob eine Gattung giftig ist oder nicht. Einige, wie die Braune Einsiedlerspinne, sind extrem gefährlich. Ein Biß in die Hand ist eine Sache ... aber ich mußte sehr schnell vorgehen und sie an meinem Gaumen zerquetschen, bevor sie mir in die Zunge beißen konnte.«

»Sie gehen gern Risiken ein.«

Er zuckte mit den Achseln. »So ein Typ bin ich nun mal.«

»Hauptsache Nervenkitzel – *on edge.*«

»Worte in meinem Namen«, sagte er anerkennend.

»Und wenn sie Sie in die Zunge gebissen hätte?«

»Schmerz ist wie Vergnügen, nur anders. Lernen Sie, ihn zu genießen, und Sie werden ein glücklicheres Leben führen.«

»Selbst Schmerz ist wertneutral?«

»Klar. Nur eine Wahrnehmung. Er hilft, das Riff der Seele wachsen zu lassen – falls es eine Seele gibt.«

Sie hatte keine Ahnung, wovon er sprach – das Riff der Seele –

und fragte ihn auch nicht. Sie hatte ihn satt. Sie war es satt, ihn zu fürchten, ja sogar, ihn zu hassen. Mit ihren Fragen versuchte sie etwas zu *verstehen*; das hatte sie ihr Leben lang versucht, und sie hatte diese Suche nach den Ursachen gründlich satt. Sie würde nie begreifen, warum manche Leute unzählige kleine Grausamkeiten begingen – oder größere –, und der Kampf um das Verständnis hatte sie erschöpft und innerlich leer, kalt und grau zurückgelassen.

Vess zeigte auf ihren roten und geschwollenen Zeigefinger. »Das muß weh tun«, sagte er. »Und Ihr Nacken auch.«

»Die Kopfschmerzen sind am schlimmsten. Und nichts davon ist gerade angenehm.«

»Nun ja, so auf die Schnelle kann ich Ihnen den Weg der Erleuchtung nicht aufzeigen, Ihnen beweisen, daß Sie falsch liegen. Das erfordert Zeit. Aber es gibt eine kleine Lektion, die man schnell lernen kann...«

Er erhob sich von seinem Stuhl und ging zu einem Gewürzregal neben den Küchenschränken. Zwischen den kleinen Flaschen und Dosen mit Thymian, Gewürznelken, Dill, Muskatnuß, Chilipulver, Ingwer, Majoran und Zimt stand eine Flasche Aspirin.

»Die nehme ich nicht gegen Kopfweh. Ich will den Schmerz auskosten. Aber ich habe immer Aspirin zur Hand, weil ich gelegentlich eine kaue, um den Geschmack zu erleben.«

»Sie schmecken scheußlich.«

»Nur bitter. Bitterkeit kann genauso angenehm wie Süße sein, wenn man erst mal gelernt hat, daß jede Erfahrung, jede Wahrnehmung lohnend ist.«

Er kehrte mit der Flasche Aspirin zurück. Er stellte sie vor ihr auf den Tisch – und nahm ihr das Glas Wasser weg.

»Nein, danke«, sagte sie.

»Auch Bitterkeit hat seinen Platz auf der Welt.«

Sie ignorierte die Flasche.

»Wie Sie wollen«, sagte Vess und räumte die Teller ab.

Obwohl Chyna gern ihre diversen Schmerzen gelindert hätte, weigerte sie sich, das Aspirin anzurühren. Sie hatte das vielleicht irrationale, aber trotzdem starke Gefühl, daß sie in die seltsamen Räume von Edgler Vess' Wahnsinn treten würde, sollte sie – auch aus rein medizinischen Gründen – ein paar dieser Tabletten kauen. Das war eine Schwelle, die sie auf keinen Fall überschreiten wollte, auch nicht mit einem Fuß, auch nicht, wenn der andere weiter fest auf dem Boden der Wirklichkeit stehen blieb.

Er spülte die Teller, Schüsseln, Pfannen und Bestecke mit der Hand. Er ging rationell, aber sorgfältig vor und benutzte dampfend heißes Wasser und jede Menge Geschirrspülmittel mit Zitronengeruch.

Chyna hatte noch eine Frage, die nicht ungestellt bleiben durfte, und schließlich sagte sie: »Warum die Templetons? Warum haben Sie ausgerechnet sie ausgesucht? Das war doch kein Zufall, oder? Sie haben doch nicht einfach aufs Geratewohl mitten in der Nacht dort angehalten?«

»Nein, das war kein Zufall«, bestätigte er und schrubbte die Omelettpfanne mit einem Scheuerschwamm aus Kunststoff. »Vor ein paar Wochen war Paul Templeton geschäftlich hier in der Gegend, und als ...«

»Sie *kannten* ihn?«

»Eigentlich nicht. Er war hier in der Gegend, in der Bezirksstadt, geschäftlich, wie ich schon sagte, und als er etwas aus seinem Portemonnaie nahm, um es mir zu zeigen, fiel eine dieser kleinen Plastikhüllen heraus, Sie wissen schon, mit kleinen Fotos darin, und ich habe sie ihm aufgehoben. Eins der Fotos zeigte seine Frau. Ein anderes Laura. Sie sah so ... frisch und unverdorben aus. Ich habe so was gesagt wie ›Na, das ist aber ein hübsches Mädchen‹, und Paul war natürlich völlig hingerissen, ganz der stolze Papa. Hat mir erzählt, sie würde bald ihren Magister in Psychologie machen, Notendurchschnitt von eins Komma acht und so weiter. Er würde sie noch immer vermissen, obwohl sie schon sechs Jahre aus dem Haus sei und er sich eigentlich daran gewöhnt haben müßte, und er freue sich schon so auf das Monatsende, denn dann würde Laura über ein verlängertes Wochenende nach Hause kommen. Er hat nicht erwähnt, daß sie eine Freundin mitbringen würde.«

Ein Zufall. Heruntergefallene Fotos. Ein beiläufiger Wortwechsel, eine bloße Plauderei.

Die Willkür war atemberaubend und fast mehr, als Chyna ertragen konnte.

Als sie dann zusah, wie Vess gründlich die Arbeitsplatte säuberte, die Abwaschschüssel ausspülte und die Spüle schrubbte, gelangte sie zu der Einsicht, daß das, was der Familie Templeton zugestoßen war, schlimmer war als bloße Willkür. Diese gewaltsamen Todesfälle kamen ihr nun schicksalhaft vor, wie eine unerbittliche Spirale in die ewige Dunkelheit, als seien sie nur für Edgler Vess geboren worden und hätten einzig für ihn gelebt.

Es war, als sei auch sie nur zur Welt gekommen und habe sich bis heute durchs Leben gequält, um diesem seelenlosen Raubtier einen Augenblick kranker Befriedigung zu bescheren.

Der entsetzlichste Aspekt seiner Streifzüge war nicht der Schmerz und die Furcht, die er verursachte, nicht das Blut, nicht die verstümmelten Leichen. Der Schmerz und die Furcht waren verhältnismäßig kurz, wenn man sie mit der alltäglichen Pein und Lebensangst verglich. Das Blut und die Leichen waren nur ein Nachspiel. Das Entsetzlichste war, daß er dem unvollendeten Leben der Menschen, die er tötete, jede Bedeutung stahl, *sich selbst* zum primären Sinn ihrer Existenz machte, sie nicht nur ihrer Zeit, sondern auch der Erfüllung beraubte.

Seine niederträchtigsten Sünden waren Neid – auf Schönheit, auf Glück – und Stolz. Er bog sich die ganze Welt so zurecht, daß sie seinem Bild von der Schöpfung entsprach. Und das waren die schwersten Sünden überhaupt, dieselben Verstöße gegen die Weltordnung, wegen derer der Teufel selbst, einst ein Erzengel, gestrauchelt und aus dem Himmel in die Tiefe gestürzt war.

Während Edgler Vess die Teller, Pfannen und Bestecke aus dem Abtropfgestell nahm, mit dem Geschirrtuch abtrocknete und auf das Regal oder in den Schrank sortierte, sah er so rosig sauber wie ein frisch gebadetes Kind und so unschuldig wie ein Neugeborenes aus. Er roch nach Seife, einem guten, belebenden Aftershave und dem Geschirrspülmittel mit Zitronenduft. Doch trotz allem ertappte Chyna sich bei dem abergläubischen Gedanken, sie könne einen Hauch von Schwefelgestank wahrnehmen.

Jedes Leben führte zu einer Reihe leiser Offenbarungen – oder barg zumindest die Möglichkeit von Offenbarungen in sich –, und Chyna wurde von einer überwältigenden, neuen Trauer überflutet, als sie an diesen grimmigen Aspekt der jäh unterbrochenen Reise der Familie Templeton dachte. Die Freundlichkeit, die sie anderen hätten erweisen können. Die Liebe, die sie hätten schenken können. Die Einsichten, die sie gesammelt und weitergegeben hätten.

Vess war mit dem Saubermachen fertig und kehrte zum Tisch zurück. »Ich habe oben und draußen noch ein paar Dinge zu erledigen – und dann muß ich vier oder fünf Stunden schlafen, wenn ich kann. Ich muß heute abend auf die Arbeit. Ich brauche eine Ruhepause.«

Sie fragte sich, welcher Arbeit er nachging, sagte aber nichts. Wenn sie ihn dazu ermunterte, sprach er vielleicht über seinen Job – oder über seine hartnäckigen Attacken auf Ariels geistige Gesundheit. Im letzteren Fall wollte Chyna nicht wissen, was sie erwartete.

»Seien Sie bitte vorsichtig, wenn Sie sich auf dem Stuhl bewegen. Wenn Sie nicht aufpassen, werden die Ketten das Holz verkratzen.«

»Ich würde doch niemals die Einrichtung entstellen.«

Er betrachtete sie vielleicht eine halbe Minute lang und sagte dann: »Sollten Sie so dumm sein zu glauben, Sie könnten sich befreien, werde ich die Ketten rasseln hören. Dann muß ich zurückkommen, um Sie ruhigzustellen. Sollte das nötig sein, wird Ihnen nicht gefallen, was ich mit Ihnen anstellen werde.«

Sie sagte nichts. Sie war solide gefesselt und fest angekettet. An Flucht war nicht zu denken.

»Selbst wenn es Ihnen irgendwie gelingen sollte, sich von dem Tisch und den Stühlen zu befreien, können Sie sich noch immer nicht schnell bewegen. Und draußen gehen scharfe Hunde auf Streife.«

»Ich habe sie gesehen«, versicherte sie ihm.

»Auch wenn Sie nicht gefesselt wären, würden sie Sie zu Boden reißen und töten, bevor Sie zehn Schritt weit aus der Tür gekommen sind.«

Sie glaubte ihm – doch ihr war nicht klar, warum er die Sachlage so eindringlich betonte.

»Ich habe einmal einen jungen Mann im Garten freigelassen«, sagte Vess. »Er lief direkt zum nächsten Baum und kletterte hinauf und hatte nur einen bösen Biß in die rechte Wade und einen Kniff in den linken Knöchel abbekommen. Er hielt sich an den Ästen fest und dachte, er wäre eine Weile in Sicherheit, während die mein Zweiundzwanziger-Gewehr geholt und ihm von der hinteren Veranda aus ins Bein geschossen. Er fiel aus dem Baum, und vielleicht eine Minute später war alles vorbei.«

Chyna sagte nichts. Es gab Augenblicke, da Kommunikation mit diesem verhaßten Ding genauso unmöglich schien wie eine Diskussion über die Vorzüge Mozarts mit einem Hai. Das war einer dieser Momente.

»Gestern nacht waren Sie für mich unsichtbar«, sagte er.

Sie wartete.

Sein Blick glitt über sie, und er schien nach einem losen Glied in einer der Ketten oder einer unverschlossenen Handschelle zu suchen, die ihm bislang entgangen war. »Wie ein Geist.«

Sie wußte nicht genau, ob man überhaupt erahnen konnte, was dieses Ding dachte – aber im Augenblick schien es sich irgendwie davor zu scheuen, sie allein zu lassen. Und sie konnte sich beim besten Willen nicht vorstellen, warum.

»Bleiben Sie ruhig sitzen?«

Sie nickte.

»Braves Mädchen.«

Er ging zur Tür zwischen der Küche und dem Wohnzimmer.

Als ihr klar wurde, daß sie noch über etwas sprechen mußten, sagte sie: »Bevor Sie gehen ...«

Er drehte sich um und sah sie an.

»Können Sie mich zur Toilette bringen?« fragte sie.

»Es macht im Augenblick zu viel Mühe, die Ketten zu öffnen«, sagte er. »Pinkeln Sie in die Hose, wenn es nicht anders geht. Ich werde Sie später sowieso saubermachen. Und ich kann ja neue Sitzkissen kaufen.«

Er schob sich durch die Tür ins Wohnzimmer und war verschwunden.

Chyna wollte um jeden Preis die Schmach vermeiden, im eigenen Urin zu sitzen. Sie verspürte einen schwachen Drang, doch er war noch nicht beharrlich. Später würde sie jedoch Schwierigkeiten bekommen.

Wie seltsam – daß ihr noch immer daran gelegen war, Erniedrigungen zu vermeiden, und sie noch an die Zukunft denken konnte.

In der Mitte des Wohnzimmers bleibt Mr. Vess stehen und lauscht, ob die Frau in der Küche sich bewegt. Er hört die Ketten nicht scheppern. Er wartet. Und noch immer kein Geräusch. Die Stille beunruhigt ihn.

Er ist sich nicht sicher, was er von ihr halten soll. Jetzt weiß er so viel über sie – und sie birgt noch immer Geheimnisse.

Nachdem er sie gefesselt und vollständig unter seine Kontrolle gebracht hat, kann sie ganz bestimmt nicht mehr sein geplatzter Reifen sein. Sie riecht nach Verzweiflung und Niederlage. In ihrer resignierten Stimme sieht er das Grau von Asche, spürt er das Gewebe eines Leichentuchs. Sie ist so gut wie tot und hat sich damit abgefunden. Und dennoch...

Aus der Küche kommt das Klimpern von Ketten. Nicht laut, kein heftiges Aufbäumen gegen ihre Fesseln. Nur ein leises Klappern, als sie ihr Gewicht verlagert – vielleicht, um die Schenkel dicht zusammenzudrücken, um gegen den Harndrang anzugehen.

Mr. Vess lächelt.

Er geht nach oben auf sein Zimmer. Vom obersten Regal, ganz hinten in dem begehbaren Schrank, holt er ein Telefon herunter. Im Badezimmer stöpselt er es in eine Buchse in der Wand und macht zwei Anrufe, um die Leute wissen zu lassen, daß er von seinem dreitägigen Urlaub zurück ist und heute abend seinen Dienst wieder antreten wird.

Obwohl er davon ausgeht, daß die Dobermänner während seiner Abwesenheit niemanden ins Haus lassen, besitzt Vess nur zwei Telefone und versteckt sie in den Schränken, wenn er nicht zu Hause ist. In dem extrem unwahrscheinlichen Fall, daß es einem Eindringling gelingen sollte, an den angreifenden Hunden vorbei lebend ins Haus zu kommen, wird er dann keine Hilfe rufen können.

In letzter Zeit hat Mr. Vess über die Gefahren von Handys nachgedacht. Man kann sich zwar kaum vorstellen, daß ein Einbrecher ein Mobiltelefon mit sich trägt, um aus einem Haus, in dem er von Wachhunden belagert wird, die Polizei anzurufen und um Hilfe zu bitten, aber es sind schon seltsamere Dinge geschehen. Hätte Chyna Shepherd in der vergangenen Nacht im Honda des Verkäufers ein Handy gefunden, würde sie jetzt nicht gefesselt in der Küche sitzen.

Die technische Revolution macht das Leben hier, am Ende des Jahrtausends, recht annehmlich und bietet große Möglichkeiten, hat aber auch gefährliche Seiten. Dank seiner Computerkenntnisse hat er seine Fingerabdruck-Dateien erfolgreich verändern können mit dem Effekt, daß er Orte wie das Haus der Templetons nun ohne Handschuhe aufsuchen und damit die volle Sinnlichkeit der Erfahrung auskosten kann. Aber ein Mobiltelefon zur falschen Zeit in den falschen Händen könnte ganz plötzlich zur intensivsten Erfahrung seines Lebens führen – und zur letzten. Manchmal sehnt er sich nach der einfacheren Zeit, in der Jack the Ripper lebte, oder der großartige Ed Gein, der *Psycho* inspirierte, oder Richard Speck; er träumt sehnsüchtig von der unkomplizierten Welt vergangener Jahrzehnte und von Schlachtfeldern, auf denen nicht so viele Menschen seines Typs herumtrampelten.

Die elektronischen Nachrichtenmedien haben, indem sie fieberhaft hohen Einschaltquoten hinterherjagen, jede Story hochputschen, die mit Blut geschrieben wird, Killer zu Berühmtheiten machen und sich bei berühmten Killern einschmeicheln, womöglich weitere Angehörige seiner klar denkenden Art hervorgebracht. Aber sie haben auch die Schafe beunruhigt. Zu viele in der Herde schielen wachsam in alle Richtungen und laufen beim ersten Anzeichen von Gefahr davon.

Aber bisher hat ihm das nicht den Spaß verdorben.

Nachdem er die Anrufe erledigt hat, geht Mr. Vess zum Wohnmobil. In einer Schublade in dessen Einbauküche liegen die Nummernschilder, die Schrauben und Muttern, mit denen er sie befestigen kann, und ein Schraubenzieher.

Auf die eine oder andere Weise sucht Mr. Vess seine primären Opfer, wie die Familie Templeton, normalerweise zwei oder drei Wochen vor einer seiner Expeditionen sorgfältig aus. Und obwohl er manchmal lebende Beute für den Kellerraum mitbringt, fährt er fast immer weit über die Grenzen von Oregon hinaus, um das Risiko zu minimieren, daß seine beiden Leben – guter Bürger und gemeingefährlicher Abenteurer – sich im unpassenden Augenblick überschneiden. (Zwar hat er diese Methode bei Laura Templeton nicht angewendet, aber im allgemeinen ist das verstohlene Stöbern in den Computerdateien der riesigen Zulassungsstelle im benachbarten Kalifornien ein ausgezeichneter Weg, attraktive

Frauen ausfindig zu machen. Die Fotos ihrer Führerscheine – nur Porträtaufnahmen – befinden sich in den Dateien des Amtes. Zusätzlich zu den Fotos finden sich Angaben über Alter, Größe und Gewicht der Frauen – nützliche Hilfsgrößen, die es Vess ermöglichen, unannehmbare Kandidatinnen auszusortieren, so zum Beispiel Großmütter, die auf uralten Fotos noch jugendlich aussehen, oder kleine, dicke Frauen mit schmalen Gesichtern. Und obwohl einige Leute als Adresse nur ihr Postfach angeben, findet sich bei den meisten die Straßenanschrift; dann braucht Mr. Vess nur noch ein paar gute Stadtpläne.) Am Ende seiner Fahrt, wenn er noch siebzig, achtzig Kilometer vom Wohnsitz des Opfers entfernt ist, schraubt er die Nummernschilder vom Wohnmobil ab. Er legt Wert darauf, schon weit vom Schauplatz seines Spiels entfernt zu sein, wenn jemand dessen Überreste findet. Später könnte er also nur aufgespürt werden, wenn jemand in der Nachbarschaft des Opfers das Wohnmobil bemerkt, einen Blick auf das Nummernschild wirft, obwohl es völlig harmlos wirkt, und – schon wieder der verdammte geplatzte Reifen – zufällig ein fotografisches Gedächtnis hat. Daher bringt er die Nummernschilder erst wieder an, wenn er unbehelligt nach Oregon zurückgekehrt ist.

Würde ein Polizist ihn wegen einer Geschwindigkeitsüberschreitung oder eines anderen Verkehrsdelikts anhalten und auf die fehlenden Nummernschilder ansprechen, würde Mr. Vess Überraschung zum Ausdruck bringen und behaupten, sie müßten aus Gott weiß was für Gründen gestohlen worden sein. Er ist ein guter Schauspieler; seine Verwirrung würde überzeugend wirken. Ergäbe sich die Gelegenheit, den Cop zu töten, ohne sich damit ernsthaft in Gefahr zu bringen, würde er es tun. Und böte sich diese Gelegenheit nicht, könnte er höchstwahrscheinlich auf eine schnelle Lösung des Problems hoffen, indem er sich auf kollegiale Solidarität beruft.

Nun geht er in die Hocke und bringt eins der Nummernschilder auf dem dafür vorgesehenen Rechteck vorn am Fahrzeug an.

Nacheinander kommen die Hunde zu ihm, schnüffeln an seinen Händen und seiner Kleidung und sind vielleicht enttäuscht, nur die Gerüche von Aftershave und Geschirrspülmittel entdecken zu können. Sie hungern nach Aufmerksamkeit, sind aber im Dienst. Keiner von ihnen bleibt lange, jeder nimmt nach einem

Tätscheln des Kopfes, einem Kraulen hinter den Ohren und einem freundlichen Wort seinen Rundgang wieder auf.

»Braver Hund«, sagt Mr. Vess zu jedem. »Braver Hund.«

Als er das vordere Nummernschild angebracht hat, steht er auf, streckt sich und gähnt, während er sein Reich betrachtet.

Zumindest auf Bodenhöhe hat der Wind sich gelegt. Die Luft ist ruhig und feucht. Sie riecht nach nassem Gras, Erde, verfaulenden abgestorbenen Blättern und Kiefernwald.

Nachdem es zu regnen aufgehört hat, hebt sich Nebel von den Ausläufern der Hügel und den niedrigen Flanken der Berge hinter dem Haus. Er kann weder die Gipfel der Bergkette im Westen noch die Schneedecke sehen, die noch auf den höheren Hängen liegt. Doch direkt über ihm und im Osten, wo der Nebel sich schon verzogen hat, sind die Wolken eher grau als gewitterschwarz, ein weiches Maulwurfsgrau, und ein kräftiger Höhenwind treibt sie schnell in südöstliche Richtung. Wie er es Ariel versprochen hat, kann man um Mitternacht vielleicht Sterne und sogar den Mond sehen, dessen Licht das hohe Gras der Wiese erhellt und in den milchigen Augen der toten Laura leuchtet.

Mr. Vess geht zum Heck des Wohnmobils, um das zweite Nummernschild anzubringen – und entdeckt seltsame Spuren auf der Auffahrt. Während er dasteht und sie betrachtet, legen sich tiefe Runzeln auf seine Stirn.

Die Auffahrt besteht aus Schiefer, doch während schwerer Wolkenbrüche wird Erde aus dem Garten gespült, durch den sie führt. Hier und da bildet sie eine dünne Haut auf dem Stein, nicht schlammig, aber dunkel und dicht.

In dieser Haut aus Morast befinden sich Hufabdrücke, vielleicht die eines Hirsches. Eines großen Hirsches. Er hat die Auffahrt mehr als einmal gekreuzt.

Er entdeckt eine Stelle, an der das Tier eine Weile stand und mit den Hufen scharrte.

In dem Schlamm sind keine Reifenspuren zu sehen; der Regen, der fiel, als er nach Hause kam, hat sie ausgelöscht. Offensichtlich sind die Spuren des Tiers erst nach dem Sturm entstanden.

Er geht neben ihnen in die Hocke und legt die Finger auf den kalten Schlamm. Er fühlt die Härte und Glätte der Hufe, welche diese Spuren eingeprägt haben.

Die nahen Hügel und Wälder wimmeln geradezu vor Wild, doch da die Tiere Angst vor den Dobermännern haben, wagen sie sich nur selten auf Mr. Vess' Grundstück.

Das ist das Eigentümlichste an den Hirschspuren: In ihrer Nähe finden sich keine Pfotenabdrücke der Hunde.

Die Dobermänner wurden darauf ausgebildet, sich auf menschliche Eindringlinge zu konzentrieren und das Wild so weit wie möglich zu ignorieren. Ansonsten wären sie in einem Augenblick, der für die Sicherheit ihres Herrn von Belang ist, vielleicht abgelenkt. Sie gehen niemals auf Kaninchen, Eichhörnchen oder Opossums los – oder gar Rehe –, wenn nicht starker Hunger sie dazu treibt. Sie jagen sie nicht mal spielerisch.

Dennoch schenken die Hunde anderen Tieren Beachtung, die ihre Wege kreuzen. Soweit ihre Ausbildung es zuläßt, geben sie ihrer Neugier nach.

Sie hätten sich diesem Hirsch genähert und ihn eingekreist, als er hier stand. Entweder wäre das Tier vor Furcht wie gelähmt gewesen, oder es wäre davongelaufen. Und danach wären die Hunde die Einfahrt auf und ab gelaufen und hätten an der Fährte geschnüffelt.

Doch zwischen den Hufeindrücken ist kein einziger Pfotenabdruck zu sehen.

Mr. Vess reibt seine schmutzigen Fingerspitzen aneinander, erhebt sich zu voller Größe, dreht sich langsam einmal im Kreis und sucht dabei die Umgebung mit Blicken ab. Die Wiesen im Norden und die fernen Nadelwälder dahinter. Die Auffahrt, die nach Osten zu dem kahlen Hügel führt. Der Garten im Süden, dahinter weitere Wiesen und erneut Wald. Schließlich die Wiese hinter der Scheune, dann die Ausläufer der Hügel. Der Hirsch – falls es einer war – ist fort.

Edgler Vess steht reglos da. Lauscht. Hält Ausschau. Atmet tief ein, nimmt Gerüche auf. Dann holt er eine Weile durch den offenen Mund Luft und versucht sie mit der Zunge zu schmecken. Er spürt die feuchte Luft wie die klamme Haut einer Leiche auf seinem Gesicht. All seine Sinne sind weit geöffnet, bis zum Maximum aufgeblendet, und die vom Regen frisch gewaschene Welt sickert in sie hinein.

Aber er kann an diesem Morgen nichts Bedrohliches ausmachen.

Als Vess das Nummernschild am Heck des Wohnmobils anbringt, trottet Tilsiter zu ihm. Der Hund drückt die Schnauze gegen den Nacken seines Herrn.

Vess ermuntert den Dobermann, bei ihm zu bleiben. Als er mit dem Nummernschild fertig ist, schickt er Tilsiter zu der nahen Wildspur.

Der Hund scheint die Fährte nicht zu sehen. Oder er sieht sie, hat aber nicht das geringste Interesse an ihr.

Vess führt ihn zu der Spur, direkt auf die Abdrücke. Erneut zeigt er auf sie.

Da Tilsiter offenbar verwirrt ist, legt Vess die Hand auf den Hinterkopf des Hundes und drückt seine Schnauze direkt in einen der Abdrücke.

Der Dobermann nimmt endlich einen Geruch auf, schnüffelt eifrig, winselt vor Aufregung – und kommt dann zu dem Schluß, daß ihm nicht gefällt, was er riecht. Er windet sich unter der Hand seines Herrn hervor, weicht zurück und schaut verlegen drein.

»Was ist los?« sagte Vess.

Der Hund leckt seine Lefzen. Er wendet den Blick von Vess ab, schaut zu den Wiesen, der Auffahrt, dem Hof. Er sieht Vess wieder an, trottet dann aber los und setzt seinen Rundgang in südliche Richtung fort.

Die Bäume tropfen noch immer. Nebel steigt auf. Die leergeregneten Wolken jagen gen Südosten.

Mr. Vess entschließt sich, Chyna Shepherd sofort zu töten.

Er wird sie in den Garten zerren, sie zwingen, sich bäuchlings auf das Gras zu legen, und ihr ein paar Kugeln in den Hinterkopf schießen. Er muß heute abend arbeiten, und davor muß er noch ein paar Stunden schlafen; also hat er leider keine Zeit, ein langsames Töten zu genießen.

Wenn er dann später nach Hause kommt, kann er sie im Garten begraben, während die vier Hunde zusehen und die Insekten im hohen Gras singen und die größeren die kleineren verzehren. Er wird Ariel zwingen, alle Leichen zu küssen, bevor sie auf ewig im Boden verschwinden – und das alles im Licht des Mondes, falls er scheint.

Jetzt aber schnell. Sie erledigen und schlafen.

Als er zum Haus eilt, bemerkt er, daß er den Schraubenzieher noch in der Hand hält. Wenn er diesen Gegenstand statt der Pistole benutzt, wird es vielleicht interessanter, wenngleich es damit natürlich langsamer geht.

Die steinerne Treppe hinauf auf die Veranda, wo der Finger der Anwältin aus Seattle in der kühlen, windstillen Luft stumm zwischen den Muscheln hängt.

Er macht sich nicht die Mühe, seine Füße abzutreten, ein seltener Bruch mit einer geradezu zwanghaften Gewohnheit.

Als er die Tür öffnet und ins Haus tritt, gesellt sich zum Quietschen des Scharniers das Geräusch seines zerrissenen Atems. Er schließt die Tür wieder und hört überrascht, daß seine donnernden Herzschläge einander jagen.

Er hat nie Angst, nie. Doch diese Frau hat ihn nun schon mehr als einmal *verunsichert.*

Ein paar Schritte in den Raum, dann bleibt er stehen und reißt sich zusammen. Nun, da er sich im Haus befindet, ist ihm nicht mehr klar, warum es ihm so wichtig vorkam, sie sofort zu töten.

Intuition.

Aber seine Intuition hat ihn noch nie dermaßen undeutlich angebrüllt wie jetzt, und die Nachricht stürzt ihn in einen Konflikt. Die Frau ist etwas Besonderes, und er will sie unbedingt auf besondere Art und Weise benutzen. Ihr einfach nur zwei Kugeln in den Hinterkopf zu jagen oder den Schraubenzieher ein paarmal in sie hineinzustecken wäre eine furchtbare Verschwendung ihres Potentials.

Er hat nie Angst, nie.

Schon allein der Umstand, daß er dermaßen beunruhigt ist, ist eine Provokation für sein positives Selbstbild. Die Dichterin Sylvia Plath, deren Werk in Mr. Vess ungewöhnlich zwiespältige Empfindungen auslöst, hat einmal geschrieben, die Welt werde von Panik beherrscht, »Panik mit einem Hundegesicht, einem Teufelsgesicht, einem Hexengesicht, einem Hurengesicht, gesichtslose Panik in Großbuchstaben, überall herrscht Johnny Panik, ob er nun schläft oder wacht«. Aber Johnny Panik beherrscht Edgler Vess nicht, wird ihn niemals beherrschen, weil Mr. Vess sich keine Illusionen über die Natur des Daseins macht, keinen Zweifel am Sinn seiner Existenz hegt und es in seinem Leben keinen einzigen

Augenblick gibt, der neu gedeutet werden muß, wenn er einmal Zeit für besinnliche Gedanken hat.

Gefühle.

Erfahrungen.

Intensität.

Wenn er Angst hat, kann er nicht intensiv leben, denn Johnny Panik unterdrückt Spontaneität und Experimente. Daher wird er dieser geheimnisvollen Frau nicht erlauben, ihn zu verwirren.

Als sowohl sein Atem als auch sein Herzschlag sich normalisiert haben, dreht er den gummiüberzogenen Griff des Schraubenziehers immer wieder in der Hand und betrachtet die kurze, stumpfe Schneide am Ende des langen Stahls.

Schon als Vess in die Küche kam, noch bevor er etwas sagte, spürte Chyna, daß er sich verändert hatte und nicht mehr der Mann war, den sie bislang gekannt hatte. In solch einer Stimmung hatte sie ihn bisher noch nicht erlebt, auch wenn der Unterschied so fein war, daß sie ihn nicht genau definieren konnte.

Er näherte sich dem Tisch, als wolle er sich setzen, blieb dann aber kurz vor seinem Stuhl stehen. Stirnrunzelnd und stumm starrte er sie an.

In der rechten Hand hielt er einen Schraubenzieher. Unaufhörlich rollte er den Griff zwischen den Fingern, als wolle er eine imaginäre Schraube festziehen.

Hinter ihm lagen Erdklümpchen auf dem Boden. Er war mit schmutzigen Schuhen ins Haus gekommen.

Sie wußte, daß sie auf keinen Fall als erste etwas sagen durfte. Sie befanden sich an einer seltsamen Wegscheide, an der Worte nicht mehr die gleiche Bedeutung wie zuvor hatten und die unschuldigste Erklärung eine Aufforderung zur Gewalt sein konnte.

Noch vor kurzem hätte sie es vorgezogen, daß er sie schnell tötete, und versucht, einen seiner gemeingefährlichen Impulse auszulösen. Sie hatte sich auch überlegt, wie sie trotz des Umstands, daß sie gefesselt war, Selbstmord begehen konnte. Nun hielt sie die Zunge im Zaum, um ihn nicht unabsichtlich zu reizen.

Offensichtlich hegte sie selbst in ihrer Verzweiflung ein kleines, aber hartnäckiges Fünkchen Hoffnung, das sich grau getarnt hatte, so daß sie es nicht sehen konnte. Eine dumme Verleugnung. Eine elende Sehnsucht nach einer weiteren Chance. Hoffnung, die ihr immer erhebend vorgekommen war, schien nun so entmenschlichend wie fieberhafte Gier zu sein, so schmutzig wie Lust, nur ein animalischer Hunger, weiterzuleben, was es auch koste.

Sie war an einem tiefen, öden Ort.

»Gestern nacht«, sagte Vess schließlich.

Sie wartete.

»Im Wald mit den Mammutbäumen.«

»Ja?«

»Haben Sie da etwas gesehen?« fragte er.

»Was gesehen?«

»Etwas Seltsames?«

»Nein.«

»Sie müssen etwas gesehen haben.«

Sie schüttelte den Kopf.

»Die Elche«, sagte er.

»Ach. Ja, die Elche.«

»Eine ganze Herde.«

»Ja.«

»Sie sind nicht der Ansicht, daß sie etwas Besonderes waren?«

»Küstenelche. Die kommen in dieser Gegend vor.«

»Aber diese Tiere schienen fast zahm zu sein.«

»Vielleicht, weil ständig Touristen durch den Park fahren.«

Den Schraubenzieher noch immer langsam drehend, dachte er über ihre Erklärung nach. »Vielleicht.«

Chyna sah, daß die Finger seiner rechten Hand mit einer getrockneten Schmutzschicht überzogen waren.

»Ich kann jetzt ihr Moschus riechen«, sagte er, »die Struktur ihrer Augen sehen, hören, wie das Grün der Farne um sie herum schwingt, und es ist ein kaltes, dunkles Öl in meinem Blut.«

Darauf war keine Antwort möglich, und so schwieg sie.

Vess senkte den Blick von Chynas Augen zur Spitze des Schraubenziehers – und dann zu seinen Schuhen. Er schaute über seine Schulter und sah den Dreck auf dem Boden.

»So nicht«, sagte er.

Er zog die Schuhe aus und trug sie in die Waschküche, um sie später dort zu putzen.

Er kehrte mit nackten Füßen zurück und tilgte mit Papierküchentüchern und einer Flasche Windex jede Spur der Erde von den Fliesen. Dann reinigte er im Wohnzimmer den Teppich mit einem Staubsauger.

Diese häuslichen Pflichten beanspruchten ihn etwa fünfzehn Minuten lang, und als er fertig war, befand er sich nicht mehr in der Stimmung, die ihn beherrscht hatte, als er die Küche betreten hatte. Die Hausarbeit schien seine Schwermut wegzuscheuern.

»Ich werde jetzt nach oben gehen und schlafen«, sagte er. »Sie werden leise sein und möglichst wenig mit den Ketten rasseln.«

Sie sagte nichts.

»Sie werden leise sein, oder ich werde runterkommen und Ihnen anderthalb Meter Kette in den Arsch schieben.«

Sie nickte.

»Braves Mädchen.«

Er verließ den Raum.

Der Unterschied zwischen Vess' üblichem Verhalten und seiner derzeitigen Stimmung war Chyna nicht entgangen. Ein paar Minuten lang hatte er sein übliches Selbstvertrauen verloren. Nun hatte er es zurückgewonnen.

Mr. Vess schläft immer nackt, um leichter träumen zu können.

Im Schlummerland sind alle Leute nackt, denen er begegnet, ob sie nun in prachtvoller Nässe unter ihm zerrissen werden oder in einem Rudel mit ihm durch hohe Schatten und hinab ins Mondlicht laufen. In seinen Träumen herrscht eine Hitze, die Kleidung nicht nur überflüssig macht, sondern jeden Gedanken an Kleider aus ihm herausbrennt, so daß es in der Traumwelt viel natürlicher als in der richtigen ist, nackt zu laufen.

Er leidet nie unter Alpträumen. Das kommt daher, daß er in seinem Alltag den Ursachen seiner Verspannungen ins Auge sieht und sich mit ihnen befaßt. Nie lastet Schuld auf seinen Schultern. Er ist nicht vom Urteil anderer abhängig und läßt sich nicht von dem beeinflussen, was sie von ihm halten. Er weiß, wenn sich etwas, das er tun möchte, richtig *anfühlt, ist* es auch richtig. Er versucht immer mit sich im reinen zu bleiben, denn um ein erfolgreicher Mensch zu sein, muß man sich zuerst selbst mögen. Dementsprechend geht er stets mit einem klaren Kopf und einem sorgenfreien Herz ins Bett.

Nun, ein paar Sekunden, nachdem er den Kopf auf das Kissen gelegt hat, schläft Mr. Vess ein. Von Zeit zu Zeit bewegen seine Beine sich unter den Laken, als würde er etwas jagen.

Einmal sagt er, fast ehrfürchtig, »Vater« im Schlaf, und das Wort hängt wie eine Blase in der Luft – was seltsam ist, denn als Edgler Vess neun Jahre alt war, hat er seinen Vater verbrannt.

Unter dem Rasseln der Ketten beugte Chyna sich hinab und hob das zusätzliche Kissen vom Boden neben sich auf. Sie legte es auf den Tisch, sank vor und legte den Kopf darauf.

Der Küchenuhr zufolge war es Viertel vor zwölf. Sie war seit über vierundzwanzig Stunden wach, von den paar Minuten einmal abgesehen, die sie im Wohnmobil gedöst hatte und bewußtlos gewesen war, nachdem Vess sie niedergeschlagen hatte.

Obwohl sie erschöpft und vor lauter Verzweiflung ganz empfindungslos war, rechnete sie nicht damit, einschlafen zu können. Doch sie hoffte, wenn sie die Augen geschlossen hielt und ihre Gedanken zu angenehmeren Zeiten treiben ließ, würde sie sich vielleicht von dem leichten, aber allmählich stärker werdenden Druck ihrer Blase und den Schmerzen in ihrem Nacken und Zeigefinger ablenken können.

Sie ging gerade durch einen Wind voller zerfetzter roter Blüten und hatte seltsamerweise keine Angst vor der Dunkelheit und den Blitzen, die sie manchmal zerrissen, als sie plötzlich geweckt wurde, nicht von einem Donnerschlag, sondern von dem Geräusch, mit dem eine Schere Papier durchschnitt.

Sie hob den Kopf vom Kissen und setzte sich auf. Das Neonlicht brannte in ihren Augen.

Edgler Vess stand am Spülbecken und schnitt eine große Tüte Kartoffelchips auf.

»Ah«, sagte er, »Sie sind wach, Sie Schlafmütze.«

Chyna schaute auf die Uhr. Zwanzig Minuten vor fünf.

»Ich dachte schon, ich brauche eine Blaskapelle, um Sie zu wecken«, sagte er.

Sie hatte fast fünf Stunden geschlafen. Ihre Augen waren verklebt, und sie hatte einen säuerlichen Geschmack im Mund. Sie konnte ihre Körperausdünstungen riechen und kam sich schmierig vor.

Sie hatte sich im Schlaf nicht die Hosen naß gemacht und verspürte kurz ein absurdes Triumphgefühl, weil sie nicht auf diese noch tiefere Ebene der Erniedrigung hinabgesunken war. Dann wurde ihr klar, wie pathetisch es war, sich ihrer Kontinenz zu rühmen, und ihr graues Innere verdunkelte sich um eine oder zwei Stufen.

Vess trug schwarze Stiefel, eine Khakihose, einen schwarzen Gürtel und ein weißes T-Shirt.

Seine Arme waren muskulös. Gewaltig. Sie würde niemals erfolgreich gegen diese Arme ankämpfen können.

Er trug einen Teller zum Tisch. Er hatte ihr ein Sandwich gemacht. »Schinken und Käse mit Senf.«

Zwischen den Brotkanten ragte der Rand eines Salatblatts hervor. Er hatte zwei Spießchen mit Dillgurken neben das Sandwich gelegt.

»Ich habe keinen Hunger«, sagte Chyna, als Vess die Tüte Kartoffelchips auf den Tisch legte.

»Sie müssen essen«, sagte er.

Sie schaute aus dem Fenster auf den tiefen Garten, über den sich bald die Dämmerung senken würde.

»Wenn Sie nicht essen«, sagte er, »werde ich Sie irgendwann zwangsernähren müssen.« Er hob die Aspirinflasche hoch und schüttelte sie, um ihre Aufmerksamkeit zu bekommen. »Haben sie geschmeckt?«

»Ich habe keine genommen«, sagte sie.

»Ah, dann lernen Sie, Ihren Schmerz zu genießen.«

Er schien so oder so zu gewinnen.

Er brachte die Flasche weg und kam mit einem Glas Wasser zurück. »Sie müssen den Nieren genug zu tun geben, oder sie werden atrophieren.«

»Wurden Sie als Kind mißbraucht?« fragte Chyna, während Vess die Arbeitsplatte abwischte, auf der er das Sandwich gemacht hatte, und haßte sich sofort, weil sie die Frage gestellt hatte und noch immer versuchte, ihn zu verstehen.

Vess lachte und schüttelte den Kopf. »Das ist kein Lehrbuch, Chyna. Das ist das wirkliche Leben.«

»Wurden Sie mißbraucht?«

»Nein. Mein Vater war Buchhalter in Chicago. Meine Mutter

hat in einem Kaufhaus als Verkäuferin von Damenbekleidung gearbeitet. Sie haben mich geliebt. Haben mir zu viel Spielzeug mitgebracht, mehr, als ich gebrauchen konnte, besonders, da ich es vorzog, mit ... anderen Dingen zu spielen.«

»Mit Tieren«, sagte sie.

»Das stimmt.«

»Und bevor die Säugetiere dran waren, mit Insekten und anderen kleinen Lebewesen wie Goldfischen oder Schildkröten.«

»Steht das in Ihren Lehrbüchern?«

»Das ist das früheste und schlimmste Anzeichen. Das Foltern von Tieren.«

Er zuckte mit den Achseln. »Es hat Spaß gemacht ... zuzusehen, wie das dumme Ding sich in seinen brennenden Panzer zurückzog. Wirklich, Chyna, Sie müssen lernen, diese kleinkarierten Wertvorstellungen hinter sich zu lassen.«

Sie schloß die Augen und hoffte, er würde zur Arbeit fahren.

»Auf jeden Fall haben meine Eltern mich geliebt. Sie gaben sich *der* Täuschung der Menschheit völlig hin. Als ich neun Jahre alt war, habe ich ein Feuer gelegt. Feuerzeugbenzin auf das Bett, in dem sie schliefen, dann eine Zigarette.«

»Mein Gott.«

»Da haben wir es schon wieder.«

»Warum?«

»Warum nicht?« spottete er.

»Gott im Himmel.«

»Wollen Sie die zweitbeste Antwort hören?«

»Ja«, sagte sie.

»Dann sehen Sie mich an, während ich mit Ihnen spreche.«

Sie öffnete die Augen.

Sein Blick durchdrang sie. »Ich habe sie angezündet, weil ich dachte, sie kämen allmählich dahinter.«

»Wohinter?«

»Daß ich etwas Besonderes bin.«

»Sie haben Sie mit der Schildkröte erwischt«, vermutete sie.

»Nein. Mit dem Kätzchen eines Nachbarn. Wir haben in einem schönen Vorort gewohnt. In dieser Gegend gab es so viele Haustiere. Als sie mich erwischten, war von Ärzten die Rede. Schon mit neun Jahren wußte ich, daß ich das nicht zulassen durfte. Ärzte lassen sich womöglich nicht so leicht täuschen. Also hatten wir einen kleinen Brand.«

»Und Sie sind ungeschoren davongekommen?«

Er war mit dem Saubermachen fertig und setzte sich nun an den Tisch. »Niemand hat Verdacht geschöpft. Dad hat im Bett geraucht, haben die Feuerwehrleute gesagt. So etwas kommt immer wieder vor. Das ganze Haus wurde ein Opfer der Flammen. Ich kam gerade noch lebend raus, und Mammi hat geschrien, und ich konnte nicht zu ihr, konnte meiner Mammi nicht helfen, und ich hatte *solche* Angst.« Er blinzelte ihr zu. »Danach habe ich bei meiner Großmutter gewohnt. Sie war eine lästige alte Schachtel, hat mir ständig Vorschriften gemacht, Verhaltensregeln aufgestellt, Manieren und Höflichkeitsformen beigebracht. Aber sie konnte nicht mal ihr Haus sauberhalten. Das Badezimmer war einfach widerwärtig. Das hat mich zu meinem zweiten und letzten Fehler verführt. Ich habe sie getötet, als sie in der Küche stand und das Abendessen vorbereitete, einfach so. Ganz impulsiv, ein Messer zweimal in jede Niere.«

»Wie alt?«

»Oma oder ich?« fragte er neckisch.

»Sie.«

»Elf. Zu jung, um vor Gericht gestellt zu werden. Zu jung, als daß jemand *wirklich* glaubte, ich hätte gewußt, was ich tat.«

»*Irgend etwas* mußten sie doch mit Ihnen anstellen.«

»Vierzehn Monate in einem Fürsorgeheim. Jede Menge Therapie, psychologische Beratung, Aufmerksamkeit und Umarmungen. Denn, verstehen Sie, ich mußte meine arme Oma ja abgemurkst haben, weil ich meine Trauer über den Unfalltod meiner Eltern bei diesem schrecklichen Brand nicht zum Ausdruck bringen konnte. Eines Tages wurde mir klar, was sie mir beizubringen versuchten, und ich bin einfach zusammengebrochen und habe tagelang geweint. Ach, Chyna, was habe ich geweint und in Reue geschwelgt, weil ich meine arme Oma umgebracht hatte. Die Therapeuten und Sozialarbeiter haben für mein Wehgeschrei so viel Verständnis aufgebracht.«

»Wohin sind Sie nach dem Heim gekommen?«

»Ich wurde adoptiert.«

Sprachlos starrte sie ihn an.

»Ich weiß, was Sie denken«, sagte er. »Nicht viele zwölfjährige Waisen werden adoptiert. Die Leute wollen normalerweise Kleinkinder haben, die sie nach ihrem Ebenbild formen können. Aber ich war ein so *wunderschöner* Knabe, Chyna, ein fast überirdisch schöner Junge. Können Sie sich das vorstellen?«

»Ja.«

»Die Leute wollen schöne Kinder haben. Schöne Kinder mit einem netten Lächeln. Ich war sanftmütig und bezaubernd. Mittlerweile hatte ich gelernt, mich unter all euch Heuchlern völlig unauffällig zu bewegen. Ich bin nie wieder mit einem blutigen Kätzchen oder einer toten Großmutter erwischt worden.«

»Aber wer ... wer hätte Sie nach allem, was Sie getan haben, noch adoptiert?«

»Meine Taten wurden natürlich aus meinen Unterlagen gestrichen. Ich war schließlich noch ein kleiner Junge. Oder sollte mein ganzes Leben etwa wegen eines einzigen Fehlers ruiniert sein, Chyna? Psychiater und Sozialarbeiter waren das Schmierfett in meiner Maschinerie, und ich werde ihnen wegen ihres freundlichen, aufrichtigen Wunsches, an mich zu glauben, auf ewig verbunden sein.«

»Ihre Adoptiveltern haben nichts gewußt?«

»Sie wußten, daß ich durch den Tod meiner Eltern während eines Brands traumatisiert worden war, dieses Trauma zu einer psychologischen Behandlung geführt hatte und man bei mir auf Anzeichen von Depressionen achten mußte. Sie wollten mir unbedingt ein besseres Leben bieten und verhindern, daß die Depressionen mich je wieder einholten.«

»Was ist aus ihnen geworden?«

»Wir wohnten noch zwei Jahre in Chicago und sind dann hierher nach Oregon gezogen. Ich habe sie noch eine Weile leben lassen und ihnen erlaubt, so zu tun, als würden sie mich lieben. Warum auch nicht? Sie haben ihre Selbsttäuschungen so sehr genossen. Aber als ich dann zwanzig war und gerade meinen College-Abschluß gemacht hatte, brauchte ich mehr Geld, als mir zur Verfügung stand, und so mußte es noch einen schrecklichen Unfall geben, einen weiteren nächtlichen Brand. Aber das Feuer, das meine richtigen Eltern das Leben gekostet hatte, lag elf Jahre zurück und einen halben Kontinent entfernt. Seit Jahren hatte mich kein Sozialarbeiter mehr gesehen, und es gab keine Unterlagen über meinen schrecklichen Fehler mit Oma. Also konnte niemand einen Zusammenhang herstellen.«

Sie saßen schweigend da.

Nach einer Weile tippte er mit dem Finger auf den Teller vor ihr. »Essen Sie, essen Sie«, drängte er sie. »Ich werde heute auswärts essen. Tut mir leid, daß ich Ihnen keine Gesellschaft leisten kann.«

»Ich glaube Ihnen«, sagte sie.

»Was?«

»Daß Sie nie mißbraucht wurden.«

»Obwohl das gegen alles spricht, was Sie je gelernt haben. Braves Mädchen, Chyna. Sie erkennen die Wahrheit, wenn Sie sie hören. Vielleicht besteht doch noch Hoffnung für Sie.«

»Man kann Sie einfach nicht verstehen«, sagte sie, wenn auch mehr zu sich selbst als zu ihm.

»Natürlich kann man das. Ich stehe einfach nur zu meiner reptilischen Natur, Chyna. Sie steckt in uns allen. Wir alle haben uns aus diesem schleimigen Fisch mit Beinen entwickelt, der als erster aus dem Meer kroch. Das reptilische Bewußtsein... Es ist noch immer in uns allen, doch die meisten von euch tun alles, um es vor sich selbst zu verbergen; ihr redet euch ein, ihr wäret sauberer und besser, als ihr es in Wirklichkeit seid. Die Ironie daran ist nur ... würdet ihr nur ein einziges Mal eure reptilische Natur zur Kenntnis nehmen, würdet ihr die Freiheit und das Glück finden, dem ihr alle so hektisch hinterherlauft, ohne es jemals zu erreichen.«

Er tippte erneut gegen den Teller und dann gegen das Wasserglas. Er stand auf und schob seinen Stuhl unter den Tisch.

»Dieses Gespräch verlief nicht ganz so, wie Sie es erwartet haben, nicht wahr, Chyna?«

»Nein.«

»Sie haben erwartet, daß ich ausweichend antworte, herumjammere, behaupte, ein Opfer der Verhältnisse zu sein, in ausgeklügelt konstruierten Selbsttäuschungen schwelge, irgendeine Geschichte von perversem Inzest erzähle. Sie wollten glauben, daß Ihre klugen Testfragen einen geheimen religiösen Fanatismus aufdecken, enthüllen, daß ich göttliche Stimmen in meinem Kopf höre. Sie haben nicht damit gerechnet, daß ich so freimütig bin. So *ehrlich.*«

Er ging zur Tür zwischen der Küche und dem Wohnzimmer, drehte sich dann um und schaute sie an. »Ich bin nicht einzigartig, Chyna. Die Welt ist voller Menschen, die mir ähnlich sind – aber die meisten sind einfach nicht so frei. Wissen Sie, wo die meisten Leute meines Schlags meines Erachtens landen?«

»Wo?« fragte sie, obwohl sie es eigentlich nicht wollte.

»In der Politik. Stellen Sie sich vor, Sie hätten die Macht, Kriege anzufangen, Chyna. Wie befriedigend wäre das doch. Natürlich muß man im allgemeinen auf das Vergnügen verzichten, direkt in die Nässe zu greifen, sich die Hände mit all diesen wunderbaren Flüssigkeiten schmutzig zu machen, wenn man in der Öffentlichkeit steht. Man muß sich mit dem Kitzel zufriedengeben, Tausende in den Tod zu schicken, Zerstörung aus der Ferne. Aber daran könnte ich mich wohl gewöhnen. Und es gibt ja die Fotos und Berichte aus den Kriegsgebieten, die so anschaulich sind, wie man es nur wünschen kann. *Und man läuft nie Gefahr, verhaftet zu werden.* Und was noch erstaunlicher ist: Sie bauen einem Denkmäler. Man kann ein kleines Land ins Vergessen bombardieren, und die Leute geben einem zu Ehren Diners. Man kann vierunddreißig Kinder einer religiösen Gemeinschaft töten, sie mit Panzern zermalmen, bei lebendigem Leib verbrennen und behaupten, sie seien Anhänger eines gefährlichen Kults gewesen – und dann lehnt man sich zurück und genießt den Applaus. Diese Macht. Diese Intensität.«

Er sah auf die Uhr.

Ein paar Minuten nach fünf.

»Ich muß mich jetzt anziehen und auf den Weg machen«, sagte er. »Ich bin so schnell wie möglich wieder zurück, wahrscheinlich kurz nach Mitternacht.« Er schüttelte den Kopf, als würde ihr Anblick ihn betrüben. »Unberührt und lebend. Was für ein Dasein ist das, Chyna? Es lohnt sich doch nicht, so eine Existenz zu führen. Treten Sie mit Ihrem reptilischen Bewußtsein in Verbindung. Bekennen Sie sich zu der Kälte und Dunkelheit. Daraus bestehen wir nämlich.«

Er ließ sie in Ketten zurück, während die Dämmerung in die Welt eintrat und das Licht sich zurückzog.

# KAPITEL 8

Mr. Vess tritt auf die Veranda, schließt die Haustür ab und pfeift nach den Hunden.

Der Tag wird kühler, während er dahinschwindet, und die Luft ist belebend frisch. Er zieht den Reißverschluß seiner Jacke zu.

Aus verschiedenen Richtungen springen die Dobermänner aus der Dämmerung und laufen auf die Veranda. Als sie Vess erreichen und sich gegenseitig zur Seite stoßen, um ihm am nächsten zu sein, hämmern ihre großen Pfoten einen Fandango hündischer Freude auf die Holzbretter.

Er kniet zwischen ihnen nieder und verteilt erneut großzügig Zuneigung.

Seltsamerweise scheinen die Dobermänner – wie die Menschen – nicht imstande zu sein, die Unaufrichtigkeit von Mr. Vess' Liebe zu erkennen. Für ihn sind sie nur Werkzeuge, keine geschätzten Haustiere, und die Zuneigung, die er ihnen schenkt, ist wie das Maschinenöl, mit dem er gelegentlich seine Bohrmaschine, die Schleifmaschine und die Kettensäge pflegt. Im Film ist es immer ein Hund, der den Werwolf in jenem Menschen spürt, der den Mond fürchtet, und ihn mit einem Knurren begrüßt; es ist immer ein Hund, der vor der Person zurückschreckt, die ahnungslos einen außerirdischen Parasiten in ihrem Körper nährt. Aber Filme sind nicht das wahre Leben.

Die Hunde täuschen ihn zweifellos genauso, wie er sie täuscht. Ihre Liebe ist lediglich Respekt – oder sublimierte Furcht vor ihm.

Er erhebt sich, und die Hunde schauen erwartungsvoll hoch. Er hat sie morgens mit dem Summer aus ihrem Zwinger geholt; also würden sie jetzt einen Eindringling lediglich stellen und festhalten.

»Nietzsche«, sagt er.

Wie ein Wesen zucken die Dobermänner und erstarren. Zuerst richten sie angesichts des Befehls die Ohren auf, doch dann legen sie sie wieder flach an den Kopf.

Ihre schwarzen Augen leuchten in der Dämmerung.

Abrupt verlassen sie die Veranda und verteilen sich auf dem Gelände; nun befinden sie sich im Angriffsstatus.

Mr. Vess setzt seinen Hut auf und geht zur Scheune, in der er seinen Wagen untergestellt hat.

Das Wohnmobil läßt er neben dem Haus stehen. Um die Entfernung zu verringern, die er die beiden Leichen tragen muß, wird er es später auf der Einfahrt zurücksetzen, näher an die Wiese mit den anonymen Gräbern.

Mr. Vess atmet beim Gehen tief und langsam ein und macht seinen Kopf frei, bereitet sich auf den Wiedereintritt in die alltägliche Welt vor.

Er genießt die Scharade seines zweiten Lebens, bei der er als einer der unzähligen Unterdrückten und Getäuschten durchgeht, welche die Erde in Lügen hüllen und ihr Leben mit Verleugnung, Angst und Heuchelei verbringen. Er ist wie ein Fuchs in einem Stall degenerierter Hühner, die nicht mehr zwischen den Angehörigen ihrer eigenen Art und einem Raubtier unterscheiden können, und das ist ein sehr schönes Spiel für einen Fuchs mit einem gewissen Sinn für Humor.

Jeden Tag, den ganzen Tag lang, schätzt Vess andere Leute mit seinen Blicken ab, testet verstohlen ihre Konsistenz mit einem freundlichen Griff, atmet den verlockenden Geruch ihrer Haut ein, wählt zwischen ihnen aus wie unter abgepacktem Geflügel im Supermarkt. Er tötet nicht oft die, die er in seiner öffentlichen Rolle trifft – nur dann, wenn er absolut sicher ist, daß er damit durchkommt, und das betreffende Hühnchen besonders schmackhaft zu sein scheint.

Hätte Chyna Shepherd seinen normalen Tagesablauf nicht gestört, hätte Vess mehr Zeit gehabt, sich wieder an seine Rolle als stinknormaler Mensch zu gewöhnen. Er hätte sich vielleicht im Fernsehen eine Gameshow angeschaut, ein paar Kapitel eines Liebesromans von Robert James Waller gelesen und eine Ausgabe von *People* durchgeblättert, um sich jene Dinge wieder in Erinnerung zurückzurufen, welche die verzweifelte Masse der Menschheit benutzt, um das Bewußtsein ihrer wahren animalischen Natur und der Unausweichlichkeit des Todes zu betäuben. Er hätte sich eine Weile vor einen Spiegel gestellt, sein Lächeln eingeübt und seine Augen betrachtet.

Trotzdem ist er, als er die Scheune aus ergrautem Zedernholz erreicht, zuversichtlich, daß er in sein zweites Leben zurückgleiten wird, ohne Wellen zu schlagen, und daß all jene, die in seinen Teich schauen, es tröstlich finden werden, darin ihre eigenen Gesichter gespiegelt zu sehen. Die meisten Menschen haben dermaßen viel Mühe und Zeit für die Verleugnung ihrer Raubtiernatur aufgewandt, daß sie sie auch bei anderen nicht so leicht erkennen.

Er öffnet die Tür neben dem großen Tor, bleibt stehen und schaut zur Rückseite des Hauses. Er hat die Frau im Dunkeln zurückgelassen und kann daher ihre Gestalt nicht einmal verschwommen durch das ferne Fenster erkennen. Das sonnenlose, matte Zwielicht ist jedoch noch so hell, daß Miß Shepherd, die hochangesehene Psychologin, ihn sehen kann, wie er zur Scheune geht. Sie könnte ihn in diesem Augenblick beobachten.

Mr. Vess fragt sich, was sie in dieser überraschenden neuen Verkleidung von ihm hält. Sie muß schockiert sein. Weitere Illusionen fallen in Trümmer. Wenn sie ihn auf seinem Weg in sein zweites Leben sieht und erkennt, daß er in der Tat als rechtschaffener Bürger gilt, muß sie in eine Verzweiflung stürzen, die tiefer ist als jede, die sie bislang gekannt hat.

Er kann mit Frauen eben umgehen.

Nachdem Vess die Lampen ausgeschaltet und die Küche verlassen hatte, lehnte Chyna sich auf dem Holzstuhl zurück, fort vom Tisch, weil der Geruch des Schinkenbrotes ihr Übelkeit verursachte. Es war nicht verdorben; es roch, wie ein Schinkensandwich riechen sollte. Aber schon die bloße Vorstellung, etwas zu essen, ließ sie würgen.

Etwa vierundzwanzig Stunden waren verstrichen, seit sie ihre letzte volle Mahlzeit zu sich genommen hatte, das Abendessen im Haus der Templetons. Die paar Bissen Käseomelett, die sie zum Frühstück gegessen hatte, konnten eigentlich nicht genügen, um sie aufrechtzuerhalten, besonders, wenn man ihre körperlichen

Aktivitäten in der vergangenen Nacht bedachte; sie hätte einen Bärenhunger haben müssen.

Etwas zu essen wäre jedoch ein Eingeständnis von Hoffnung gewesen, und sie wollte nicht mehr hoffen. Sie hatte ihr ganzes Leben lang gehofft, eine Närrin, die sich an optimistischen Erwartungen berauscht hatte. Doch jede Hoffnung hatte sich als Seifenblase erwiesen. Jeder Traum war ein Glas, das darauf wartete, zerbrochen zu werden.

Bis gestern nacht hatte sie geglaubt, sie habe sich weit genug vom Elend ihrer Kindheit entfernt, sei mühsam eine eingefettete Leiter hinaufgeklettert und habe phänomenale Höhen des Verständnisses erreicht, und sie war insgeheim stolz auf sich und ihre Leistungen gewesen. Nun hatte es den Anschein, daß sie überhaupt nicht geklettert, daß ihr Aufstieg nur eine Illusion gewesen war und ihre Füße seit Jahren stets über dieselben beiden Sprossen geglitten waren, als hätte sie eine dieser Fitnessmaschinen benutzt, einen StairMaster, und dabei eine beträchtliche Menge Kalorien verbrannt, ohne am Ende der Übungseinheit auch nur einen Zentimeter höher zu stehen als am Anfang. Die langen Jahre als Kellnerin, die müden Füße und die hartnäckigen Kreuzschmerzen, weil sie stundenlang auf den Beinen gewesen war, die anspruchsvollsten Seminare, welche die University of California anbot, das Lernen bis spät in die Nacht, nachdem sie von der Arbeit nach Hause gekommen war, die unzähligen Opfer, die Einsamkeit, das Bemühen, das unaufhörliche Bemühen – das alles hatte *hierher* geführt, an diesen trostlosen Ort, zu diesen Ketten, in dieses verlöschende Zwielicht.

Sie hatte gehofft, eines Tages ihre Mutter zu verstehen und einen guten Grund zu finden, ihr zu verzeihen. Sie hatte sogar, Gott stehe ihr bei, insgeheim gehofft, sie könnten einen Waffenstillstand schließen. Sie konnten niemals ein natürliches Mutter-Tochter-Verhältnis haben, und sie konnten niemals Freundinnen sein; aber sie hatte es zumindest für möglich gehalten, daß sie und Anne eines Tages in einem Restaurant mit Blick auf das Meer gemeinsam zu Mittag essen konnten, im Freien auf der Terrasse unter einem großen Sonnenschirm, wo sie niemals von der Vergangenheit sprechen, sondern einen angenehmen Plausch über Filme, das Wetter und die Seemöwen im saphirblauen Himmel halten würden. Das mochte zwar keine heilsame Zuneigung bewirken, ging aber vielleicht ohne Haß zwischen ihnen vonstatten. Nun wußte sie, selbst wenn sie wie durch ein Wunder dieser Gefangenschaft unberührt und lebend entrinnen sollte, würde sie niemals dieses erträumte Ausmaß an Verständnis aufbringen; die Wiederannäherung zwischen ihr und ihrer Mutter war unmöglich.

Menschliche Grausamkeit und Verrat überstiegen jedes Verständnis. Es gab keine Antworten. Nur Ausflüchte.

Chyna fühlte sich hilflos. Sie war an einem viel seltsameren Ort als Edgler Vess' Küche und in einer Dunkelheit, die viel mehr Furcht einflößte.

In all den Jahren hatte sie sich nie hilflos gefühlt, nie wirklich hilflos. Verängstigt, ja. Manchmal verwirrt und einsam. Aber sie hatte immer eine Landkarte in ihrem Geist gehabt, auf der, wenn auch nur verschwommen, ein Weg eingezeichnet war, und sie hatte geglaubt, daß in ihrem Herzen ein Kompaß war, der sie nicht im Stich lassen konnte. Sie war oft am falschen Ort gewesen, aber stets überzeugt, daß es einen Ausweg gab – genau, wie es in einem Spiegelkabinett auf der Kirmes stets einen sicheren Weg durch die unendlichen Zerrbilder ihrer selbst gab, durch scheußliche Reflexionen und durch alle rätselhaften silbernen Schatten.

Diesmal hatte sie keine Karte.

Keinen Kompaß.

Das Leben selbst war das größte Spiegelkabinett, und sie hatte sich in seinen tiefen Kammern verirrt, und es war niemand da, der sie trösten oder ihre Hand halten könnte.

Als Chyna sich schließlich eingestand, daß sie praktisch seit ihrer Geburt mutterlos war und stets mutterlos sein würde und ihre einzige enge Freundin tot in Edgler Vess' Wohnmobil lag, wünschte sie sich, sie würde den Namen ihres Vaters kennen, hätte wenigstens ein einziges Mal sein Gesicht gesehen. Der Mädchenname ihrer Mutter war Shepherd; sie hatte nie geheiratet. »Sei froh, daß du unehelich bist, Baby«, hatte Anne gesagt, »denn das bedeutet, daß du frei bist. Kleine Bastardkinder haben nicht so viele Verwandte, die sich wie Blutegel an einen klammern und einem die Seele wegsaugen.« Als Chyna sich im Lauf der Jahre immer wieder mal nach ihrem Vater erkundigt hatte, hatte Anne lediglich gesagt, er sei tot, und sie hatte es mit trockenen Augen und sogar leichten Herzens sagen können. Sie wollte ihr nicht erzählen, wie er ausgesehen, wo er gewohnt hatte, was er von Beruf gewesen war, ihr nicht einmal seinen Namen verraten. »Als ich merkte, daß ich mit dir schwanger war«, hatte Anne einmal gesagt, »waren wir schon nicht mehr zusammen. Er war Geschichte. Ich habe ihm nie von dir erzählt. Er hat es nie erfahren.«

Manchmal gab Chyna sich Tagträumen über ihn hin: Sie stellte sich vor, ihre Mutter habe sie belogen, wie auch in so vieler anderer Hinsicht, und ihr Dad lebte noch. Er könnte aussehen wie Gregory Peck in *Wer die Nachtigall stört*, ein großer Mann mit sanften Augen, leise sprechend, freundlich, mit einem leisen Humor und einem scharfen Sinn für Gerechtigkeit, der genau wußte, wer er war und woran er glaubte. Er könnte ein Mann sein, den andere Leute respektierten und bewunderten, der sich aber nicht für etwas Besseres hielt. Er könnte sie lieben.

Hätte sie seinen Namen gekannt, seinen Vor- oder Nachnamen, hätte sie ihn jetzt laut ausgesprochen. Der bloße Klang des Namens ihres Vaters hätte sie getröstet.

Sie weinte. In den vielen Stunden seit ihrer ersten Begegnung mit Vess hatte sie mehr als einmal am Rand der Tränen gestanden und sie unterdrückt. Aber diese heiße Flut konnte sie nicht zurückhalten. Diese bitteren Tränen waren das willkommene Eingeständnis, daß für sie keine Hoffnung mehr bestand. Sie spülten sie von Hoffnung frei, und genau das wollte sie in diesem Augenblick, denn Hoffnung führte nur zu Enttäuschung und Schmerz. Ihr gesamtes aufgewühltes Leben lang – zumindest seit ihrem achten Geburtstag – hatte sie sich geweigert, ungehemmt zu weinen, die Tränen wirklich fließen zu lassen. Nur, wenn man hart und mit trockenen Augen durchs Leben ging, konnte man sich bei diesen Leuten Respekt verschaffen, in deren Augen ein furchteinflößendes, trübes Licht leuchtete und die um einen herumschlichen wie Schakale um eine Gazelle mit einem gebrochenen Bein, sobald sie bei einem anderen die geringste Schwäche bemerkten. Aber daß sie jetzt die Tränen zurückhielt, würde den Schakal nicht beeindrucken, der versprochen hatte, nach Mitternacht zurückzukommen, und der Kummer und die Verletzungen eines ganzen Lebens brachen aus ihr hervor. Das gewaltige, nasse Schluchzen schüttelte Chyna so heftig durch, daß ihre Brust plötzlich stärker schmerzte als ihr Nacken oder der verstauchte Finger. Ihr Hals fühlte sich bald heiß und rauh an. Sie sackte in ihren rasselnden Ketten zusammen, auf dem Stuhl, der sie gefangenhielt, das Gesicht verzerrt und tränennaß und heiß, der Magen zusammengezogen und kalt, und sie hatte den Geschmack von Salz im Mund und keuchte und stöhnte vor Verzweiflung und drohte an dem Bewußtsein ihrer schrecklichen Einsamkeit zu ersticken. Sie zitterte unbeherrscht, und ihre Hände verkrampften sich schwach zu Fäusten, öffneten sich dann aber wieder und griffen in die Luft um ihren Kopf, als sei ihre Qual eine Kapuze, die sie herunterreißen und beiseite werfen konnte. Völlig allein, ungeliebt und hilflos wirbelte sie immer schneller in ein seelisches Spiegelkabinett hinab und konnte zum Trost nicht einmal den Namen ihres Vaters aussprechen.

Nach einer Weile dröhnte ein Motor auf. Sie hörte ein blechernes Hupen: zwei kurze Töne und dann noch zwei.

Chyna hob den Kopf, schaute durch das Fenster und sah, daß die Scheinwerfer eines Wagens die Scheune verließen. Die Tränen ließen sie nur verschwommen sehen. Den Wagen selbst konnte sie nicht erkennen, als er in der grauen Dämmerung am Haus vorbeifuhr, aber natürlich mußte sich Vess darin befinden. Dann war er verschwunden.

Das vertrauliche Hupen sollte sie verspotten, aber dieser Spott reichte nicht aus, um ihren Zorn wieder zu entfachen.

Sie schaute in die Abenddämmerung hinaus, ohne etwas darum zu geben, daß es vielleicht die letzte war, die sie je sah. Wichtig war für sie nur, daß sie zu viele ihrer sechsundzwanzig Jahre allein verbracht hatte, mit niemandem an ihrer Seite, um gemeinsam die Sonnenuntergänge zu betrachten, den Sternenhimmel, die turbulente Schönheit von Sturmwolken. Sie wünschte sich, sie wäre mehr auf die Menschen zugegangen, statt sich in sich zurückzuziehen, und hätte aus ihrem Herzen keine Mördergrube gemacht. Nun, da nichts mehr eine Rolle spielte und die Einsicht ihr nicht mehr helfen konnte, wurde ihr klar, daß für einen Menschen allein weniger Hoffnung auf Überleben bestand als im Schutz einer Gemeinschaft. Sie hatte ganz genau gewußt, daß Schrecken, Verrat und Grausamkeit ein menschliches Gesicht hatten, aber nicht genügend zu würdigen gewußt, daß dies auch für Mut, Freundlichkeit und Liebe galt. Hoffnung war keine Heimarbeit; sie war weder ein Produkt, das sie herstellen konnte wie Stickereien, noch eine Substanz, die sie in ihrer vorsichtigen Einsamkeit ausscheiden konnte, wie ein Ahornbaum die Sirupessenz absondert. Hoffnung ließ sich nur in anderen Menschen finden, indem man ihnen die Hand reichte, Risiken einging, die Festung des Herzens öffnete.

Diese Erkenntnis schien so offensichtlich zu sein, die einfachste aller Weisheiten, und doch hatte sie sie erst jetzt, am äußersten Ende, akzeptiert.

Und die Gelegenheit, dementsprechend zu handeln, war schon lange verstrichen. Sie würde sterben, wie sie gelebt hatte – allein. Diese weitere Erkenntnis hätte noch größere Tränenströme fließen lassen können, trieb sie statt dessen jedoch zu einem noch öderen Ort als dem, an dem sie zuvor gewesen war, zu einem inneren Garten aus Stein und Asche.

Dann, während sie noch aus dem Fenster schaute, sah sie, daß sich im letzten Licht der Dämmerung etwas bewegte. Obwohl sie es aufgrund ihrer Tränen nur verschwommen ausmachen konnte, erkannte sie, daß es zu groß war, um ein Dobermann zu sein.

Aber wie konnte es ein Mensch sein, wenn Vess aufgebrochen war?

Chyna tupfte ihre Augen mit dem Pulloverärmel ab und blinzelte, bis die geheimnisvolle Gestalt sich aus den Tränenschleiern und dem Zwielicht herausschälte. Es war ein Elch. Eine Elchkuh, ohne Geweih.

Sie trabte im Paßgang über den Garten, von den bewaldeten Ausläufern der Hügel nach Westen, und blieb zweimal stehen, um ein Büschel des saftigen Grases zu fressen. Wie Chyna vor vielen Jahren in den Monaten auf der Ranch im Mendocino County gelernt hatte, waren diese Tiere überaus gesellig und lebten stets in Herden, doch dieses hier schien allein zu sein.

Die Dobermänner hätten diesem Eindringling nachsetzen und, erregt von der Aussicht auf Blut, bellen und knurren müssen. Die Hunde hätten das Tier selbst von der entlegensten Ecke des Grundstücks riechen müssen. Doch es waren keine Dobermänner zu sehen.

Ebenso hätte der Elch den Geruch der Hunde aufnehmen und sofort mit aufgerissenen Augen und schnaubend in Sicherheit laufen müssen. Die Natur hatte seine Spezies zur Beute von Berglöwen, Wölfen und Kojotenrudeln bestimmt; als potentielle Mahlzeit auf Hufen für so viele Raubtiere waren Elche immer aufmerksam und vorsichtig.

Doch diesem Exemplar schien es völlig gleichgültig zu sein, daß Hunde in unmittelbarer Nähe waren. Abgesehen von den beiden kurzen Pausen beim Grasen kam es direkt zur hinteren Veranda und zeigte keine Spur von Nervosität.

Obwohl Chyna keine Expertin für die heimische Tierwelt war, hatte sie den Eindruck, daß es sich um einen Küstenelch handelte, ein Tier derselben Gattung, die sie im Mammutbaumwald gesehen hatte. Sein Fell war graubraun, und es hatte die typische schwarzweiße Zeichnung auf Leib und Kopf.

Und doch war sie sicher, daß dieser Ort zu weit vom Meer entfernt war, um ein geeignetes Revier für Küstenelche zu sein oder die ideale Vegetation für ihren Speiseplan zu bieten. Als sie das Wohnmobil verlassen hatte, hatte sie in allen Himmelsrichtungen Berge gesehen. Nun hatte es zu regnen aufgehört, und der Nebel hatte sich gehoben; im Westen, wo das letzte Tageslicht schnell wich, drückten sich die schwarzen Silhouetten hoher Gipfel gegen zerrissene Wolken und den spannungsgeladenen violetten Himmel. Bei einer Bergkette von solch beeindruckender Höhe zwischen diesem Ort und dem Pazifik war es ausgeschlossen, daß Küstenelche so weit landeinwärts vordrangen, denn sie waren im Flachland zu Hause, auf Ebenen und sanften Hügeln. Dieses Tier mußte einer anderen Elchart angehören – obwohl es von der Färbung her den Exemplaren, die sie in der vergangenen Nacht gesehen hatte, täuschend ähnlich war.

Das imposante Geschöpf blieb vor der hölzernen Balustrade der flachen Veranda stehen, keine zweieinhalb Meter entfernt, und sah direkt zum Fenster. Zu Chyna.

Sie konnte sich nicht vorstellen, daß der Elch sie sah. Da die Lampen ausgeschaltet waren, war es in der Küche im Augenblick dunkler als in der Dämmerung, in der das Tier stand. Von seinem Blickpunkt aus mußte das Innere des Hauses ein undurchdringliches Schwarz sein.

Und doch konnte sie nicht abstreiten, daß ihre Blicke sich trafen. Das Tier hatte große, dunkle Augen, die schwach leuchteten.

Ihr fiel Vess' seltsamer Auftritt von heute morgen wieder ein, bei seiner plötzlichen Rückkehr in die Küche. Er war unerklärlich verspannt gewesen, hatte unaufhörlich den Schraubenzieher in der Hand gedreht, und in seinen Augen war ein seltsames Flackern gewesen. Und er hatte sie über die Elche in dem Mammutbaumwald ausgefragt.

Chyna wußte genauso wenig, warum die Elche für Vess so wichtig waren, wie sie sich vorstellen konnte, warum dieses Tier nun hier stand, ohne von den Hunden belästigt zu werden, und sie eindringlich durch das Fenster betrachtete. Sie dachte aber nicht lange über dieses Geheimnis nach. Sie war nun in der Stimmung, einfach zu akzeptieren, einzugestehen und zu erleben, daß ein Verständnis nicht immer erreichbar war.

Als der dunkel-purpurne Himmel indigoblau und dann tintenschwarz wurde, leuchteten die Augen des Elchs allmählich immer heller. Sie waren nicht rot, wie es bei einigen Tieren des Nachts der Fall war, sondern golden.

Bleiche Atemwolken strömten rhythmisch aus seinen nassen, schwarzen Nüstern.

Ohne den Blickkontakt mit dem Tier abzubrechen, drückte Chyna die Innenseiten ihrer Handgelenke so fest zusammen, wie die Handschellen es erlaubten. Die Stahlketten rasselten auf ganzer Länge zwischen ihr und dem Stuhl, auf dem sie saß, zwischen ihr und dem Tisch, zwischen ihr und der Vergangenheit.

Sie erinnerte sich an den ernsten Eid, den sie vor einer Weile geleistet hatte: sich lieber zu töten, als Zeugin der totalen psychischen Zerstörung des jungen Mädchens im Keller zu werden. Sie hatte geglaubt, sie würde den Mut finden, die Adern in ihren Handgelenken aufzubeißen, damit sie verblutete. Der Schmerz wäre scharf, aber relativ kurz ... und dann würde sie schläfrig von dieser irdischen Schwärze in eine andere übergehen, die ewig währte.

Sie weinte nicht mehr. Ihre Augen waren trocken.

Ihr Herzschlag war überraschend langsam, so wie der einer Schläferin in der traumlosen Ruhe, die ein starkes Beruhigungsmittel erzeugte.

Sie hob die Hände vor das Gesicht, bog sie so weit wie möglich zurück und spreizte die Finger, damit sie dem Elch noch immer in die Augen sehen konnte.

Sie brachte den Mund an die Stelle an ihrem linken Handgelenk, an der sie zubeißen mußte. Ihr Atem war warm auf ihrer kühlen Haut.

Das Licht war vollständig aus dem Tag gewichen. Die Berge und der Himmel waren wie eine schwere, schwarze, sich auftürmende Dünung auf einem nächtlichen Meer, ein ertränkendes Gewicht, das sich auf sie senkte.

Das herzförmige Gesicht des Elchs war auf die Entfernung von nur zweieinhalb Metern kaum sichtbar. Seine Augen leuchteten jedoch.

Chyna drückte die Lippen auf ihr linkes Handgelenk. Bei diesem Kuß spürte sie ihren gefährlich langsamen Puls.

Durch das Dunkel beobachteten sie und der Elch einander, der sie zu bewachen schien, und sie wußte nicht, ob dieses Geschöpf sie oder sie das Tier erstarren ließ.

Dann drückte sie die Lippen auf ihr rechtes Handgelenk. Die gleiche kühle Haut, der gleiche schwerfällige Puls.

Sie öffnete die Lippen und nahm ein Stückchen Haut zwischen die Zähne. Es schien sich genug Gewebe zwischen ihren Schneidezähnen zu befinden, um eine tödliche Wunde zu reißen. Und wenn sie ein zweites, ein drittes Mal zubiß, würde sie ganz bestimmt Erfolg haben.

Als sie nahe daran war, tatsächlich zuzubeißen, wurde ihr klar, daß dazu nicht der geringste Mut erforderlich war. Genau das Gegenteil traf zu. Es war eine tapfere Tat, *nicht* zuzubeißen.

Aber Tapferkeit war ihr schnurz, und um Mut gab sie einen Dreck. Auch um alles andere. Ihr war nur daran gelegen, der Einsamkeit, der Pein ein Ende zu machen, dem schmerzlich leeren Gefühl von Sinnlosigkeit.

Und das Mädchen. Ariel. Unten in der verhaßten stillen Dunkelheit.

Eine Weile behielt sie die Haltung bei, in der sie den tödlichen Biß vornehmen konnte.

Zwischen den feierlich gemessenen Schlägen war ihr Herz mit der Ruhe tiefen Wassers erfüllt.

Dann, ohne daß sie gemerkt hatte, wie sie das Stück Haut zwischen ihren Zähnen freigab, wurde Chyna bewußt, daß sie die Lippen wieder auf das unverletzte Handgelenk drückte. In diesem Kuß des Lebens fühlte sie ihren langsamen Pulsschlag.

Der Elch war verschwunden.

Weg.

Chyna stellte überrascht fest, daß sich dort, wo das Geschöpf gestanden hatte, nur noch Dunkelheit befand. Sie konnte sich nicht erinnern, die Augen geschlossen oder auch nur geblinzelt zu haben. Und doch mußte in einer Art Trance ihr Sehsinn kurz ausgesetzt haben, denn der stattliche Elch war auf so geheimnisvolle Weise in die Nacht verschwunden, wie die Assistentin eines Bühnenmagiers sich unter einem kunstvoll drapierten schwarzen Tuch auflöste.

Plötzlich hämmerte ihr Herz laut und schnell.

»Nein«, flüsterte sie in der dunklen Küche, und das Wort war sowohl ein Versprechen als auch ein Gebet.

Ihr Herz war wie ein Rad, das sich rasend schnell drehte und sie aus diesem inneren Grau trieb, in dem sie sich verirrt hatte, aus der Ödnis in eine hellere Landschaft.

»Nein.« Diesmal war Trotz in ihrer Stimme, und sie flüsterte nicht mehr. »Nein.«

Sie zerrte an ihren Ketten, als sei sie ein temperamentvolles Pferd, das seine Zuggurte abschütteln wollte.

»Nein, nein, nein. Scheiße, nein.« Ihr Protest war so laut, daß ihre Stimme von der harten Oberfläche des Kühlschranks zurückgeworfen wurde, von dem Glas in der Herdtür und den Keramikfliesen hinter der Arbeitsfläche.

Sie versuchte, den Tisch zurückzustoßen und sich zu erheben. Aber eine Schlaufe der Kette verband ihren Stuhl mit dem schweren zylindrischen Rahmen, welcher die Tischplatte trug, und schränkte ihre Bewegungsfreiheit ein.

Wenn sie ihre Fersen auf die Vinylfliesen stemmte und versuchte, rückwärts zu rutschen, würde sie sich wahrscheinlich überhaupt nicht bewegen. Bestenfalls würde sie den schweren Tisch Zentimeter um Zentimeter mit sich schleppen. Und wenn sie es tausend Jahre lang probierte, sie würde in der Kette nicht genug Spannung erzeugen können, um sie zu zerreißen.

»Nein, verdammt, auf keinen Fall, *nein*!« Sie weigerte sich noch immer, ihre Niederlage einzugestehen, und drückte die Worte zwischen zusammengebissenen Zähnen heraus.

Sie griff nach vorn und zog die Kette stramm, die von der linken Handschelle nach rechts und dann um ihren Rücken herum führte, wo sie sich hinter dem Sitzkissen um die Sprossen der Stuhllehne wand. Chyna streckte sich, hoffte, das Knacken des trockenen Holzes zu hören, zerrte fester, noch fester, und ein scharfer Stich fuhr in ihren Nacken; im Hals und an der rechten Schläfe pochte wieder ein heftiger Schmerz auf, doch sie ließ sich davon nicht aufhalten. Sie ruckte stärker denn je zuvor, verkratzte bestimmt das schöne Möbelstück, und hielt den Stuhl erneut – *zieh, zieh!* – fest mit ihrem Körper unten, während sie ihn gleichzeitig halb vom Boden hochhob, indem sie wütend an den hinteren Latten riß, immer wieder, bis ihre Muskeln zitterten. *Zieh!* Während sie vor Anstrengung und Frustration aufstöhnte, stach der Schmerz wie Nadeln in ihren Nacken, durch beide Schultern und in die Arme. *Zieh!* Sie brachte all ihre Kraft auf, hielt länger durch als zuvor, biß die Zähne so hart zusammen, daß ihre Kiefermuskeln nervös zuckten, und zog noch einmal, bis sie die Arterien in ihren Schläfen pochen fühlte und wirbelnde rote und silberne Feuerräder hinter ihren Lidern sah. Aber die Belohnung, das Geräusch von brechendem Holz blieb aus. Der Stuhl war stabil, die Latten waren dick, die Fugen fest.

Ihr Herz dröhnte, teilweise wegen ihrer Anstrengung, aber hauptsächlich, weil sie vor einem erhebenden Gefühl der Befreiung strotzte. Was verrückt war, verrückt, denn sie war noch angekettet, dem Abschütteln ihrer Fesseln nicht näher als in dem Augenblick, in dem sie auf diesem Stuhl erwacht war. Und doch kam sie sich vor, als sei sie bereits entkommen und müsse nur noch darauf warten, daß die Wirklichkeit die Freiheit einholte, die sie durch reine Willenskraft erzwungen hatte.

Sie saß keuchend da und dachte nach.

Schweiß perlte auf ihrer Stirn.

Vergiß den Stuhl erst mal. Um sich von ihm zu lösen, mußte sie aufstehen und sich bewegen können. Mit dem Stuhl konnte sie sich erst befassen, wenn sie sich vom Tisch befreit hatte.

Sie konnte nicht tief genug hinabgreifen, um den Karabinerhaken loszuschrauben, der die kürzere Kette zwischen ihren Knöcheln mit der längeren verband, die den Stuhl und den Tisch umschlang. Ansonsten hätte sie ihre Beine leicht von beiden Möbelstücken befreien können.

Wenn sie den Tisch umstoßen konnte, würde die Schlaufe der Kette, die um den tragenden Sockel führte und mit ihrem Fußeisen verbunden war, vom Fuß des Tisches abrutschen, wenn der umkippte und zu Boden fiel. Oder etwa nicht? Im Dunkeln, aus ihrer Perspektive, konnte sie sich die Mechanik ihres Vorhabens nicht vollständig bildlich vorstellen, aber sie glaubte schon, daß es funktionieren würde, wenn sie den Tisch umstieß.

Leider war der Stuhl ihr gegenüber, der, auf dem Vess gesessen hatte, ein Hindernis, das den Sturz des Tisches höchstwahrscheinlich auffangen würde. Sie mußte ihn loswerden, beiseite schaffen. Doch angekettet, wie sie war, und mit dem Fuß des Tisches dazwischen konnte sie die Beine nicht weit genug ausstrecken, um gegen den anderen Stuhl zu treten und ihn beiseite zu stoßen. Und da sie auf den Stuhl gefesselt war, konnte sie erst recht nicht aufstehen, um den großen runden Tisch greifen und das Hindernis einfach aus dem Weg schieben.

Schließlich versuchte sie, auf ihrem Stuhl zurückzurutschen und den Tisch mit sich zu ziehen, in der Hoffnung, ihn von Vess' Stuhl wegzubekommen. Die Kette, die den Sockel umschlang, wurde straff. Als sie die Fersen in den Boden grub und sich mit aller Kraft rückwärts stieß, bekam sie den Eindruck, das Möbelstück sei zu schwer, um sich bewegen zu lassen, und fragte sich, ob der Sockel mit einem Sandsack gefüllt war, damit der Tisch nicht wackelte. Doch dann knarrte und quietschte er ein paar Zentimeter über die Vinylfliesen und brachte den Teller und das Wasserglas, die auf ihm standen, zum Klappern.

Das war schwerere Arbeit, als sie erwartet hatte. Sie kam sich vor, als würde sie in einer dieser Fernsehshows auftreten, die Stunts und blöde körperliche Herausforderungen präsentierten, etwa einen Mann, der einen Eisenbahnwaggon zog. Einen beladenen Waggon! Dennoch bewegte der Tisch sich knirschend. Nach ein paar Minuten – sie hatte zwei Pausen eingelegt, um wieder zu Atem zu kommen – hörte sie auf, weil sie befürchtete, sie könne gegen die Wand zwischen der Küche und dem Wäscheraum stoßen; sie durfte sich die Bewegungsfreiheit nicht nehmen. Obwohl es nicht einfach war, im Dunkeln Entfernungen abzuschätzen, vermutete sie, daß sie den Tisch etwa um einen Meter bewegt hatte, weit genug, daß Vess' Stuhl sie nicht mehr störte.

Sie legte die gefesselten Hände unter den Tisch und hob ihn hoch, wobei sie versuchte, ihren verstauchten Finger zu schonen. Der Tisch war beträchtlich schwerer als sie – eine fünf Zentimeter dicke Kiefernplatte, die dicken Dauben im Fuß, die schwarzen Eisenreifen um die Dauben, vielleicht noch ein Sandsack –, und sie konnte keine große Hebelwirkung entwickeln, solange sie gezwungen war, auf dem Stuhl zu sitzen. Der Boden des Fußes hob sich um drei, dann um fünf Zentimeter. Das Wasserglas kippte um, verschüttete seinen Inhalt, rollte von ihr fort, fiel vom Tisch und zerbrach auf dem Boden. Der Lärm erweckte in ihr den Eindruck, ihr Plan gehe auf – »Ja!«, zischte sie –, doch da sie das Gewicht und die Anstrengung unterschätzt hatte, die nötig war, um diese Masse zu bewegen, mußte sie aufgeben, und der Fuß knallte wieder auf den Boden.

Chyna ließ ihre Muskeln spielen, atmete tief ein und versuchte es sofort erneut. Diesmal spreizte sie die Füße so weit, wie ihre Fesseln es erlaubten. Sie drückte die nach oben gerichteten Handflächen von unten gegen das Holz der Tischplatte; die Daumen legte sie um die glatte, abgerundete Kante. Sie spannte sowohl die Beine als auch die Arme an, und als sie gegen den Tisch drückte, schob sie auch mit den Beinen, richtete sich um einen schwer erkämpften Zentimeter nach dem anderen auf, den der Tisch nach hinten kippte. Die Ketten ließen ihr nicht so viel Spielraum, daß sie sich ganz – oder auch nur teilweise – aufrichten konnte, also erhob sie sich unter dem Gewicht des Tisches schwankend in eine unbeholfene und schmerzhafte Hockstellung. Keuchend belastete sie ihre Knie und Schenkel, und sie zitterte vor Anstrengung, doch sie hielt durch, weil jeder kostbare Zentimeter, den sie gewann, ihren Ansatzpunkt verbesserte; sie benutzte ihren gesamten Körper, um den Tisch zu heben, heben, heben.

Der Teller mit dem Sandwich und die Tüte Kartoffelchips rutschten vom Tisch. Porzellan zerbrach, und die Splitter scharrten mit einem Geräusch über den Boden, das entnervend an huschende Nagetiere erinnerte.

Der Schmerz in ihrem Nacken war schier unerträglich, und jemand schien einen Korkenzieher in ihr rechtes Schlüsselbein zu drehen. Aber Schmerz konnte sie nicht aufhalten. Er *spornte sie an*. Je größer der Schmerz war, desto mehr war sie eins mit Laura und der gesamten Familie Templeton, mit dem jungen Mann, der im Schrank des Wohnmobils hing, mit den Verkäufern in der Tankstelle und allen Leuten, die auf der Wiese begraben liegen mochten; und je mehr sie sich mit ihnen identifizierte, desto mehr wollte sie, daß Edgler Vess schrecklich zu leiden hatte. Ihre Stimmung war alttestamentarisch: Sie war jetzt nicht mehr bereit, auch die andere Wange hinzuhalten. Sie wollte, daß Vess auf einer Folterbank schrie, gestreckt wurde, bis seine Gelenke auseinandersprangen und seine Sehnen rissen. Sie wollte nicht miterleben, daß er in ein staatliches Krankenhaus für geisteskranke Verbrecher eingewiesen und dort analysiert und behandelt wurde und man seine Selbstachtung stärkte und ihn mit einer Palette von antipsychotischen Medikamenten behandelte, ihm ein eigenes Zimmer mit Fernsehen gab, Kartenspielturniere mit seinen Mitpatienten organisierte und ihm zu Weihnachten Truthahn vorsetzte. Statt ihn der Gnade der Psychiater und Sozialarbeiter zu überstellen, wollte Chyna ihn den geschickten Händen eines einfallsreichen Folterers ausliefern und dann *sehen*, wie lange das verdammte, verrückte Arschloch seiner Philosophie treu blieb, alle Erfahrungen seien wertneutral, alle Gefühle gleich gut. Dieses inbrünstige Begehren, das aus ihrem Schmerz hervorgegangen war, war nicht sonderlich nobel, aber es war rein, ein Kraftstoff mit hoher Oktanzahl, der mit einem intensiven Licht verbrannte und ihren Motor am Laufen hielt.

Diese Seite des faßähnlichen Sockels befand sich nun vielleicht zehn Zentimeter über dem Boden – sie konnte nur Vermutungen anstellen –, etwa so hoch, wie sie beim ersten Versuch gekommen war, aber sie hatte noch jede Menge Schwung. Zu einem rückwärts gerichteten Z gebogen, so bucklig wie ein Troll, zwang sie den Tisch mit ihrer Muskelkraft hoch, mit schmerzenden Knien und vor Anstrengung zitternden Schenkeln, den Arsch fester zusammengekniffen, als die Hand eines Politikers sich um Bestechungsgeld schließt. Sie ermutigte sich laut, indem sie zu dem Tisch sprach, als hätte er ein Bewußtsein: *»Komm schon,* *komm schon, komm schon, beweg dich, Scheiße, beweg dich, du Miststück, höher, komm schon, verdammt, verdammt, komm schon.«*

Blitzartig wurde ihr klar, wie lächerlich das Bild von außen wirken mußte: Sie befand sich in einer dieser Filmszenen, in denen der betrogene Cowboy die Wahrheit spitzkriegt und den Pokertisch umstößt und auf den unehrlichen Kartenhai wirft. Aber hier vollzog sich das Drama in Zeitlupe, wie in einem Unterwasser-Western.

Anfangs blieb der Stuhl genau dort, wo er gewesen war, als ihr Hintern sich von ihm trennte, doch als sie die Arme immer höher hob und weiter ausstreckte, wurde der schwere Stuhl von der Kette hochgehoben, die ihre Handgelenke verband und hinter ihr zwischen den vertikalen Sprossen der Stuhllehne verlief. Nun hob sie vorn den Tisch und hinten den Stuhl hoch. Die Kante der Sitzfläche drückte hart gegen ihre Schenkel, und das geschwungene Kopfstück der Lehne preßte sich grausam unter ihre Schulterblätter, und wie eine Schraubklemme hinderte der Stuhl sie daran, sich noch viel höher zu erheben.

Dennoch stemmte Chyna sich gegen den Tisch, während sie ihn hob, löste sich so weit von dem einengenden Stuhl, daß sie sich um einen weiteren Zentimeter, und dann um noch einen, aus ihrer Hockstellung erheben konnte. Als ihre Kraft und Ausdauer an ihre Grenzen stießen, stöhnte sie laut und rhythmisch: *»Uh, uh, uh, uh!«* Schweiß glasierte ihr Gesicht, brannte in ihren Augen, aber es war sowieso völlig dunkel in der Küche, und sie mußte nicht sehen, was sie tat, um es zu vollenden. Ihre brennenden Augen störten sie nicht; das war nur ein kleiner Schmerz. Aber sie hatte den Eindruck, als würde ihr vor Anstrengung gleich ein Blutgefäß platzen – oder als hätte sich in der Arterie ein Blutgerinnsel gebildet und würde jeden Moment tief in ihr Gehirn eindringen.

Sie verspürte wieder Furcht, zum erstenmal seit Stunden, denn selbst während sie versuchte, den Tisch hochzuheben, mußte sie unwillkürlich daran denken, was Edgler Vess mit ihr anstellen würde, sollte er nach Hause kommen und sie nach einem Schlaganfall benommen und hilflos auf dem Boden vorfinden. Wenn ihr Verstand nur noch Mehlbrei war, wäre sie nicht mehr das kultivierte Spielzeug, als das er sie kennengelernt hatte. Die übliche Folter würde ihm dann kaum mehr den erforderlichen Kitzel bieten. Dann würde Vess vielleicht auf die grausamen Spiele seiner Jugend zurückgreifen. Vielleicht würde er sie in den Garten schleppen und sie anzünden, um vergnügt zu beobachten, wie sie mit verkrüppelten, brennenden Gliedern zuckend im Kreis kroch.

Der Tisch knallte so schwer auf seine Seite, daß in den Küchenschränken das Geschirr schepperte und in einem Fenster eine lose Scheibe klirrte.

Obwohl sie sich aufs heftigste bemüht hatte, genau dieses Ergebnis zu erzielen, schockierte ihr abrupter Erfolg sie dermaßen, daß sie nicht triumphierend aufschrie. Sie lehnte sich gegen die Rundung des umgekippten Tisches und rang nach Atem.

Als sie sich eine halbe Minute später vom Tisch zurückziehen wollte, stellte sie fest, daß die Kette noch immer fest um den schweren faßähnlichen Sockel geschlungen war und sie noch immer festsaß.

Sie versuchte, die Kette freizuziehen. Kein Glück.

Sie ließ sich auf Hände und Knie hinab, trug den Stuhl auf ihrem Rücken und griff unter den umgestürzten Tisch, als suche sie am Strand unter einem riesigen Sonnenschirm Schutz. In der Dunkelheit tastete sie den Fuß der Tonne ab, die als Sockel diente, und stellte fest, daß dieser Teil der Aufgabe noch nicht erledigt war.

Der Tisch lag auf der Seite – wie ein Pilz mit einem großen Hut, dessen Stiel schräg auf den Boden traf. Aus der Position, aus der heraus sie hatte arbeiten müssen, war es nicht möglich gewesen, ihn völlig umzukippen, so daß der Sockel in die Luft ragte. Der Boden der Tonne, um den sich ein Faßreifen spannte, lag völlig frei; doch die Kette lag zwischen dem Boden und der *Seite* des Fasses.

Chyna hob den Stuhl mit sich hoch und kämpfte sich auf die Füße, konnte aber nur eine Hockstellung einnehmen. Sie griff mit beiden Händen hinab, krallte die Finger um den Faßreifen, hielt inne, um ihre Kräfte zu sammeln, und zog nach oben.

Obwohl sie versuchte, ihren verletzten Zeigefinger zu schonen, glitten ihre schweißnassen Hände von dem lackierten Eisen ab. Sie drückte die Fingerspitzen ihrer rechten Hand hart gegen den rauhen Boden des Fasses, und ein so greller Schmerz schoß durch ihren geschwollenen Zeigefinger, daß es ihr fast die Sinne raubte und sie qualvoll aufschrie.

Sie beugte sich vor, drückte die verletzte Hand schützend gegen ihre Brust und wartete, daß der Schmerz nachließ. Nach einer Weile ebbte er etwas ab.

Nachdem sie die Hände an der Jeans trockengerieben hatte, verhakte sie die Finger erneut um den Faßreifen, verharrte kurz und zog, und der zylindrische Sockel hob sich um ein, zwei Zentimeter vom Boden. Mit dem linken Fuß zog sie die Kette heran, bis sie glaubte, sie hervorgeholt zu haben, und dann ließ sie den Sockel wieder zu Boden fallen.

Sie fiel mit dem Stuhl zurück, und diesmal hielt nichts sie auf. Die Kette schnarrte über den Boden: Sie fesselte sie nicht mehr an den Tisch.

Der Stuhl prallte gegen die Wand zwischen Küche und Waschraum. Sie hoppelte zur Seite, hinter dem Tisch hervor, zum Fenster, das nur ein dunkelgraues Rechteck zwischen der Schwärze der unbeleuchteten Küche und der nicht ganz so finsteren Nacht war.

Obwohl Chyna alles andere als frei, geschweige denn in Sicherheit war, war sie begeistert, denn endlich hatte sie etwas *getan*. In endloser Abfolge fluteten Wellen von Kopfschmerz durch ihre Stirn und ihre rechte Schläfe, und der Schmerz in ihrem Nacken war brutal. Ihr geschwollener Zeigefinger war eine Welt des Elends für sich. Trotz ihrer dicken Socken fühlten ihre Knöchel sich an, als hätten die Fesseln sie aufgescheuert und geprellt, und ihr linkes Handgelenk brannte dort, wo sie es bei dem Versuch, die Sprossen aus dem Stuhlrücken zu reißen, verletzt hatte. Ihre Gelenke schmerzten, und ihre Muskeln brannten vor Überanstrengung, und in ihrer linken Seite spürte sie Stiche, als würde jemand eine Nadel hindurchziehen, in die man einen glühenden Draht eingefädelt hatte – und doch grinste sie und war außer sich vor Freude.

Als sie neben dem Fenster war, bückte sie sich, bis die Stuhlbeine den Boden berührten, und setzte sich.

Während ihr wild hämmernder Herzschlag sich langsam beruhigte, lehnte Chyna sich gegen das Kissen zurück. Sie atmete noch immer schwer und überraschte sich, indem sie lachte. Ein musikalisches, unerwartet mädchenhaftes Gelächter brach aus ihr heraus, ein erstaunliches Kichern, das zum Teil Freude ausdrückte und zum Teil das Nachlassen der Nervenanspannung begleitete.

Sie rieb ihre vor Schweiß brennenden Augen zuerst mit dem einen und dann mit dem anderen Ärmel ihres Baumwollpullis ab. Mit den gefesselten Händen strich sie unbeholfen ihr kurzes Haar aus der Stirn zurück, auf die es in feuchten Locken gefallen war.

Als ein leiseres, kontrollierteres, trillerndes Gelächter über ihre Lippen kam, nahm sie aus dem rechten Augenwinkel eine Bewegung wahr. Sie drehte den Kopf zum Fenster und dachte glücklich: *Der Elch.*

Ein Dobermann starrte sie an.

Nur wenige Sterne, und noch leuchtete der Mond nicht zwischen den aufgerissenen Wolken, und der Hund war pechschwarz. Trotzdem war er ganz deutlich sichtbar, vielleicht, weil sein spitzes Gesicht sich nur wenige Zentimeter von ihrem entfernt befand und lediglich das Glas zwischen ihnen war. Seine tintigen Augen waren kalt und gnadenlos, haiähnlich in ihrer unerschütterlichen und glasigen Konzentration. Neugierig drückte er die nasse Schnauze gegen die Scheibe.

Der Dobermann stieß ein hohes Jaulen aus, das sogar durch das Glas hörbar war: weder ein ängstliches Winseln noch eine Bitte um Aufmerksamkeit, sondern ein scharfes Geräusch, das perfekt die Mordlust in seinen Augen ausdrückte.

Chyna lachte nicht mehr.

Der Hund ließ sich vom Fenster hinabfallen und verschwand außer Sicht.

Sie hörte seine Pfoten hohl über die Bretter hämmern, als er auf der Veranda schnell auf und ab lief. Wenn das Tier nicht leise jaulte, knurrte es tief und aggressiv.

Dann sprang der Hund wieder in Sicht, legte seine breiten Vorderpfoten auf die Fensterbank und befand sich erneut auf Augenhöhe mit ihr. Erregt entblößte er drohend die langen Zähne, bellte oder jaulte aber nicht.

Vielleicht war das Geräusch, mit dem das Wasserglas auf dem Boden zerbrach, oder der Knall, mit dem der Tisch auf die Seite fiel, noch im Garten zu vernehmen gewesen, und dieser Dobermann war gerade in der Nähe gewesen und hatte es gehört. Der Hund hatte vielleicht schon eine ganze Weile an dem Fenster gestanden, gehört, wie Chyna abwechselnd ihre Ketten verfluchte und sich anfeuerte, während sie sich vom Tisch befreite; und ganz bestimmt hatte er ihr Gelächter gehört. Hunde hatten lausig schlechte Augen, und das Tier würde kaum mehr als ihr Gesicht sehen können, jedenfalls nichts von dem Durcheinander. Doch sie hatten einen ausgezeichneten Geruchssinn, und vielleicht war das Tier in der Lage, den Geruch ihrer plötzlichen Begeisterung durch das Fenster hindurch wahrzunehmen – und war nun alarmiert.

Das Fenster war gut anderthalb Meter breit, einen Meter zwanzig hoch und in zwei Hälften unterteilt. Offensichtlich war es nicht von Anfang an vorhanden gewesen, sondern erst bei einer Renovierung vor relativ kurzer Zeit eingebaut worden. Hätte es aus zahlreichen kleineren Scheiben bestanden, die von breiten, soliden Holzstegen geteilt wurden, hätte Chyna sich wesentlich sicherer gefühlt. Aber die beiden aufschiebbaren Glasscheiben waren so groß, daß ein erregter Dobermann hindurchpaßte, wenn er ihr unbedingt an die Kehle gehen wollte.

Doch dazu würde es bestimmt nicht kommen. Die Hunde waren ausgebildet worden, das Gelände zu bewachen, und nicht, ins Haus einzudringen.

Die entblößten Zähne schimmerten wie Perlen grauweiß in der Dunkelheit: ein breites, aber humorloses Grinsen.

Chyna vermied plötzliche, provozierende Bewegungen und wartete lieber, bis der Dobermann sich wieder vom Fenster hinabgelassen hatte, bevor sie zum Boden griff und die Kette, die sie an den Tisch gefesselt hatte, aufhob, um nicht darüber zu stolpern. Während sie darauf lauschte, wie der Hund auf der Veranda auf und ab lief, erhob sie sich in die Rumpelstilzchen-Hockstellung, die der behindernde Stuhl ihr aufzwang. Sie hüpfte mit dem Stuhl durch die Küche und hielt sich in der Nähe der Wände und Schränke, ertastete sich den Weg, so gut sie es vermochte, während die Handschellen sie behinderten und sie überdies das Ende der Kette in einer Hand hielt. Sie schlurfte beim Gehen stärker, als ihre Fesseln es verlangten, in der Hoffnung, sie würde das zerbrochene Glas und die Splitter des Tellers beiseite schieben, statt hineinzutreten.

Als sie die Türöffnung zwischen der Küche und dem vorderen Raum erreichte, fand sie die Lichtschalter, zögerte aber, sie zu betätigen. Als sie über die Schulter schaute und den Dobermann wieder am Fenster sah, wünschte sie sich, sie müßte in der Küche kein Licht machen.

Doch sie mußte die Schubladen durchsuchen, und so schaltete sie die Deckenlampe ein. Am Fenster zuckte der Dobermann zusammen, legte die Ohren an den Kopf, richtete sie augenblicklich wieder auf, schaute zu ihr hinüber und fixierte sie mit seinem Blick.

Den Dobermann ignorierend, beugte Chyna sich so weit vor, wie ihre Fesseln es erlaubten, und wurde wieder vom Gewicht des Stuhls belastet. Sie versuchte, den Karabinerhaken zu erreichen, der die kürzere Kette zwischen ihren Fußeisen mit der längeren verband, die um den Tisch geschlungen gewesen war und noch immer zwischen den Sprossen des Stuhlrückens verlief. Doch obwohl sie sich von dem Tisch befreit hatte, war sie noch auf eine solche Art und Weise eingeengt, daß sie die Finger nicht auf diese Verbindung legen konnte.

Sie hoppelte an den Schränken entlang, öffnete eine Schublade nach der anderen und studierte deren Inhalt.

Als sie an einer Telefonbuchse in der Wand vorbeikam, blieb sie stehen und starrte sie frustriert an. Falls Edgler Vess tatsächlich ein anderes Leben als das des »gemeingefährlichen Abenteurers« führte, einer Arbeit nachging und soziale Kontakte hatte, um damit seine wahre Natur zu verbergen, mußte er auch ein Telefon haben; das war nicht nur ein toter Anschluß, den die Vorbesitzer des Hauses zurückgelassen hatten. Er mußte das Telefon versteckt haben.

Für einen psychotischen Killer, der auf einer Ebene völlig außer Kontrolle geraten war, ging Vess überraschend vorsichtig und methodisch vor, um seinen Arsch in Sicherheit zu bringen. Das Leben anderer schlug er als Herr des Chaos in Trümmer, aber seine eigenen Angelegenheiten hielt er in Ordnung und vermied Fehler.

Sie öffnete ein paar Schranktüren und schaute in die Fächer, fand aber nur Töpfe, Pfannen, Geschirr und Gläser. Die Hoffnung, das Telefon zu finden, gab sie bald auf, als ihr klar wurde, daß

Vess, wenn er sich schon die Mühe machte, es auszustöpseln und zu verstecken, es wohl außerhalb der Küche und an einem Ort verborgen hatte, wo sie es kaum finden würde, selbst wenn ihr für die Suche ein paar Stunden Zeit blieb.

Sie öffnete die Schubladen. In der vierten fand sie einen unterteilten Plastikbehälter, der eine Sammlung kleiner Küchenwerkzeuge enthielt.

Sie ließ den Stuhl neben der offenen Schublade zu Boden und setzte sich.

Draußen schritt der Dobermann wieder auf und ab; seine Pfoten trommelten schneller als zuvor, er *rannte* geradezu auf der Veranda hin und her, hin und her, und jaulte auch lauter. Chyna war nicht klar, wieso das Tier noch immer dermaßen erregt war. Sie zerbrach keine Teller mehr oder warf Möbel um. Sie durchsuchte leise die Schubladen und rasselte so wenig wie möglich mit ihren Ketten, tat nichts, um den Hund zu beunruhigen. Er schien zu merken, daß sie an ihrer Flucht arbeitete, aber das war unmöglich; er war nur ein Tier, das die Kompliziertheit ihrer Lage nicht begreifen konnte. Nur ein Tier. Und doch raste es besorgt von einem Ende der Veranda zum anderen, sprang wieder hoch, um durch das Fenster zu schauen, fixierte sie mit seinen grausamen schwarzen Augen und schien zu sagen: *Geh von der Schublade weg, du Miststück!*

Sie holte einen Korkenzieher mit Holzgriff aus der Schublade, untersuchte die Spirale und legte ihn wieder weg. Ein Flaschenöffner. Nein. Ein Kartoffelmesser. Ein Schälmesser. Nein. Sie fand eine zwanzig Zentimeter lange Federzange, die Vess wahrscheinlich benutzte, um Oliven, Gürkchen und ähnliches aus engen Gläsern zu holen. Die Greifer erwiesen sich als zu groß, um in die schmalen Schlüssellöcher der Handschellen zu passen, also legte sie auch die Zange wieder beiseite.

Dann fand sie den idealen Gegenstand: eine zehn Zentimeter lange Stahlnadel, mit der man gefülltes Geflügel verschloß. Ein Dutzend davon wurde von einem straffen Gummiband zusammengehalten, und sie zog eine Nadel heraus. Sie war ziemlich hart, etwa zwei Millimeter dick, lief vorn spitz zu und hatte am anderen Ende eine zentimeterbreite Schlaufe. Mit kleineren Nadeln hielt man Brathähnchen zusammen, doch die hier war für Truthahn gedacht.

Der Gedanke an einen saftigen gegrillten Truthahn rief ihr sofort dessen Geruch in Erinnerung. Chyna lief das Wasser im Mund zusammen, und ihr Magen knurrte; jetzt bedauerte sie, das Sandwich nicht gegessen zu haben, das Vess ihr gemacht hatte.

Sie nahm die Nadel zwischen Daumen und Mittelfinger der rechten Hand, verzichtete also auf den geschwollenen Zeigefinger, und steckte die Spitze in die Schlüsselöffnung der linken Handschelle. Versuchsweise herumtastend, erzeugte sie jede Menge leiser Klick- und Kratzgeräusche, während sie versuchte, den Schließmechanismus in dem Schlüsselloch der Handschelle zu erfühlen.

Sie erinnerte sich an einen Film, in dem der gefährlichste psychotische Mörder, das größte kriminelle Genie seiner Zeit, aus der Metallmine eines Kugelschreibers und einer ganz normalen Büroklammer einen Schlüssel für seine Handschellen gefertigt hatte. Er knackte beide Fesseln in fünfzehn Sekunden, vielleicht auch nur zehn, überwältigte danach seine beiden Wächter, tötete sie und schnitt einem die Gesichtshaut ab, die er dann als Tarnung trug, wozu er allerdings ein Taschenmesser und nicht den selbstgebastelten Schlüssel benutzte. Im Lauf der Jahre hatte sie viele andere Filme gesehen, in denen Gefangene Handschellen und Fußeisen öffneten, und keiner davon hatte mehr Übung darin gehabt als sie.

Als ihre Handschellen zehn Minuten später noch immer verschlossen waren, sagte Chyna: »Filme sind absolute Scheiße.«

Sie war so frustriert, daß ihre Hand zitterte und sie die Nadel nicht mehr richtig festhalten konnte. Sie zappelte sowieso nur nutzlos in dem engen Schloß herum.

Auf der Veranda lief der Hund nicht mehr so schnell auf und ab wie zuvor, war aber noch immer aufgebracht. Zweimal scharrte er mit den Pfoten an der Hintertür, einmal mit beträchtlicher Heftigkeit, als wolle er sich durch das Holz graben.

Chyna nahm die Nadel in die linke Hand und arbeitete eine Weile an der rechten Handschelle. Ein Ticken, Klicken, Scharren und Kratzen. Sie konzentrierte sich so stark darauf, das winzige Schloß zu knacken, daß sie so heftig schwitzte wie bei dem Versuch, den schweren Tisch umzustoßen.

Schließlich warf sie die Nadel auf den Boden, und sie sprang, *ping-ping-ping,* über die Fliesen und prallte zuerst gegen ein Stück des zerbrochenen Tellers und dann gegen eine Scherbe des Wasserglases.

Vielleicht hätte sie sich in null Komma nichts befreien können, wäre sie die größte Psychopathin und das größte kriminelle Genie ihrer Zeit gewesen. Doch sie war nur Kellnerin und Psychologiestudentin.

Trotz ihrer abträglichen geistigen Gesundheit und Gesetzestreue hätte sie die Handschellen und die größeren Fußfesseln vielleicht mit einem geeigneteren Werkzeug als dieser Truthahnnadel knacken können, doch dafür hätte sie wahrscheinlich ein paar Stunden benötigt. Und sie konnte sich nicht stundenlang einzig und allein damit beschäftigen, sich von dem Stuhl und den Fesseln zu befreien, denn sie mußte vor Vess' Rückkehr noch zahlreiche andere dringende Aufgaben erledigen.

Sie schlug die Schublade zu und erhob sich, wobei sie die Kette hochhielt und den Stuhl mit sich schleppte.

Als Chyna zur Tür zwischen der Küche und dem Wohnzimmer humpelte, klimperte sie wie der Weihnachtsmann, der den Kamin hinabsteigt.

Hinter ihr, am Fenster der Eßecke, erklang ein unheimliches Kratzen. Sie schaute zurück und sah, daß der große Dobermann mit beiden Vorderpfoten hektisch über das Glas scharrte. Die Krallen glitten mit einem Geräusch über die Scheibe, das so unangenehm war wie das von Fingernägeln, die über eine Schiefertafel gezogen wurden.

Sie hatte vorgehabt, sich im Licht, das durch die offene Tür fiel, den Weg ins dunkle Wohnzimmer zu suchen, doch der Hund jagte ihr Angst ein. Während sie versucht hatte, die Handschellen zu knacken, war der Dobermann etwas ruhiger geworden, doch nun schien er völlig durchzudrehen. In der Hoffnung, ihn zu beruhigen, bevor er sich entschloß, durch die Fensterscheibe zu springen, schaltete sie die Neonleuchten unter der Decke aus.

*Quietsch-quietsch-quietsch.*

Krallen, Glas.

*Quietsch-quietsch.*

Sie schob sich über die Schwelle, ließ die Küche hinter sich und stieß die Tür zu, um das Quietschen nicht mehr hören zu müssen.

Damit hatte sie auch den Hund ausgeschlossen für den Fall, daß er so verrückt sein sollte, durch die Scheibe zu springen.

Sie tastete sich die Wand entlang. Offenbar befand sich lediglich auf der gegenüberliegenden Seite, neben der Haustür, ein Lichtschalter.

Das Wohnzimmer schien noch dunkler als die Küche zu sein. Über dem einen der beiden großen Fenster zur vorderen Veranda waren die Vorhänge zugezogen. Das andere war ein kaum auszumachendes graues Rechteck, das nicht mehr Licht einließ als das Doppelfenster in der Küche.

Chyna stand reglos da, orientierte sich kurz und versuchte, sich die Einrichtung in Erinnerung zurückzurufen. Sie war nur einmal, ganz kurz, in diesem Raum gewesen, und auch da hatte er im Dämmer gelegen. Als sie heute morgen durch die Haustür hereingekommen war, hatte sie die Küchentür links in der hinteren Wand gesehen. Das prachtvolle Sofa mit den runden Füßen und dem Schottenkaro-Bezug hatte rechts gestanden, befand sich nun also, da sie zur Haustür schaute, links von ihr. Neben der Couch hatten rustikale Beistelltische aus Eiche gestanden – und auf jedem Tisch eine Lampe.

Während sie versuchte, sich den Raum bildlich vorzustellen, hoppelte sie vorsichtig durch die Dunkelheit. Sie befürchtete, sie könne über einen Stuhl, einen Hocker oder einen Zeitungsständer fallen. Angekettet und unter dem Gewicht des Stuhls würde sie ihren Sturz nicht auf natürliche Weise abfangen können und von den Fesseln vielleicht so verdreht werden, daß sie sich einen Knöchel oder sogar ein Bein brach.

Woraufhin Edgler Vess nach Hause kommen, sich über die Unordnung ärgern und enttäuscht sein würde, daß sie sich Schaden zugefügt hatte, bevor er mit ihr spielen konnte. Dann würde er entweder Schildkröten-Spiele beginnen oder aber ein paar Experimente mit ihrem gebrochenen Bein vornehmen, um sie zu lehren, Schmerzen zu genießen.

Zuerst stieß sie gegen das Sofa, und sie stürzte nicht. Sie glitt mit der Hand am gepolsterten Rücken entlang und arbeitete sich langsam nach links weiter, bis sie den Beistelltisch erreichte. Sie streckte die Hände aus und fand den Lampenschirm und das Drahtgestell unter dem straff gespannten Stoff.

Sie fummelte an der Verkleidung der Glühbirnenfassung und dann am Fuß der Lampe herum. Als ihre Finger endlich den Drehschalter berührten, war sie plötzlich davon überzeugt, daß eine starke Hand aus der Dunkelheit kommen und sich auf die ihre legen würde, daß Vess ins Haus zurückgeschlichen war und nur ein paar Zentimeter von ihr entfernt auf dem Sofa saß. Erheitert hatte er ihren Bemühungen gelauscht, und nun saß er wie eine fette, geduldige Spinne in seinem Schottenkaro-Netz und freute sich schon darauf, ihre Hoffnungen zu zerschmettern, nachdem sie endlich so weit gekommen war. Das Licht würde aufleuchten, und Vess würde lächeln, ihr zublinzeln und »intensiv« sagen.

Der Schalter lag wie Eis zwischen Daumen und Finger. An ihrer Haut festgefroren.

Ihr Herz schlug wie die Schwingen eines hektischen Vogels in der Schlinge, und die Schläge waren so heftig, daß ihre Lungen sich nicht mehr ausdehnen konnten, und der Puls in ihrer Kehle schwoll dermaßen an, daß sie nicht mehr schlucken konnte. Doch dann schüttelte Chyna ihre Lähmung ab und betätigte den Schalter. Weiches Licht flutete den Raum. Edgler Vess saß nicht auf dem Sofa. Auch nicht in einem Sessel. Er war überhaupt nicht im Zimmer. Sie atmete lautstark aus, erzitterte so heftig, daß die Ketten rasselten, und lehnte sich gegen das Sofa. Allmählich wurde ihr flatterndes Herz wieder ruhiger.

Nach diesen grauen Stunden der Niedergeschlagenheit, in denen jedes Gefühl in ihr erstorben war, verschaffte dieser Anflug von Entsetzen ihr neue Energie. Sollte sie jemals einen schweren Herzanfall erleiden, wäre der bloße Gedanke an Vess besser geeignet als die elektrischen Saugnäpfe eines Defibrillators, ihr Herz mit einem kräftigen Schlag wieder in Gang zu bringen. Die Furcht bewies, daß sie wieder ins Leben zurückgekehrt war und neue Hoffnung gefunden hatte.

Sie schlurfte zu dem grauen, steinernen Kamin, der die gesamte nördliche Wand des Zimmers vom Boden bis zur Decke einnahm. Die tiefe Feuerstelle in der Mitte war nicht erhaben, was ihre Arbeit beträchtlich vereinfachen würde.

Sie hatte überlegt, ob sie in den Keller gehen sollte, wo sie zuvor eine Werkbank gesehen hatte, um dort die Sägen zu untersuchen, die sich bestimmt in Vess' Werkzeugsammlung befanden. Aber von dieser Lösung war sie schnell wieder abgekommen.

Die steile Kellertreppe hinabzugehen, während sie mit Stahlketten gefesselt war und einen schweren Kiefernholzstuhl auf dem Rücken trug, war vielleicht nicht gerade so gefährlich, wie mit einem aufgemotzten Motorrad in die Snake-River-Schlucht hinabzufahren, aber zweifellos ein Risiko. Sie war zwar zuversichtlich, daß sie es bis zum Fuß der Treppe schaffen würde, ohne vornüber zu stürzen und sich an dem Beton den Schädel aufzuschlagen oder sich sechsunddreißigmal das Bein zu brechen – aber zuversichtlich hieß eben nicht völlig sicher. Da sie in den letzten vierundzwanzig Stunden kaum etwas gegessen und außerdem schon eine erschöpfende körperliche Tortur hinter sich gebracht hatte, war sie nicht mehr so stark wie sonst. Außerdem war sie wegen ihrer diversen Schmerzen wacklig auf den Beinen. Ein Abstecher in den Keller hörte sich zwar nicht großartig problematisch an, ließ sich unter diesen Umständen aber mit einem Hochseilakt vergleichen, vor dem der Artist vier doppelte Martinis gekippt hatte.

Und selbst, wenn sie eine scharfzahnige Säge fand, die so klein war, daß sie sie handhaben konnte, würde sie sie nicht in einem Winkel einsetzen können, der es ihr ermöglichte, schnell und wirksam vorzugehen. Um die untere Kette von dem Stuhl zu befreien, mußte sie alle drei Querstangen zwischen den Stuhlbeinen durchtrennen, von denen jede drei oder vier Zentimeter dick war. Dazu würde sie sich sitzend vorbeugen und unter dem Stuhl *rückwärts* sägen müssen. Auch wenn die obere Kette ihr genug Spielraum ließ, um sich tief genug zu bücken, was sie bezweifelte, würde sie nur schwach an dem Holz kratzen können. Mit viel Glück würde sie die dritte Stange im Spätfrühling durchtrennt haben. Danach mußte sie sich dann den fünf stämmigen Sprossen in der Rückenlehne widmen, zwischen denen die obere Kette verlief, und nicht mal ein Schlangenmensch vom Jahrmarkt, der mit Gummiknochen geboren worden war, würde mit einer Säge an sie herankommen, wenn er so wie Chyna gefesselt war.

Es war also unmöglich, die Ketten selbst zu durchtrennen. Sie käme zwar in einem Winkel an sie heran, der wesentlich besser war als der, aus dem sie bei den Verstrebungen zwischen den

Stuhlbeinen vorgehen mußte; aber Vess würde wohl kaum Sägen besitzen, die Stahl durchtrennen konnten, und Chyna hatte auf keinen Fall mehr die dazu nötige Kraft.

Sie mußte auf primitivere Mittel als Sägen zurückgreifen. Und ihr war klar, daß sie sich dabei ernsthaft verletzen konnte. Auf jeden Fall würde es sehr schmerzhaft werden.

Auf dem Kaminsims sprangen die bronzenen Hirsche in ewiger Erstarrung über das runde, weiße Zifferblatt der Uhr und drückten ihre Geweihe aneinander.

Acht Minuten nach sieben.

Ihr blieben noch fast fünf Stunden, bis Vess zurückkehrte.

Oder vielleicht auch nicht.

Er hatte gesagt, er wolle so früh wie möglich *nach* Mitternacht zurückkommen, doch Chyna konnte sich nicht darauf verlassen, daß er die Wahrheit gesagt hatte. Vielleicht kam er um zehn Uhr zurück. Oder um acht. Oder in zehn Minuten.

Sie hoppelte zu der gefliesten Feuerstelle auf Bodenhöhe hinüber und dann nach rechts, vorbei an der Brennkammer, dem Feuerbock aus Messing und der tiefen Kamineinfassung. Die gesamte Wand neben dem Kamin bestand aus glattem grauem Flußstein – genau die harte Oberfläche, die sie brauchte.

Chyna richtete sich auf, stellte sich mit der linken Seite neben die Wand, drehte den Oberkörper so weit nach links, wie es ihr möglich war, ohne die Füße zu bewegen, so ähnlich wie ein Diskuswerfer, und drehte sich dann scharf und heftig nach rechts. Dieses Manöver schleuderte den Stuhl auf ihrem Rücken von ihr fort und ließ ihn gegen die Wand prallen. Er schepperte gegen die Steine, prallte unter Kettengerassel ab und knallte so hart gegen ihren Körper, daß ihre Schultern, Rippen und Hüften schmerzten. Sie versuchte es erneut, wobei sie noch mehr Kraft aufbrachte, erkannte aber am Geräusch, daß sie damit bestenfalls den Lack ankratzte und ein paar Splitter aus dem Holz schlug. Hunderte dieser lahmen Stöße mochten den Stuhl mit der Zeit in einen Haufen Anmachholz verwandeln; doch wenn sie ihn so oft gegen die Steinwand hämmerte und jedesmal den Rückstoß ertragen mußte, würde sie bald nur noch eine unkenntliche, blutige Masse sein, und ihre Knochen würden brechen und ihre Gelenke aufspringen wie die Glieder einer Kette aus dem Kaugummiautomaten.

Wenn sie den Stuhl hin und her schwang, wie ein Hund mit dem Schwanz wackelte, würden ihre Bewegungen nie die erforderliche Kraft entwickeln können. Das hatte sie befürchtet. Sie sah lediglich eine Alternative, die vielleicht funktionieren könnte – aber die gefiel ihr nicht.

Chyna warf einen Blick auf die Uhr auf dem Kaminsims. Seit sie zum letztenmal darauf geschaut hatte, waren erst zwei Minuten vergangen.

Zwei Minuten waren nichts, wenn sie bis Mitternacht Zeit hatte, doch sollte Vess in diesem Augenblick bereits wieder auf dem Nachhauseweg sein, waren sie eine katastrophale Zeitverschwendung. Vielleicht bog er in diesem Moment von der öffentlichen Straße ab, fuhr durch das Tor auf seine Auffahrt, der verlogene Mistkerl, hatte ihr nur etwas vorgemacht, als er sagte, er sei bis Mitternacht fort, und schlich sich früher zurück und...

Sie buk gerade einen dicken Laib Panik, schwer und hefig, und wenn sie nur eine einzige Scheibe davon aß, würde sie daran ersticken. Sie wagte es nicht, diesem Hunger nachzugeben. Panik war Zeit- und Kraftverschwendung.

Sie mußte ruhig bleiben.

Um sich von dem Stuhl zu befreien, mußte sie ihren Körper wie eine Druckluft-Ramme einsetzen, und sie würde starke Schmerzen ertragen müssen. Sie hatte bereits Schmerzen, aber das, was ihr bevorstand, würde noch schlimmer werden, verheerend – und davor hatte sie Angst.

Bestimmt gab es eine andere Möglichkeit.

Sie stand da und lauschte auf ihren Herzschlag und das hohle Ticken der Uhr auf dem Kaminsims.

Wenn sie zuerst nach oben ging, würde sie vielleicht ein Telefon finden und die Polizei anrufen können. Diese Leute würden mit den Dobermännern umzugehen wissen. Sie würden Schlüssel haben, um sie von den Handschellen und Ketten zu befreien. Sie würden auch Ariel befreien. Mit diesem einen Anruf wäre die gesamte Last von ihr genommen.

Aber im Grunde wußte sie – dank ihrer alten Freundin, der Intuition –, daß sie auch oben kein Telefon finden würde. Edgler Vess war ein gründlicher Mensch. Wenn er im Haus war, war das Telefon angeschlossen – aber nicht, wenn er es verlassen hatte.

Wahrscheinlich stöpselte er das Ding sogar jedesmal aus und nahm es mit, wenn er ging.

Gefesselt, vom Stuhl aus dem Gleichgewicht gebracht und daher gefährlich unbeholfen, ging Chyna das Risiko eines Sturzes ein, der sie zum Krüppel machen würde, wenn sie die Treppe hinaufstieg. Wenn sie oben kein Telefon fand, mußte sie wieder herunter, und das war ein noch größeres Risiko. Dieses Intermezzo wäre reine Zeitverschwendung.

Sie drehte der steinernen Wand den Rücken zu, schlurfte zwei Meter von ihr fort, blieb stehen, schloß die Augen und nahm allen Mut zusammen.

Vielleicht würde eine der Sprossen in der Rückenlehne zerbrechen und nach vorn getrieben werden. Dann würde das zersplitterte Ende das Kissen durchdringen oder an ihm vorbeigleiten und sie aufspießen, direkt durch ihre Eingeweide.

Wahrscheinlicher war jedoch, daß sie sich eine Wirbelsäulenverletzung zuzog. Wenn die gesamte Wucht des Aufpralls gegen die untere Hälfte des Stuhls gerichtet war, würden dessen Beine gegen die ihren getrieben werden. Die obere Hälfte würde zuerst von ihr zurückweichen – und dann zurückschnappen und hart gegen das obere Drittel ihres Rückens oder ihren Nacken prallen. Die Sprossen steckten zwischen der Sitzfläche und dem halbkreisförmigen Holzstück, das als Kopflatte diente, und dieser obere Abschluß war so stabil, daß er großen Schaden anrichten würde, wenn er mit großer Kraft gegen ihre Halswirbel prallte. Vielleicht endete sie unter dem Stuhl und den Ketten auf dem Wohnzimmerboden, vom Hals abwärts gelähmt.

Manchmal dachte sie zu viel über Möglichkeiten nach, verweilte wider jede Vernunft bei den Myriaden von Wegen, auf denen eine Situation oder eine Beziehung schrecklich entgleisen konnte. Das war auch eine Folge davon, daß sie ihre Kindheit damit verbracht hatte, unter statt auf der Matratze zu liegen und darauf zu warten, daß der Streit oder die Party ein Ende nahm.

Als Chyna sieben Jahre alt gewesen war, hatten sie und ihre Mutter eine Weile bei einem Mann namens Zack und einer Frau namens Memphis in einer verkommenen alten Farm nicht weit von New Orleans gewohnt, und eines Abends waren zwei Männer zu Besuch gekommen, die einen Kühlbehälter aus Styropor mitgebracht hatten, und Memphis hatte sie keine fünf Minuten nach ihrer Ankunft getötet. Die Besucher hatten am Küchentisch gesessen. Einer von ihnen hatte mit Chyna gesprochen, und der andere hatte gerade eine Flasche Bier geköpft – als Memphis eine Pistole aus dem Kühlschrank nahm und beide Männer in den Kopf schoß, einen nach dem anderen, so schnell, daß dem zweiten nicht mal Zeit blieb, sich in Deckung zu werfen, bevor sie ihm eine Kugel ins Gesicht jagte. Geschmeidig und schnell wie eine Eidechse war Chyna geflohen, überzeugt, daß Memphis verrückt geworden war und sie alle umbringen würde. Sie versteckte sich auf dem Heuboden der Scheune. Während der Stunde, welche die Erwachsenen brauchten, um sie zu finden, stellte sie sich so oft vor, wie ihr eigenes Gesicht vom Einschlag einer Kugel aufgelöst wurde, daß danach vor ihrem geistigen Auge jedes Bild – sogar die flüchtigen Blicke auf den Wilden Wald, in den sie nicht ganz entfliehen konnte – völlig in Rottönen gehalten war, in nassem Rot.

Aber sie hatte diese Nacht überlebt.

Sie hatte sehr lange überlebt. Eine Ewigkeit.

Und sie würde auch das überleben – oder bei dem Versuch sterben.

Ohne die Augen zu öffnen, lief Chyna so schnell zurück, wie die Fußfesseln es zuließen, und trotz ihrer Furcht kam ihr der Gedanke, daß sie schon einen komischen Anblick abgeben mußte, weil sie so hektisch schlurfen mußte, um genügend Geschwindigkeit aufzubauen. Sie mußte sich mit schnellen kleinen Babyschritten in ihre Wirbelsäulenverletzung stürzen. Aber dann prallte sie gegen die Steinwand, und daran war nichts mehr komisch.

Sie hatte sich leicht vorgebeugt, um sicherzustellen, daß die Stuhlbeine und nicht andere Teile des Stuhls zuerst gegen die Wand prallten und den harten ersten Schlag abbekamen. Da ihr gesamtes Gewicht in dem Stoß lag, folgte dem Aufprall das befriedigende Geräusch von zersplitterndem Holz – und dann wurden die Holzbeine schmerzhaft gegen die Hinterseiten ihrer Schenkel gerammt. Chyna stolperte vorwärts, und der obere Teil des Stuhls peitschte, wie sie es erwartet hatte, gegen ihren Nacken, und sie verlor das Gleichgewicht. Sie fiel auf den Steinfliesen auf die Knie, schlug, den Stuhl noch auf dem Rücken, auf den Boden und prellte sich dabei an so vielen Stellen, daß eine Bestandsaufnahme zu mühsam war.

Da sie noch immer an den Füßen gefesselt war, konnte sie sich nicht erheben, wenn sie sich nicht irgendwo festhielt. Sie kroch zum nächsten Sessel und zog sich hoch, wobei sie vor Anstrengung und Schmerz aufstöhnte.

Ihr gefiel der Schmerz nicht, wie es bei Vess angeblich der Fall war, doch sie würde darüber auch nicht meckern. Zumindest konnte sie noch kriechen und stehen. Die Wirbelsäule war noch heil. Und es war besser, Schmerz zu fühlen, als überhaupt nichts.

Die Stuhlbeine und die Querstangen dazwischen schienen intakt zu sein. Aber dem Geräusch des Aufpralls nach zu urteilen, hatte sie sie zumindest geschwächt.

Beim zweiten Versuch entfernte sie sich zweieinhalb Meter von der Wand, schlurfte so schnell zurück, wie sie konnte, und versuchte, die Stuhlbeine im gleichen Winkel wie zuvor gegen die Wand zu rammen. Sie wurde mit einem lauten und deutlichen Knacken belohnt – dem Geräusch von splitterndem Holz, obwohl es sich wie splitternde Knochen anfühlte.

Ein Damm brach in ihr und setzte Schmerz frei. Kalte Strömungen zerrten sie hinab, aber sie widerstand dem Sog mit der verzweifelten Entschlossenheit eines Schwimmers, der gegen einen dunklen Strudel ankämpft.

Diesmal hatte es sie nicht von den Füßen gerissen. Sie schlurfte vorwärts. Ohne innezuhalten, um wieder zu Atem zu kommen, noch immer zusammengekauert, um zu gewährleisten, daß die Stuhlbeine die volle Wucht des Aufpralls abbekamen, stürmte sie rückwärts gegen die steinerne Wand.

Chyna erwachte bäuchlings auf dem Boden vor dem Kamin; ihr war sofort klar, daß sie zwei, drei Minuten bewußtlos gewesen sein mußte.

Der Teppich war so kalt und wellig wie eine in Bewegung befindliche Wasseroberfläche. Sie trieb nicht darin, sondern schimmerte auf der gekräuselten Oberfläche, als sei sie ein kupferner Funke Sonnenlicht oder die dunkle Spiegelung einer Wolke.

Der schlimmste Schmerz war in ihrem Hinterkopf. Sie mußte ihn irgendwo angestoßen haben.

Sie fühlte sich viel besser, wenn sie nicht an ihre Schmerzen oder Probleme dachte, sondern einfach akzeptierte, daß sie nichts weiter als ein Wolkenschatten war, der auf der spiegelnden Oberfläche eines wogenden Flusses ritt, so substanzlos wie die gekräuselten Muster auf dem strömenden Wasser, die flüssig und kühl davonglitten, immer nur davon.

Ariel. Im Keller. Zwischen den wachsamen Puppen.

*Ich bin meiner Schwester Hüterin.*

Irgendwie kam sie auf Hände und Knie hoch.

Sie hörte das hohle Trommeln von Pfoten auf den Planken der vorderen Veranda.

Als sie sich an einem Sessel auf die Füße zog, schaute sie zu dem Fenster, das nicht von Vorhängen bedeckt war. Zwei Dobermänner hatten die Pfoten auf die Fensterbank gelegt und starrten sie an. In ihren Augen spiegelte sich strahlend gelb das weiche, bernsteinfarbene Licht der Lampe auf dem Beistelltisch.

An der steinernen Wand lag ein Hinterbein des Stuhls. An dem dickeren Ende, wo das Kiefernholz an der Unterseite der Sitzfläche befestigt gewesen war, bestand es nur noch aus scharfen Splittern. Die zweieinhalb Zentimeter durchmessende Stange, die es mit dem anderen Hinterbein verbunden hatte, stand in einem Winkel von neunzig Grad ab.

Die untere Kette war zur Hälfte frei.

Auf der Veranda schritt ein Hund auf und ab. Der andere beobachtete Chyna noch immer.

Sie zog die obere Kette zwischen den Sprossen hinter ihrem Rücken nach links, wobei sie die rechte Hand hinter den Kopf gehoben hatte, um der linken soviel Spielraum wie möglich zu verschaffen. Dann griff sie links hinab, unter die Stuhllehne und dann unter die dicke Sitzfläche, und tastete nach den Stuhlbeinen. Das hinten links fehlte; offensichtlich war es das Bein auf dem Boden. Die seitliche Verstrebung stand noch von dem linken Vorderbein ab, doch da das hintere fehlte, war sie mit nichts mehr verbunden, und die Kette war hinabgerutscht.

Als sie die obere Kette nach rechts zog, um mit dieser Hand unter dem Stuhl tasten zu können, stellte sie fest, daß auch das andere Hinterbein sich gelöst hatte. Sie zog, schob und drehte daran und versuchte es abzubrechen. Aber ihr Ansatzpunkt war unzureichend, und das Bein saß noch zu fest, als daß sie mit ihren Bemühungen Erfolg gehabt hätte.

Die beiden Vorderbeine waren nicht mit einer Querverstrebung verbunden. Jetzt wurde die untere Kette nur noch von der Strebe zwischen den beiden rechten Beinen am Abrutschen gehindert.

Erneut stürmte sie rückwärts gegen die Wand. Brennender Schmerz explodierte in ihrem gesamten Körper, und sie wurde fast ohnmächtig. Aber als das rechte Bein nicht abbrach, sagte sie: »Verdammt, nein.« Sie weigerte sich einfach, vor den Schmerzen, der Erschöpfung, vor irgend etwas zu kapitulieren, was es auch sei, und hoppelte vor und warf sich dann erneut zurück. Holz brach mit einem trockenen Krachen, Splitter prallten von Steinen ab und fielen klappernd zu Boden, und mit einem hellen Rasseln löste die untere Kette sich vom Stuhl.

Sie beugte sich benommen vor, und eine wirbelnde Dunkelheit füllte sie aus. Heftig zitternd, stützte sie sich mit beiden Händen auf die Lehne des großen Ledersessels. Ihr war schlecht vor Schmerz und Furcht, ihrem Körper vielleicht schweren Schaden zugefügt zu haben, und sie dachte an angeknackste Wirbel und innere Blutungen.

*Quietsch-quietsch-quietsch.*

Einer der Hunde fuhr mit den Krallen über das Fensterglas.

*Quietsch-quietsch.*

Chyna war noch nicht frei. Sie war noch an die obere Hälfte des Stuhls gekettet.

Die vier Sprossen zwischen der oberen Rundung und der Sitzfläche waren dünner als die Querverstrebungen zwischen den Beinen; sie müßten also leichter zu zerbrechen sein als diese Stangen. Sie hatte nicht verhindern können, daß die Stuhlbeine gnadenlos gegen ihre Kniekehlen und Schenkel hämmerten, doch bei diesem Teil der Unternehmung müßte das Schaumstoff-Sitzkissen zwischen ihr und den Sprossen ihr einen gewissen Schutz geben.

Zwei vom Boden bis zur Decke führende Pilaster flankierten die Feuerstelle und trugen die fünfzehn Zentimeter dicke Marmorplatte, die als Sims diente. Sie waren halbrund, und Chyna hatte den Eindruck, daß die Krümmung dazu beitragen konnte, die Wirkung des Aufpralls auf jeweils ein oder zwei Sprossen zu konzentrieren, statt sie auf alle vier zu verteilen.

Sie schob den schweren Feuerbock aus dem Weg. Sie stieß ein Messinggestell mit Kaminwerkzeugen beiseite. Als sie hob und schob, wirbelte alles in ihrem Kopf, und ihr drehte sich der Magen um, und hundert Qualen überfielen sie.

Sie wagte nicht mehr daran zu denken, was sie tat. Sie tat es einfach, jenseits von allem Mut, jenseits von Erwägung und Berechnung, getrieben von einer blinden, animalischen Entschlossenheit, frei zu sein.

Diesmal kauerte sie sich nicht zusammen; sie stand so gerade, wie der Stuhl es zuließ, und warf sich rückwärts gegen den Pilaster. Das Kissen gab ihr einen gewissen Schutz, aber bei weitem nicht genug. Sie hatte so viele Prellungen, gezerrte Muskeln und angeschlagene Knochen, daß der erschütternde Schlag selbst bei einem doppelt so dicken Polster verheerend gewesen wäre, etwa wie der Schlag des Gummihammers eines Zahnarztes bei einem verfaulten Zahn, bei dem eine Wurzelkanalbehandlung angesagt war. Im Augenblick schien jedes Gelenk in ihrem Körper ein verfaulter Zahn zu sein. Sie hörte aber nicht auf, denn sie befürchtete, daß all diese synchron pulsierenden Schmerzen sie zu Boden werfen und zerreißen würden, so daß sie sich nie wieder zusammenreißen und erheben konnte. Ihre Kräfte ließen rapide nach, und während eine schwarze Flut gegen die Ränder ihres Sehfelds brandete, wurde auch ihre Zeit immer knapper. In Erwartung des Schmerzes vor Elend aufheulend, warf sie sich zurück. Als der Schlag ihre Knochen scheppern ließ wie Würfel in einem Becher, schrie sie auf. Qual. Aber augenblicklich warf sie sich erneut gegen den Pilaster, und Ketten rasselten, und noch einmal, und Holz splitterte, und noch einmal, und sie schrie: *»O Gott!«*, und konnte nicht mehr aufhören zu schreien, und ihre eigenen Schreie jagten ihr eine fürchterliche Angst ein, während die Wachhunde am Fenster jaulten und kratzten, und noch einmal zurück, sie *hämmerte* sich gegen den Stein.

Dann lag sie wieder bäuchlings auf dem Boden, ohne sich daran zu erinnern, wie sie dorthin gelangt war, wurde von trockenen Wogen durchflutet, weil sie nichts mehr im Magen hatte, was sie hätte erbrechen können, und mußte würgen, weil sie plötzlich einen widerwärtigen Geschmack im Mund hatte, und ballte die Hände beim bloßen Gedanken an eine Niederlage zu Fäusten zusammen, kam sich klein und schwach und elend vor und zitterte und zitterte.

Das Zittern ließ jedoch allmählich nach, und der Teppich begann zu wallen und war angenehm kühl unter ihr, und sie war ein Wolkenschatten auf rasch fließendem Wasser. Der von der Sonne umkränzte Schatten und das bodenlose Wasser bewegten sich in dieselbe Richtung, immer in dieselbe Richtung, ewig vorwärts, schnell und seiden, zum Rand der Welt und dann in eine Leere, so still, so dunkel.

# KAPITEL 9

Chyna erwartete, Hunde zu sehen, als sie aus roten Träumen von kühlschrankkalten Pistolen und explodierenden Köpfen erwachte, aber es waren keine da. Sie war allein im Wohnzimmer, und alles war still. Die Dobermänner liefen auch nicht mehr auf der Veranda auf und ab, und als sie schließlich den Kopf heben konnte, sah sie auch am unverhangenen Fenster keine Hunde.

Sie waren draußen, waren jetzt ruhiger, weil sie begriffen, daß ihre Zeit kommen würde. Sie beobachteten die Tür und die Fenster. Warteten darauf, ihr Gesicht zu sehen. Lauschten auf das Anschlagen eines Riegels, das Knarren eines Scharniers.

Sie hatte so starke Schmerzen, daß es sie überraschte, überhaupt das Bewußtsein wiedererlangt zu haben. Noch überraschter war sie, daß ihr Kopf einigermaßen klar war.

Ein Schmerz unterschied sich von allen anderen und war auch viel dringender. Im Gegensatz zu den gequälten Knochen und Muskeln konnte sie diesen grausamen Druck leicht lindern, und dazu mußte sie nicht mal die fürchterliche Prüfung über sich ergehen lassen, sich zu bewegen oder gar zu erheben.

»Verdammt, nein«, murmelte sie und setzte sich langsam auf.

Als sie sich auf die Füße erhob, spürte sie tiefe Schmerzen, die geschlafen hatten, solange sie auf dem Boden gelegen hatte, aber erwachten, als sie sich nun bewegte: ein Knirschen in ihren Knochen und heißes Flackern in den Muskeln. Einige dieser Stellen schmerzten, zumindest anfangs, so intensiv, daß sie erstarrte und nach Luft rang, aber als sie dann aufrecht stand, wußte sie, kein einziger Schmerz war so schrecklich, daß er sie aufhalten könnte; und obwohl die Last all ihrer Qualen zusammengenommen entmutigend war, würde sie sie doch tragen können.

Den schweren Stuhl mußte sie jedenfalls nicht mehr tragen. Er lag in Bruchstücken und Splittern um sie herum, und keine ihrer Ketten wurde von ihm noch an Ort und Stelle gehalten.

Der Uhr auf dem Kaminsims zufolge war es drei Minuten vor acht, was sie beunruhigte. Sie erinnerte sich noch, daß es zehn nach sieben gewesen war, als sie zum letztenmal darauf geschaut hatte. Sie wußte nicht genau, wie lange es gedauert hatte, sich von dem Stuhl zu befreien, vermutete aber, daß sie eine halbe Stunde, vielleicht sogar noch länger, bewußtlos gewesen war. Der Schweiß war auf ihrem Körper getrocknet, und ihr Haar war nur noch am Nacken leicht feucht, so daß eine halbe Stunde der Wahrheit wohl sehr nahe kam. Diese Erkenntnis ließ sie wieder schwach und unsicher werden.

Wenn man Vess Glauben schenken konnte, blieben Chyna bis zu seiner Rückkehr noch vier Stunden. Aber es gab noch viel zu tun, und vier Stunden würden vielleicht nicht ausreichen.

Chyna setzte sich auf die Sofakante. Nachdem sie sich von dem Kiefernholzstuhl befreit hatte, konnte sie endlich den Karabinerhaken an der kurzen Kette zwischen ihren Knöcheln erreichen. Dieser Stahlverschluß verband die kürzere Kette mit der längeren, die um den Stuhl und den Tischsockel geschlungen gewesen war. Nachdem sie die Metallmuffe aufgeschraubt und die Sperre in dem Karabiner freigelegt hatte, konnte sie sich von der längeren Kette abtrennen.

Ihre Knöchel blieben jedoch gefesselt, und auf dem Weg zur Treppe zum ersten Stock mußte sie noch immer schlurfen.

Sie schaltete das Licht ein und stieg mühsam die schmale Treppe hinauf, wobei sie zuerst den linken Fuß und dann den rechten auf die jeweils nächste Stufe setzte. Wegen der sie hemmenden Kette konnte sie nicht Schritt für Schritt je einen Fuß auf eine Stufe setzen, wie sie es normalerweise getan hätte, und kam deshalb nur langsam voran.

Sie hielt sich mit beiden Händen am Geländer fest. Nachdem der schwere Stuhl nicht mehr auf ihrem Rücken lastete, drohte sie zwar nicht mehr das Gleichgewicht zu verlieren, wollte aber vermeiden, in ihren Fußfesseln zu stolpern.

Als sie den Treppenabsatz hinter sich gelassen hatte und sich auf halber Höhe der zweiten Flucht befand, bewirkten ihre zahlreichen Schmerzen, die Furcht vor einem Sturz und der heiße

Druck in ihrer Blase, daß sie sich vor schweren Magenkrämpfen krümmen mußte. Sie lehnte sich gegen die Wand, war plötzlich in sauren Schweiß gebadet und stöhnte in ihrem Elend leise und wortlos auf. Sie verspürte die Gewißheit, daß sie ohnmächtig werden, hinabfallen und sich den Hals brechen würde.

Aber die Krämpfe vergingen, und sie setzte ihren Weg fort. Kurz darauf erreichte sie das obere Stockwerk.

Sie schaltete das Dielenlicht ein und sah drei Türen. Die rechte und linke waren geschlossen, aber die am Ende des Ganges stand offen und führte ins Bad.

Obwohl ihre Hände gefesselt waren und heftig zitterten, gelang es ihr dort, den Gürtel zu öffnen, die Jeans aufzuknöpfen, den Reißverschluß zu öffnen und Jeans und Höschen herunterzuziehen. Als sie auf der Toilettenschüssel saß, wurde sie von weiteren Krämpfen überwältigt, die entschieden schlimmer waren als die, die sie auf der Treppe ertragen hatte. Am Küchentisch hatte sie sich verboten, in die Hosen zu machen, wie Vess es gern gehabt hätte; auf dieses Niveau von Hilflosigkeit wollte sie um keinen Preis hinabgestoßen werden. Nun konnte sie kein Wasser lassen, obwohl sie es verzweifelt wollte, und sie fragte sich, ob sie so lange eingehalten hatte, daß nun ein Blasenkrampf den Fluß verhinderte. So etwas war durchaus möglich, und abrupt wurde das Ziehen noch schlimmer, als wollte es ihre Diagnose bestätigen. Sie kam sich vor, als würden ihre Gedärme durch eine Mangel gedreht – doch dann ließen die Krämpfe nach, und die Erleichterung kam.

Bei der plötzlichen Flut hörte sie sich überrascht sagen: »Chyna Shepherd, unberührt und lebend und fähig, aufs Klo zu gehen.« Dann lachte und schluchzte sie gleichzeitig, nicht nur vor Erleichterung, sondern aus einem unheimlichen Triumphgefühl heraus.

Sich von dem Tisch zu befreien, den Stuhl zu zertrümmern und sich *nicht* in die Hosen zu machen, kam ihr genauso heldenmutig vor, wie gemeinsam mit dem ersten Astronauten einen Fuß auf den Mond zu setzen, sich mit Admiral Peary durch blendende Schneestürme zum Pol zu schleppen oder gegen die Übermacht des deutschen Heeres die Strände der Normandie zu erstürmen. Sie lachte über sich; lachte, bis Tränen ihr Gesicht herabliefen;

trotzdem verspürte sie noch einen solchen Triumph. Sie *wußte*, wie klein – sogar armselig – dieser Sieg war, doch sie *fühlte* sich großartig.

»Verfaule in der Hölle«, sagte sie zu Edgler Vess und hoffte, eines Tages die Gelegenheit zu bekommen, es ihm ins Gesicht zu sagen, bevor sie abdrückte und ihn aus dieser Welt pustete.

Die Schläge, die sie hatte einstecken müssen, bereiteten ihr solche Schmerzen im Rücken, besonders unten in der Nähe der Nieren, daß sie, als sie fertig war, die Toilettenschüssel nach Blut überprüfte. Erleichtert stellte sie fest, daß ihr Urin klar war.

Doch als sie in den Spiegel über dem Waschbecken schaute, versetzte das Bild ihr einen Schock. Ihr kurzes Haar war verfilzt und so verschwitzt, daß es glatt hinabhing. Die rechte Gesichtshälfte schien am Kiefer mit purpurner Tinte verschmiert zu sein, doch als sie sie berührte, stellte sie fest, daß es sich um den Rand einer Prellung handelte, welche diese gesamte Seite ihres Halses verunstaltete. Wo ihre Haut nicht geprellt oder dreckverschmiert war, war sie grau und körnig, als hätte sie gerade eine lange und schwere Krankheit überstanden. Ihr rechtes Auge war feuerrot, kein Weiß war mehr sichtbar: nur die dunkle Iris und die dunklere Pupille, die in einer elliptischen Blutpfütze trieb. Sowohl das blutunterlaufene als auch das klare linke Auge starrten sie mit einem so entnervend gehetzten Blick an, daß sie sich voller Verwirrung und Furcht von ihrem eigenen Spiegelbild abwandte.

Das Gesicht im Spiegel war das einer Frau, welche die Schlacht bereits verloren hatte. Nicht das Gesicht eines Siegertyps.

Chyna versuchte diesen entmutigenden Gedanken sofort zu verdrängen. Sie hatte das Gesicht einer Kämpferin gesehen – nicht nur das Gesicht einer bloßen Überlebenden, sondern das einer *Kämpferin*. Und jeder, der einen Kampf leistet, trägt Wunden davon, am Körper wie auch an der Seele. Ohne Qual und Schmerz bestand nicht die geringste Hoffnung auf den Sieg.

Sie schlurfte vom Bad zu der Tür auf der rechten Seite des Korridors, hinter der sich, wie sich herausstellte, Vess' Schlafzimmer befand. Einfach und überaus spärlich eingerichtet. Ein ordentlich gemachtes Bett mit einer beigen Chenille-Decke. Keine Gemälde. Keine Nippsachen, kein Zierrat. Keine Bücher oder Zeitschriften, keine Zeitungen mit angefangenen Kreuzworträtseln. Das war nur ein Ort, an dem er schlief, kein Raum, in dem er länger verweilte oder wohnte.

In Wirklichkeit wohnte er im Schmerz anderer, in einem Sturm des Todes, im ruhigen Auge des Sturms, in dem alles ordentlich war, während der Wind auf allen Seiten heulte.

Chyna suchte in den Schubladen des Nachttisches nach einer Schußwaffe, fand aber keine. Sie fand auch kein Telefon.

Der große, begehbare Schrank war drei Meter tief und so breit wie das Schlafzimmer, im Prinzip ein eigener Raum. Auf den ersten Blick enthielt er nichts, was für sie nützlich sein könnte. Sie war überzeugt, daß sich irgend etwas fand, wenn sie gründlich suchte, vielleicht sogar eine gut versteckte Pistole. Aber sie stand vor Einbauschränken mit prall gefüllten Regalen und vollgepackten Schubladen, und zahlreiche Kisten standen aufeinander; sie würde Stunden brauchen, um alles zu durchforsten. Dringendere Aufgaben erwarteten sie.

Sie leerte die Schubladen auf den Boden aus, aber sie enthielten nur Socken, Unterwäsche, Pullover, Sweatshirts und ein paar zusammengerollte Gürtel. Keine Waffen.

Gegenüber von Vess' Schlafzimmer befand sich ein spartanisch eingerichtetes Arbeitszimmer. Jalousien statt Vorhänge. Auf zwei langen Schreibtischen standen zwei Computer, jeder mit eigenem Laserdrucker. Von den zahlreichen Zusatzgeräten, die an die Computer angeschlossen waren, konnte sie einige identifizieren, während andere ihr rätselhaft blieben.

Zwischen den langen Tischen stand ein Bürostuhl. Der Boden war nicht von einem Teppich bedeckt, das nackte Holz war sichtbar, offensichtlich, damit Vess leichter zwischen den Tischen hin und her rollen konnte.

Der triste, funktionelle Raum faszinierte sie. Sie spürte, daß es sich um ein wichtiges Zimmer handelte. Zeit war kostbar, aber hier gab es etwas, das zu untersuchen sich lohnte.

Sie nahm auf dem Stuhl Platz und sah sich verwirrt um. Sie wußte, daß die Welt heutzutage verkabelt war, selbst in dieser gottverlassenen Gegend, aber es kam ihr trotzdem komisch vor, diese hochmodernen Geräte in einem so abgelegenen und rustikalen Haus zu finden.

Chyna vermutete, daß Vess ans Internet angeschlossen war,

aber es war kein Telefon oder Modem in Sicht. In der Fußleiste entdeckte sie zwei leere Telefonbuchsen. Seine pedantischen Sicherheitsvorkehrungen hatten ihm erneut gut gedient; hier kam sie keinen Schritt weiter.

Was tat er in diesem Raum?

Auf einem der Schreibtische lagen etwa sieben Notizbücher mit bunten Umschlägen, und sie öffnete das nächstgelegene. Das Ringbuch war in fünf Abschnitte unterteilt, von denen jeder den Namen einer Behörde der Bundesregierung trug. Den Anfang machte die Sozialversicherung. Die Seiten waren anscheinend mit Notizen von Vess gefüllt, die beschrieben, wie es ihm durch hartnäckiges Probieren gelungen war, in die Dateien der Verwaltung einzudringen und sie zu manipulieren. Das zweite Trennblatt trug die Aufschrift AUSSENMINISTERIUM (PASSAMT), und den folgenden Notizen nach zu urteilen versuchte Vess gerade festzustellen, ob er auf Um- und Irrwegen in die computerisierten Unterlagen dieses Amtes eindringen und sie verändern konnte, ohne dabei entdeckt zu werden.

Er bereitete sich offensichtlich unter anderem auf den Tag vor, an dem seine »gemeingefährlichen Abenteuer« aufflogen und er eine neue Identität benötigte.

Doch Chyna konnte nicht glauben, daß Vess hier nur an der Veränderung seiner amtlichen Unterlagen und der Beschaffung einer neuen Identität arbeitete. Sie hatte das beunruhigende Gefühl, daß dieser Raum Informationen über Vess enthielt, die für ihr eigenes Überleben von ausschlaggebender Bedeutung sein konnten, wenn sie nur herausbekam, wo sie danach suchen mußte.

Sie legte das Notizbuch auf den Schreibtisch zurück und drehte sich auf dem Stuhl zu dem zweiten Computer um. Unter einem Ende dieses Tisches stand ein Aktenschrank mit zwei Schubladen. Sie öffnete die obere und sah Hängeordner mit blauen Schildern; auf jedem dieser Schilder standen zuerst ein Nach- und dann ein Vorname.

Jeder Ordner enthielt ein zweiseitiges Dossier über einen Beamten einer Gesetzesbehörde, und nach ein paar Minuten der Lektüre kam Chyna zu dem Schluß, daß es sich um Deputies des Sheriffs handelte, in dessen Bezirk Vess' Haus sich befand. Diese Dossiers enthielten die Lebensläufe der Beamten sowie Informationen über ihre Familien und ihr Privatleben. Des weiteren befanden sich Kopien der offiziellen Ausweisfotos der Beamten in den Ordnern.

Sah der Verrückte einen Vorteil darin, Informationen über alle örtlichen Cops zu sammeln, praktisch als Rückversicherung gegen den Tag, an dem er gegen sie antreten mußte? Diese Mühe wirkte sogar bei jemandem, der so penibel wie Edgler Vess war, ziemlich übertrieben; andererseits war Übermaß seine Philosophie.

Die untere Schublade enthielt ebenfalls Aktenordner. Auf den Schildern standen ebenfalls Namen, wie auf denen in der oberen Schublade, aber nur Familiennamen.

In dem ersten Ordner – mit der Aufschrift ALMES – fand Chyna die auf eine Seite vergrößerte Kopie eines in Kalifornien ausgestellten Führerscheins einer attraktiven jungen Blondine namens Mia Lorinda Almes. Wenn man die außergewöhnliche Klarheit des Bilds berücksichtigte, konnte es sich nicht um eine hochgezoomte Fotokopie des Originalschriftstücks handeln, sondern nur um digital übertragene Bilddaten, die zur Reproduktion über eine Telefonleitung und einen Computer auf einen hochwertigen Laserdrucker geleitet worden waren.

Die einzigen anderen Gegenstände in dem Ordner waren sechs Polaroid-Fotos von Mia Lorinda Almes. Die ersten beiden waren Nahaufnahmen aus verschiedenen Winkeln. Sie war wunderschön. Und verängstigt.

Diese Schublade war so etwas wie Edgler Vess' Sammelalbum.

Vier weitere Polaroid-Aufnahmen von Mia Almes.

*Sieh nicht hin.*

Die nächsten beiden waren Ganzkörperaufnahmen. Die junge Frau war auf beiden nackt. Und gefesselt.

Chyna schloß die Augen. Öffnete sie aber wieder. Etwas trieb sie dazu, die Fotos zu betrachten, vielleicht, weil sie sich entschlossen hatte, sich vor nichts mehr zu verstecken.

Auf dem fünften und sechsten Foto war die junge Frau tot, und auf dem letzten fehlte ihr wunderschönes Gesicht, als hätte man es ihr weggeschossen oder abgesägt.

Der Ordner und die Fotos fielen aus Chynas Händen auf den Boden, wo sie auf das Holz klackten, sich drehten und dann liegenblieben. Sie verbarg das Gesicht in den Händen.

Sie versuchte nicht, das Nachbild des grausamen Schnappschusses zu verdrängen. Statt dessen bemühte sie sich, eine neunzehn Jahre alte Erinnerung an eine Farm außerhalb von New Orleans zu unterdrücken, an zwei Besucher mit einer Styropor-Kühlbox, an eine Pistole, die aus dem Kühlschrank genommen wurde, und die eiskalte Präzision, mit der eine Frau namens Memphis zwei Kugeln abgefeuert hatte.

Doch Erinnerungen lassen sich nicht so einfach ausschalten.

Die Besucher, die schon zuvor Geschäfte mit Zack und Memphis gemacht hatten, wollten Drogen kaufen. Die Kühlbox war mit Päckchen von Hundertdollarscheinen vollgestopft. Vielleicht hatte Zack die versprochene Lieferung nicht bekommen, oder er und Memphis brauchten einfach mehr Geld, als ein Verkauf ihnen einbringen konnte; aus welchem Grund auch immer, sie hatten sich entschlossen, den beiden Männern das Fell über die Ohren zu ziehen.

Nach den Schüssen hatte Chyna sich auf dem Heuboden versteckt, überzeugt, Memphis wolle sie alle umbringen. Als Memphis und Anne sie fanden, setzte sie sich erbittert zur Wehr. Aber sie war erst sieben Jahre alt und den beiden Frauen nicht gewachsen. Während Eulen beunruhigt heulten und von den Sparren flogen, zerrten die Frauen Chyna aus dem vor Mäusen wimmelnden Heu und trugen sie ins Haus.

Zack war mittlerweile fort, um die Leichen zu verstecken, und Memphis wischte das Blut in der Küche auf, während Anne Chyna zwang, einen Schluck Whiskey zu trinken. Chyna wollte nicht, kniff die Lippen zu, doch Anne sagte: »Du bist ja völlig daneben, um Himmels willen, kannst ja nicht mit dem Heulen aufhören, und ein Schluck wird dir nicht schaden. Das brauchst du jetzt, Kleine, vertrau Mama, genau das brauchst du. Ein Schluck guter Whiskey macht dem Fieber nämlich ein Ende, und du hast jetzt so 'ne Art Fieber. Komm schon, du kleines Miststück, das ist doch kein Gift. Mein Gott, kannst du manchmal ein beschissener kleiner Jammerlappen sein. Entweder, du trinkst das jetzt, oder ich halte dich fest und drücke dir die Nase zu, und Memphis kippt es dir rein, wenn du den Mund aufmachst, um Luft zu schnappen. Wie's dir lieber ist.« Also trank Chyna den Whiskey, und dann, als ihre Mutter meinte, sie brauchte es, noch einen zweiten, den sie in ein Glas Milch gekippt hatte. Nach dem Schnaps fühlte sie sich schwindlig und ganz komisch, doch er beruhigte sie nicht.

Ihnen war sie jedoch ruhiger vorgekommen, weil sie, die gute, kleine Schleimerin, die sie war, ihre Furcht verpackt und nach innen verbannt hatte, wo niemand sie sehen konnte. Schon mit sieben Jahren hatte sie begriffen, daß es gefährlich war, Furcht zu zeigen, weil andere sie für Schwäche hielten und es in dieser Welt keinen Platz für die Schwachen gab.

Später an diesem Abend war Zack zurückgekommen und hatte ebenfalls nach Whiskey gestunken. Er war völlig überdreht gewesen, in einer wilden und ausgelassenen Stimmung. Er ging direkt zu Chyna, umarmte sie, küßte sie auf die Wange, nahm sie bei den Händen und versuchte sie dazu zu bringen, mit ihm zu tanzen. »Dieses Arschloch Bobby, schon als er beim letztenmal hier war und den Blick nicht von Chyna nehmen konnte, da *wußte* ich, daß er auf kleine Mädchen steht, ein richtiger Perverser, und heute abend kommt er rein, und seine Zunge sabbert um seine Knie, als er sie sieht! Du hättest den Widerling ein halbes dutzendmal abknallen können, Memphis, bevor er es überhaupt mitkriegt!« Bobby war der Mann gewesen, der am Küchentisch gesessen und sich mit Chyna unterhalten hatte, und seine wunderschönen grauen Augen hatten sie eindringlich fixiert, und er hatte *direkt* zu ihr gesprochen, wie nur wenige Erwachsene mit Kindern sprechen, sie gefragt, ob sie lieber ein Kätzchen oder ein Hündchen haben und später mal ein berühmter Filmstar oder Krankenschwester oder Ärztin oder was auch immer sein wolle, als Memphis ihm in den Kopf geschossen hatte. »Wie unsere kleine Chyna angezogen war«, sagte Zack aufgeregt, »hat Bobby einfach völlig vergessen, daß sonst noch jemand hier war.« Der Abend war heiß und sumpfig-schwül, und bevor die Besucher kamen, hatte Chynas Mutter sie gezwungen, ihre Shorts und das T-Shirt aus- und einen knappen gelben Bikini anzuziehen: »Aber nur das Unterteil, weil du sonst bei diesem Wetter einen Hitzschlag kriegst, Kind.« Obwohl Chyna erst sieben war, ging sie nicht gern oben ohne herum, auch wenn ihr nicht genau klar war, wieso sie sich deshalb so unbehaglich fühlte. Es hatte ihr nichts ausgemacht, auf das Oberteil zu verzichten, als sie jünger war, sogar noch im vergangenen Sommer, als sie sechs gewesen war, und der

Abend war wirklich heiß und schwül. Als Zack sagte, die Art und Weise, wie sie angezogen war, habe Bobby vergessen lassen, daß sich noch jemand in dem Raum aufhielt, hatte Chyna nicht verstanden, was er damit meinte. Als sie es dann Jahre später verstand, hatte sie ihre Mutter darauf angesprochen. Anne hatte gelacht und gesagt: »Ach, Baby, jetzt behandle mich aber nicht so selbstgerecht. Wir schlagen uns durch, indem wir einsetzen, was wir haben, und wir Mädchen haben nun mal unsere Körper. Du warst die perfekte Ablenkung. Außerdem hat dich der arme dumme alte Bobby doch gar nicht angefaßt, oder? Er hat dich nur 'ne Weile anstarren können, während Memphis die Waffe geholt hat, mehr nicht. Vergiß nicht, Schätzchen, wir haben ein Stück von diesem Kuchen abbekommen und 'ne ganze Weile gut davon gelebt.« Und Chyna hatte sagen wollen: *Aber du hast mich benutzt, du hast mich direkt vor ihn gesetzt, wo ich sehen mußte, wie sein Kopf explodiert, und ich war erst sieben Jahre alt!*

In Edgler Vess' Arbeitszimmer konnte sie all diese Jahre später noch immer den Knall des Schusses hören und sehen, wie Bobbys Gesicht zerfetzt wurde. Sie wußte nicht, was für eine Schußwaffe Memphis benutzt hatte, aber da sie so fürchterlichen Schaden angerichtet hatte, mußten es Hohlmantelgeschosse mit großem Kaliber gewesen sein, die sich beim Aufprall ausdehnten.

Sie nahm die Hände vom Gesicht und betrachtete den geöffneten Aktenschrank. Vess hatte drei Ordnerformate mit versetzt angeordneten Schildern benutzt, so daß Chyna auf der gesamten Länge der Schublade alle Namen lesen konnte. Ziemlich weit hinten, ein gutes Stück von der Almes-Akte entfernt, befand sich eine mit der Aufschrift TEMPLETON.

Sie schob die Schublade mit dem Fuß zu.

Sie hatte in diesem Arbeitszimmer zu viel gefunden – und trotzdem nichts, was ihr weiterhelfen konnte.

Bevor sie die erste Etage verließ, schaltete sie alle Lampen aus. Sollte Vess früher nach Hause kommen, bevor Chyna und Ariel die Flucht gelungen war, würde das Licht ihn warnen, daß etwas nicht in Ordnung war. Doch die Dunkelheit würde ihn einlullen, und wenn er dann über die Schwelle trat, bekam sie vielleicht eine allerletzte Chance, ihn zu töten.

Sie hoffte jedoch, daß es nicht dazu kommen würde. Trotz

ihrer Wunschvorstellung, Vess einfach zu erschießen, wollte Chyna ihm nicht noch einmal gegenübertreten, selbst wenn sie eine Schußwaffe fand, sie selbst lud und vor seiner Ankunft einen Testschuß abgeben konnte. Sie war ein Überlebenstyp, und sie war eine Kämpferin, aber Vess war mehr als das: so unerreichbar wie die Sterne, wie etwas, das aus dem finsteren Himmel auf die Erde gekommen war. Sie war ihm nicht gewachsen und brauchte keine weitere Gelegenheit, um den Beweis dafür zu erbringen.

Eine Stufe nach der anderen, sich am Geländer festhaltend, ging Chyna, so schnell sie es wagte, ins Wohnzimmer hinab. Vor dem unverhangenen Fenster wartete keiner der Dobermänner.

Die Uhr auf dem Kamin zeigte zweiundzwanzig Minuten nach acht an, und plötzlich schien der Abend ein Schlitten auf einem vereisten Hang zu sein, der immer schneller in Fahrt kam.

Sie schaltete die Lampe aus und schlurfte durch die Dunkelheit in die Küche. Dort schaltete sie die Neonbeleuchtung ein, wenn auch nur, um nicht über irgend etwas zu stolpern, hinzufallen und sich an einer Glasscherbe zu schneiden.

Auch auf der hinteren Veranda waren keine Dobermänner. Hinter dem Fenster wartete nur die Nacht.

Sie betrat den fensterlosen Wäscheraum, schaltete hinter sich das Küchenlicht aus und zog die Tür zu.

Dann in den Keller hinab, zu der Werkbank und den Schränken, die sie zuvor dort gesehen hatte.

In den großen Metallschränken mit den Lüftungsschlitzen in den Türen fand sie Dosen mit Farben und Lacken, Pinsel und Arbeitskleidung, die so akkurat wie feinstes Linnen zusammengefaltet war. Ein Schrank war völlig mit dicken Polstern gefüllt, von denen schwarze Lederriemen mit verchromten Schnallen herabbaumelten; sie hatte keine Ahnung, worum es sich dabei handelte, und rührte sie nicht an. Im letzten Schrank hatte Vess diverse elektrische Werkzeuge verstaut, darunter auch eine Bohrmaschine.

In einer der Schubladen der großen Rolltruhe fand sie eine umfangreiche Sammlung von Bohrspitzen in drei durchsichtigen Plastikschachteln. Dort machte sie auch eine Plexiglas-Schutzbrille ausfindig.

An der Wand hinter der Werkbank war eine Leiste mit insgesamt acht Steckdosen angebracht, außerdem befand sich neben der Werkbank über dem Fußboden eine Doppelsteckdose. Sie entschied sich für die tiefere Steckdose, da sie sich hier auf den Boden setzen konnte.

Obwohl die Bohrspitzen, von der Größe einmal abgesehen, keine Kennzeichnung trugen, vermutete Chyna, daß sie alle für Holzarbeiten gedacht waren und Stahl nicht so einfach – wenn überhaupt – durchdringen konnten. Sie wollte den Stahl aber sowieso nicht aufbohren; sie wollte lediglich den Verschlußmechanismus ihrer Beinfesseln so weit malträtieren, daß er aufsprang.

Sie wählte einen Bohreinsatz aus, der etwa die Größe des Schlüssellochs in den Fußschellen hatte, schraubte ihn ein und zog ihn fest. Als sie die Bohrmaschine dann in beide Hände nahm und einschaltete, erklang ein schrilles Jaulen. Die spiralförmige Spitze des schlanken Bohreinsatzes drehte sich so schnell, daß man sie nur verschwommen ausmachen konnte und sie schließlich so glatt und harmlos wie der Schaft aussah.

Chyna nahm den Finger wieder vom Drücker, legte die verstummte Bohrmaschine auf den Boden und setzte die Schutzbrille auf. Die Vorstellung, daß Vess diese Brille getragen hatte, verstörte sie. Seltsamerweise erwartete sie, daß alles, was sie durch sie sah, verzerrt wäre, als hätte die Magnetkraft, mit der Vess alle Anblicke seiner Welt in seine Augen zog, die Moleküle der Gläser verändert.

Aber was sie durch die Brille wahrnahm, unterschied sich nicht von dem, was sie ohne sah, außer daß das Gestell ihr Gesichtsfeld beschnitt.

Sie nahm die Bohrmaschine wieder in beide Hände und schob die Spitze des Bohreinsatzes in das Schlüsselloch der Fußfessel, die ihren linken Knöchel umgab. Als sie das Gerät einschaltete, drehte Stahl sich mit einem höllischen Kreischen gegen Stahl. Die Spitze stotterte heftig, sprang aus der Öffnung und schlitterte über die fünf Zentimeter breite Fessel, wobei winzige Funken sprühten. Wären ihre Reflexe nicht so gut gewesen, hätte die wirbelnde Spitze sich in ihren Fuß gebohrt, aber sie nahm den Finger vom Drücker und zog die Bohrmaschine gerade noch rechtzeitig hoch, um eine Katastrophe zu verhindern.

Vielleicht war das Schloß beschädigt worden. Sie konnte es nicht genau sagen. Aber es war nicht aufgesprungen, und die Kette saß noch an Ort und Stelle.

Sie schob die Spitze erneut in die Öffnung. Diesmal hielt sie die Bohrmaschine fester und drückte sie mit größerer Anstrengung hinab, um zu verhindern, daß der Bohreinsatz aus dem Loch sprang. Der Stahl kreischte fürchterlich, und blaue Fetzen stinkenden Rauchs erhoben sich von der Bohrstelle, und die vibrierende Fußfessel drückte sich trotz der dazwischenliegenden Socken schmerzhaft in ihren Knöchel. Der Bohrer zitterte in ihren Händen, die durch die Anstrengung, ihn unter Kontrolle zu halten, plötzlich kalten Schweiß absonderten. Eine Gischt von Metallsplittern wirbelte aus der Schlüsselöffnung hoch und spritzte gegen ihr Gesicht. Der Bohreinsatz zerbrach, und das abgerissene Ende *zischte* an ihrem Kopf vorbei, prallte so hart gegen die Wand, daß es ein Stück aus einem der Betonblöcke schlug, und klirrte wie ein Querschläger über den Kellerboden.

Ihre linke Wange brannte, und sie fand einen Stahlsplitter in ihrer Haut. Er war etwa einen halben Zentimeter lang und so dünn wie eine Glasfaser. Sie konnte ihn mit den Fingernägeln packen und herausziehen. Der winzige Einstich blutete; sie hatte Blut auf den Fingerspitzen und fühlte, wie ein dünnes, warmes Rinnsal zu ihrem Mundwinkel herablief.

Sie schraubte den Schaft des zerbrochenen Bohreinsatzes aus der Maschine und warf ihn beiseite. Sie suchte einen etwas größeren Einsatz aus und schraubte ihn in der Klemmbacke des Bohrfutters fest.

Erneut bohrte sie in die Schlüsselöffnung. Die Fessel um ihren linken Knöchel sprang auf. Keine Minute später war auch das Schloß der anderen Fußfessel geknackt.

Chyna legte den Bohrer beiseite und erhob sich zitternd. Jeder Muskel in ihren Beinen zitterte. Sie stand nicht wegen ihrer zahlreichen schmerzenden Stellen, nicht wegen ihres Hungers und ihrer Schwäche so wacklig da, sondern weil sie sich von den Ketten befreit hatte, an denen sie ein paar Stunden zuvor noch verzweifelt war. Sie hatte sich *befreit.*

Ihre Hände waren jedoch noch immer gefesselt, und sie konnte wohl kaum die Bohrmaschine mit der einen Hand halten, um das

Schloß an der anderen Hand aufzubohren. Aber sie hatte bereits eine Idee, wie sie ihre Hände befreien konnte.

Obwohl ihr – abgesehen von den Handschellen – noch andere Herausforderungen bevorstanden und ihre Flucht auf keinen Fall gesichert war, brandete in Chyna Jubel auf, als sie die Kellertreppe hinaufstieg. Sie setzte die Füße abwechselnd immer auf die nächste Stufe, nicht beide auf dieselbe, wie die Fußfesseln es ihr aufgezwungen hatten, hüpfte die Treppe trotz ihrer Schwäche und des Zitterns in ihren Muskeln geradezu hinauf, ohne sich auf das Geländer zu stützen, sprang auf den Absatz, in die Waschküche, vorbei an der Waschmaschine und dem Trockner. Und als sie dort die Hand auf den Knauf der geschlossenen Tür legte, erstarrte sie: Ihr war eingefallen, wie sie an diesem Morgen auf demselben Weg in die Küche gelaufen war, eingelullt vom *Tatta-tatta-tatta* des vibrierenden Wasserrohrs in der Wand, nur um von Vess aus dem Hinterhalt angegriffen zu werden.

Sie blieb auf der Schwelle stehen, bis ihr Atem sich beruhigte, war aber nicht imstande, ihren Herzschlag zu verlangsamen, der gerade eben, auf der steilen Treppe, noch vor Aufregung und Anstrengung gehämmert hatte, jetzt aber aus Furcht vor Edgler Vess. Sie lauschte eine Weile an der Tür, hörte außer dem dumpfen Schlagen in ihrer Brust nichts und drehte den Knauf so verstohlen wie möglich.

Die Scharniere funktionierten einwandfrei und lautlos, und die Tür öffnete sich in die Küche, die so dunkel war, wie sie sie zurückgelassen hatte. Sie fand den Lichtschalter, zögerte, betätigte ihn dann – und Vess wartete nicht auf sie.

Würde sie je in ihrem Leben wieder imstande sein, durch eine Tür zu gehen, ohne zusammenzuzucken?

Aus einer Schublade, in der Chyna zuvor einen Satz Messer gesehen hatte, holte sie ein großes Fleischermesser mit einem abgenutzten Nußbaumgriff. Sie legte es neben der Spüle auf die Arbeitsfläche.

Sie holte ein großes Glas aus einem anderen Schrank, füllte es mit Wasser aus dem Hahn, trank mit langen Schlucken und nahm das Glas erst von den Lippen, als sie es gänzlich geleert hatte. Nichts, was sie je getrunken hatte, war so köstlich gewesen wie dieser Viertelliter.

Im Kühlschrank fand sie einen noch originalverpackten Rührkuchen mit weißem Zuckerguß, Zimt und Walnüssen. Sie riß die Verpackung auf und brach ein großes Stück des Kuchens ab. Sie stand über der Spüle und schlang, stopfte sich den Mund voll, bis ihre Wangen sich ausbeulten, leckte gierig Zuckerguß von den Lippen, und Krümel und Walnußbrocken fielen in die Spüle.

Während sie aß, befand sie sich in einem ungewöhnlichen Geisteszustand: Erst stöhnte sie vor Freude, dann erstickte sie fast an ihrem Gelächter, mal würgte sie und stand am Rand der Tränen, dann lachte sie wieder. Ein Sturm der Gefühle. Aber das war schon in Ordnung. Stürme gingen früher oder später vorbei, und sie hatten stets eine reinigende Wirkung.

Sie war so weit gekommen. Und doch mußte sie noch so weit gehen. Das war die Natur der Reise.

Vom Gewürzregal nahm sie die Flasche Aspirin. Sie schüttelte zwei Tabletten auf ihre Handfläche, kaute sie aber nicht. Sie füllte das Glas erneut und spülte die Aspirin mit dem Wasser herunter, und dann noch zwei.

*»I did it my way«*, sang sie nach Sinatras bekanntem Lied, und dann fügte sie hinzu: »Ich habe die verdammten Aspirin auf meine Weise genommen.« Sie lachte, aß noch einen Brocken Kuchen und fühlte sich einen Augenblick lang berauscht von ihrer eigenen Leistung.

*Da draußen in der Nacht sind Hunde,* mahnte sie sich dann, *Dobermänner in der Dunkelheit, verdammte Nazi-Hunde mit großen Zähnen und Augen, so schwarz wie Haiaugen.*

An einem Schlüsselbrett neben dem Gewürzregal hingen die Schlüssel des Wohnmobils an einem von vier Haken; die anderen waren leer. Vess war mit den Schlüsseln für die schalldichte Zelle natürlich sehr vorsichtig und trug sie zweifellos ständig bei sich.

Sie nahm das Fleischermesser und den Rest des Kuchens und ging zum Keller. Hinter sich schaltete sie das Licht aus.

Angel und Beschlaghülse.

Chyna kannte diese beiden exotischen Wörter, wie sie so viele andere kannte, weil sie ihnen als Mädchen in den Büchern von C.S. Lewis und Madeleine L'Engle und Robert Louis Stevenson und Kenneth Grahame begegnet war. Und jedesmal, wenn sie auf ein Wort gestoßen war, das sie nicht kannte, hatte sie es in der zerfledderten Taschenbuchausgabe eines Wörterbuchs nachgeschlagen, einem sehr geschätzten Besitz, den sie überall in mitnahm, wohin ihre rastlose Mutter sie schleppte, Jahr für Jahr, bis das Buch schließlich von so viel alterssprödem Klebeband zusammengehalten wurde, daß sie einige der Definitionen durch die vergilbten Plastikstreifen kaum mehr lesen konnte.

Angel. Das war der Name des Stifts in einem Scharnier, der sich drehte, wenn eine Tür geöffnet oder geschlossen wurde.

Hülse. Das war die Hülle oder der Mantel, worin die Angel sich bewegte.

Die dicke Innentür des schalldichten Vorraums war mit drei Scharnieren versehen. Die Angel in jedem Scharnier hatte einen leicht abgerundeten Kopf, der ringsum wie ein Kragen knapp zwei Millimeter über die Hülse hinausragte.

Aus den Werkzeugen in dem Rollschrank wählte Chyna einen Hammer und einen Schraubenzieher aus.

Mit dem zur Werkbank gehörenden Hocker und einem Holzkeil sorgte Chyna dafür, daß die äußere gepolsterte Tür zum Vorraum nicht mehr geschlossen werden konnte. Dann legte sie das Fleischermesser auf die Gummimatte, die im Vorraum auf dem Boden lag, so daß sie es jederzeit erreichen konnte.

Sie schob die Abdeckung der Sichtluke in der Innentür auf und sah im rosa Lampenlicht die Sammlung der Puppen. Einige hatten strahlende Eidechsenaugen, und einige hatten Augen, die an die dunklen Knöpfe in den Köpfen gewisser Dobermänner erinnerten.

Ariel saß mit angezogenen Beinen in dem riesigen Sessel, den Kopf nach vorn geneigt, das Gesicht von einer Flut von Haaren bedeckt. Man hätte glauben können, daß sie schlief – hätte sie die Hände auf dem Schoß nicht fest zu Fäusten geballt. Wären ihre Augen geöffnet gewesen, hätte sie ihre Fäuste angeschaut.

»Ich bin es nur«, sagte Chyna.

Das Mädchen reagierte nicht.

»Hab keine Angst.«

Ariel saß so ruhig da, daß nicht einmal ihr Haarschleier sich bewegte.

»Ich bin es nur.«

Diesmal verkniff sich Chyna, noch immer zutiefst beschämt, die Behauptung, ein Schutzengel oder Erlöser zu sein.

Sie fing mit dem tiefsten Scharnier an. Die Kürze der Kette zwischen den Handfesseln erschwerte es ihr ungemein, die Werkzeuge zu benutzen. Sie hielt den Schraubenzieher in der linken Hand und schob die Spitze unter das Käppchen der Angel. Ohne ausreichendes Spiel in der Kette zwischen den Handfesseln konnte sie den Hammer nicht am Griff anfassen, also ergriff sie ihn statt dessen am Kopf und schlug so kräftig, wie die Einschränkungen der Handschellen es ihr erlaubten, auf die Unterseite des Schraubenziehers. Zum Glück war das Scharnier gut eingefettet, und mit jedem Schlag hob die Angel sich ein Stück weiter aus dem Mantel. Fünf Minuten später schlug sie den dritten Stift, der am heftigsten Widerstand geleistet hatte, aus dem obersten Scharnier.

Die Hülsen waren aus Teilen zusammengesetzt, die abwechselnd an den Scharnierflügeln am Türrahmen und an der Innenkante der Tür selbst befestigt waren. Da die Bolzen fehlten, die sie in einer geschlossenen Formation zusammenhielten, standen diese Teile nun leicht auseinander.

Die Tür wurde jetzt lediglich von den beiden Schlössern an der rechten Seite an Ort und Stelle gehalten, doch zweieinhalb Zentimeter dicke Absteller schwangen nicht wie Scharniere. Chyna zog die gepolsterte Tür an den Beschlaghülsen zu sich heran. Vinyl quietschte an Vinyl, doch zuerst kamen nur zwei Zentimeter des zehn Zentimeter dicken Türblatts links oben zum Vorschein. Sie krallte die Finger um diese freigelegte Kante, zerrte hart, und ein scharlachroter Schleier legte sich vor ihre Augen, als der Schmerz in ihrem geschwollenen Finger erneut aufflackerte. Aber sie wurde mit dem schrillen metallischen Kreischen der Messingaufleger belohnt, die in den Schließblechen arbeiteten, und dann mit einem schwachen Krachen von Holz, als die gesamte Schloßvorrichtung den Türpfosten stark belastete. Chyna verdoppelte ihre Anstrengung, zog rhythmisch und zwang die Tür millimeterweise auf, bis sie so heftig keuchte, daß ihr das Fluchen verging.

Das Gewicht der Tür und die Position der beiden Absteller arbeiteten jedoch allmählich zu ihrem Vorteil. Die Schlösser waren nicht gleichmäßig über die Höhe verteilt wie die Scharniere, sondern dicht nebeneinander angebracht, das eine saß direkt über dem anderen, so daß die schwere Holzplatte sich an ihnen zu verdrehen versuchte, als wären sie ein einziger Angelpunkt. Da sich der größere Teil der Tür über und der kleinere unter den Schlössern befand, kippte der obere Teil, von der Schwerkraft gezogen, nach außen. Chyna nutzte dieses Naturgesetz, zog noch fester und stöhnte befriedigt auf, als erneut Holz splitterte. Die gesamte dicke, gepolsterte Holzscheibe löste sich auf der Seite, an der die Scharniere befestigt waren, vom Türpfosten. Nachdem der Rahmen nicht mehr im Weg war, zog sie die Tür nach links, und auf der rechten Seite glitten die Absteller aus den Schließblechen.

Plötzlich kam die Tür ungehindert auf sie zu, und sie war zu schwer, um langsam aus dem Rahmen hinabgelassen zu werden. Chyna trat schnell in den Keller zurück, und die Holzplatte knallte dort, wo sie gerade noch gestanden hatte, auf den Boden des Vorraums.

Chyna wartete, kam langsam wieder zu Atem und lauschte im Haus auf Anzeichen dafür, daß Vess zurückgekehrt war.

Schließlich betrat sie den Vorraum wieder. Sie schritt über die zu Boden gestürzte Tür wie über eine Brücke und ging in die Zelle.

Die Puppen beobachteten sie heimlich und reglos.

Ariel saß mit gesenktem Kopf in dem Sessel, die Hände auf dem Schoß zu Fäusten geballt, genau, wie sie dort gesessen hatte, als Chyna durch die Öffnung in der Tür zu ihr gesprochen hatte. Falls sie das Hämmern und den nachfolgenden Tumult gehört hatte, hatte sie sich davon nicht stören lassen.

»Ariel?« sagte Chyna.

Das Mädchen antwortete weder, noch hob es den Kopf.

Chyna setzte sich auf den Hocker vor dem Sessel. »Schatz, wir müssen jetzt gehen.«

Als sie keine Antwort bekam, beugte Chyna sich vor, senkte den Kopf und schaute in das überschattete Gesicht des Mädchens hinauf. Ariels Augen waren geöffnet, und ihr Blick war auf die weißen Knöchel ihrer Fäuste gerichtet. Ihre Lippen bewegten sich, als würde sie jemandem Vertraulichkeiten zuflüstern, aber kein Ton kam über ihre Lippen.

Chyna legte ihre gefesselten Hände unter Ariels Kinn und schob ihren Kopf hoch. Das Mädchen versuchte nicht, die Hand abzuschütteln, und zuckte nicht zusammen. Der Haarschleier glitt aus ihrem Gesicht. Obwohl sie sich in die Augen sahen, starrte Ariel durch Chyna hindurch, als sei alles in dieser Welt transparent, und in ihren Augen war eine ernüchternde Kälte, als sei die Landschaft ihrer anderen Welt leblos und ungemütlich.

»Wir müssen gehen. Bevor er nach Hause kommt.«

Die Puppen mit den hellen und aufmerksamen Augen hörten vielleicht zu. Ariel offensichtlich nicht.

Chyna legte beide Hände um eine Faust des Mädchens. Die Knochen waren spitz, die Haut war kalt, und die Faust war so fest verkrampft, als baumele das Mädchen damit an einer Felskante über einem Abgrund.

Chyna versuchte, die Finger aufzuzwingen. Die marmornen Gelenke der Faust einer Statue hätten kaum mehr Widerstand leisten können.

Schließlich hob Chyna die Hand hoch und küßte sie zärtlicher, als sie je zuvor etwas geküßt hatte, zärtlicher, als sie je zuvor geküßt worden war, und sagte leise: »Ich will dir helfen. Ich *muß* dir helfen, Schatz. Wenn ich nicht mit dir von hier fortgehen kann, ist es sinnlos, daß ich überhaupt fortgehe.«

Ariel antwortete nicht.

»Bitte laß mich dir helfen.« Noch leiser: *»Bitte.«*

Chyna küßte die Hand erneut, und endlich spürte sie, daß die Finger des Mädchens sich bewegten. Kalt und steif öffneten sie sich etwas, wollten sich aber nicht völlig entspannen, waren so verkrümmt und starr wie die Finger eines Skeletts, dessen Gelenke verkalkt waren.

Dieser innere Kampf Ariels, einerseits das Verlangen, die Hand hilfesuchend auszustrecken, andererseits diese lähmende Furcht davor, irgendwem zu vertrauen, war Chyna schmerzlich vertraut. Der Anblick schlug in ihr eine Saite des Mitgefühls und Mitleids für dieses Mädchen an, für alle verlorenen Mädchen, und schnürte ihr dermaßen heftig den Hals zu, daß sie einen Augenblick lang weder schlucken noch atmen konnte.

Dann schob sie eine Hand in die Ariels und die andere darüber und erhob sich von dem Hocker. »Komm schon, Kind«, sagte sie. »Komm mit mir. Hier weg.«

Obwohl Ariels Gesicht so ausdruckslos wie ein Ei blieb, obwohl sie weiterhin durch Chyna hindurchsah, als sei sie eine weltabgewandte Novizin im Bann einer heiligen Heimsuchung, in deren Kopf Visionen kreisten, erhob sie sich aus dem Sessel. Doch als sie gerade einmal zwei Schritte in Richtung Tür getan hatte, blieb sie stehen und setzte trotz Chynas Bitten keinen Fuß mehr vor den anderen. Das Mädchen mochte eventuell noch imstande sein, sich eine Traumwelt vorzustellen, in der sie einen zerbrechlichen Frieden fand, einen ureigenen Wilden Wald, aber vielleicht konnte sie sich nicht mehr vorstellen, daß *diese* Welt sich über die Wände ihrer Zelle hinaus erstreckte, und da sie es sich nicht mehr vorstellen konnte, konnte sie die Schwelle auch nicht übertreten.

Chyna ließ Ariels Hand los. Sie suchte eine Puppe aus – eine aus Porzellan mit goldenen Ringellöckchen und bemalten grünen Augen, die eine weiße Schürze über einem blauen Kleid trug. Sie drückte sie gegen die Brust des Mädchens und ermunterte sie, sie zu umarmen. Sie wußte nicht genau, wieso die Puppensammlung sich überhaupt hier befand, aber vielleicht mochte Ariel die Puppen ja, und wenn sie sich an einer festhalten konnte, würde sie vielleicht bereitwilliger mitkommen.

Anfangs reagierte Ariel nicht, stand einfach da, eine Hand an der Seite zur Faust geballt, die andere wie eine Krabbenschere halb geöffnet. Dann, ohne den Blick von den fernen, unsichtbaren Dingen zu wenden, nahm sie die Puppe in beide Hände und packte sie an den Beinen. Flüchtig wie der Schatten eines vorbeifliegenden Vogels legte sich ein grimmiger Ausdruck auf ihr Gesicht und war schon wieder verschwunden, bevor man ihn klar deuten konnte. Sie drehte sich um, schwang die Puppe wie einen Hammer, schlug ihren Kopf auf die Fläche des Eßtisches und zertrümmerte das Gesicht aus samtigem Bisquitporzellan.

»Schatz, nein«, sagte Chyna erschrocken und faßte das Mädchen an der Schulter.

Ariel entwand sich Chynas Griff und schlug die Puppe erneut auf den Tisch, härter als zuvor, und Chyna trat zurück, nicht aus Furcht, sondern aus Respekt vor dem Zorn des Mädchens. Und Zorn war es, eine rechtschaffene Wut, nicht nur ein autistischer Krampf, ungeachtet der Tatsache, daß ihr Gesicht völlig ausdruckslos blieb.

Sie schlug die Puppe wiederholt gegen den Tisch, bis der zertrümmerte Kopf abriß, durch den Raum flog und von einer Wand abprallte, bis beide Arme zerbrachen und zu Boden fielen, bis sie so stark beschädigt war, daß man sie nicht mehr reparieren konnte. Dann ließ sie sie fallen und stand zitternd da; die Arme hingen schlaff an ihren Seiten hinab. Sie starrte noch immer ins Anderswo und nahm Chyna genausowenig wahr wie zuvor.

Von den Regalen, von den Oberflächen der Schränke, aus den dunklen Ecken beobachteten die Puppen sie aufmerksam, als hätte ihr Ausbruch sie fasziniert und als würden sie sich auf irgendeine Art und Weise von ihm nähren, wie Vess selbst sich von ihm genährt hätte, wäre er hier gewesen und hätte ihn beobachten können.

Chyna wollte die Arme um das Mädchen legen, doch die Handschellen machten es unmöglich, sie zu umarmen. Statt dessen berührte sie Ariels Gesicht und küßte sie auf die Stirn. »Ariel, unberührt und lebend.«

Steif und zitternd versuchte Ariel weder, sich von Chyna zu lösen, noch drückte sie sich gegen sie. Allmählich ließ das Zittern des Mädchens nach.

»Ich brauche deine Hilfe«, bat Chyna. »Ich brauche dich.«

Diesmal ließ Ariel zu, wie eine Schlafwandlerin aus der Zelle geführt zu werden.

Sie gingen über die auf dem Boden liegende Tür durch den Vorraum. Im Keller hob Chyna den Bohrer auf, legte ihn auf die Werkbank und stöpselte den Stecker in die Steckdose an der Wand ein.

Sie hatte keine Uhr, auf die sie schauen konnte, war aber sicher, daß es schon längst neun geschlagen hatte. In der Nacht warteten die Hunde, und Edgler Vess ging irgendwo seiner Arbeit nach und malte sich zu seiner Unterhaltung aus, was er alles tun würde, wenn er zu seinen beiden Gefangenen zurückkehrte.

Chyna versuchte erfolglos, das Mädchen dazu zu bringen, den Blick auf sie zu fokussieren, und erklärte dann, was sie tun mußten. Es war zwar möglich, aber sehr beschwerlich, das Wohnmobil mit gefesselten Händen zu fahren, und sie mußte das Steuerrad loslassen, um einen anderen Gang einzulegen. Noch schwieriger, vielleicht sogar unmöglich war es, sich in Handschellen der Hunde zu erwehren. Wollten sie die Zeit, die ihnen bis zu Vess' Rückkehr blieb, so gut wie möglich nutzen, um die Chancen ihrer

Flucht zu verbessern, mußte Ariel die Schlösser der Handfesseln aufbohren.

Das Mädchen verriet mit keiner Geste, daß es ein Wort von dem verstanden hatte, was Chyna ihr gesagt hatte. Und noch bevor Chyna fertig war, bewegten sich Ariels Lippen wieder in einem stummen Gespräch mit einem Phantom; sie »sprach« nicht unaufhörlich, sondern verstummte immer wieder, als erhielte sie eine Antwort von einer imaginären Freundin.

Dennoch zeigte Chyna ihr, wie sie die Bohrmaschine halten und einschalten mußte. Das Mädchen blinzelte nicht mal, als der Motor plötzlich aufkreischte und der wirbelnde Bohreinsatz pfeifend durch die Luft schnitt.

»Jetzt hältst du sie«, sagte Chyna.

Ohne jede bewußte Wahrnehmung ließ Ariel die Arme an den Seiten herabhängen, die Hände halb geöffnet und die Finger gekrümmt, wie sie schon waren, seit sie die zertrümmerte Puppe fallen gelassen hatte.

»Wir haben nicht viel Zeit, Schatz.«

In ihrem uhrlosen Anderswo hatte Zeit für Ariel nicht die geringste Bedeutung.

Chyna legte den Bohrer auf die Werkbank. Sie zog das Mädchen vor das Werkzeug und legte ihre Hände darauf.

Ariel wich nicht zurück und ließ auch nicht die Hände von der Bohrmaschine gleiten, machte jedoch auch keinerlei Anstalten, sie hochzuheben.

Chyna *wußte*, daß das Mädchen sie hörte, die Situation verstand und sich irgendwo tief in ihrem Inneren danach sehnte, ihr zu helfen.

»Unsere Hoffnung liegt in deinen Händen. Du kannst es.«

Sie holte den Hocker, den sie zwischen Türblatt und Rahmen der äußeren Tür geklemmt hatte, und setzte sich. Sie legte die Hände auf die Werkbank und drehte die Gelenke so, daß das winzige Schlüsselloch der linken Handfessel freilag.

Ariel starrte weiterhin die Betonblöcke in der Wand an, sah *durch* die Wand, sprach lautlos mit einer übersinnlichen Freundin hinter allen Wänden und schien die Bohrmaschine gar nicht wahrzunehmen. Vielleicht war das für sie gar keine Bohrmaschine, sondern ein ganz anderer Gegenstand, der sie entweder mit Hoffnung oder mit Furcht erfüllte und über den sie mit ihrer Phantomfreundin sprach.

Selbst wenn das Mädchen die Bohrmaschine in die Hände nehmen und den Blick auf die Handschellen richten würde, kam Chyna die Aussicht, daß sie diese Aufgabe bewältigen konnte, sehr gering vor. Noch geringer schien die Chance zu sein, daß sie darauf achten würde, den Bohreinsatz nicht durch Chynas Handfläche oder -gelenk zu treiben.

Andererseits: Obwohl in diesem Leben die Aussicht, von Problemen oder einem Feind erlöst zu werden, immer sehr gering gewesen war, hatte Chyna unzählige Nächte des Blutrausches und des Jagdfiebers überlebt. Überleben war natürlich viel weniger als Erlösung, aber es war eine Grundvoraussetzung.

Auf jeden Fall war sie jetzt bereit, etwas zu tun, wozu sie nie zuvor imstande gewesen war, auch nicht bei Laura Templeton: *vertrauen.* Rückhaltlos vertrauen. Und sollte dieses Mädchen es versuchen und scheitern, sollte der Bohreinsatz abrutschen und Fleisch statt Stahl beschädigen, würde Chyna ihr daraus keinen Vorwurf machen. Manchmal war es schon ein Triumph, wenn man es versuchte.

Und sie wußte, daß Ariel es versuchen wollte.

Sie *wußte* es.

Vielleicht eine Minute lang ermutigte Chyna das Mädchen, einfach anzufangen, und als das nicht funktionierte, versuchte sie, schweigend zu warten. Doch die Stille führte ihre Gedanken zu den bronzenen Hirschen und der Uhr, über die sie auf dem Kaminsims sprangen, und vor ihrem geistigen Auge nahm die Uhr das Gesicht des jungen Mannes an, der in dem Schrank im Wohnmobil hing, die Lider und Lippen zugenäht, zu einer Stille verdammt, die sogar noch tiefer war als die Stille hier im Keller.

Ohne zu überlegen, selbst überrascht, was sie tat, aber ihrem Instinkt vertrauend, begann Chyna dem Mädchen zu erzählen, was in der lange vergangenen Nacht ihres achten Geburtstags passiert war: das Haus auf Key West, der Sturm, Jim Woltz, der hektische Palmetto-Kakerlak unter dem tiefen Eisenbett...

Betrunken von Dos Equis und high von zwei kleinen weißen Pillen, die er mit der ersten Flasche Bier eingeworfen hatte, hatte Woltz Chyna aufgezogen, weil es ihr nicht gelungen war, alle Kerzen auf ihrer Geburtstagstorte mit einem einzigen Atemzug auszublasen; eine brannte weiter. »Das bringt Pech, Kleine. O Mann, das bringt das ganze Unheil dieser Welt auf uns. Wenn du nicht alle Kerzen ausbläst, ist das für die Gremlins und Trolle eine Einladung, in dein Leben zu treten, alle möglichen bösen Typen, die es auf deine kleinen Schätze abgesehen haben.« Genau in diesem Augenblick pulsierte ein weißes Licht durch den Nachthimmel, und die Schatten der Palmwedel sprangen über die Küchenfenster. Das schäbige Haus klapperte in den Schockwellen von Donnerschlägen, die so stark wie Bombenexplosionen wirkten, und der Sturm brach los. »Siehst du?« sagte Woltz. »Wenn wir das nicht sofort wiedergutmachen, werden ein paar Bösewichte über uns herfallen und uns abmurksen und in blutige Stücke zerhacken und in Ködereimer stecken und auf einer Hochseejacht rausfahren und mit der Schleppangel Haie fischen und uns als Köder benutzen. Willst du ein Leckerbissen für einen Hai sein, Kleine?« Diese Rede jagte Chyna eine fürchterliche Angst ein, doch ihrer Mutter kam sie witzig vor. Ihre Mutter hatte seit dem Spätnachmittag Wodka-Lemon getrunken.

Woltz zündete alle Kerzen wieder an und bestand darauf, daß Chyna es erneut versuchte. Als es ihr wiederum nicht gelang, mehr als sieben Kerzen mit einem Pusten auszublasen, nahm Woltz ihre Hand, leckte über ihren Daumen und Zeigefinger, wobei seine Zunge auf eine Art und Weise verweilte, die sie anwiderte, und zwang sie dann, die letzte Kerze zu löschen, indem sie den Docht ausknipste. Obwohl sie kurz etwas Heißes an ihrer Haut spürte, hatte sie sich nicht verbrannt; doch an ihren Fingern hafteten schwarze Rückstände von dem qualmenden Docht, und dieser Anblick erschreckte sie.

Als Chyna zu weinen anfing, hielt Woltz ihren Arm fest und drückte sie auf den Stuhl, während Anne die acht Kerzen wieder anzündete und darauf bestand, daß sie es erneut versuchte. Beim drittenmal gelang es dem zitternden Mädchen lediglich, sechs Kerzen auszupusten. Als Woltz versuchte, sie zu zwingen, beide Flammen mit den Fingern zu löschen, riß sie sich los und lief aus der Küche, um auf den Strand zu fliehen, aber Blitze zuckten, als sei das Strandhaus von hellen Spiegeln umgeben, scharfe Silbersplitter schienen in der Nacht aufzuleuchten, und der Donner dröhnte so laut, als lieferten sich Kriegsschiffe auf dem Golf von Mexiko ein Gefecht, und so lief sie statt dessen in das kleine Zimmer, in dem sie schlief, kroch unter das durchhängende Bett, in jenes geheime Dunkel, in dem der Palmetto auf sie wartete.

»Woltz, das stinkende Arschloch, lief durch das ganze Haus und suchte mich«, erzählte Chyna dem Mädchen, »rief meinen Namen, stieß Möbel um, schlug Türen zu und brüllte, er würde mich zu Köderstücken zerhacken und dann im Meer verstreuen. Später wurde mir klar, daß er es nicht ernst gemeint hatte. Er wollte mir nur fürchterliche Angst einjagen. Er versuchte immer, mir angst zu machen, mich zum Weinen zu bringen, weil ich nicht so schnell weinte ... niemals ...«

Chyna hielt inne, konnte nicht fortfahren.

Ariel schaute nicht, wie zuvor, zur Wand, sondern zu der elektrischen Bohrmaschine hinab, auf der ihre Hände noch immer lagen. Ob sie die Maschine sah, war eine ganz andere Frage; ihre Blicke waren noch immer in weite Ferne gerichtet.

Das Mädchen hörte vielleicht gar nicht zu, doch Chyna verspürte den Drang, auch den Rest von dem zu erzählen, was in jener Nacht in Key West geschehen war.

Zum erstenmal offenbarte sie jemandem, von Laura einmal abgesehen, etwas von dem, was ihr während ihrer Kindheit zugestoßen war. Die Scham hatte sie stets schweigen lassen, was eigentlich unerklärlich war, da keine der Erniedrigungen, die sie ertragen hatte, durch ihr eigenes Handeln verschuldet war. Sie war ein Opfer gewesen, klein und wehrlos; und doch hatte sie mit dieser Scham schwer an einer Last zu tragen, die all ihre Peiniger, einschließlich ihrer Mutter, niemals verspürt hatten.

Sie hatte selbst Laura Templeton, ihrer einzigen guten Freundin, einige der schlimmsten Details ihrer Vergangenheit verschwiegen. Sie war oftmals drauf und dran gewesen, Laura manche Einzelheiten zu verraten, war jedoch jedesmal vor der Enthüllung zurückgeschreckt. Dann hatte sie nicht über die Ereignisse gesprochen, die sie ertragen hatte, und auch nicht über die Leute, die sie gequält hatten, sondern über Orte – Key West, Mendocino County, New Orleans, San Francisco, Wyoming –, wo sie gewohnt hatte. Wenn sie von der natürlichen Schönheit der Berge sprach, der Ebenen, des Bayou oder der niedrigen, vom Mondlicht erhellten Brecher, die vom Golf von Mexiko heranrollten, geriet sie ins Schwärmen, aber sie spürte auch, wie der Zorn ihr Gesicht verzerrte und die Scham es färbte, sobald sie die härteren Wahrheiten über Annes Freunde verriet, die ihre Kindheit bevölkert hatten.

Nun war ihr Hals zugeschnürt. Sie war sich seltsamerweise des Gewichts ihres Herzens bewußt, das wie ein Stein in ihrer Brust lag, schwer von Altlasten.

Obwohl ihr vor Scham und Zorn fast schlecht wurde, spürte sie, daß sie Ariel auch den Rest der Ereignisse erzählen mußte, die sich an diesem Abend der ungelöschten Kerzen in Florida zugetragen hatten. Diese Offenbarung mochte eine Tür aus der Dunkelheit sein.

»O Gott, wie habe ich ihn gehaßt, den schmierigen Mistkerl, der nach Bier und Schweiß stank und aus meinem Zimmer Kleinholz machte und betrunken rumbrüllte, er würde mich zerstückeln und als Köder benutzen, während Anne sich im Wohnzimmer und dann auf der Türschwelle kaputtlachte; ihr betrunkenes Lachen, wiehernd und schrill; ihr kam das so komisch vor, und, großer Gott, das war mein Geburtstag, mein Ehrentag, mein *Geburtstag.*« Jetzt wären ihr vielleicht Tränen gekommen, hätte sie nicht ein Leben lang gelernt, sie zu unterdrücken. »Und der Palmetto krabbelte auf mir herum, flitzte hektisch meinen Rücken hinauf und in mein Haar…«

In der stickigen, schwülen Hitze von Key West hatte der Donner im Fenster geklappert und in den Bettfedern gesungen, und kalte, blaue Spiegelungen von Blitzen flatterten wie ein Traumfeuer über den lackierten Holzboden. Chyna hätte fast laut aufgeschrien, als der tropische Kakerlak, so groß wie ihre Kleinmädchenhand, sich durch ihr langes Haar grub, aber die Furcht vor Woltz hielt sie stumm. Sie ertrug es auch, als das Tier aus ihrem Haar huschte, über ihre Schulter, ihren schlanken Arm hinab auf den Boden. Sie hoffte, es würde in das Zimmer laufen, wagte es aber nicht, es zu verscheuchen, aus Angst, Woltz würde trotz des Donners jede Bewegung hören, die sie machte, trotz seiner gebrüllten Drohungen und Flüche, sogar trotz des Gelächters ihrer Mutter. Aber der Palmetto flitzte an ihrer Seite entlang zu einem ihrer nackten Füße und erkundete dieses Ende von ihr erneut, den Fuß und den Knöchel, die Wade und den Oberschenkel. Dann kroch er mit zitternden Fühlern unter ein Bein ihrer Shorts, in ihre Gesäßspalte. Sie lag da und war vor Entsetzen wie gelähmt, wartete nur darauf, daß die Qualen endeten, ein Blitz sie traf, Gott sie an einen besseren Ort holte, als diese verhaßte Welt es war.

Lachend kam ihre Mutter herein: »Jimmy, du Spinner, sie ist nicht hier. Sie ist rausgelaufen, ist irgendwo am Strand, wie immer.« Und Woltz sagte: »Na warte, wenn sie zurückkommt, mache ich Hackfleisch aus ihr, das schwöre ich.« Dann lachte er und sagte: »Mann, hast du ihre *Augen* gesehen? Mein Gott! Hatte die eine Scheißangst.« – »Ja«, sagte Anne, »sie ist 'n beschissener kleiner Feigling. Sie wird sich stundenlang draußen verstecken. Keine Ahnung, wann sie mal erwachsen werden wird.« – »Nach ihrer Mutter kommt sie jedenfalls nicht«, sagte Woltz. »Du bist doch schon erwachsen *geboren* worden, oder, Baby?« – »Hör zu, du Arschloch«, sagte Anne, »solltest du je bei mir so 'ne Scheiße abziehen, werd' ich nicht davonlaufen wie sie. Dann tret' ich dich so fest in die Eier, daß du dich von da an Nancy nennen kannst.« Woltz lachte schallend auf, und aus ihrem Versteck unter dem Bett beobachtete Chyna, wie die nackten Füße ihrer Mutter sich Woltz' Füßen näherten, und dann kicherte ihre Mutter.

Der fette, widerliche und aufgeregte Palmetto war unter dem Hosenbund von Chynas Shorts hervorgekrochen und lief jetzt ihr Kreuz entlang, ihrem Nacken entgegen, und sie konnte den Gedanken nicht ertragen, ihn wieder in ihrem Haar zu haben. Ungeachtet aller Konsequenzen griff sie nach hinten, als der Palmetto über ihr Top huschte, und packte ihn. Das Ding zuckte und wand sich in ihrer Hand, doch sie hielt es fest.

Den Kopf zur Seite gewandt und unter dem Bett hervorspähend, sah Chyna noch immer die nackten Beine ihrer Mutter. Während Blitze den Raum wie Stroboskopstrahler erhellten, fiel ein Stück Stoff zu Boden, eine kleine Düne aus gelbem Leinen um Annes schlanke Knöchel. Ihre Bluse. Sie kicherte betrunken, als ihre Shorts ihre gebräunten Beine hinabglitten und sie aus ihnen trat.

In Chynas geschlossener Hand wirbelten die Beine des wütenden Käfers. Fühler zitterten, tasteten unablässig. Woltz trat seine

Sandalen weg, und eine von ihnen flog gegen die Bettkante, fiel direkt vor ihrem Gesicht herunter. Sie hörte einen Reißverschluß. Hart, kalt und ölig zwängte der kleine Kopf des Palmetto sich zwischen zwei von Chynas Fingern hindurch. Mit einem leisen Klimpern der Gürtelschnalle fielen Woltz' zerlumpte Jeans zu Boden und bildeten dort einen Haufen.

Er und Anne hatten sich auf das schmale Bett fallen lassen, und die Federn vibrierten, und das Gewicht drückte die Bettlatten gegen Chynas Schultern und Nacken und klemmten sie auf dem Boden fest. Seufzer, Gemurmel, drängende Ermunterungen, Stöhnen, atemloses Keuchen und rauhes, animalisches Grunzen – Chyna hatte diese Geräusche schon in anderen Nächten in Key West und anderen Orten gehört, aber stets durch Wände, aus nebenliegenden Räumen. Sie wußte wirklich nicht, was sie zu bedeuten hatten, und wollte es auch gar nicht wissen, weil sie spürte, daß dieses Wissen neue Gefahren mit sich bringen würde, mit denen sie noch nicht umgehen konnte. Was auch immer ihre Mutter und Woltz über ihr taten, es war sowohl angsteinflößend als auch zutiefst traurig und von einer schrecklichen Bedeutung, nicht weniger seltsam oder mächtig als der Donner, der den Himmel über dem Golf zerriß, und die Blitze, die aus dem Himmel zur Erde geschleudert wurden.

Chyna hatte die Augen geschlossen, um die Blitze und die achtlos abgelegten Kleidungsstücke nicht sehen zu müssen. Sie versuchte, den Geruch von Staub und Schimmel und Bier und Schweiß und der parfümierten Badeseife ihrer Mutter nicht zur Kenntnis zu nehmen, und stellte sich vor, in ihren Ohren sei Wachs, das den Donner dämpfte und das Trommeln des Regens auf dem Dach und die Geräusche, die Anne und Woltz machten. So klein, wie sie sich machte, mußte sie sich eigentlich durch eine schmale magische Pforte in den Wilden Wald zwängen können.

Doch es gelang ihr nicht einmal ansatzweise, denn Woltz brachte das schmale Bett so stark zum Schaukeln, daß Chyna ganz bewußt ihre Atmung auf den Rhythmus abstimmen mußte, den er eingeleitet hatte. Wenn das Bettgestell und die Latten unter der vollen Wucht seines Gewichts und seiner Stöße hinabgedrückt wurden, drückten sie Chyna so hart gegen den kahlen Holzboden, daß ihre Brust schmerzte und ihre Lungen sich nicht mehr ausdehnen konnten. Sie konnte nur einatmen, wenn er sich hob, und wenn er hinabstieß, zwang er sie praktisch zum Ausatmen. So ging es ziemlich lange weiter – zumindest kam es ihr ziemlich lange vor –, und als es endlich aufhörte, lag Chyna zitternd und schweißnaß da, taub vor Schrecken, verzweifelt bemüht, sofort zu vergessen, was sie gehört hatte, und erstaunt, daß ihr der Atem nicht für immer aus den Lungen gepreßt worden und ihr Herz nicht geplatzt war. In ihrer Hand befanden sich die Überreste des Palmetto-Käfers, den sie zerquetscht hatte, ohne es zu merken. Eiterähnliche Lymphe sickerte zwischen ihren Fingern hervor, ein widerwärtiger Schleim, der anfangs vielleicht warm aus dem Käfer gequollen war, nun jedoch kalt war, und ihr drehte sich vor Übelkeit angesichts der fremdartigen Beschaffenheit des Zeugs der Magen um.

Nach einer Weile, nach einer Flut von Gemurmel und leisem Gelächter, stieg Anne aus dem Bett, sammelte ihre Kleidungsstücke auf und ging durch die Diele ins Bad. Als die Badezimmertür sich schloß, schaltete Woltz eine kleine Nachttischlampe ein, verlagerte sein Gewicht auf dem Bett und beugte sich über die Seite. Sein Gesicht tauchte auf den Kopf gestellt vor Chyna auf. Das Licht war hinter ihm, und sein Gesicht war überschattet, abgesehen von einem dunkeln Funkeln in seinen Augen. Er grinste sie an. »Wie geht's dem Geburtstagskind?« fragte er. Chyna konnte weder sprechen, noch sich bewegen, und hatte das Gefühl, daß die Nässe in ihrer Hand ein blutiger Köderbrocken war. Sie wußte, daß Woltz Hackfleisch aus ihr machen, sie in Stücke hauen und in Ködereimer stecken und aufs Meer fahren und sie an die Haie verfüttern würde, weil er es ja zu ihrer Mutter gesagt hatte. Doch statt dessen war er einfach aus dem Bett gestiegen – aus ihrer Perspektive sah sie wieder nur die Füße –, hatte sich in seine Jeans gezwängt, die Sandalen angezogen und war hinausgegangen.

In Edgler Vess' Keller, Tausende von Kilometern und achtzehn Jahre von diesem Abend in Key West entfernt, sah Chyna, daß Ariel die elektrische Bohrmaschine endlich *anstarrte*, statt durch sie hindurchzusehen.

»Ich weiß nicht, wie lange ich unter dem Bett geblieben bin«, fuhr sie fort. »Vielleicht ein paar Minuten, vielleicht eine Stunde. Ich habe ihn und meine Mutter dann wieder in der Küche gehört, wie sie sprachen und lachten, eine Flasche Bier aufmachten und einen Wodka-Lemon für sie mixten. Und da war irgend etwas in ihrem Gelächter ... ein schmutziges, leises, boshaftes Kichern... Ich bin mir nicht sicher... aber irgend etwas in diesem Gelächter verriet mir, sie hat genau gewußt, daß ich mich dort unter dem Bett versteckte, hat es gewußt, aber trotzdem mitgemacht, als Woltz ihre Bluse aufknöpfte.«

Sie sah ihre gefesselten Hände auf der Werkbank an.

Sie konnte die Lymphe des Käfers fühlen, als sickerte sie in diesem Augenblick durch ihre Finger. Als sie das Insekt zerquetscht hatte, hatte sie damit auch die letzten Reste ihrer eigenen zerbrechlichen Unschuld und alle Hoffnung darauf zermalmt, ihrer Mutter eine Tochter sein zu können; doch nach diesem Abend hatte sie noch Jahre gebraucht, bis ihr das klargeworden war.

»Ich habe nicht mehr die geringste Erinnerung daran, wie ich das Strandhaus verließ, vielleicht durch die Haustür, vielleicht durch ein Fenster. Ich weiß nur noch, daß ich danach während des Sturms auf dem Strand war. Ich ging zum Wasser und habe mir in der Brandung die Hände gewaschen. Die Wellen waren nicht hoch. Das sind sie dort nur selten, nur bei einem Hurrikan, und das war nur ein fast windloser tropischer Sturm, der schwere Regen fiel fast senkrecht zu Boden. Doch die Wellen waren trotzdem höher als üblich, und ich dachte daran, in das schwarze Wasser zu schwimmen, bis mich eine Strömung hinabzog. Ich versuchte mir einzureden, das sei schon in Ordnung, einfach in die Dunkelheit hinauszuschwimmen, bis ich müde wurde. Ich habe mir gesagt, ich ginge einfach zu Gott.«

Ariels Hände schienen sich um die Bohrmaschine zu verkrampfen.

»Doch zum erstenmal in meinem Leben hatte ich Angst vor dem Meer – die Wellen klangen wie ein riesiges Herz, und das nahe Wasser war so leuchtend schwarz wie der Panzer eines Käfers und schien sich gar nicht weit entfernt nach oben zu wölben und an einen schwarzen Himmel zu stoßen, der überhaupt nicht leuchtete. Die Endlosigkeit und die Nahtlosigkeit der Dunkelheit machte mir angst – ihre Kontinuität, obwohl ich dieses Wort damals noch nicht kannte. Also streckte ich mich auf dem Strand aus, lag flach auf dem Rücken auf dem Sand, und der

Regen schlug so kräftig auf mich ein, daß ich die Augen nicht offenhalten konnte. Selbst hinter den Lidern konnte ich die Blitze sehen, helle Gespenster, und weil ich zu viel Angst hatte, um zu Gott hinauszuschwimmen, wartete ich darauf, daß Gott in blendender Helligkeit zu mir kam. Aber er kam nicht, er kam einfach nicht, und irgendwann schlief ich ein. Als ich kurz nach Anbruch der Dämmerung erwachte, war der Sturm vorbeigezogen. Der Himmel war im Osten rot und im Westen saphirblau, der Ozean flach und grün. Ich ging ins Haus, und Anne und Woltz schliefen noch in seinem Zimmer. Mein Geburtstagskuchen stand noch immer auf dem Küchentisch. Der rosa und weiße Zuckerguß war aufgeweicht, und in der Hitze hatten sich gelbe Fettropfen darauf abgesetzt, und die acht Kerzen standen alle schief. Niemand hatte ein Stück davon abgeschnitten, und ich rührte ihn auch nicht an. Zwei Tage später brach meine Mutter ihre Zelte ab und schleppte mich mit nach Tupelo, Mississippi, oder Santa Fe oder vielleicht nach Boston; ich erinnere mich nicht mehr, wohin. Ich war erleichtert, daß wir weiterzogen – und hatte schon Angst vor dem nächsten Typen, bei dem wir wohnen würden.

Glücklich war ich nur, wenn wir unterwegs waren, den einen Ort verlassen, den anderen aber noch nicht erreicht hatten. Dann genoß ich den Frieden der Straße oder der Schiene. Ich hätte ewig reisen können, ohne ein Ziel zu haben.«

Über ihnen blieb in Edgler Vess' Haus alles still.

Ein stachliger Schatten bewegte sich über den Kellerboden.

Als Chyna hochschaute, sah sie eine fleißige Spinne, die zwischen einem der Deckenträger und einem Leuchtkörper ein Netz errichtete.

Vielleicht mußte sie sich mit gefesselten Händen mit den Dobermännern befassen. Die Zeit wurde knapp.

Ariel hob den Elektrobohrer auf.

Chyna öffnete den Mund, um ein paar ermunternde Worte zu sagen, schloß ihn aber wieder, als ihr der Gedanke kam, daß sie vielleicht etwas Falsches sagte und das Mädchen damit noch tiefer in seine Trance schickte.

Statt dessen schaute sie zu der Schutzbrille, erhob sich wortlos und setzte sie dem Mädchen auf. Ariel fügte sich ohne Einwände.

Chyna kehrte zum Hocker zurück und wartete.

In Ariels Mimik tat sich etwas: Eine leichte Brise kräuselte die bisher spiegelglatte Oberfläche dieses Teichs. Das Kräuseln ließ nicht nach, sondern huschte weiterhin über das Wasser.

Das Mädchen drückte versuchsweise auf den Auslöser der Bohrmaschine. Der Motor kreischte auf, und der Bohreinsatz rotierte. Es ließ den Drücker los und sah zu, wie die Bohrspitze langsam wieder zum Stillstand kam.

Chyna bemerkte, daß sie den Atem anhielt. Sie stieß ihn aus und atmete tief ein, und die Luft war süßer denn je zuvor. Sie richtete die Hände auf der Werkbank so aus, daß Ariel mit der linken Handfessel anfangen konnte.

Hinter der Brille schaute Ariel langsam von der Spitze des Bohreinsatzes zu dem Schlüsselloch. Sie sah die Gegenstände jetzt eindeutig *an*, wirkte aber noch immer unbeteiligt.

Vertrauen.

Chyna schloß die Augen.

Während sie wartete, wurde die Stille so tief, daß sie schon ferne, eingebildete Geräusche hörte, ähnlich jenen Phantomlichtern, die schwach hinter geschlossenen Lidern auftauchen können: das leise, ernste Ticken der Uhr auf dem Kamin im Wohnzimmer, die rastlosen Bewegungen der wachsamen Dobermänner draußen in der Nacht.

Etwas drückte gegen die linke Handfessel.

Chyna öffnete die Augen.

Der Bohreinsatz befand sich im Schlüsselloch.

Sie schaute nicht zu dem Mädchen hoch, sondern schloß die Augen wieder, diesmal fester als zuvor, um sie vor fliegenden Metallsplittern zu schützen. Sie drehte den Kopf zur Seite.

Ariel drückte gegen die Bohrmaschine, um zu verhindern, daß der Bohreinsatz aus der Öffnung sprang, genau wie Chyna es ihr erklärt hatte. Die Stahlfessel preßte sich hart gegen Chynas Gelenk.

Schweigen. Stille. Mut sammeln.

Plötzlich jaulte der Motor auf. Stahl rieb gegen Stahl, und dem Geräusch folgte der dünne, scharfe Geruch von heißem Metall. Vibrationen zogen von Chynas Handgelenkknochen ihren Arm hinauf und verstärkten die Schmerzen in all ihren Muskeln. Ein Scheppern, ein hartes *Ping*, und die linke Handfessel fiel ab.

Sie hätte sich damit zufriedengeben können, daß die Handschellen von ihrer rechten Hand herabbaumelten. Vielleicht war es unlogisch, für den verhältnismäßig kleinen Vorteil, völlig von den Handschellen befreit zu werden, das Risiko einer Verletzung einzugehen. Aber das hatte nichts mit Logik zu tun, mit dem vernünftigen Abwägen von Risiken und Vorteilen. Es ging um Vertrauen.

Die Bohrspitze klickte gegen das Schlüsselloch und wurde in die zweite Handfessel eingeführt. Die Bohrmaschine kreischte, und Stahl kreischte. Ein Schauer winziger Splitter spritzte über Chynas Wange, und das Schloß knackte.

Ariel nahm die Hand vom Drücker und zog die Bohrmaschine zurück.

Mit einem Gelächter der Erleichterung und Freude schüttelte Chyna die Handschellen ab, hob ihre Hände und betrachtete sie verwundert. An beiden Gelenken war die Haut abgeschabt – stellenweise war rohes, feuchtes Fleisch zu sehen. Aber das schmerzte nicht so stark wie ihre zahlreichen anderen Verletzungen, und kein Schmerz konnte die Freude schmälern, endlich frei zu sein.

Als wisse sie nicht, was sie jetzt tun sollte, stand Ariel mit der Bohrmaschine in beiden Händen da.

Chyna nahm das Gerät und legte es auf die Werkbank. »Danke, Schatz. Das war toll. Das hast du gut gemacht, wirklich gut, du warst perfekt.«

Die Arme des Mädchens hingen wieder schlaff herab, und ihre zarten, bleichen Hände waren nicht mehr zu Klauen verkrallt, sondern locker wie die einer Schlafenden.

Chyna zog die Brille von Ariels Kopf, und sie sahen sich an, stellten einen *echten* Augenkontakt her. Chyna sah das Mädchen, das hinter dem hübschen Gesicht lebte, das wahre Mädchen in der sicheren Festung des Schädels, in die Edgler Vess nur mit gewaltiger Anstrengung, wenn überhaupt, hätte eindringen können.

Dann, unvermittelt, schwenkte Ariels Blick von dieser Welt zu dem Zufluchtsort ihres Anderswo.

»Neeiin«, rief Chyna, weil sie das Mädchen, das sie so kurz gesehen hatte, nicht schon wieder verlieren wollte. Sie legte die Arme um Ariel und hielt sie fest. »Komm zurück, Schatz«, sagte sie. »Alles ist gut. Komm zu mir zurück, sprich mit mir.«

Aber Ariel kam nicht zurück. Nachdem sie sich gerade lange

genug in Edgler Vess' Welt begeben hatte, um die Schlösser der Handschellen aufzubohren, war ihr Mut erschöpft.

»Na schön, ich kann es dir nicht verübeln. Wir sind noch nicht hier raus«, sagte Chyna. »Jetzt müssen wir uns um die Hunde kümmern.«

Obwohl Ariel noch in einem fernen Reich weilte, duldete sie, daß Chyna sie an der Hand nahm und zur Treppe führte.

»Mit einem Rudel verdammter Hunde werden wir fertig, Kleine. Glaub es mir«, sagte Chyna, obwohl sie nicht genau wußte, ob sie selbst es glaubte.

Nachdem sie von den Handschellen und Fußfesseln befreit war, keinen Stuhl mehr auf dem Rücken tragen mußte, sich den Bauch mit Kuchen vollgeschlagen und ihre Blase glanzvoll entleert hatte, mußte sie sich nur noch über die Hunde Gedanken machen. Auf halber Höhe der Treppe zum Wäscheraum erinnerte sie sich plötzlich an etwas, das sie zuvor gesehen hatte; damals war es verwirrend gewesen, doch jetzt war es klar – und lebenswichtig.

»Warte. Warte hier«, sagte sie zu Ariel und drückte die schlaffe Hand des Mädchens auf das Geländer.

Sie stürzte die Treppe wieder hinab, lief zu den Metallschränken und riß die Tür auf, hinter der sie die seltsamen Polster mit den schwarzen Lederriemen und verchromten Schnallen gesehen hatte. Sie zog sie heraus und verstreute sie um sich auf dem Boden, bis der Schrank leer war.

Es waren keine Polster. Es waren dick gepolsterte Kleidungsstücke. Eine Jacke mit einer dichten äußeren Schaumschicht unter einem künstlichen Material, das wesentlich widerstandsfähiger als Leder zu sein schien. Besonders dicke Polster auf beiden Armen. Bauschige Chaps, Überziehhosen, wie Cowboys sie trugen, waren mit Hartplastik unterfüttert. Wie bei einer Ritterrüstung war das Plastik untergliedert und an den Knien mit Scharnieren versehen, damit der Träger bewegungsfähig blieb. Eine weitere Überziehhose schützte die Hinterbeine und war mit einem schalenförmigen Hinterteil aus Plastik, einem Taillengürtel und Schnallen versehen, mit denen man sie an der vorderen Hose befestigen konnte.

Hinter den Kleidungsstücken lagen Handschuhe und ein seltsamer gepolsterter Helm mit einem durchsichtigen Gesichtsschutz aus Plexiglas. Sie fand auch eine Weste mit einem Schild, auf dem KEVLAR stand; sie sah genauso aus wie die kugelsicheren Westen, die Angehörige der Sondereinsatzkommandos der Polizei trugen.

Die Kleidungsstücke wiesen ein paar kleine Risse auf – und an vielen anderen Stellen waren größere Risse mit schwarzem Faden vernäht, der so dick wie eine Angelschnur war. Sie erkannte dieselben ordentlichen Stiche, die sie auch in den Lippen und Lidern des jungen Anhalters gesehen hatte. In den Polsterungen befanden sich hier und da einige nicht ausgebesserte Löcher. Bißspuren.

Das war die Schutzkleidung, die Vess trug, wenn er mit den Dobermännern arbeitete.

Offensichtlich hatte er sich für genug Polster und Panzer entschieden, um ungefährdet durch ein Rudel Löwen schreiten zu können. Für einen Mann, der gern Risiken einging, der die Philosophie vertrat, das Leben bis zur Neige auszukosten, schien er ziemlich extreme Vorsichtsmaßnahmen zu ergreifen, wenn es darum ging, seinen Dobermännern ein paar Kunststückchen beizubringen.

Vess' außergewöhnliche Sicherheitsvorkehrungen verrieten Chyna alles, was sie über die Brutalität der Hunde wissen mußte.

# KAPITEL 10

Keine vierundzwanzig Stunden nach dem ersten Schrei im Haus der Templetons in Napa. Eine Lebenszeit. Und nun ging es wieder auf Mitternacht zu, und auf das, was dahinter lag.

Zwei Lampen waren im Wohnzimmer eingeschaltet. Chyna legte keinen Wert mehr darauf, das Haus dunkel zu halten. Sobald sie zur Tür hinausging und den Hunden entgegentrat, bestand keine Aussicht mehr, Vess in trügerischer Sicherheit zu wiegen, falls er früher nach Hause kommen sollte.

Der Uhr auf dem Kamin zufolge war es halb elf.

Ariel saß in einem der Sessel. Sie hatte die Knie angezogen und schaukelte schwach vor und zurück, als hätte sie Magenschmerzen, obwohl sie kein Geräusch von sich gab und völlig ausdruckslos blieb.

Die für Vess entworfene Schutzkleidung war Chyna zu groß, und sie war sich nicht sicher, ob sie sich nun lächerlich vorkommen oder Sorgen darüber machen sollte, daß die unhandliche Kleidung sie nun gefährlich behinderte. Sie hatte die Beine der Überziehhosen hochgerollt und mit großen Sicherheitsnadeln befestigt, die sie in dem Nähkasten in der Waschküche gefunden hatte. Die Gürtel waren mit Schlaufen und langen Velcro-Verschlüssen versehen, die sie so stramm zusammenziehen konnte, daß sie nicht über ihre Hüften hinabrutschten. Die Ärmel der gepolsterten Jacke waren ebenfalls hochgerollt und befestigt, und die Kevlarweste gab ihr etwas zusätzliche Masse, so daß sie in der Jacke nicht völlig ertrank. Sie trug einen segmentierten Plastikkragen, der ihren Hals umgab und verhindern sollte, daß die Hunde ihr die Kehle herausrissen. Hätte sie radioaktiven Abfall in einem geschmolzenen Kernreaktor einsammeln sollen, hätte sie nicht klobiger bekleidet sein können.

Dennoch war sie an einigen Stellen verwundbar, besonders an den Füßen und Knöcheln. Zu Vess' Trainingsklamotten gehörte auch ein Paar lederner Springerstiefel mit Stahlkappen, die jedoch viel zu groß für sie waren. Als Schutz gegen angreifende Hunde waren ihre weichen Rockports kaum wirksamer als Samtpantöffelchen. Wenn sie in das Wohnmobil gelangen wollte, ohne schwere Bisse abzubekommen, mußte sie schnell und aggressiv vorgehen.

Sie hatte überlegt, ob sie irgendeinen Knüppel mitnehmen sollte. Doch da die dicken Schichten der Schutzkleidung ihre Beweglichkeit zu sehr einschränkten, konnte sie ihn nicht wirksam genug einsetzen, um einen Dobermann zu verletzen oder auch nur von einem Angriff abzubringen.

Statt dessen hatte Chyna sich mit zwei Sprühdosen ausgerüstet, die sie in einem Schrank in der Waschküche gefunden hatte. Die eine war mit einem flüssigen Glasreiniger, die andere mit einem Fleckenentferner für Teppiche und Polstermöbel gefüllt gewesen. Chyna hatte beide Flaschen in den Küchenausguß entleert und ausgespült. Ursprünglich hatte sie sie mit Bleiche füllen wollen, sich dann jedoch für reinen Salmiakgeist entschieden, von dem der pingelige Vess, der mustergültige Hausmann, zwei Viertelliterflaschen besaß. Nun standen die Plastikspraydosen neben der Haustür. Man konnte die Düsen so einstellen, daß sie entweder einen Sprühnebel oder einen Strahl ausspuckten, und beide waren auf STRAHL justiert.

In dem Sessel zog Ariel weiterhin die Knie an, schaukelte schweigend vor und zurück und schaute auf den Teppich hinab.

»Du bleibst jetzt, wo du bist, Schatz«, sagte Chyna, obwohl es unwahrscheinlich war, daß dieses katatonische Mädchen aufstehen und von sich aus irgendwohin gehen würde. »Beweg dich nicht von der Stelle, ja? Ich hole dich bald.«

Ariel antwortete nicht.

»Rühr dich nicht.«

Chynas schwere Schutzkleidung drückte allmählich schmerzhaft auf ihre geprellten Muskeln und wunden Gelenke. Die Beschwerden würden sie von Minute zu Minute geistig und körperlich träger machen. Sie mußte handeln, solange sie noch einigermaßen gut beisammen war.

Sie setzte den Helm mit Visier auf. Sie hatte ihn innen mit einem zusammengefalteten Handtuch ausgelegt, so daß er nicht locker auf dem Kopf saß, und der Kinnriemen tat das seine dazu, ihn an Ort und Stelle zu halten. Die gebogene Plexiglasscheibe endete fünf Zentimeter unter ihrem Kinn, doch die Unterseite war offen, so daß ein ungehinderter Luftzug gewährleistet war. Außerdem befanden sich in der Mitte der Glasscheibe sechs kleine Löcher, die für zusätzliche Belüftung sorgten.

Sie trat zuerst zu dem einen und dann zu dem anderen Fenster und schaute auf die Veranda hinaus, die von dem Licht der beiden Wohnzimmerlampen erhellt wurde. Es waren keine Dobermänner in Sicht.

Der Garten hinter der Veranda war dunkel, und die Wiese hinter dem Garten wirkte so schwarz wie die abgelegene Seite des Mondes. Vielleicht standen die Hunde dort draußen und beobachteten ihre Silhouette in den beleuchteten Fenstern. Sie konnten aber auch hinter der Balustrade der Veranda lauern, geduckt und sprungbereit.

Sie sah auf die Uhr.

Zehn Uhr achtunddreißig.

»O Gott, ich will das nicht tun«, murmelte sie.

Seltsamerweise fiel ihr in diesem Augenblick ein, daß sie einmal einen Kokon gefunden hatte, als sie und ihre Mutter vor vierzehn oder fünfzehn Jahren bei irgendwelchen Leuten in Pennsylvania gewohnt hatten. Die Puppe hing, transparent und von einem Sonnenstrahl durchleuchtet, von einem Birkenzweig herab, und sie hatte das Insekt darin sehen können. Es war ein Schmetterling, der das Larvenstadium schon vollständig durchlaufen hatte, eine fertig ausgebildete Imago. Nachdem sie ihre Metamorphose abgeschlossen hatte, zappelte sie hektisch in dem Kokon, und die drahtähnlichen Beine zuckten unaufhörlich, als wolle sie sich unbedingt befreien, habe aber Angst vor der feindseligen Welt, in die sie hineingeboren würde. Nun zitterte Chyna in ihren Polstern und der Hartplastikpanzerung wie dieser Schmetterling, obwohl sie nicht versessen darauf war, in diese Nachtwelt vorzudringen, die sie erwartete. Viel lieber hätte sie sich noch tiefer in ihren Kokon zurückgezogen.

Sie ging zur Haustür.

Sie zog die verfärbten Lederhandschuhe an, die schwer, aber überraschend elastisch waren. Sie waren zu groß, hatten aber an den Gelenken einstellbare Velcro-Bänder, die verhinderten, daß sie verrutschten.

Sie hatte einen Messingschlüssel an den Daumen des rechten Handschuhs genäht, wobei der Faden durch das Loch im Schlüssel führte. Der gesamte Bart mit allen Zacken ragte über die Daumenspitze hervor, so daß sie ihn problemlos in das Schlüsselloch der Tür des Wohnmobils schieben konnte. Sie wollte nicht in einer Tasche nach dem Schlüssel suchen müssen, während die Hunde von allen Seiten angriffen – und auf keinen Fall wollte sie ihn fallenlassen.

Natürlich mußte das Fahrzeug gar nicht abgeschlossen sein. Aber sie ging keine Risiken mehr ein.

Sie hob die Spraydosen vom Boden auf. Eine in jeder Hand. Erneut vergewisserte sie sich, daß sie auf STRAHL eingestellt waren.

Leise öffnete sie den ungefederten Schließriegel, lauschte auf das hohle Trommeln von Pfoten auf dem Bretterboden und schob die Tür schließlich einen Spaltbreit auf.

Auf der Veranda schien die Luft rein zu sein.

Chyna trat über die Schwelle und zog die Tür schnell hinter sich zu, fummelte unbeholfen am Knauf herum, weil die Plastikflaschen in ihren Händen sie behinderten.

Sie legte die Finger auf die Hebel der Flaschen. Die Wirksamkeit dieser Waffen hing davon ab, wie schnell die Hunde auf sie zukamen und ob sie in der kurzen Zeitspanne, die sie ihr ließen, vernünftig zielen konnte.

In dieser windstillen Nacht hing das Muschelmobile bewegungslos da. Auf dem Baum am nördlichen Ende der Veranda raschelte kein einziges Blatt.

Die Nacht schien völlig geräuschlos zu sein. Doch da ihre Ohren sich unter dem gepolsterten Helm befanden, konnte sie sowieso keine leisen Töne vernehmen.

Sie hatte das unheimliche Gefühl, daß die ganze Welt nur ein überaus detailliertes Diorama in einem gläsernen Briefbeschwerer war.

Da nicht die schwächste Brise ging, die ihren Geruch zu den

Hunden tragen konnte, wußten sie vielleicht gar nicht, daß sie das Haus verlassen hatte.

*Ja, und Schweine können fliegen, sie wollen nur nicht, daß wir es wissen.*

Die steinerne Treppe befand sich an der Südseite der Veranda. Das Wohnmobil stand auf der Auffahrt, sechs Meter von der untersten Stufe entfernt.

Den Rücken weiterhin der Hauswand zugedreht, ging sie nach rechts. Dabei schaute sie wiederholt nach links zu dem Zaun am nördlichen Ende der Veranda und an der Balustrade vorbei auf den Hof direkt vor ihr. Keine Hunde.

Die Nacht war so kalt, daß ihr Atem einen leichten Nebel auf der Innenseite des Helmvisiers entstehen ließ. Das aufblühende Kondensat verschwand schnell wieder – aber ein jedes schien sich etwas weiter auf dem Plexiglas auszudehnen als das zuvor. Trotz der Belüftung, für die der Freiraum unter ihrem Kinn und die sechs kleinen Löcher in der Mitte der Scheibe sorgten, befürchtete Chyna allmählich, ihr eigener warmer Atem werde früher oder später dafür sorgen, daß sie praktisch nichts mehr sah. Sie atmete schwer und schnell und konnte ihre Atemzüge wahrscheinlich genauso wenig beruhigen wie das schnelle Hämmern ihres Herzens.

Wenn sie jeden Atemzug *ausblies* und nach unten zum offenen Rand des Visiers richtete, konnte sie das Problem vielleicht verringern. Dieses Vorgehen führte jedoch zu einem leisen, hohlen Pfeifen, das von einem Vibrato gekennzeichnet wurde, welches die Tiefe ihrer Furcht enthüllte.

Zwei kleine, gleitende Schritte, drei, vier: Sie schob sich seitwärts am Wohnzimmerfenster vorbei und wurde sich unbehaglich des Lichts in ihrem Rücken bewußt. Schon wieder zeichnete sie sich als Silhouette ab.

Sie hätte vielleicht alle Lampen ausschalten sollen, wollte jedoch vermeiden, daß Ariel allein im Dunkeln saß. In ihrem jetzigen Zustand bekam das Mädchen vielleicht gar nicht mit, ob das Licht ein- oder ausgeschaltet war, doch es hatte sich einfach falsch angefühlt, sie in der Finsternis zurückzulassen.

Nachdem sie die halbe Strecke von der Tür zum südlichen Ende der Veranda ohne Zwischenfall zurückgelegt hatte, wurde Chyna kühner. Statt sich weiterhin seitwärts zu schieben, drehte sie sich direkt zu der Treppe um und schlurfte so schnell vorwärts, wie ihre behindernde Schutzkleidung es erlaubte.

So schwarz wie die Nacht, aus der er kam, so leise wie die hohen, zerrissenen Wolken, die langsam durch den Sternenhimmel segelten, rannte der erste Dobermann vom Bug des Wohnmobils aus auf sie zu. Weder bellte, noch knurrte er.

Fast hätte sie ihn nicht mehr rechtzeitig gesehen. Da sie vergaß, nach unten auszuatmen, breitete sich auf dem Inneren des Visiers eine Kondensatwelle aus. Augenblicklich zog der dünne Feuchtigkeitsfilm sich wie eine Brandung bei Ebbe zurück, doch der Hund war bereits da, sprang auf die Stufen, die Ohren an den spitz zulaufenden Kopf gelegt, die Lefzen von den Zähnen zurückgezogen.

Sie drückte den Hebel der Spraydose, die sie in der rechten Hand hielt. Salmiak schoß anderthalb, zwei Meter weit in die ruhige Luft.

Der Hund war noch nicht in Reichweite, als der erste Strahl auf den Verandaboden spritzte, kam aber schnell näher.

Sie kam sich dumm vor, wie ein Kind mit einer Wasserpistole. Das würde nicht funktionieren. Das *konnte* nicht funktionieren. Aber, Gott im Himmel, es *mußte* funktionieren, oder sie war Hundefutter.

Sofort drückte sie erneut auf den Hebel, und der Hund war auf der Treppe, und der Strahl senkte sich davor auf den Boden, und sie wünschte sich, sie hätte eine Spraydose mit mehr Druck, eine mit einer Reichweite von mindestens sechs Metern, damit sie das Tier aufhalten konnte, bevor es in ihre Nähe kam, doch sie drückte den Hebel schon wieder, während der vorherige Strahl noch fiel, und dieser erwischte den Hund, als er auf die Veranda sprang. Sie zielte auf seine Augen, doch der Salmiak spritzte auf seine Schnauze, in die Nase und auf die entblößten Zähne.

Die Wirkung setzte umgehend ein. Der Dobermann verlor den Halt, rutschte jaulend auf Chyna zu und wäre gegen sie geprallt, wäre sie nicht zur Seite gesprungen.

Während große Mengen beißenden Salmiaks auf die Zunge des Hundes gerieten und die Dämpfe seine Lungen füllten, so daß er keine saubere Luft mehr bekam, rollte der Hund sich auf den

Rücken und rieb mit den Pfoten hektisch über seine Schnauze. Er jaulte und hechelte und gab schrille, gequälte Töne von sich.

Chyna wandte sich von ihm ab. Sie mußte in Bewegung bleiben.

Überrascht stellte sie fest, daß sie laut sprach: »Scheiße, Scheiße, Scheiße ...«

Dann weiter zum oberen Ende der Verandatreppe, wo sie einen vorsichtigen Blick über die Schulter warf und sah, daß der Hund sich wieder erhoben hatte, im Kreis lief und den Kopf schüttelte. Zwischen dem hohen, schmerzerfüllten Jaulen nieste er heftig.

Der zweite Hund *flog* praktisch aus der Dunkelheit und griff Chyna an, als sie die unterste Stufe erreicht hatte. Aus dem linken Augenwinkel nahm sie eine Bewegung wahr, drehte den Kopf und sah einen durch die Luft schießenden Dobermann – *o Gott* –, der wie eine Granate auf sie zukam. Obwohl sie den linken Arm noch heben und auf den Hund richten konnte, war sie nicht schnell genug, und bevor sie einen Salmiakstrahl abschießen konnte, wurde sie so hart getroffen, daß es sie fast von den Füßen riß. Sie stolperte zur Seite, bewahrte aber irgendwie das Gleichgewicht.

Die Zähne des Dobermanns senkten sich in das dicke Polster auf ihrem linken Arm. Er hielt sie nicht nur, wie ein Polizeihund es getan hätte, sondern zerrte an dem Polster, als wolle er Fleisch verschlingen, ein Stück abreißen und sie handlungsunfähig machen, eine Arterie aufreißen, so daß sie verbluten würde, doch zum Glück waren die Zähne nicht in ihre Haut eingedrungen.

Nachdem er sie mit disziplinierter Stille angegriffen hatte, knurrte er noch immer nicht. Doch tief aus seiner Kehle löste sich ein Geräusch, das irgendwo zwischen einem Brummen und einem hungrigen Winseln lag, ein unheimlicher und gemeiner Laut, den Chyna trotz ihres gepolsterten Helms nur allzu deutlich hörte.

Sie griff mit der rechten Hand hinüber und sprühte dem Dobermann aus nächster Nähe einen Strahl Salmiak in die grimmigen schwarzen Augen.

Die Kiefer des Hundes flogen auf, als seien sie Teil eines mechanischen Geräts, das mit einer Sprungfeder aktiviert worden war, und er drehte sich von ihr weg und heulte vor Schmerz auf, während silberne Speichelfäden von seinen schwarzen Lefzen schlabberten.

Ihr fiel die Warnung auf dem Salmiakbehälter ein: *Verursacht schwere, aber vorübergehende Sehschäden.*

Wie ein verletztes Kind heulend, rollte der Hund sich im Gras, rieb mit den Pfoten an den Augen wie das erste Tier an seiner Schnauze, aber mit noch hektischeren Bewegungen.

Der Hersteller empfahl, Augen, die mit Salmiakgeist in Berührung gekommen waren, fünfzehn Minuten lang mit sehr viel Wasser auszuspülen. Wenn der Hund nicht instinktiv zu einem Teich oder Bach lief, stand ihm kein Wasser zur Verfügung, also würde er sie mindestens eine Viertelstunde, höchstwahrscheinlich aber noch länger, nicht mehr behelligen.

Der Dobermann sprang auf, fletschte die Zähne und jagte seinem Schwanz hinterher. Er stolperte, stürzte wieder, rappelte sich hoch und schoß, geblendet und starke Pein leidend, in die Nacht davon.

So unglaublich es war, doch als Chyna das Heulen des armen Tiers hörte, während sie zum Wohnmobil lief, zuckte sie vor Reue zusammen. Der Hund hätte sie ohne das geringste Zögern zerrissen, wäre er an sie herangekommen, doch er war nicht von Natur aus ein geistloser Killer; nur seine Ausbildung hatte ihn dazu gemacht. Gewissermaßen waren auch die Hunde Opfer von Edgler Vess, der ihr Leben seinen Zwecken unterworfen hatte. Hätte sie sich völlig auf ihre Schutzkleidung verlassen können, hätte sie ihnen dieses Leid erspart.

Wieviel Hunde noch?

Vess hatte angedeutet, ein ganzes Rudel zu besitzen. Hatte er *vier* gesagt? Es war natürlich möglich, daß er gelogen hatte. Vielleicht waren es nur zwei.

*Beweg dich, beweg dich, beweg dich.*

Sie zog am Griff der Beifahrertür des Wohnmobils. Abgeschlossen.

*Keine Hunde mehr, nur noch fünf Sekunden ohne Hunde, bitte.*

Sie ließ die Spraydose in der rechten Hand fallen, damit sie den Schlüssel zwischen Daumen und Zeigefinger nehmen konnte. Durch die dicken Handschuhe konnte sie ihn kaum ertasten.

Ihre Hand zitterte. Der Schlüssel verfehlte das Schlüsselloch und scharrte über die verchromte Vorderseite des Zylinderschlosses. Hätte sie ihn nicht an den Handschuh genäht, hätte sie ihn fallenlassen.

Als sie beim zweiten Versuch gerade den Schlüssel in das Schloß schob, prallte ein Dobermann gegen sie, diesmal von hinten, sprang ihr auf den Rücken und biß sie in den Nacken.

Sie wurde gegen das Fahrzeug geschleudert. Das Visier des Helms schlug hart gegen die Tür.

Die Zähne des Hundes waren in den dicken Rollkragen der Ausbilderjacke gedrungen und zweifellos auch in das Polster des untergliederten Plastikkragens, den sie unter der Jacke trug, um ihren Hals zu schützen. Er hielt sich mit den Zähnen an ihr fest und zerrte wirkungslos mit den Krallen an ihr, wie ein dämonischer Liebhaber in einem Alptraum.

Während der Aufprall des Hundes sie gegen das Wohnmobil getrieben hatte, zog sein Gewicht und sein wütendes Winden sie nun von dem Fahrzeug zurück. Sie wäre fast rückwärts umgefallen, wußte aber, daß der Vorteil auf den Hund übergehen würde, sollte es ihm gelingen, sie zu Boden zu zerren.

*Bleib oben. Bleib aufrecht.*

Während sie sich bemühte, das Gleichgewicht zu bewahren, und sich um hundertachtzig Grad drehte, sah sie, daß der erste Dobermann nicht mehr auf der Veranda war. So erstaunlich es war, bei dem Tier, das an ihrem Nacken hing, mußte es sich um den kleineren Hund handeln, dem sie den Salmiak auf die Schnauze gesprüht hatte. Nachdem er wieder zu Atem gekommen war, gab er, durch ihr chemisches Arsenal nicht eingeschüchtert, für Edgler Vess alles, was er hatte.

Positiv stand zu Buche, daß es vielleicht doch nur zwei Hunde waren.

Sie hielt die Spraydose noch in der linken Hand. Sie drückte den Hebel und schoß mehrere Strahlen über ihre Schulter. Doch die schweren Polster der Jackenärmel gestatteten es ihr nicht, die Arme stark zu krümmen, und sie konnte nicht in einem Winkel feuern, der den Salmiak in die Augen des Hundes brachte.

Sie warf sich rückwärts gegen die Seite des Wohnmobils, wie sie sich zuvor gegen den Kamin geschleudert hatte. Der Dobermann war zwischen ihr und dem Fahrzeug gefangen wie der Stuhl zwischen ihr und der Steinwand, und er bekam die volle Wucht des Aufpralls ab.

Der Hund ließ sie los, fiel zu Boden und jaulte, ein mitleiderregendes Geräusch, das ihr zusetzte, aber auch ein gutes, *o ja*, ein gutes Geräusch, schöner als jede Musik.

Mit baumelnden Schnallen und gegeneinanderschlagenden Überhosen schlurfte Chyna zur Seite, bemüht, aus der Reichweite des Tieres zu kommen. Sie fürchtete um ihre Knöchel, ihre verletzbaren Knöchel.

Doch plötzlich schien der Dobermann seine Angriffslust verloren zu haben. Er schlich mit eingezogenem Schwanz davon, verdrehte die Augen, um sie von der Seite her beobachten zu können, zitterte und pfiff, als hätten seine Lungen etwas abbekommen, und zog das linke Hinterbein nach.

Sie drückte auf den Hebel der Spraydose. Das Tier war außer Reichweite, und der Salmiakstrahl schoß in hohem Bogen ins Gras.

Zwei Hunde abgewehrt.

*Beweg dich, beweg dich.*

Chyna drehte sich zu dem Wohnmobil um – und schrie auf, als ein dritter Hund, der mehr wog als sie, an ihre Kehle sprang, durch die Jacke biß und sie zurückwarf.

Sie fiel. *Scheiße.* Und während sie zu Boden ging, war der Hund über ihr und kaute wie verrückt an dem Jackenkragen.

Als Chyna auf dem Boden aufschlug, wurde ihr trotz aller Polster der Atem aus den Lungen getrieben, und die Spraydose flog aus ihrer Hand und wirbelte durch die Luft. Sie griff nach ihr, als sie davongeschleudert wurde, verfehlte sie aber.

Der Hund riß einen Streifen der Polsterung um den Jackenkragen ab und schüttelte heftig den Kopf, warf den Fetzen beiseite und bespritzte das Visier mit schaumigem Speichel. Er griff sie erneut an, riß noch heftiger an derselben Stelle, grub sich tiefer, suchte Fleisch, Blut, Triumph.

Sie hämmerte mit beiden Händen auf seinen schlanken Kopf ein und versuchte in der Hoffnung, daß sie empfindlich und verletzbar waren, seine Ohren zu treffen. »Laß los, verdammt, laß los! Hau ab!«

Der Dobermann schnappte nach ihrer rechten Hand, verfehlte sie aber. Seine Zähne schlugen deutlich hörbar aufeinander. Er versuchte es erneut und bekam sie zu fassen. Seine Hauer durchdrangen den dicken Lederhandschuh nicht, doch er schüttelte wütend ihre Hand, als hätte er eine Ratte im Maul und wolle ihr das Rückgrat brechen. Obwohl die Zähne ihre Haut nicht durchdrungen hatten, war der knirschende Druck des Bisses so schmerzhaft, daß Chyna aufschrie.

Sofort gab der Hund ihre Hand frei und war wieder an ihrer Kehle. An der zerrissenen Jacke vorbei. Zähne fetzten an der Kevlarweste.

Vor Schmerz aufheulend, streckte Chyna die pochende rechte Hand nach der Spraydose aus, die im Gras lag. Die Waffe war zwanzig, dreißig Zentimeter außerhalb ihrer Reichweite.

Als sie den Kopf drehte, um zu der Dose zu schauen, verschob sie versehentlich den unteren Rand ihres Gesichtsschilds und gab dem Dobermann damit besseren Zugriff auf ihre Kehle. Er stieß seine Schnauze unter die Krümmung des Plexiglases, über die Kevlarweste, und biß in die dicke Polsterung des segmentierten Kragens aus Hartplastik, die ihren letzten Schutz darstellte. Der Hund versuchte, diesen Streifen Körperpanzer abzureißen, und warf sich so heftig zurück, daß Chynas Kopf vom Boden hochgerissen wurde und Schmerz durch ihren Nacken flutete.

Sie versuchte, den Dobermann von sich zu schieben. Er war schwer und widersetzte sich störrisch; seine Krallen scharrten hektisch auf ihr.

Als der Hund an Chynas Schutzkragen zerrte, fühlte sie seinen heißen Atem an der Unterseite ihres Kinns. Wenn er die Schnauze in einem besseren Winkel unter das Visier schieben konnte, würde er ihr vielleicht ins Kinn beißen können, ach was, *konnte* er ihr ins Kinn beißen, und das würde ihm jeden Augenblick klar werden.

Sie wuchtete ihn mit ihrer gesamten Kraft hoch, und der Hund klammerte sich an sie, doch sie konnte ein paar Zentimeter näher zur Spraydose hinüberrutschen. Sie schob ihn erneut hoch, und nun war die Dose nur noch zehn Zentimeter von ihren tastenden Fingerspitzen entfernt.

Sie sah, daß der andere Dobermann zu ihr herüberhumpelte, bereit, sich wieder ins Kampfgetümmel zu stürzen. Sie hatte seine Lungen also doch nicht verletzt, als sie ihn zwischen ihr und dem Wohnmobil eingeklemmt hatte.

Zwei Hunde. Mit zwei Tieren gleichzeitig wurde sie nicht fertig, wenn beide auf ihr lagen.

Sie drückte den einen erneut hoch, rutschte auf dem Rücken verzweifelt zur Seite, zerrte den sich an sie klammernden Dobermann mit sich.

Seine heiße Zunge leckte über die Unterseite ihres Kinns, leckte, schmeckte ihren Schweiß. Der Hund erzeugte wieder dieses schreckliche, gierige Geräusch tief in seiner Kehle.

*Schieb.*

Der humpelnde Hund erkannte ihre schwächste Stelle und lief zu ihrem rechten Fuß. Sie trat nach ihm, und das Tier wich zurück, schoß dann aber erneut vor. Sie trat, und der Dobermann biß in die Ferse ihres Rockport.

Ihr hektisches Atmen legte einen Schleier auf die Innenseite des Visiers. Der sich an sie klammernde Dobermann tat das seine noch dazu, denn seine Schnauze befand sich unter dem Plexiglas. Sie war praktisch blind.

Sie trat mit beiden Beinen zu, um den humpelnden Hund abzuwehren. Trat zu, rutschte zur Seite.

Die heiße Zunge des anderen Tiers schlabberte um ihr Kinn. Sein stechender Atem. Zähne knirschten zwei Zentimeter vor ihrer Haut. Wieder die Zunge.

Chyna berührte die Spraydose. Schloß ihre Finger darum.

Obwohl der Biß den Handschuh nicht durchdrungen hatte, pochte in ihrer Hand noch immer ein so hinderlicher Schmerz, daß sie befürchtete, sie würde die Dose nicht oder zumindest nicht richtig festhalten, den Hebel nicht bedienen können, doch dann drückte sie blindlings einen Strahl Salmiak hinaus. Gedankenlos hatte sie ihren geschwollenen Zeigefinger benutzt, und der aufblitzende Schmerz machte sie benommen. Sie schob den Mittelfinger auf den Hebel und schoß einen weiteren Strahl ab.

Trotz ihrer Tritte hatte der verletzte Hund durch ihren Schuh gebissen. Zähne bohrten sich in ihren rechten Fuß.

Chyna gab einen weiteren dicken Salmiakstrahl in Richtung ihrer Füße ab, und noch einen, und abrupt ließ dieser Dobermann sie los. Sie und der Hund schrien nun im Duett, waren geblendet und zitterten und lebten im selben Reich der Schmerzen.

Schnappende Zähne. Der andere Hund. Er drängte unter dem

Visier ihrem Kinn entgegen. *Schnapp-schnapp-schnapp.* Und das eifrige hungrige Winseln.

Sie rammte die Flasche in sein Gesicht, drückte den Hebel, drückte noch einmal, und der Hund ließ von ihr ab und lief jaulend davon.

Ein paar Tropfen Salmiak drangen durch die kleinen Löcher in der Mitte der Scheibe in das Visier ein. Sie konnte durch das beschlagene Plexiglas nichts sehen, und die scharfen Dämpfe erschwerten ihr das Atmen.

Keuchend und mit tränenden Augen ließ sie die Spraydose fallen und kroch auf Händen und Füßen in die Richtung, in der sie das Wohnmobil vermutete. Sie prallte gegen seine Seite und zog sich daran hoch. Der verletzte Fuß fühlte sich heiß an, vielleicht, weil er in das Blut getaucht war, das in ihren Schuh geflossen war, aber sie konnte ihn mit ihrem Gewicht belasten.

Bislang drei Hunde.

Wenn drei, dann bestimmt auch vier.

Der vierte würde ebenfalls angreifen.

Als der Salmiak unter dem Gesichtsschutz verdampfte und, etwas langsamer, auch der auf ihrer zerrissenen Jacke, nahm auch die Menge der Dämpfe ab, aber nicht schnell genug. Chyna war versucht, den Helm abzunehmen und ungehindert durchzuatmen, wagte es dann aber doch nicht, nicht, bis sie in dem Wohnmobil war.

Sie würgte unter den Salmiakdämpfen und mahnte sich, unter der Plexiglasscheibe nach unten auszuatmen, war aber noch immer halb blind, weil ihre Augen nicht zu tränen aufhörten. Trotzdem tastete sie sich an der Seite des Wohnmobils entlang, bis sie die Tür des Fahrerhauses wiedergefunden hatte. Verblüfft stellte sie fest, daß der Schmerz sich in erträglichen Grenzen hielt, wenn sie mit dem verletzten Fuß auftrat.

Der Schlüssel befand sich noch unversehrt an ihrem rechten Handschuh. Sie nahm ihn zwischen Daumen und Zeigefinger.

In der Ferne jaulte ein Hund, wahrscheinlich der erste, dem sie den Salmiak in die Augen gesprüht hatte. In der Nähe winselte und heulte ein anderer elendig. Ein dritter winselte, nieste, keuchte, weil die Dämpfe ihm noch immer zusetzten.

Aber wo war der vierte?

Sie fummelte an dem Zylinderschloß herum, fand das Schlüsselloch, indem sie blindlings herumstocherte, öffnete die Tür und zog sich auf den Fahrersitz hoch.

Als sie die Tür zuschlug, prallte etwas gegen deren Außenseite. Der vierte Hund.

Sie nahm den Helm ab, zog die Handschuhe aus und legte die gepolsterte Jacke ab.

Mit gefletschten Zähnen sprang der vierte Dobermann am Seitenfenster empor. Seine Krallen scharrten kurz am Glas, dann fiel er auf den Rasen zurück und starrte sie an.

Vom Licht aus dem schmalen Gang erhellt, lag Laura Templetons Leiche noch immer in einem Gewirr von Handschellen und Ketten in ein Laken eingehüllt auf dem Bett.

Chynas Brust zog sich zusammen, und ihr Hals schwoll so eng zu, daß sie kaum noch schlucken konnte. Sie sagte sich, daß der Körper auf dem Bett in Wirklichkeit gar nicht Laura war. Das Wesentliche von Laura war nicht mehr vorhanden, und dort lag nur noch die Hülle, lediglich Fleisch und Knochen auf einer langen Reise unter die Erde. Lauras Seele war in der Nacht zu einem helleren und wärmeren Ort gereist, und es war sinnlos, Tränen um sie zu vergießen, denn sie war ins Himmelreich eingegangen.

Die Schranktür war geschlossen. Chyna ging davon aus, daß der Tote noch dort hing.

In den über vierzehn Stunden, die sie nicht mehr in dem Wohnmobil gewesen war, hatte die stickige Luft einen schwachen, aber widerwärtigen Verwesungsgeruch angenommen. Sie hatte Schlimmeres erwartet. Trotzdem atmete sie durch den Mund, um die Ausdünstung nicht wahrnehmen zu müssen.

Sie schaltete die Leselampe ein und öffnete die oberste Schublade des Nachttisches. Die Gegenstände, die sie am vergangenen Abend entdeckt hatte, lagen noch immer dort und schlugen leise gegeneinander, weil die Vibrationen des Motors sich durch den Boden auf sie übertrugen.

Ihr war nicht wohl zumute, den Motor laufen zu lassen, da sein Lärm die Annäherung eines anderen Fahrzeugs übertönen würde, falls Vess doch früher nach Hause kam. Doch sie brauchte Licht und wollte nicht riskieren, die Batterie zu leeren.

Sie holte die Gazetupfer, das Hansaplast und die Schere aus der Schublade.

Im Wohnbereich hinter dem Führerhaus nahm sie in einem Sessel Platz. Zuvor hatte sie sämtliche Schutzkleidung abgelegt. Nun zog sie den rechten Schuh aus. Ihr Socken war blutgetränkt, und sie streifte ihn vorsichtig ab.

Aus den beiden Bißwunden in ihrem Spann quoll dunkles, dickes Blut. Es spritzte jedoch nicht aus den Wunden, sondern sickerte lediglich, und an den Verletzungen selbst würde sie in nächster Zeit wohl kaum sterben.

Sie packte schnell zwei Lagen Gaze auf die Löcher und befestigte sie mit Hansaplaststreifen. Indem sie die Klebestreifen strammzog, konnte sie etwas Druck ausüben und so die Blutung verlangsamen oder zum Stillstand bringen.

Sie hätte die Wunden lieber mit Jod oder ähnlichem gesäubert, doch ihr stand nichts dergleichen zur Verfügung. Auf jeden Fall würde eine Infektion erst in ein paar Stunden einsetzen, und bis dahin würde sie von hier fort sein und medizinische Hilfe erhalten haben. Oder an anderen Ursachen gestorben sein.

Die Gefahr von Tollwut kam ihr verschwindend gering vor. Edgler Vess würde auf die Gesundheit seiner Hunde achten. Sie hatten bestimmt alle vorgeschriebenen Impfungen erhalten.

Ihr Socken war kalt und glitschig vom Blut, und sie versuchte gar nicht erst, ihn wieder anzuziehen. Sie schob den bandagierten Fuß in den Schuh und schnürte ihn etwas lockerer als sonst zu.

In dem schmalen Schlitz zwischen Küchenschrank und Kühlschrank war eine Klapptrittleiter verstaut. Sie trug sie den kurzen Gang entlang bis zum Ende des Fahrzeugs und klappte sie unter der Dachluke auseinander, einer flachen Scheibe aus milchigem Plastik von etwa einem Meter Länge und vielleicht einem halben Meter Breite.

Sie stieg auf den Stuhl, um die Luke zu untersuchen; dabei hoffte sie, daß sie sich entweder schrägstellen ließ, damit frische Luft hereinkam, oder von innen an dem Dach befestigt war. Leider war die Scheibe fest angeschraubt und hatte keinerlei Lüftungsfunktion, und sie war auf der Außenseite angebracht, so daß sie von innen an keine Schrauben oder Nieten herankam.

Unter ihrer gepolsterten Kleidung hatte sie einen Werkzeuggürtel getragen, den sie in einer Schublade von Vess' Werkbank gefunden hatte. Sie hatte ihn mit dem Rest der Montur ausgezogen. Nun lag er auf dem Tisch in der Eßecke.

Da sie nicht gewußt hatte, welche Werkzeuge sie brauchen würde, hatte sie eine normale Zange, eine Kneifzange, eine flache und eine runde Feile sowie normale und Kreuzschlitzschraubenzieher in mehreren Größen mitgenommen. Und einen Hammer, das einzige Werkzeug, das sie jetzt brauchen konnte.

Wenn sie sich auf die erste der beiden Stufen der Trittleiter stellte, war ihr Scheitel nur fünfundzwanzig Zentimeter von der Dachluke entfernt. Sie wandte das Gesicht ab und schwang den Hammer mit der linken Hand, und der flache Stahlkopf schlug mit einem fürchterlichen Scheppern und Klappern gegen das Plastik.

Die Dachluke war nicht beschädigt.

Chyna schwang den Hammer unerbittlich. Jeder Schlag hallte in dem Plastik wider, aber auch in ihren angespannten und müden Muskeln und schmerzenden Knochen.

Das Wohnmobil war mindestens fünfzehn Jahre alt, und es schien sich um die ursprüngliche, von der Fabrik eingebaute Dachluke zu handeln. Sie bestand nicht aus Plexiglas, sondern aus einem weniger beeindruckenden Material; im Lauf vieler Jahre des Sonnenscheins und schlechten Wetters war das Plastik spröde geworden. Schließlich sprang es an einer Ecke des rechteckigen Rahmens. Chyna hämmerte auf die Spitze des Risses ein, trieb ihn bis zur Ecke, dann an der schmalen und zum Schluß an der breiten Seite entlang.

Sie mußte mehrere Pausen einlegen, um wieder zu Atem zu kommen und den Hammer von der einen Hand in die andere zu wechseln. Schließlich schepperte die Scheibe locker im Rahmen; nun schien sie nur noch von Materialsplittern entlang der Risse und dem unbeschädigten vierten Rand gehalten zu werden.

Chyna ließ den Hammer fallen, bog langsam ein paarmal die Hände, um die Steifheit aus ihnen zu vertreiben, und drückte dann beide Handflächen gegen das Plastik. Vor Anstrengung keuchend, stieß sie nach oben, während sie auf die zweite Stufe der Leiter kletterte.

Mit einem spröden Splittern von Plastik hob die Scheibe sich um zwei, drei Zentimeter, und die gezackten Ränder der Risse rieben sich quietschend aneinander. Dann bog die Plastikplatte sich an der vierten Seite zurück, ächzte, leistete ihr Widerstand ... Widerstand ... bis sie wortlos vor Frustration aufschrie, dadurch neue Kraft fand und noch härter drückte. Abrupt brach die vierte Seite, es knallte wie ein Schuß.

Chyna stieß die Scheibe durch die Decke. Sie schepperte über das Dach und fiel auf die Auffahrt.

Durch das Loch über ihrem Kopf sah Chyna Wolken, die plötzlich vom Mond zurückglitten. Kaltes Licht badete ihr nach oben gerichtetes Gesicht, und in dem unendlich tiefen Himmel leuchtete das saubere, weiße Feuer der Sterne.

Chyna setzte das Wohnmobil rückwärts von der Auffahrt und neben die Vorderseite des Hauses, parallel zur Veranda und so dicht neben sie, wie es ging. Sie ließ das große Fahrzeug ganz langsam rollen, um den dichten Rasen nicht aufzureißen, da der Boden darunter selbst einen halben Tag nach dem Ende des Regens noch morastig sein konnte. Sie wollte vermeiden, im Schlamm steckenzubleiben.

Als sie in Position war, zog sie die Handbremse und legte den Leerlauf ein. Den Motor ließ sie laufen.

In dem kurzen Gang am Ende des Wohnmobils war die Trittleiter umgefallen. Sie stellte sie auf, stieg die beiden Stufen empor und stand mit dem Kopf in der Nachtluft, über dem offenen Rahmen der aufgebrochenen Dachluke.

Sie wünschte, der Stuhl hätte eine dritte Stufe. Sie mußte sich auf das Dach hinaufziehen, und der Winkel war wesentlich unvorteilhafter, als ihr lieb sein konnte.

Sie legte die Hände auf den gegenüberliegenden Seiten der einen halben Meter breiten Öffnung flach auf das Dach und versuchte, ihren Körper aus dem Wohnmobil zu stemmen. Sie strengte sich dermaßen an, daß sie spürte, wie die Sehnen zwischen ihrem Hals und den Schultern gezerrt wurden; ihr Puls hämmerte wie die Trommeln des Jüngsten Tags in ihren Schläfen und der Halsschlagader, und jeder Muskel in den Armen und im Rücken zitterte vor Anstrengung.

Schmerz und Erschöpfung schienen ihr einen Strich durch die Rechnung zu machen. Aber dann dachte sie an Ariel im Wohnzimmersessel: wie sie hin und her schaukelte, die Knie angezogen, einen entrückten Blick in den Augen, die Lippen zu einem stummen Schrei geöffnet. Das Bild des Mädchens gab Chyna neue Kraft und erschloß bislang unbekannte Reserven. Ihre zitternden Arme streckten sich langsam und zogen ihren Körper aus dem Gang, und als es einen Zentimeter um den anderen aufwärts ging, trat sie mit den Füßen wie eine Schwimmerin, die aus der Tiefe emporsteigt. Schließlich hatte sie die Ellbogen durchgedrückt, Ober- und Unterarm lagen wieder auf einer Geraden, und sie schwang sich hinauf, durch die Dachluke auf das Dach.

Dabei blieb ihr Pullover an kleinen Plastiksplittern hängen, die vom Rand der Dachluke hervorragten. Ein paar scharfe Spitzen durchbohrten das gestrickte Material und stachen in ihren Bauch, aber sie brach sie ab.

Sie kroch ein Stück vor, rollte sich auf den Rücken, zog den Pulli hoch und tastete ihren Bauch ab, um festzustellen, wie schlimm die Schrammen waren. Blut tropfte aus ein paar flachen Einstichen, aber sie war nicht ernsthaft verletzt.

Aus einiger Entfernung kam das Geheul von mindestens zwei verwundeten Hunden aus der Nacht. Das elende Gejaule verriet so viel Furcht, Verletzlichkeit, Schmerz und Einsamkeit, daß Chyna es kaum ertragen konnte.

Sie rutschte zur Dachkante und schaute auf den Garten östlich vom Haus hinab.

Der unverletzte Dobermann trottete um die Vorderseite des Wohnmobils und entdeckte sie sofort. Er stand direkt unter ihr und schaute mit gefletschten Zähnen hoch. Das Leiden seiner drei Gefährten schien ihn nicht weiter zu kümmern.

Chyna schob sich vom Rand zurück und erhob sich. Die Metalloberfläche war schlüpfrig vom Tau, und sie war dankbar für die Gummisohlen ihrer Rockports. Sollte sie den Halt verlieren und ohne Waffen und Schutzkleidung herunterfallen, würde das vierte Tier sie innerhalb von zehn Sekunden überwältigen und ihr die Kehle herausreißen.

Das Wohnmobil stand nur ein paar Zentimeter unterhalb des Verandadachs. Sie hatte es so dicht am Haus geparkt, daß die Entfernung zwischen dem Dach und dem Fahrzeug keine dreißig Zentimeter betrug.

Sie trat über die Lücke auf das schräge Verandadach. Die Asphaltschindeln fühlten sich irgendwie sandig an und waren bei weitem nicht so tückisch wie das Dach des Wohnmobils.

Die Neigung hielt sich in Grenzen, und sie stieg problemlos zur Hauswand hinauf. Der Regen der letzten Stunden hatte einen teerigen Geruch freigesetzt, welcher von den Holzschutzmitteln stammte, mit denen die Außenwände im Lauf der Jahre immer wieder behandelt worden waren.

Das Schiebefenster von Vess' Schlafzimmer im Obergeschoß stand zehn Zentimeter weit auf; bevor sie das Haus verließ, hatte sie es geöffnet. Sie schob ihre schmerzenden Hände durch die Öffnung und drückte die untere Scheibe stöhnend hoch. In der feuchten Luft war das Holz aufgequollen, doch obwohl das Fenster ein paarmal klemmte, konnte sie es schließlich ganz aufdrücken.

Sie stieg in Vess' Schlafzimmer, in dem sie eine Lampe hatte brennen lassen.

Im Flur warf sie einen Blick zu der offenen Tür gegenüber vom Schlafzimmer. Dahinter lag das dunkle Arbeitszimmer, und noch immer beunruhigte sie das Gefühl, daß sie darin etwas übersehen hatte, etwas Lebenswichtiges, das sie über Edgler Vess wissen sollte.

Aber sie hatte keine Zeit für weitere Detektivarbeiten. Sie eilte die Treppe hinab ins Wohnzimmer.

Ariel hockte in dem Sessel, in dem Chyna sie zurückgelassen hatte. Sie hatte noch immer die Knie angezogen und schaukelte geistesabwesend.

Die Uhr auf dem Kamin zeigte vier Minuten nach elf.

»Bleib ja da sitzen«, sagte Chyna zu dem Mädchen. »Nur noch eine Minute, Schatz.«

Sie ging durch die Küche in den Wäscheraum und hielt nach einem Besen Ausschau. Sie fand sowohl einen Besen als auch einen Mop. Der Mop hatte den längeren Stil, also nahm sie ihn statt des Besens.

Als sie wieder ins Wohnzimmer trat, hörte sie ein vertrautes und zugleich gefürchtetes Geräusch. *Quietsch-quietsch. Quietsch-quietsch-quietsch.*

Sie schaute zum nächsten Fenster und sah, daß der unverletzte Dobermann mit den Krallen über das Glas scharrte. Seine spitzen

Ohren waren aufgerichtet, legten sich jedoch an den Schädel, als Chyna Blickkontakt mit dem Tier herstellte. Der Dobermann stieß das nun schon bekannte gierige Knurren aus, das auf Chynas Nacken eine schwache Gänsehaut verursachte.

*Quietsch-quietsch-quietsch.*

Chyna wandte sich von dem Fenster ab, drehte sich zu Ariel um – und richtete ihre Aufmerksamkeit dann auf das andere Wohnzimmerfenster. Ein Dobermann hatte die Vorderpfoten auf dessen Fensterbank gelegt.

Das mußte das erste Tier sein, dem sie begegnet war, als sie das Haus verlassen hatte, jenes, dem sie Salmiak in die Schnauze gesprüht hatte. Es hatte sich schnell erholt und sie in den Fuß gebissen, als der dritte Hund sie zu Boden geworfen hatte.

Sie war überzeugt, den zweiten Hund, der wie eine Granate aus der Dunkelheit geschossen kam und sie angesprungen hatte, geblendet zu haben, und auch den dritten. Bis jetzt war sie davon ausgegangen, daß sie bei ihrem zweiten Versuch auch *dieses* Tier in die Augen getroffen und kampfunfähig gemacht hatte.

Sie hatte sich geirrt.

Da draußen war sie natürlich durch das beschlagene Visier selbst fast geblendet gewesen – und außer sich vor Angst, weil der dritte Hund sie auf den Boden gezwängt, an der Polsterung an ihrer Kehle genagt und an ihrem Kinn geleckt hatte. Sie hatte lediglich mitbekommen, daß dieses Tier aufgejault hatte, als sie es mit dem Salmiak bespritzte, und danach ihren Fuß in Ruhe gelassen hatte.

Der Salmiakstrahl mußte erneut auf die Schnauze des Hundes gespritzt sein, genau wie bei ihrer ersten Begegnung.

»Du Glückspilz«, flüsterte sie.

Der zweimal verletzte Dobermann kratzte nicht an der Fensterscheibe. Er beobachtete sie nur. Aufmerksam. Mit aufgerichteten Ohren. Ihm entging nichts.

Vielleicht war es gar nicht derselbe Hund. Vielleicht gab es *fünf* davon. Oder sechs.

Am anderen Fenster: *Quietsch-quietsch. Quietsch-quietsch.*

Chyna ging vor Ariel in die Hocke. »Schatz«, sagte sie, »wir können jetzt gehen.«

Das Mädchen schaukelte.

Chyna ergriff eine von Ariels Händen. Diesmal mußte sie die Finger nicht aus einer marmorharten Faust aufzwingen, und auf ihr Drängen erhob das Mädchen sich aus dem Sessel.

Den langstieligen Mop in der einen Hand und das Mädchen mit der anderen führend, ging Chyna durch das Wohnzimmer, vorbei an den beiden großen Fenstern in der Vorderwand. Sie bewegte sich langsam und sah die Dobermänner nicht direkt an, weil sie befürchtete, jede hastige Bewegung oder ein weiterer direkter Blickkontakt könne sie dazu bringen, durch das Glas zu springen.

Sie und Ariel traten durch die türlose Öffnung zur Treppe.

Hinter ihnen fing einer der Hunde zu bellen an.

Chyna gefiel das nicht. Ganz und gar nicht. Bislang hatte keiner von ihnen gebellt. Ihr diszipliniertes, verstohlenes Vorgehen konnte bei einem schon eine Gänsehaut hervorrufen – aber jetzt war das Bellen schlimmer als die bisherige Stille.

Als Chyna die Treppe hinaufstieg und das Mädchen hinter sich herzog, kam sie sich vor, als wäre sie hundert Jahre alt, schwach und verbraucht. Sie wollte sich setzen, wieder zu Atem kommen und ihren schmerzenden Beinen eine Ruhepause gönnen. Sie mußte Ariel unablässig am Arm ziehen; hörte sie damit auf, blieb das Mädchen stehen und murmelte lautlos vor sich hin. Jede Stufe kam ihr höher als die vorige vor, als sei sie die Alice aus dem Kinderbuch, die, den Bauch voller exotischer Pilze, dem weißen Kaninchen eine verzauberte Treppe hinauf in ein dunkles Wunderland folgte.

Als sie dann den Treppenabsatz erreichten und die zweite Flucht hinaufstiegen, zerbrach unten im Wohnzimmer Glas. Dieses Geräusch machte Chyna sofort wieder jung, und sie hüpfte wie eine Gazelle Stufen hinauf, die vor einem Augenblick noch für Riesen geschaffen zu sein schienen.

»Schnell!« drängte sie Ariel und zog sie mit sich.

Das Mädchen beschleunigte zwar seine Schritte, schien aber noch immer zu trotten.

Chyna hetzte verzweifelt zum oberen Ende der zweiten Treppenflucht. *»Schnell!«* rief sie.

Unten im Treppenhaus erklang ein boshaftes Bellen.

Die Hand des Mädchens noch immer festhaltend, betrat Chyna

den Korridor des Obergeschosses. Sie hörte den galoppierenden Donner der die Treppe hinaufjagenden Hunde nun lauter als ihren hämmernden Herzschlag.

Zur Tür auf der linken Seite. In Vess' Schlafzimmer.

Sie zerrte Ariel hinter sich her über die Schwelle und schlug die Tür hinter sich zu. Es gab keinen Riegel, nur das Schnappschloß, das man mit dem Türknauf betätigen konnte.

*Es sind Hunde, um Gottes willen, nur Hunde, verdammt bösartig, aber sie können keinen Türknauf drehen.*

Ein Hund warf sich gegen die Tür, die im Rahmen erzitterte, dem Aufprall aber widerstand.

Chyna führte Ariel zum offenen Fenster und lehnte dort den Mop an die Wand.

Unentwegt bellend, scharrten die Hunde an der Tür.

Mit beiden Händen ergriff Chyna den Kopf des Mädchens, beugte sich zu ihr vor und sah hoffnungsvoll in ihre wunderschönen blauen, aber leeren Augen. »Schatz, bitte, ich brauche dich noch mal, wie ich dich bei der Bohrmaschine und den Handschellen gebraucht habe. Ich brauche dich jetzt viel dringender, Ariel, denn wir haben nicht mehr viel Zeit, überhaupt keine Zeit mehr, und wir haben es fast geschafft, wirklich, wir stehen verdammt dicht davor.«

Obwohl ihre Augen höchstens zehn Zentimeter voneinander entfernt waren, schien Ariel Chyna nicht zu sehen.

»Hör mir zu, Schatz, hör mir zu, wo auch immer du bist, wo auch immer du dich versteckst, draußen im Wilden Wald oder hinter der Schranktür in Narnia – bist du da, Baby? – oder vielleicht auch in Oz, wo auch immer du bist, *bitte* hör mir zu und tu, was ich sage. Wir müssen hier raus und auf das Verandadach. Es ist nicht steil, du schaffst es bestimmt, aber du mußt vorsichtig sein. Ich möchte, daß du jetzt aus dem Fenster steigst und dann ein paar Schritte nach links gehst. Nicht nach rechts. Auf der rechten Seite ist nicht mehr viel Dach, du wirst herunterfallen. Geh ein paar Schritte nach links und bleib stehen und warte dann einfach auf mich. Ich bin direkt hinter dir, warte einfach, und ich nehme dich dann wieder an die Hand.«

Sie ließ das Gesicht des Mädchens los und umarmte es heftig. Sie liebte es, wie sie eine Schwester geliebt hätte, hätte sie eine gehabt, und wie sie gern auch ihre Mutter geliebt hätte, sie liebte das Mädchen für das, was sie durchgemacht hatte, und weil sie gelitten und überlebt hatte.

»Ich bin dein Schutzengel, Schatz. *Ich bin dein Schutzengel.* Vess wird dich nie wieder anfassen, dieses Monster, dieses Dreckschwein. Er wird dich nie wieder anfassen. Ich bringe dich von hier weg, und auch von ihm, für immer, aber du mußt jetzt mit mir zusammenarbeiten, du mußt mir helfen und zuhören und vorsichtig sein, ganz vorsichtig.«

Sie ließ das Mädchen los und sah ihm wieder in die Augen.

Ariel war noch immer im Anderswo. Es flackerte kein Verständnis auf, wie einen Sekundenbruchteil lang vorhin im Keller, nachdem das Mädchen die Bohrmaschine benutzt hatte.

Das Bellen hatte aufgehört.

Von der anderen Seite des Raums kam ein neues und beunruhigendes Geräusch. Nicht das Klappern der Tür, die im Rahmen erzitterte. Ein härteres Rasseln. Ein metallisches Geräusch.

Der Knauf wackelte hin und her. Einer der Hunde beharkte ihn offenbar emsig mit den Pfoten.

Die Tür war nicht sehr gut eingepaßt. Chyna machte einen knapp zentimeterbreiten Spalt zwischen ihrer Kante und dem Rahmen aus. In dieser Lücke sah sie Messing leuchten: das simple Schnappschloß. Wenn es nicht tief im Rahmen saß, konnte selbst das ziellose Herumwuseln des Hundes es durch reinen Zufall öffnen.

»Warte«, sagte sie zu Ariel.

Sie lief durch das Zimmer und versuchte, die Kommode vor die Tür zu schieben.

Die Hunde mußten gespürt haben, daß sie ihnen näher gekommen war, denn sie fingen wieder an zu bellen. Der alte, schwarze Eisenknauf schepperte lauter denn je.

Die Kommode war schwer. Aber im Zimmer befand sich kein Stuhl mit gerader Lehne, den sie unter den Knauf klemmen konnte, und der Nachttisch kam ihr nicht massiv genug vor, um zu verhindern, daß die Hunde die Tür aufstießen, falls die Nuß des Schnappschlosses tatsächlich aus dem Rahmen springen sollte.

So schwer sie auch war, Chyna gelang es trotzdem, sie halb vor die Schlafzimmertür zu zerren. Das mußte genügen.

Die Dobermänner drehten durch, bellten wütender denn je, als wüßten sie, daß ihr Versuch vereitelt worden war.

Als Chyna sich wieder zu Ariel umdrehte, war das Mädchen fort.

»Nein!«

Voller Panik lief sie zum Fenster und schaute hinaus.

Ariel wartete genau zwei Schritte links vom Fenster auf dem Verandadach, wie sie es ihr aufgetragen hatte. Sie strahlte im Mondschein, und ihr Haar war jetzt silbern statt blond. Den Rücken drückte sie gegen die Hauswand, und sie sah in den Himmel, obwohl sie sich wahrscheinlich noch immer auf etwas konzentrierte, das unendlich weiter entfernt war als bloße Sterne.

Chyna warf den Mop auf das Dach und stieg dann durch das Fenster, während die erzürnten Dobermänner im Haus hinter ihr tobten.

Draußen war das elende Jaulen der geblendeten Hunde verstummt.

Chyna griff nach dem Mädchen. Ariels Hand war nicht mehr steif und verkrampft wie zuvor, sie war kalt und schlaff.

»Das war gut, Schatz, das war gut. Du hast genau das getan, was ich gesagt habe. Aber warte immer auf mich, ja? Bleib bei mir.«

Sie hob mit der freien Hand den Mop auf und führte Ariel zum Rand des Verandadachs. Die Lücke zwischen ihnen und dem Wohnmobil betrug keine dreißig Zentimeter, war aber für jemanden in Ariels Zustand möglicherweise gefährlich.

»Gehen wir zusammen hinüber. Okay, Schatz?«

Ariel schaute noch immer in den Himmel. In ihren Augen waren Katarakte aus Mondlicht, die sie wie die milchig-trüben Augen einer Leiche aussehen ließen.

Fröstelnd, als wären die toten Mondlicht-Augen ein Omen, ließ Chyna die Hand ihrer Gefährtin los und zwang sie sanft, den Kopf zu neigen, damit sie auf die Lücke zwischen dem Verandadach und dem Wohnmobil schaute.

»Zusammen. Hier, gib mir deine Hand. Sei vorsichtig, wenn du hinübertrittst. Es ist nicht breit, du mußt nicht mal springen, dich gar nicht anstrengen. Aber wenn du hineintrittst, könntest du zu Boden fallen, wo die Hunde dich vielleicht erwischen. Und selbst, wenn die Hunde nicht kommen, wirst du dich verletzen.«

Chyna trat hinüber, aber das Mädchen folgte nicht.

Sie drehte sich zu Ariel um und zog sanft an deren schlaffer Hand, die sie noch immer hielt. »Komm schon, Baby, gehen wir, verschwinden wir von hier. Wir liefern ihn den Cops aus, und er wird nie wieder jemandem weh tun können, nie wieder, weder dir noch mir noch *sonstwem.*«

Nach kurzem Zögern trat Ariel über die Lücke auf das Dach des Wohnmobils – und rutschte auf dem taunassen Metall aus. Chyna ließ den Mop fallen, ergriff das Mädchen und verhinderte, daß es stürzte.

»Wir haben es fast geschafft, Baby.«

Sie hob den Mop wieder auf, führte Ariel zu der offenen Dachluke und brachte sie dazu, daneben niederzuknien.

»So ist es gut. Jetzt warte. Wir haben es fast geschafft.«

Chyna legte sich auf den Bauch, beugte sich in die Dachluke und schob mit dem Mop die Trittleiter aus dem Weg. Sollte eine von ihnen daraufstürzen, würde sie sich womöglich ein Bein brechen.

Sie standen so kurz vor dem Ziel. Sie konnten keine Risiken mehr eingehen.

Chyna stand wieder auf und warf den Mop hinab.

Sie beugte sich vor und legte eine Hand auf die Schulter des Mädchens. »Okay«, sagte sie, »jetzt rutsch hier rüber und steck die Beine durch die Dachluke. Komm schon, Schatz. Setz dich auf den Rand, paß auf die scharfen Plastikstücke auf, ja, genau so, laß deine Beine baumeln. Gut so, jetzt läßt du dich einfach fallen, und dann gehst du nach vorn. Okay? Hast du verstanden? Geh nach vorn ins Führerhaus, damit ich nicht auf dich falle, wenn ich springe.«

Chyna stieß das Mädchen sanft an, und mehr war gar nicht nötig. Ariel fiel in das Wohnmobil, landete auf den Füßen, stolperte über den Hammer, den Chyna zuvor fallengelassen hatte, und legte eine Hand gegen die Wand, um nicht das Gleichgewicht zu verlieren.

»Geh nach vorn«, drängte Chyna sie.

Hinter ihr zersplitterte ein Fenster im Obergeschoß, und die Scherben prasselten auf das Verandadach. Eine der beiden Scheiben des Arbeitszimmers. Die Tür zu Vess' Büro war nicht geschlossen gewesen, und die Hunde waren durch den Gang im oberen

Stock hineingelangt, nachdem die Schlafzimmertür sie zur Verzweiflung getrieben hatte.

Sie drehte sich um und sah, daß ein Dobermann über das Dach direkt auf sie zulief, mit einer solchen Geschwindigkeit *sprang*, daß er sie vom Dach des Wohnmobils und auf den Hof reißen würde, wenn er gegen sie prallte.

Sie drehte sich zur Seite, aber der Hund war viel schneller als sie und korrigierte seine Flugbahn, noch während er auf dem Fahrzeug aufsetzte. Doch als er auf dem Dach landete, glitt er auf der taufeuchten Oberfläche aus, geriet ins Schlittern, während seine Krallen über das Metall kreischten, rutschte zu Chynas Erstaunen an ihr vorbei und glitt vom Dach, ohne sie berührt zu haben.

Heulend fiel der Hund auf den Hof, jaulte, als er auf den Boden prallte, und versuchte sich wieder aufzurappeln. Aber irgend etwas stimmte mit seinen Hinterläufen nicht. Er konnte nicht aufstehen. Vielleicht hatte er sich das Becken gebrochen. Er hatte Schmerzen, war aber noch so außer sich, daß er sich weiterhin auf Chyna statt auf sich selbst konzentrierte. Der Hund setzte sich auf und bellte sie an, während seine Hinterbeine in einem unnatürlichen Winkel nach einer Seite abstanden.

Ohne zu bellen war nun der zweite Dobermann aufmerksam und vorsichtig durch das zerbrochene Fenster des Arbeitszimmers auf das Verandadach gesprungen. Das war offenbar derjenige, den sie zweimal mit Salmiak besprüht hatte, beide Male auf die Schnauze, denn selbst jetzt noch schüttelte er den Kopf und nieste, als machten ihm die verweilenden Dämpfe zu schaffen. Aber er hatte gelernt, sie zu respektieren, und würde sie nicht so voreilig anspringen, wie der andere Hund es getan hatte.

Doch früher oder später würde er natürlich merken, daß sie die Spraydose nicht mehr hatte, daß sie nichts in der Hand hielt, was sie als Waffe einsetzen konnte. Dann würde er seinen Mut zurückgewinnen.

Was sollte sie tun?

Sie wünschte, sie hätte den Mop mit der langen Stange nicht auf den Hof geworfen. Dann hätte sie mit dem Holzgriff auf den Dobermann einstechen können, wenn er sie angriff. Wenn sie hart genug zustieß, hätte sie ihn vielleicht sogar verletzen können. Aber der Mop war außer Reichweite.

*Denk nach.*

Der Dobermann näherte sich ihr nicht über das Verandadach, sondern schlich mit eingezogenen Schultern an der Hauswand entlang. Er hielt den Kopf gesenkt und von ihr abgewandt, schaute aber immer wieder zu ihr zurück. Er erreichte das offene Fenster von Vess' Schlafzimmer und kehrte dann langsam zurück, schaute dabei immer wieder abwechselnd zu den vom Mondlicht versilberten Glassplittern hinab, über die er vorsichtig hinwegtrat, und zu ihr hinüber.

Chyna überlegte, ob sich im Wohnmobil etwas befand, das sie als Waffe benutzen konnte. Das Mädchen konnte es ihr hinaufreichen.

»Ariel«, sagte sie leise.

Der Hund blieb stehen, als er ihre Stimme hörte.

»Ariel.«

Aber das Mädchen antwortete nicht.

Hoffnungslos. Sie konnte Ariel nicht schnell genug dazu bringen, etwas zu unternehmen; das Mädchen war ihr nicht die geringste Hilfe.

Wenn der Dobermann schließlich angriff, würde Chyna nicht noch einmal so viel Glück haben. Dieses Tier würde nicht über das Verandadach springen und vom Wohnmobil rutschen, ohne die Zähne in sie zu schlagen. Wenn es sie ansprang, mußte sie sich mit bloßen Händen zur Wehr setzen.

Der Hund blieb stehen. Er hob den schlanken schwarzen Kopf, starrte sie an und richtete hechelnd die Ohren auf.

Chynas Gedanken rasten. Sie hatte noch nie zuvor so klar und schnell gedacht.

Obwohl es ihr gefährlich vorkam, den Blick von dem Dobermann zu wenden, schaute sie die Dachluke hinab.

Ariel war nicht in dem kurzen Gang unter ihr. Sie hatte ihre Anweisungen befolgt und war nach vorn gegangen. Braves Mädchen.

Der Hund hechelte nicht mehr. Er stand ganz starr und wachsam da. Seine Ohren zuckten, dann legte er sie an den Kopf an.

»Scheiß drauf«, sagte Chyna und sprang durch die aufgebrochene Dachluke ins Wohnmobil. Schmerz explodierte in dem Fuß, der die Bisse abbekommen hatte.

Die Trittleiter, die sie mit dem Mop beiseite gestoßen hatte, stand an der geschlossenen Schlafzimmertür. Sie packte sie, riß sie an sich und drehte sich um.

Auf dem Metalldach polterten Pfoten.

Chyna hob den Hammer vom Boden auf und schob den Griff in den Hosenbund ihrer Jeans. Selbst durch den roten Baumwollpulli drückte der stählerne Kopf kalt gegen ihren Bauch.

Der Hund tauchte in der Öffnung über ihr auf, eine Raubtiersilhouette im Mondlicht.

Chyna hielt die Trittleiter an einem Griff aus Metallrohr hoch, der als Rückenlehne diente, wenn die Leiter als Stuhl benutzt wurde. Als sie rückwärts zur Badezimmertür ging, wurde ihr klar, *wie* schmal der Gang war. Sie hatte nicht genug Platz, um die Trittleiter wie eine Keule zu schwingen, aber sie war trotzdem nützlich. Sie hielt sie vor sich wie ein Löwenbändiger einen Stuhl.

»Komm schon, du Mistkerl«, sagte sie zu dem Hund, dessen Kontur sich bedrohlich gegen den Sternenhimmel abzeichnete, und mußte entsetzt hören, wie zittrig ihre Stimme war. »Komm schon.«

Das Tier wartete zögerlich am Rand der Öffnung.

Sie wagte es nicht, den Blick von ihm zu nehmen. In dem Augenblick, da sie sich umdrehte, würde es sie angreifen.

Sie hob die Stimme, schrie den Dobermann wütend an, verhöhnte ihn: »Komm schon! Worauf wartest du? Verdammt, wovor hast du Angst, du Feigling?«

Der Hund knurrte.

»Komm schon, komm schon, verdammt, komm hier runter und hol mich! *Komm und hol mich!*«

Schnaubend sprang der Dobermann. Seine Pfoten hatten kaum den Boden des Gangs berührt, als er auch schon wieder abprallte und Chyna ohne das geringste Zögern ansprang.

Sie nahm keine Abwehrhaltung ein. Das wäre ihr Tod gewesen. Sie hatte nur eine Chance. Eine winzige Chance. Aggressives Vorgehen. Angriff ist die beste Verteidigung. Sie stürmte sofort auf den Hund zu, fing seinen Angriff ab und stieß mit den Stuhlbeinen auf ihn ein, als seien es vier Schwerter.

Der Aufprall warf sie zurück, riß sie fast von den Füßen, doch dann ließ das Tier von ihr ab und jaulte vor Schmerz auf; vielleicht war ein Stuhlbein in ein Auge gedrungen oder gegen die empfindliche Spitze der Schnauze geprallt. Es schlitterte zum Ende des kurzen Ganges zurück.

Als der Dobermann wieder aufsprang, schien er etwas wacklig auf den Beinen zu sein. Chyna war über ihm, stach gnadenlos mit den Metallbeinen des Stuhls auf ihn ein, drängte den Hund zurück, verhinderte, daß er sein Gleichgewicht wiederfand, damit er nicht um den Stuhl herum an ihre Seite heran kam, oder unter dem Stuhl hindurch an ihre Knöchel, oder über den Stuhl hinweg an ihr Gesicht. Trotz seiner Verletzungen war der Hund schnell und stark, Gott im Himmel, unglaublich stark, und geschmeidig wie eine Katze. Die Muskeln in ihren Armen brannten vor Anstrengung, und ihr Herz hämmerte so heftig, daß ihr Sehfeld mit jedem harten Pulsschlag heller und dann wieder dunkler wurde, aber sie wagte es nicht, auch nur eine Sekunde lang von ihm abzulassen. Als der Stuhl zusammenklappte und zwei ihrer Finger einquetschte, drückte sie ihn sofort wieder auseinander, stach mit den Beinen auf den Hund ein, stach zu, stach zu, bis sie das Tier gegen die Schlafzimmertür getrieben hatte, wo sie es zwischen dem Türblatt und der Trittleiter einzwängte. Der Dobermann wand sich, knurrte, schnappte nach dem Stuhl, kratzte über den Boden und die Türfläche, trat aus und versuchte hektisch, der Falle zu entkommen. Lediglich Chynas Gewicht und Muskelkraft hielten ihn dort, aber lange würde ihr das nicht mehr gelingen. Sie lehnte sich mit ihrem ganzen Gewicht auf den Stuhl, drückte ihn gegen den Hund, ließ ihn dann mit einer Hand los, damit sie den Hammer aus dem Hosenbund ziehen konnte. Mit einer Hand konnte sie nicht so gut mit dem Stuhl umgehen wie mit beiden, und so gelang es dem Hund, sich die Schlafzimmertür hinaufzuwinden, sich über den Rand seines Käfigs zu schlängeln, den Kopf vorwärts zu stoßen und wild nach ihr zu schnappen. Seine Zähne waren riesig, Speichel flog von seinen Lefzen, seine Augen waren schwarz und blutunterlaufen und traten vor Wut hervor. Sich noch immer gegen den Stuhl lehnend, schwang Chyna den großen Hammer. Er traf mit einem *pock* auf einen Knochen, und der Hund jaulte. Chyna schwang den Hammer erneut, landete einen zweiten Schlag auf dem Schädel, und der Hund hörte auf zu jaulen und erschlaffte.

Sie trat zurück.

Der Stuhl schepperte zu Boden.

Der Hund atmete noch. Er gab ein mitleiderregendes Geräusch von sich. Dann versuchte er aufzustehen.

Sie schwang den Hammer ein drittes Mal. Das war das Ende.

Chyna ließ den Hammer fallen und stolperte ins Badezimmer. Sie war kurzatmig und in kalten Schweiß gebadet. Sie übergab sich in die Toilette und befreite sich von Vess' Kuchen.

Sie verspürte nicht den geringsten Triumph.

Ihr ganzes Leben lang hatte sie noch nie etwas getötet, das größer als ein Palmetto war – bis jetzt. Selbstverteidigung rechtfertigte das Töten, machte es aber nicht leichter.

Obwohl ihr akut bewußt wurde, wie wenig Zeit sie noch hatten, blieb sie am Waschbecken stehen, um eine Handvoll kaltes Wasser in ihr Gesicht zu spritzen und sich den Mund auszuspülen.

Ihre Spiegelbild machte ihr angst. Dieses Gesicht. Geprellt und blutig. Eingefallene Augen, von dunklen Ringen umgeben. Das Haar schmutzig und verfilzt. Sie sah wie eine Verrückte aus.

In gewisser Hinsicht *war* sie verrückt. Verrückt vor Liebe zur Freiheit, vor einem drängenden Durst danach. Endlich, endlich frei sein. Frei von Vess und von ihrer Mutter. Von der Vergangenheit. Von dem Bedürfnis, alles verstehen zu müssen. Sie war verrückt vor Hoffnung, daß sie Ariel retten und endlich mehr tun konnte, als lediglich zu überleben.

Das Mädchen saß im Wohnbereich mit angezogenen Knien auf dem Sofa und schaukelte hin und her. Sie gab das erste Geräusch von sich, seit Chyna sie am vergangenen Morgen durch die Sichtluke in der gepolsterten Tür beobachtet hatte: ein erbärmliches rhythmisches Stöhnen.

»Schon gut, Schatz. Sei jetzt still. Alles kommt in Ordnung. Du wirst es schon sehen.«

Das Mädchen stöhnte weiter, ließ sich einfach nicht trösten.

Chyna führte es nach vorn, setzte es auf den Beifahrersitz und legte ihm den Sicherheitsgurt an. »Wir verschwinden von hier, Baby. Jetzt ist alles vorbei.«

Sie nahm hinter dem Lenkrad Platz. Der Motor lief und war nicht überhitzt. Dem Kraftstoffanzeiger zufolge hatten sie jede Menge Benzin. Der Öldruck war in Ordnung. Es leuchteten keine Warnlampen.

Im Armaturenbrett war eine Uhr eingebaut. Vielleicht ging sie ja nicht genau. Das Wohnmobil war schließlich schon alt. Auf der Uhr war es zehn Minuten vor zwölf.

Chyna schaltete die Scheinwerfer ein, löste die Handbremse und legte den Gang ein.

Ihr fiel noch rechtzeitig ein, daß sie es nicht riskieren durfte, das Lenkrad zu drehen, weil die Reifen dann vielleicht Löcher in den Rasen gruben und steckenblieben. Statt zu beschleunigen, ließ sie das Fahrzeug langsam vorwärts und vom Gras rollen. Erst danach bog sie nach links auf die Auffahrt ab und gab Gas.

Sie war es zwar nicht gewohnt, etwas so Großes wie das Wohnmobil zu fahren, kam damit aber einigermaßen klar. Nach allem, was sie in den letzten vierundzwanzig Stunden durchgemacht hatte, gab es auf der ganzen Welt kein Fahrzeug, mit dem sie nicht klargekommen wäre. Und hätte ihr nur ein Panzer zur Verfügung gestanden, sie hätte herausgefunden, wie man die Kontrollen und die Steuerung bedient, und wäre damit weggefahren.

Sie warf einen Blick in den Seitenspiegel und beobachtete, wie das Holzhaus in der mondhellen Nacht hinter ihnen zurückblieb. Es war hell erleuchtet und wirkte so einladend wie jedes andere Haus, das sie bislang gesehen hatte.

Ariel war verstummt. Sie beugte sich in ihrem Sicherheitsgurt vor. Ihre Hände waren in ihrem Haar vergraben, und sie hielt den Kopf fest, als befürchtete sie, er werde explodieren.

»Wir sind unterwegs«, versicherte Chyna ihr. »Jetzt ist es nicht mehr weit, nicht mehr weit.«

Das Gesicht des Mädchens war nicht mehr so ruhig wie damals, als Chyna es zum erstenmal in dem Raum voller Puppen im Lampenlicht gesehen hatte, und es war auch nicht mehr hübsch. Seine Züge hatten sich zu einem Ausdruck gequälten Schmerzes verzerrt, und es schien zu schluchzen, obwohl es keinen Ton von sich gab und auch nicht weinte.

Man konnte unmöglich sagen, welche Qualen das Mädchen erlitt. Vielleicht befürchtete es, daß sie Edgler Vess begegnen und im letzten Augenblick an der Flucht gehindert werden würden. Oder es reagierte auf gar nichts, was sich hier und jetzt abspielte, sondern war in einem schrecklichen Augenblick der Vergangenheit verloren. Oder es reagierte auf imaginäre Ereignisse in jenem Phantasie-Anderswo, in das Vess sie getrieben hatte.

Sie überquerten die unbewachsene Anhöhe und fuhren einen langen, flachen Hang hinab; hier wuchsen Bäume bis dicht an die Auffahrt. Chyna konnte sich erinnern, daß Vess am Morgen auf beiden Seiten eines Tors angehalten hatte, und vermutete, daß es bis dorthin nicht mehr weit sein konnte.

Vess war nicht ausgestiegen, um das Tor zu öffnen. Man mußte es elektronisch bedienen können.

Chyna hielt das Lenkrad mit einer Hand fest und schob den Deckel des Konsolenkastens zwischen den Sitzen auf. Sie kramte in dem Inhalt herum und fand eine Fernbedienung, gerade als das Tor im Scheinwerferlicht auftauchte.

Die Barriere war beeindruckend. Pfosten aus Stahl. Ebenfalls stählernes Gestänge. Stacheldraht. Sie hoffte bei Gott, sie würde sie nicht rammen müssen, denn vielleicht würde nicht mal das große Wohnmobil sie durchbrechen können.

Sie hielt die Fernbedienung an die Windschutzscheibe, drückte auf den Knopf und rief jubelnd *»Ja!«*, als das Tor nach innen aufschwang.

Sie nahm den Fuß vom Gaspedal und drückte auf die Bremse, um der schweren Barriere Zeit zu geben, sich völlig zu öffnen, bevor sie sie womöglich noch behinderte. Das Tor bewegte sich schwerfällig.

Furcht schlug in ihr wie die hektischen Schwingen eines dunklen Vogels, und sie war plötzlich *überzeugt*, daß Vess mit seinem Wagen auf die Einfahrt fahren und ihnen den Weg versperren würde, während das Tor sich noch öffnete.

Doch sie fuhr zwischen den Pfosten hindurch auf eine zweispurige Asphaltstraße, die nach rechts und links führte. Weder in der einen, noch in der anderen Richtung war ein Fahrzeug auszumachen.

Im Norden, links, stieg die Straße in den nachtschwarzen Wald empor, den Sternen und den aufgerissenen, mit Mondlicht glasierten Wolken entgegen, als sei sie eine Rampe, die sie direkt vom Planeten fort und in den tiefsten Weltraum befördern würde.

Im Süden führte die Fahrbahn abwärts und schlängelte sich durch Felder und Wälder, bis sie außer Sicht geriet. Vielleicht zehn Kilometer entfernt lag ein schwaches, goldenes Strahlen in der

Nacht wie ein japanischer Fächer auf schwarzem Samt, und sie vermutete, daß sich dort eine kleine Stadt befand.

Chyna fuhr nach Süden und ließ Edgler Vess' Tor offenstehen. Sie beschleunigte. Dreißig Stundenkilometer. Fünfzig. Schließlich behielt sie eine Geschwindigkeit von sechzig Stundenkilometern bei, doch sie konnte sich problemlos vorstellen, sie sei schneller als jedes Düsenflugzeug. Sie flog in die Freiheit.

Obwohl ihr Körper an unzähligen Stellen schmerzte und sie unter einer so knochentiefen Erschöpfung litt, wie sie sie noch nie zuvor erlebt hatte, stieg ihre Stimmung in ungeahnte Höhen empor.

»Chyna Shepherd, unberührt und lebend«, sagte sie, aber nicht als Gebet, sondern als Mitteilung an Gott.

Sie befanden sich in einer ländlichen Gegend, und kein einziges Haus säumte die Straße, und außer dem Strahlen in der Ferne waren keine Lichter zu sehen, doch Chyna hatte den Eindruck, in Licht *gebadet* zu werden.

Ariel hielt weiterhin die Hände an den Kopf, und ihr süßes Gesicht blieb gequält.

»Ariel, unberührt und lebend«, sagte Chyna zu ihr. »Unberührt und lebend. Lebend. Alles ist gut, Schatz. Alles wird gut werden.« Sie schaute auf den Kilometerzähler. »Es liegt fünf Kilometer hinter uns, und wir entfernen uns mit jeder Minute, jeder Sekunde weiter.«

Sie fuhren über einen niedrigen Hügel, und Chyna blinzelte in den plötzlich auftauchenden Glanz entgegenkommender Scheinwerfer. Ein Wagen kam auf der nach Norden führenden Spur hügelaufwärts.

Sie verkrampfte sich, denn es konnte ja Vess sein.

Die Uhr zeigte drei Minuten nach Mitternacht an.

Selbst wenn es Vess war und er sein eigenes Fahrzeug auf jeden Fall erkennen würde, fühlte Chyna sich verhältnismäßig sicher. Das Wohnmobil war viel größer als sein Wagen, also würde er sie nicht von der Straße drängen können. Wenn es darauf hinauslief, konnte sie ihn einfach über den Haufen fahren, und sie würde nicht zögern, das Wohnmobil als Rammbock zu benutzen, wenn sie ihn nicht abhängen konnte.

Aber es war nicht Vess. Als der Wagen näher kam, sah sie

etwas auf dem Dach, was sie zuerst für einen Gepäckträger hielt, doch dann erkannte sie, daß es sich um mehrere Blaulichter und eine Sirene handelte. Als sie in der vergangenen Nacht Vess auf dem Highway 101 zu dem Mammutbaumwald gefolgt war, hatte sie gehofft, einem Polizeiwagen zu begegnen – und jetzt hatte sie einen gefunden.

Sie drückte auf die Hupe, betätigte die Lichthupe und trat auf die Bremse.

»Cops!« sagte sie zu Ariel. »Siehst du, Schatz, jetzt kommt alles in Ordnung. Da ist die Polizei!«

Das Mädchen beugte sich vor, gefangen in seinem Sicherheitsgurt.

Als Reaktion auf ihr Hupen und Aufblenden schaltete der Polizeibeamte sein Blaulicht, aber nicht die Sirene ein.

Chyna fuhr an den Straßenrand und hielt an. »Sie können Vess schnappen, bevor er unsere Flucht bemerkt und fliehen kann.«

Der Streifenwagen war bereits an ihr vorbeigezogen. Sie hatte die Worte SHERIFF'S DEPARTMENT in dem Emblem auf der Fahrertür ausgemacht, und das waren die beiden schönsten Wörter der englischen Sprache.

Im Seitenspiegel beobachtete sie, wie der Wagen auf der Straße wendete. Er fuhr nun auf der nach Süden führenden Spur an ihr vorbei und hielt zehn Meter vor dem Wohnmobil auf dem Seitenstreifen an.

Erleichtert und begeistert öffnete Chyna die Fahrertür, sprang hinaus und ging auf den Streifenwagen zu.

Sie sah, daß sich nur ein Beamter darin befand. Er trug einen Polizeihut mit breiter Krempe und schien es mit dem Aussteigen nicht eilig zu haben.

Die sich drehenden Warnlampen warfen wie in einem turbulenten Traum rote Lichttropfen und blaue Spritzer auf die vom Mond erhellte Fahrbahn, während die hohen Bäume neben der Straße vor und dann wieder zurück zu springen schienen, vor und zurück. Ein Wind kam aus dem Nichts und fegte tote Blätter und Staubwolken über den Asphalt, als hätten die rotierenden Lichter die Ruhe gestört.

Auf halbem Weg zu dem Wagen, in dem der Polizist noch immer hinter dem Lenkrad saß, fielen Chyna die Akten in Vess'

Arbeitszimmer ein, und plötzlich hatten sie eine ganz andere Bedeutung als zuvor, genau wie die Handschellen.

Sie blieb stehen.

»O Gott.«

Sie *wußte* es.

Chyna wirbelte herum und floh von dem schwarzweißen Streifenwagen zum Wohnmobil zurück. Niedergedrückt vom fetten Mond kam sie sich in dem blitzenden blauen und roten Licht vor, als laufe sie in einem Traum in Zeitlupe, durch Luft so dick wie Pudding.

Als sie die offene Tür erreicht hatte, warf sie einen Blick zum Streifenwagen. Der Cop stieg aus.

Keuchend stieg Chyna in den Fahrersitz hinauf und zog die Tür hinter sich zu.

Der Polizeibeamte war aus dem Streifenwagen gestiegen.

Chyna löste die Handbremse.

Vess eröffnete das Feuer.

# KAPITEL 11

Sheriff Edgler Foreman Vess, jüngster Sheriff in der Geschichte des Countys, beobachtet im Seitenspiegel, wie Chyna Shepherd auf dem Randstreifen des Highways zu seinem Streifenwagen eilt, und fragt sich, ob diese Frau sich doch als sein geplatzter Reifen erweisen und seine strahlende Zukunft zunichte machen wird. Als sie abrupt stehenbleibt, herumwirbelt und durch das blitzende Blaulicht zum Wohnmobil zurückläuft, wird Mr. Vess' Besorgnis stärker.

Gleichzeitig ist er gewaltig von ihr eingenommen und bedauert keineswegs, daß sie sich getroffen haben. »Was für ein cleveres Miststück du doch bist«, sagt er laut.

Er steigt aus dem Streifenwagen und zieht seinen Revolver, um ihr eine Kugel in ein Bein zu schießen. Er hegt noch eine gewisse Hoffnung, die Lage bereinigen zu können. Wenn er sie kampfunfähig machen und in das Wohnmobil schaffen kann, bevor ein anderer Autofahrer vorbeikommt, kann er alles in Ordnung bringen. Was wird er für einen Spaß haben, wenn er sie wieder in Ketten legt. Ariel wird keine Hand rühren, um dieser Frau zu helfen; und sollte sie es doch versuchen, wird er die kleine Hure mit dem Revolverlauf zur Raison bringen. Damit sind zwar die Pläne zunichte, die er für sie gemacht hat, aber er betrachtet ihr wunderschönes Gesicht schon seit einem Jahr und will es einschlagen, und dieses Einschlagen wird selbst unter diesen Umständen noch überaus befriedigend sein.

Obwohl Vess schnell aus dem Wagen steigt, ist Chyna noch schneller. Als er den Revolver hebt, sitzt sie schon hinter dem Lenkrad des Wohnmobils und zieht die Tür zu.

Er kann jetzt kein Risiko mehr eingehen, darf es nicht wagen, sie nur zu verwunden, um später seinen Spaß mit ihr zu haben. Er muß sie kaltmachen. Er feuert sechs Schüsse durch die Windschutzscheibe.

»Runter!« rief Chyna, als sie sah, daß Vess die Waffe hob. Sie stieß Ariels Kopf unter die Windschutzscheibe und warf sich zur Seite, halb aus dem Sitz, über die offene Konsole. Sie warf sich auf das Mädchen, versuchte es zu schützen, so gut sie konnte, schloß fest die Augen und rief dem Mädchen zu, sie ebenfalls zu schließen.

Schüsse knallten, einer sofort nach dem anderen, so schnell, wie Vess sie abfeuern konnte, und die Windschutzscheibe implodierte. Platten aus mit Klebstoff beschichtetem Sicherheitsglas fielen auf die Sitze und auf Chyna und das Mädchen, und weiter hinten im Wohnmobil trafen die Kugeln auf andere Gegenstände und zerrissen und zerfetzten sie.

Chyna versuchte, die Schüsse zu zählen. Sie glaubte, sechs gehört zu haben. Vielleicht nur fünf. Sie wußte es nicht genau. *Verdammt.* Dann wurde ihr klar, daß es keine Rolle spielte, wie oft er geschossen hatte, weil sie nur einen flüchtigen Blick auf die Waffe hatte werfen können. Sie war sich nicht sicher, daß es sich um einen Revolver handelte. Eine Pistole hatte nicht nur sechs Schuß; sie konnte zehn oder mehr haben, viel mehr, wenn sie über ein erweitertes Magazin verfügte.

Sie ging das Risiko ein, eine Kugel ins Gesicht zu bekommen, setzte sich auf, wobei sie Kaskaden von klebrigem Glas abschüttelte, und schaute durch den leeren Rahmen der Windschutzscheibe hinaus. Sie sah Edgler Vess zehn Meter entfernt neben dem Streifenwagen. Er kippte die leeren Patronenhülsen aus der Waffe; also mußte es sich doch um einen Revolver handeln.

Sie hatte bereits die Handbremse gelöst und legte nun den Gang ein.

Vess stand aufrecht da und wirkte ganz ruhig und gelassen. Mit behenden Fingern zog er einen Schnellader aus einer Tasche seines Polizeigürtels.

Dank der kriminellen Freunde ihrer Mutter wußte Chyna alles über Schnellader. Bevor Vess die Waffe erneut laden konnte, nahm sie den Fuß von der Bremse und trat aufs Gaspedal.

*Beweg dich, beweg dich, beweg dich.*

Vess schob den Schnellader in den Revolver und drehte ihn. Als er den Motor des Wohnmobils dröhnen hörte, schaute er fast beiläufig auf.

Chyna fuhr auf die Straße, als wolle sie am Streifenwagen vorbeiziehen und fliehen, doch sie hatte vor, den Mistkerl in den Boden zu rammen.

Vess schnappte den Zylinder zu.

Chyna befürchtete, daß Ariel hochschauen würde, und rief: »Bleib unten, bleib unten!« Sie zog den Kopf genau in dem Augenblick ein, als eine Kugel vom Rahmen der Windschutzscheibe abprallte und als Querschläger durch das Fahrzeug flog.

Weil das Wohnmobil in Bewegung war und sie sehen mußte, was sie tat, hob sie den Kopf sofort wieder. Sie riß das Lenkrad nach rechts und hielt auf Vess zu, der an der geöffneten Tür des Streifenwagens stand.

Er schoß erneut, und sie schien genau in das Loch des Laufs zu sehen, als der Funke aufflackerte. Sie hörte ein seltsam zischendes und pochendes und summendes Geräusch, das dem einer fetten Hummel nicht unähnlich war, die schnell wie der Blitz durch einen Sommernachmittag flog, und roch etwas Heißes, vielleicht versengte Haare.

Vess warf sich zur Seite in den Wagen. Das Wohnmobil prallte gegen die geöffnete Tür und riß sie ab und nahm, wer weiß, vielleicht auch ein Bein dieses verdammten Arschlochs mit.

Der Gestank von Schüssen erinnert Sheriff Vess immer an den Geruch von Sex, vielleicht, weil er heiß riecht, oder auch, weil im Schießpulver eine Spur des Salmiakgeruchs enthalten ist, der im Samen viel stärker zu Tage tritt. Aber aus welchem Grund auch immer, Schüsse erregen ihn und verhelfen ihm zu einer sofortigen Erektion, und als er in den Wagen springt, stößt er einen überschwenglichen Jauchzer aus. Das Dröhnen des Wohnmobils umgibt ihn, drückt ihn nieder, die Scheinwerfer sind ein Lichtermeer, und er kommt sich vor, als stecke er mitten in einer unheimlichen Begegnung der dritten Art. Als er sich in Sicherheit wirft, zieht er die Beine nach, und er weiß, das wird knapp, verdammt knapp, doch das macht es ja zu einem solchen *Spaß*. Etwas schlägt hart gegen seinen rechten Fuß, kalter Wind stürmt auf ihn ein, die Fahrertür wird abgerissen und scheppert, sich überschlagend, über den Asphalt, während das Wohnmobil vorbeirauscht.

Der rechte Fuß des Sheriffs ist taub, und obwohl er noch keinen Schmerz verspürt, befürchtet er, er könne zerquetscht oder sogar abgerissen worden sein. Als er sich auf dem Fahrersitz aufrichtet, den Revolver ins Halfter steckt und mit einer Hand hinabgreift, um nach dem erwarteten Stumpf und dem warmen Blutschwall zu tasten, stellt er fest, daß er unverletzt ist. Der Absatz wurde von seinem Stiefel gerissen. Mehr nicht. Nichts Schlimmeres. Der Gummiabsatz.

Der Fuß ist taub, und die Wade kribbelt bis zum Knie, aber der Sheriff lacht. »Du wirst für die Schuhreparatur bezahlen, du Flittchen.«

Das Wohnmobil ist sechzig Meter von ihm entfernt und fährt nach Süden.

Weil er nie den Motor ausschaltet, wenn er am Straßenrand anhält, muß er nur die Handbremse lösen und den Gang einlegen. Die Reifen wirbeln einen Sturm von Schotter auf, der gegen das Fahrwerk donnert. Der Streifenwagen macht einen Satz vorwärts. Heißes Gummi kreischt wie verletzte Babys und beißt sich in den Asphalt, und Vess jagt dem Wohnmobil hinterher.

Von dem tauben Fuß abgelenkt und dem unbändigen Verlangen erfüllt, diese Frau endlich in die Finger zu bekommen, erkennt er zu spät, daß das große Fahrzeug nicht mehr nach Süden fährt. Die Frau hat den Rückwärtsgang eingelegt, und der Truck kommt mit vierzig Stundenkilometern oder sogar noch mehr auf ihn zu.

Er rammt den Fuß auf das Bremspedal, doch bevor er das Steuer herumreißen kann, um nach links auszuweichen, prallt das Wohnmobil mit einem schrecklichen Geräusch gegen den Streifenwagen, und Vess hat den Eindruck, gegen eine Felswand gefahren zu sein. Sein Kopf schnappt zurück, und dann wird er so heftig nach vorn gegen das Lenkrad geworfen, daß ihm die Luft aus den Lungen getrieben wird, während am Rand seines Sehfelds eine schwindelerregende Dunkelheit wirbelt.

Die Motorhaube wölbt sich und springt auf, und er kann durch die Windschutzscheibe nichts mehr sehen. Aber er hört, daß die Reifen sich drehen, und riecht brennendes Gummi. Der Streifenwagen wird zurückgeschoben, und obwohl der Aufprall das Wohnmobil einen Augenblick lang deutlich verlangsamt hat, gewinnt es wieder an Geschwindigkeit.

Er versucht, den Rückwärtsgang einzulegen, weil er sich von dem Wohnmobil losreißen will, das ihn anschiebt, doch der Schalthebel stottert zuerst widerspenstig in seiner Hand und springt dann in den Leerlauf und erstarrt. Das Getriebe ist hinüber.

Egal: Er vermutet, daß der eingedrückte Bug des Streifenwagens sich ohnehin am Heck des Wohnmobils verhakt hat.

Sie wird ihn von der Straße schieben. An manchen Stellen ist der Abhang neben dem Straßenrand zweieinhalb oder drei Meter tief und so steil, daß der Streifenwagen sich Hals über Kopf überschlagen wird, wenn er hinabgedrängt wird. Noch schlimmer – falls sie tatsächlich aneinanderhängen und die Frau das Wohnmobil nicht völlig in der Gewalt hat, wird es höchstwahrscheinlich ebenfalls von der Straße rollen, auf den Streifenwagen fallen und ihn zerquetschen.

Verdammt, vielleicht hat sie ja *genau das* vor.

Sie ist wirklich einzigartig, allerdings, auf ihre Weise genauso wie er. Er bewundert sie dafür.

Er riecht Benzin. Es ist nicht ratsam, sich noch sehr lange in dem Streifenwagen aufzuhalten.

Rechts von der Mittelkonsole und dem Funkgerät (das er ausgeschaltet hat, als er das Wohnmobil sah und erkannte, daß es sich um sein eigenes handelte) ist ein schwerkalibriges Gewehr mit dem Lauf nach oben mit Klammern am Armaturenbrett befestigt. Es hat ein Magazin von fünf Schuß, und Sheriff Vess bewahrt es stets geladen auf.

Er ergreift das Gewehr, zieht es aus den Klammern, hält es mit beiden Händen fest und schiebt sich hinter dem Lenkrad nach links. Er steigt durch die abgerissene Tür aus.

Sie fahren mit dreißig oder vierzig Stundenkilometern rückwärts und gewinnen schnell an Geschwindigkeit, weil im Streifenwagen der Leerlauf eingelegt ist und er der Bewegung des Wohnmobils keinen Widerstand mehr bietet. Die Fahrbahn kommt ihm entgegen, als sei er ein Fallschirmspringer mit großen Löchern in der Seide. Er prallt auf und rollt weiter, hält in der Hoffnung, daß er sich keine Knochen brechen wird, die Arme an den Körper gedrückt, umklammert heftig das Gewehr und wird quer über den

Asphalt auf das Bankett hinter der gegenüberliegenden Fahrspur geschleudert. Er versucht, den Kopf oben zu halten, bekommt aber einen schweren Schlag darauf ab und dann noch einen. Er heißt den Schmerz willkommen, schreit vor Freude und schwelgt in der unglaublichen *Intensität* dieses Abenteuers.

Chyna sah in den Seitenspiegel, als Edgler Vess aus dem Streifenwagen sprang, auf den Asphalt prallte und über die Straße rollte.

»Scheiße.«

Sie trat auf die Bremse und schrie auf, als Schmerz durch ihren verletzten Fuß zuckte. Als das Wohnmobil zum Stillstand kam, lag Vess hundert Meter entfernt bäuchlings am Straßenrand der Gegenfahrbahn. Er rührte sich nicht. Obwohl sie nicht vermutete, daß der Sturz ihn getötet hatte, ging sie davon aus, daß er bewußtlos oder zumindest benommen sein mußte.

Sie war nicht imstande, ihn zu überfahren, während er wehrlos dalag. Aber sie würde auch nicht warten und ihm eine faire Chance lassen.

Sie legte den Sicherheitsgurt an. Sie vermutete, daß sie ihn brauchen würde.

Als sie den Gang einlegte und anfuhr, um zu wenden, wurde sie sich eines scharfen Stechens an der rechten Schläfe bewußt, und als sie eine Hand auf die Stelle legte, fand sie heraus, daß sie blutete. Das Summen der Hummel war eine Kugel gewesen, die sie gestreift und eine flache Furche von etwa zehn Zentimetern Länge, aber nur wenigen Millimetern Tiefe gezogen hatte. Etwas näher, und sie hätte ihr den halben Schädel weggerissen. Das erklärte auch den leichten Brandgeruch, den sie kurz wahrgenommen hatte: heißes Blei, ein paar versengte Haare.

Ariel setzte sich in einem Gewand aus klebrigem Glas auf. Sie schaute durch die fehlende Windschutzscheibe zu Vess hinüber, aber ihr Blick war leer.

Die Hände des Mädchens bluteten. Chynas Herz machte einen Satz, als sie das Blut sah, doch dann wurde ihr klar, daß es sich bei den Verletzungen nur um winzige Schnitte handelte, nichts Ernstes. Das Sicherheitsglas konnte keine tödlichen Verletzungen verursachen, war aber doch so scharf, daß es die Haut aufritzte.

Als Chyna wieder zu Vess schaute, hatte er sich sechzig Meter entfernt auf Hände und Knie erhoben. Neben ihm lag ein Gewehr.

Sie trat auf das Gaspedal.

Ein hartes Scheppern am Heck des Wohnmobils. Das Fahrzeug erzitterte. Noch ein Scheppern. Dann vernahm sie ein lautes Kratzgeräusch und ein höllisches Klappern, aber sie wurden schneller.

Als sie in den Seitenspiegel schaute, sah sie Funkenregen, mit denen scharfkantiger Stahl über Asphalt kratzte.

Der beschädigte Streifenwagen war hinter ihr, rumpelte in ihrem Windschatten hinter ihr her. Sie zog ihn.

Sheriff Vess' rechtes Ohr ist böse abgeschürft und eingerissen, und der Geruch seines Blutes ist scharf wie ein Januarwind, der hoch auf einem Berghang über Schneefelder fegt. Ein blechernes Läuten in *beiden* Ohren erinnert ihn an den bitteren, metallischen Geschmack der Spinne im Haus der Templetons, und er genießt ihn.

Er erhebt sich. Alle Knochen sind intakt. Er würgt die interessante, hartnäckige Säure von Erbrochenem herunter und hebt das Gewehr auf. Erfreut stellt er fest, daß es den Sturz unbeschadet überstanden hat.

Das Wohnmobil kommt über die zweispurige Straße auf ihn zu, ist noch etwa fünfzig Meter entfernt, nähert sich aber schnell, ein Koloß.

Statt von der Straße in den Wald zu laufen und sich von dem Fahrzeug zu entfernen, läuft er in einer rechtsgerichteten Schleife, die ihn neben das Wohnmobil bringen wird, darauf zu. Er humpelt – nicht, weil sein Bein verletzt ist, sondern schlicht und einfach, weil der Absatz seines rechten Stiefels fehlt.

Selbst mit nur einem Stiefelabsatz ist Vess wendiger als das schwerfällige Fahrzeug, und die Frau sieht ein, daß sie ihn nicht über den Haufen fahren kann. Zweifellos sieht sie auch das Gewehr, und sie dreht das Lenkrad nach rechts, weg von ihm, und gibt sich mit der Flucht zufrieden, statt auf Rache zu beharren.

Er hat nicht die Absicht, ihr durch die bereits zertrümmerte Windschutzscheibe oder das Seitenfenster den Kopf wegzuschießen, teilweise, weil ihre Unverwüstlichkeit ihm allmählich unheimlich wird und er befürchtet, nicht genug Schaden anrichten zu können, um sie aufzuhalten, wenn sie wie eine Frisbeescheibe an ihm vorbeisegelt. Außerdem ist es viel einfacher, stehenzubleiben und aus der Hüfte zu schießen, als das Gewehr zu heben und zu zielen, und aus der Hüfte zu schießen bedeutet, niedrig zu schießen.

Der Rückstoß der ersten drei Kugeln, die er so schnell abfeuert, wie er nachladen kann, reißt den Sheriff fast von den Füßen, aber er trifft den Vorderreifen auf der Fahrerseite.

Kaum zwei Meter von ihm entfernt kommt das Wohnmobil ins Schleudern. Als das Ungetüm an ihm vorbeirauscht, bläst Vess mit den letzten beiden Kugeln das Hinterrad auf der Fahrerseite aus.

Jetzt hat Miß Chyna Shepherd, unberührt und lebend, große Probleme.

Das Lenkrad drehte sich in Chynas Händen hin und her und verbrannte ihre Handflächen, während sie entschlossen versuchte, es festzuhalten.

Sie trat auf die Bremse, doch das schien die absolut falsche Reaktion zu sein, denn das Fahrzeug schlingerte gefährlich nach links, doch es schien genauso falsch zu sein, den Fuß von der Bremse zu nehmen, denn nun schlingerte es noch wilder nach rechts. Der Streifenwagen hinter ihr rappelte an der Stoßstange, und das Wohnmobil erzitterte, während es noch heftiger von einer Seite auf die andere schwankte, und Chyna wußte, daß sie umkippen würden.

Halb betrunken von dem köstlich komplexen Geruch seines eigenen Blutes und dem reinen Sexgestank der Gewehrschüsse, läßt Sheriff Vess die Flinte fallen, als das Magazin leer ist. Mit vor Freude leuchtenden Augen beobachtet er, wie das alte Wohnmobil sich zwangsläufig von seinen rechten Reifen hebt und auf den linken Felgen über den nächtlichen Highway rutscht. Praktisch das gesamte Gummi wurde zerfetzt und abgerissen; Streifen und Klumpen der Reifen liegen auf beiden Fahrspuren. Die Stahlfelgen schneiden mit einem knirschenden Geräusch in den Asphalt, das ihn an die Beschaffenheit von Krinoline mit getrocknetem Blut erinnert, was ihm den Geschmack des Mundes einer bestimmten jungen Dame in dem Augenblick ihres Todes ins Gedächtnis ruft. Dann knallt das Fahrzeug so hart auf die Seite, daß Vess im Straßenbelag unter seinen Füßen Vibrationen spürt. Das Echo dröhnt zwischen den Bäumen, welche die Straße säumen, hin und her, als hätte der Teufel persönlich sein Gewehr abgefeuert.

Der am Heck des Wohnmobils hängende Streifenwagen wird von dem größeren Fahrzeug ebenfalls auf die Seite gezerrt. Dann reißt er sich endlich los, kippt aufs Dach, dreht sich um dreihundertsechzig Grad und kommt auf der nach Norden führenden Fahrbahn zum Stillstand.

Das Wohnmobil ist weit hinter dem Streifenwagen, hundert Meter vom Sheriff entfernt, und es rutscht noch immer, wird aber langsamer und muß bald anhalten.

Alles ist vermurkst, wie es schlimmer kaum der Fall sein kann: die Autotrümmer auf der Straße, für die es kaum eine Erklärung gibt; sein Plan, sich auf die methodische Art und Weise mit Ariel zu befassen, die ihn im vergangenen Jahr dermaßen erregt hat; und die belastenden Leichen im Schlafzimmer seines Wohnmobils.

Dennoch hat Sheriff Vess noch nie eine solche Hochstimmung wie in diesem Augenblick gekannt. Er ist so *lebendig*, all seine Sinne werden von der Heftigkeit des Augenblicks geschärft. Er fühlt sich ausgelassen, albern. Er will unter dem Mond herumtollen und sich mit ausgestreckten Armen drehen wie ein Kind, das sich durch den Anblick wirbelnder Sterne schwindlig macht.

Aber erst muß er zwei Todesurteile vollstrecken und ein hübsches junges Gesicht entstellen, und das macht auch Spaß.

Er greift nach seinem Revolver. Offenbar ist er aus dem Halfter gefallen, als er aus dem Wagen sprang und über die Straße geschleudert wurde. Er sieht sich danach um.

Nachdem das Wohnmobil schlitternd zum Stehen gekommen war, verschwendete Chyna keine Zeit damit, darüber zu staunen, daß sie noch lebte. Sofort löste sie ihren Sicherheitsgurt, dann den des Mädchens.

Die rechte Seite des umgekippten Wohnmobils war in dieser neuen Geometrie zu seiner Decke geworden. Ariel hielt sich am Türgriff fest, um nicht auf Chyna zu fallen. Die linke Seite, auf der

Chyna lag, war nun praktisch der Boden. Das Fenster der Fahrertür auf ihrer Seite bot ihr lediglich einen Blick auf Asphalt.

Sie kämpfte sich aus ihrem Sitz, drehte sich um und setzte sich mit dem Rücken zur Windschutzscheibe, die Füße auf den Konsolenkasten gestellt, auf das Armaturenbrett. Sie lehnte ihre rechte Seite gegen das Lenkrad.

Die Luft war voll von Benzindämpfen. Das Atmen fiel ihr schwer.

Sie griff nach Ariel. »Na los, Baby«, sagte sie, »schnell, steig durch die Windschutzscheibe aus.«

Als das Mädchen sie nicht ansah, sondern sich an der Tür festklammerte und durch das Seitenfenster in den Nachthimmel starrte, ergriff Chyna es an der Schulter und zog.

»Komm schon, Schatz, komm schon, komm schon, komm schon«, drängte sie. »Es ist doch verdammt blöd, jetzt zu sterben, wo wir so weit gekommen sind. Werden die Puppen dich nicht auslachen, wenn du jetzt stirbst? Werden sie nicht lachen und lachen und *lachen*?«

Also, hier kommt Sheriff Edgler Vess. Mitgenommen und blutend, aber schnellen Schrittes eilt er am Dach des Wohnmobils entlang, das jetzt, da es gekentert auf diesem Meer aus Asphalt und ausgeflossenem Benzin liegt, praktisch dessen Seite ist. Neugierig betrachtet er die herausgebrochene Dachluke, doch dann geht er ohne das geringste Zögern zum vorderen Teil des Fahrzeugs – wo er Chyna und Ariel entdeckt, böse Mädchen, die gerade durch die Windschutzscheibe geklettert sind.

Sie drehen ihm den Rücken zu und gehen davon, zum Straßenrand, wo ein Kiefernwäldchen nicht weit entfernt vom Asphalt Schutz verspricht. Sicher hoffen sie darauf, sich dort verstecken zu können, bevor er sie findet. Die Frau humpelt. Sie hat eine Hand auf den Rücken des Mädchens gelegt und schiebt es voran.

Der Sheriff konnte den Revolver zwar nicht finden, hat aber das Gewehr, das er mit beiden Händen am Lauf hält. Er läuft ihnen hinterher. Die Frau hört das komische Quietschen, das er erzeugt, indem er in einem Stiefel ohne Absatz über die stinkende, nasse Straße humpelt, bekommt aber keine Gelegenheit mehr, sich vollständig umzudrehen und ihm ins Auge zu sehen. Vess schwingt das Gewehr wie eine Keule, legt alles, was er hat, in den Schlag und drischt die flache Seite des Griffs auf ihre Schulterblätter.

Die Frau wird von den Füßen gerissen, der Atem wird aus ihren Lungen getrieben, sie kann nicht mal aufschreien. Sie kippt vornüber und fällt bäuchlings auf das Pflaster, vielleicht bewußtlos, aber auf jeden Fall zu benommen, um sich noch zu bewegen.

Ariel trottet in die Richtung weiter, in die sie geschoben wurde, als habe sie nicht mitbekommen, was mit Chyna geschehen ist, und vielleicht hat sie das auch nicht. Vielleicht sehnt sie sich verzweifelt nach Freiheit, wahrscheinlicher ist aber, daß sie mit nicht mehr Bewußtsein über den Asphalt stolpert als eine Aufziehpuppe.

Die Frau rollt sich auf den Rücken und schaut zu ihm hoch. Sie ist nicht benommen, aber schneeweiß im Gesicht, und in ihren Augen ist nackte Wut auszumachen.

*»God fears me«*, sagt er, Gott fürchtet mich, Worte, die man aus den Buchstaben seines Namens bilden kann.

Aber die Frau scheint nicht beeindruckt zu sein. »Leck mich am Arsch!« sagt sie schnaufend, entweder wegen der Dämpfe oder wegen des Schlags auf den Rücken.

Wenn er sie tötet, wird er ein Stück von ihr essen müssen, wie er die Spinne gegessen hat, weil er in den schwierigen Tagen, die vor ihm liegen, vielleicht einen Teil ihrer außergewöhnlichen Kraft braucht.

Ariel ist fünfzehn oder zwanzig Meter entfernt, und der Sheriff überlegt, ob er ihr hinterhergehen soll. Er entscheidet sich, zuerst die Frau zu erledigen, weil das Mädchen in seinem Zustand nicht weit kommen kann.

Als Vess wieder hinabschaut, zieht die Frau einen kleinen Gegenstand aus einer Tasche ihrer Jeans.

Chyna hielt das Butanfeuerzeug fest, das sie bei sich trug, seit sie es in der Tankstelle an sich genommen hatte, in der Vess die Verkäufer ermordete. Sie schob die Kindersicherung des Gashebels zurück und legte den Daumen auf das Drehrad. Sie hatte schreckliche Angst, es zu entzünden. Sie lag in Benzin, und ihre Kleidung und ihr Haar waren damit getränkt. In den erstickenden Dämpfen konnte sie kaum atmen. Auch ihre zitternde Hand war feucht von Benzin, und sie befürchtete, daß die Flamme direkt zu ihrem Daumen springen, die Hand und den Arm entlangrasen und in wenigen Sekunden ihren gesamten Körper einhüllen würde.

Aber sie mußte darauf vertrauen, daß es Gerechtigkeit im Universum und Bedeutung in den Mammutbaumnebeln gab, denn ohne dieses Vertrauen wäre sie nicht besser als Edgler Vess, nicht besser als ein geistlos suchender Palmetto.

Sie lag zu Vess' Füßen. Selbst wenn es zum Schlimmsten kommen sollte, würde sie ihn mitnehmen.

*»Forever«*, sagte sie, in alle Ewigkeit, denn das war ein weiteres Wort, das man aus den Buchstaben seines Namens bilden konnte, und drehte am Zündrad.

Eine reine Flamme schoß aus dem Bic hervor, sie sprang nicht direkt an ihren Daumen, und so hielt sie das Feuerzeug über Vess' Stiefel und ließ es fallen, und die Flamme ging sofort wieder aus, aber erst, nachdem sie das benzingetränkte Leder entzündet hatte.

Noch während Chyna das Feuerzeug losließ, rollte sie sich von Vess fort, die Arme gegen die Brüste gedrückt, *wirbelte* geradezu über den Asphalt, schockiert, wie schnell das Feuer hinter ihr mit einem Zischen und einer plötzlichen Hitzewelle hoch in die Nacht explodierte. Ätherisch schöne blaue Flammen mußten über die nasse Straße in ihre Richtung züngeln, und sie wappnete sich gegen die tödliche Raserei des Feuers – doch dann war sie aus dem Benzin heraus und rollte über trockenen Asphalt.

Nach Luft schnappend, erhob sie sich mühsam und wich noch weiter von der brennenden Straßendecke und dem Ungeheuer in der Feuersbrunst zurück.

Edgler Vess trug Stiefel aus Feuer und schrie und stampfte mit den Füßen, während der Asphalt um ihn herum sich in ein Flammenmeer verwandelte.

Chyna sah, daß sein Haar sich entzündete, und wandte den Blick ab.

Ariel befand sich ein gutes Stück hinter dem See aus Benzin und außerhalb der Gefahrenzone, auch wenn sie das Feuer gar nicht wahrzunehmen schien. Sie wandte ihm den Rücken zu und schaute zu den Sternen hinauf.

Chyna eilte zu dem Mädchen und führte es zehn Meter weiter, nur um völlig sicherzugehen.

Vess' Schreie waren schrill und schrecklich und wurden nun

lauter, immer lauter, weil, wie Chyna herausfand, als sie sich umdrehte, der Verrückte ihnen folgte, eine Feuersäule, völlig von Flammen umgeben. Und doch stand er noch, torkelte durch den Teer, der auf der schmelzenden Straßendecke Blasen schlug. Er hatte die leuchtenden Arme ausgestreckt, und blauweiße Flammenzungen brannten seine Fingerspitzen weg. Ein Tornado aus blaurotem Feuer wirbelte in seinem offenen Mund, Drachenfeuer schoß aus seinen Nasenlöchern, und sein Gesicht verschwand hinter einer orangen Maske aus Flammen, und doch kam er schreiend auf sie zu, unaufhaltsam wie ein Sonnenuntergang.

Chyna warf sich zwischen Vess und das Mädchen, doch dann drehte er abrupt von ihnen ab, und ihr wurde klar, daß er sie gar nicht gesehen hatte. Das Feuer hatte ihm die Augen ausgebrannt, und er hatte es weder auf sie noch auf Ariel, sondern auf eine Gnade abgesehen, die er nicht verdient hatte.

Auf der Straßenmitte fiel er über die durchgezogenen gelben Linien und lag zuckend und sich windend da, trat und schlug um sich, drehte sich dann langsam auf die Seite, zog die Knie an die Brust und faltete die geschwärzten Hände unter dem Kinn. Sein Kopf kringelte sich zu den Händen hinab, als schmelze sein Hals und könne ihn nicht mehr tragen. Kurz darauf verstummte er in den Flammen.

Auf einer gewissen Ebene wußte Vess, daß der verklingende Schrei sein eigener war, aber sein Leiden war so intensiv, daß in einem auflodernden Delirium bizarre Gedanken durch seinen Kopf flackerten. Auf einer anderen Ebene glaubte er, daß dieser unheimliche Schrei doch nicht der seine war, sondern von dem ungeborenen Zwilling des Verkäufers im Tankstellen-Shop stammte, der sein Bild als großes rosa Muttermal auf der Stirn seines Bruders zurückgelassen hatte. Am Ende hatte Vess in der Fremde des verzehrenden Feuers große Angst, und dann war er überhaupt kein Mensch mehr, sondern nur noch eine beständige Dunkelheit.

Chyna zog Ariel mit sich und wich noch weiter von dem Feuer zurück, doch schließlich konnte sie sich einfach nicht mehr auf den Beinen halten. Unbeherrscht zitternd, von Schmerzen geschüttelt, krank vor Erleichterung, setzte sie sich auf die Straße. Sie fing an zu weinen, schluchzte wie ein Kind, wie ein achtjähriges Mädchen, ließ all die Tränen heraus, die sie sich früher verkniffen hatte: unter Betten und auf Heuböden voller Mäuse und an blitzhellen Stränden.

Nach einiger Zeit tauchten in der Ferne Scheinwerferlichter auf. Chyna beobachtete, wie sie näher kamen, während das Mädchen neben ihr stumm den Mond betrachtete.

# KAPITEL 12

In ihrem Krankenhausbett machte Chyna der Polizei gegenüber detaillierte Aussagen, sprach aber mit keinem der Reporter, die sich bemühten, zu ihr vorzudringen. Im Gegenzug erfuhr sie von den Cops zahlreiche Einzelheiten über Edgler Vess und das Ausmaß seiner Verbrechen, wenngleich nichts davon erklärte, was ihn zu dem gemacht hatte, was er geworden war.

Zwei Dinge waren für sie von persönlichem Interesse:

Erstens war Paul Templeton, Lauras Vater, ein paar Wochen vor Vess' Anschlag gegen seine Familie geschäftlich in Oregon gewesen und wegen einer Geschwindigkeitsübertretung angehalten worden. Der Beamte, der den Strafzettel ausgestellt hatte, war der junge Sheriff persönlich gewesen. Bei dieser Gelegenheit mußten die Fotos zufällig aus Pauls Portemonnaie gefallen sein, als er nach seinem Führerschein gesucht hatte, und Vess hatte die Gelegenheit bekommen, Lauras wunderschönes Gesicht zu sehen.

Zweitens lautete Ariels vollständiger Name Ariel Beth Delane. Bis vor einem Jahr hatte sie mit ihren Eltern und ihrem neunjährigen Bruder in einem ruhigen Vorort von Sacramento, Kalifornien, gewohnt. Mutter und Vater waren in ihren Betten erschossen worden. Der Junge war mit den Werkzeugen zu Tode gequält worden, mit denen Mrs. Delane als Hobby Puppen herstellte. Und es gab Grund zu der Annahme, daß Ariel gezwungen worden war, dabei zuzusehen, bevor Vess sie entführt hatte.

Außer Polizisten sah Chyna zahlreiche Ärzte. Abgesehen von der unbedingt erforderlichen Behandlung ihrer körperlichen Verletzungen drängte man sie mehr als einmal, mit einem Psychiater über ihre Erlebnisse zu sprechen. Am beharrlichsten in dieser Hinsicht war ein freundlicher Mann namens Dr. Kevin Lofglun, ein jungenhafter Fünfzigjähriger mit einem musikalischen Lachen und der nervösen Angewohnheit, an seinem rechten Ohrläppchen zu zupfen, bis es kirschrot war. »Ich brauche keine Therapie«, sagte sie zu ihm, »denn *das Leben* ist Therapie.« Das verstand er nicht ganz, und er wollte, daß sie ihm von ihrem Abhängigkeitsverhältnis zu ihrer Mutter erzählte, obwohl sie vor mindestens zehn Jahren mit dieser Abhängigkeit Schluß gemacht hatte, als sie sich absetzte. Er wollte ihr helfen zu lernen, mit Trauer fertig zu werden, aber sie sagte zu ihm: »Ich will nicht lernen, mit ihr fertig zu werden, Doktor Lofglun. Ich will sie *fühlen.*« Wenn er von einem posttraumatischen Streßsyndrom sprach, sprach sie von Hoffnung; wenn er von Selbsterfüllung sprach, sprach sie von Verantwortung; wenn er von Mechanismen zur Verbesserung des Selbstwertgefühls sprach, sprach sie von Glauben und Vertrauen; und nach einer Weile schien er einzusehen, daß er nichts für jemanden tun konnte, der eine so gänzlich andere Sprache sprach als er.

Die Ärzte und Schwestern machten sich Sorgen, daß sie vielleicht nicht schlafen konnte, aber sie schlief tief und fest. Sie waren überzeugt, daß sie Alpträume haben würde, aber sie träumte nur von einem kathedralenähnlichen Wald, in dem sie niemals allein und immer in Sicherheit war.

Am elften April, lediglich zwölf Tage, nachdem sie ins Krankenhaus eingewiesen worden war, wurde sie entlassen, und als sie zur Tür hinausging, warteten über einhundert Reporter von Zeitungen, Radio- und Fernsehsendern auf sie, darunter auch die jener Boulevardblätter, die ihr durch Federal Express Verträge geschickt und hohe Summen geboten hatten, damit sie ihnen ihre Geschichte erzählte. Sie bahnte sich den Weg durch die Menge, ohne eine der gerufenen Fragen zu beantworten, aber auch, ohne ausfallend zu werden. Als sie das Taxi erreichte, das auf sie wartete, stieß einer der Reporter ihr ein Mikrofon vors Gesicht und fragte dümmlich: »Miß Shepherd, wie fühlt man sich, wenn man eine so berühmte Heldin ist?« Da blieb sie stehen, drehte sich um und sagte: »Ich bin keine Heldin. Ich schlage mich nur so durch, wie Sie alle, und frage mich, warum es manchmal so schwer ist, und hoffe, daß ich nie wieder jemanden verletzen muß.« Diejenigen, die in ihrer Nähe standen und ihre Worte gehört hatten, verstummten. Sie stieg in das Taxi und fuhr davon.

Die Familie Delane hatte eine hohe Hypothek abtragen müssen und war dem leichten Kredit von Visa- und MasterCard verfallen, bevor Edgler Vess sie von ihren Schulden befreit hatte, und so gab es keinen Besitz, den Ariel erben konnte. Ihre Großeltern väterlicherseits lebten zwar noch, waren aber bei schlechter Gesundheit und verfügten nur über begrenzte Geldmittel.

Auch wenn es Verwandte gegeben hätte, welche die finanziellen Möglichkeiten hatten, die Last auf sich zu nehmen – der Aufgabe, ein junges Mädchen mit Ariels einzigartigen Problemen großzuziehen, hätten sie sich nicht gewachsen gefühlt. Das Mädchen wurde unter Amtsvormundschaft gestellt und in die Obhut einer vom Staat Kalifornien betriebenen psychiatrischen Klinik gegeben.

Kein Familienmitglied erhob Einwände.

In diesem Sommer und Herbst fuhr Chyna einmal in der Woche von San Francisco nach Sacramento, stellte beim Gericht den Antrag, zu Ariel Beth Delanes einzigem rechtmäßigen Vormund ernannt zu werden, besuchte das Mädchen und arbeitete sich geduldig – manche behaupteten, starrsinnig – durch das undurchschaubare Labyrinth der Justiz und des Sozialsystems. Andernfalls wäre das Mädchen zu einem Leben in Anstalten verdammt worden, die man »Pflegeheime« nannte.

Obwohl Chyna sich wirklich nicht als Heldin sah, sahen viele andere sie so. Die Bewunderung, die gewisse einflußreiche Leute ihr entgegenbrachten, war letztlich der Schlüssel, der das bürokratische Herz aufschloß und ihr die Vormundschaft einbrachte, die sie haben wollte. Eines Morgens im Januar, zehn Monate, nachdem sie das Mädchen aus dem Puppenkeller befreit hatte, verließ sie Sacramento mit Ariel an ihrer Seite.

Sie fuhren nach Hause, zum Apartment in San Francisco.

Chyna beendete ihr Psychologiestudium nicht, obwohl sie so kurz vor der Magisterprüfung gestanden hatte. Sie studierte weiterhin an der University of California in San Francisco, nahm aber Literatur als Hauptfach. Sie hatte schon immer gern gelesen, und obwohl sie nicht der Ansicht war, Talent zum Schreiben zu haben, glaubte sie, es werde ihr Freude machen, eines Tages als Lektorin mit Autoren zu arbeiten. In der Literatur war mehr Wahrheit als in der Wissenschaft. Sie konnte sich auch ein Dasein als Lehrerin vorstellen. Und es war auch in Ordnung, den Rest ihres Lebens als Kellnerin zu verbringen, denn sie war gut in diesem Job und war nicht der Ansicht, daß er unter ihrer Würde war.

Als Chyna im folgenden Sommer in der Abendschicht arbeitete, verbrachten sie und Ariel viele Vor- und Frühnachmittage am Strand. Das Mädchen schaute gern hinter dunklen Sonnenbrillengläsern auf die Bucht hinaus, und manchmal konnte man es auch dazu bringen, im Wasser zu stehen, während die Brandung sich an seinen Knöcheln brach.

Eines Tages im Juni schrieb Chyna, ohne so richtig mitzubekommen, was sie tat, mit dem Zeigefinger ein Wort in den Sand: PEACE. Sie sah es eine Minute lang an, dann ging ihr ein Licht auf, und sie sagte zu Ariel: »Das ist ein Wort, das man aus den Buchstaben meines Namens bilden kann.«

Am ersten Juli wollte Chyna eigentlich Zeitung lesen, während Ariel auf ihrer Decke saß und auf das Wasser hinausschaute, auf dem die Sonne funkelte, doch alle Meldungen bereiteten ihr Kummer. Krieg, Vergewaltigung, Mord, Raub, Politiker jeder Couleur versprühten Haß. Sie las eine Filmkritik voller böswilliger Behauptungen, die den Regisseur und den Drehbuchautor kritisierten, ihr Recht in Frage stellten, überhaupt schöpferisch tätig zu sein, und wandte sich dann dem genauso ätzenden Angriff einer Kolumnistin auf einen Romanautor zu. Nichts davon war echte Kritik, alles nur Gehässigkeit, und sie warf die Zeitung in den Mülleimer. Sie hatte den Eindruck, daß diese kleinen haßerfüllten Tiraden und indirekten Angriffe unangenehm klare Spiegelungen stärkerer gemeingefährlicher Impulse waren, die den menschlichen Geist infizierten; symbolische Morde, die sich nur graduell von richtigen Morden unterschieden; die Krankheit im Herz der Angreifer war dieselbe.

Es gibt keine Erklärungen für das menschliche Böse. Nur Entschuldigungen.

Ebenfalls Anfang Juli fiel ihr ein Mann von etwa dreißig Jahren auf, der an ein paar Vormittagen in der Woche mit seinem achtjährigen Sohn und einem Laptop an den Strand kam, wo er im tiefen Schatten eines Sonnenschirms arbeitete. Schließlich ergab sich ein Gespräch. Der Name des Vaters war Ned Barnes, und sein Junge hieß Jamie. Ned war Witwer und – ausgerechnet – freiberuflicher Schriftsteller, der mehrere einigermaßen erfolgreiche Romane veröffentlicht hatte. Jamie verknallte sich in Ariel und schenkte ihr Dinge, die er für etwas Besonderes hielt – eine Handvoll Wildblumen, eine interessante Muschel, ein Bild von einem lustig aussehenden Hund, das er aus einer Zeitschrift gerissen hatte – und legte sie neben ihr auf die Decke, ohne zu verlangen, daß sie sie beachtete.

Am zwölften August lud Chyna Ned und seinen Sohn zu einem Spaghetti-Essen in ihre Wohnung ein. Später spielten sie und Ned *Go Fish* und andere Spiele mit Jamie, während Ariel dasaß und ruhig ihre Hände betrachtete. Seit der Nacht in dem Wohnmobil hatte sich dieser schrecklich gequälte Ausdruck nicht mehr auf das Gesicht des Mädchens gelegt, und sie schrie auch nicht mehr und zog nicht mehr die Knie hoch, um nervös zu schaukeln.

Später im August gingen die vier gemeinsam ins Kino, und sie trafen sich auch weiterhin am Strand, wo sie Plätze nebeneinander mieteten. Ihre Beziehung war sehr entspannt, und niemand übte Druck aus oder stellte Ansprüche. Keiner von ihnen wollte mehr, als etwas weniger allein zu sein.

Im September, kurz nach dem Labor Day, als es nicht mehr viele weitere Tage geben würde, an denen man an den Strand gehen konnte, schaute Ned nebenan von seinem Laptop auf und sagte: »Chyna.«

Sie las gerade ein Buch und erwiderte lediglich »Hmm«, ohne den Blick von der Seite zu nehmen.

»Sieh mal«, beharrte er. »Sieh dir Ariel an.«

Da der Tag bereits eine Spur zu kalt zum Sonnenbaden war, trug das Mädchen abgeschnittene Jeans und eine langärmelige Bluse. Es stand barfuß am Wasserrand, die Brandung umspielte seine Knöchel, aber es stand nicht, wie üblich, wie ein Zombie da und starrte auf die Bucht hinaus. Statt dessen hatte es die Arme über den Kopf gehoben und schwang die Hände in der Luft, während es stumm auf der Stelle tanzte.

»Sie liebt die Bucht so sehr«, sagte Ned.

Chyna konnte nicht sprechen.

»Sie liebt das Leben«, sagte er.

Während Chyna an ihren Gefühlen fast erstickte, betete sie, er möge recht haben.

Das Mädchen tanzte nicht lange, und als es später zur Decke zurückkehrte, war sein Blick so verträumt wie eh und je.

Im Dezember dieses Jahres, über zwanzig Monate nach der Flucht aus Edgler Vess' Haus, wurde Ariel achtzehn Jahre alt. Sie war jetzt kein Mädchen mehr, sondern eine hübsche junge Frau. Doch im Schlaf rief sie noch oft nach ihren Eltern und ihrem Bruder, und ihre Stimme – die man nur bei diesen Gelegenheiten vernehmen konnte – klang jung, zerbrechlich und verloren.

Dann, am Weihnachtsmorgen, entdeckte Chyna zwischen den Geschenken für Ariel, Ned und Jamie, die im Wohnzimmer ihres Apartments unter dem Baum lagen, verblüfft ein kleines Päckchen für sich selbst. Es war mit großer Sorgfalt eingepackt, auch wenn es den Eindruck machte, als sei ein Kind mit mehr Begeisterung als Geschick am Werk gewesen. Ihr Name stand mit unregelmäßigen Blockbuchstaben auf einem Schildchen in Form eines Weihnachtsmannes geschrieben. Als sie das Päckchen öffnete, fand sie darin einen blauen Papierstreifen. Auf dem Papier standen drei Worte, die offensichtlich mit beträchtlicher Mühe, großem Zögern und zahlreichen Unterbrechungen und Neuanfängen geschrieben worden waren: *Ich will leben.*

Mit hämmerndem Herzen und geschwollener Zunge ergriff sie beide Hände des Mädchens. Eine Zeitlang wußte sie nicht, was sie sagen sollte, und hätte sie es gewußt, hätte sie es nicht sagen können.

Schließlich kamen zögernd Worte: »Das ... das ist das schönste ... das schönste Geschenk, das ich je bekommen habe, Schatz. Das ist das Schönste, was es überhaupt geben kann. Mehr will ich gar nicht ... Ich möchte nur, daß du es versuchst.«

Durch Tränen las sie die drei Wörter erneut.

*Ich will leben.*

»Aber du weißt nicht, wie du zurückkommen kannst, nicht wahr?« sagte Chyna.

Das Mädchen war ganz still. Dann blinzelte es. Seine Hände drückten die Chynas fester.

»Es gibt eine Möglichkeit«, versicherte Chyna.

Das Mädchen drückte Chynas Hände noch fester.

»Es besteht Hoffnung, Baby. Es besteht immer Hoffnung. Es *gibt* einen Weg, und *niemand* findet ihn allein, aber gemeinsam können wir es schaffen. Wir können ihn gemeinsam finden. Du mußt nur daran glauben.«

Das Mädchen konnte keinen Blickkontakt herstellen, hielt aber weiterhin Chynas Hände fest.

»Ich will dir eine Geschichte erzählen, von einem Mammutbaumwald und etwas, das ich eines Abends darin gesehen habe und das ich später wiedersah, als ich es sehen mußte. Vielleicht wird es dir nicht so viel bedeuten, und vielleicht bedeutet es allen anderen Leuten überhaupt nichts, aber für mich hat es die ganze Welt bedeutet, auch wenn ich es nicht ganz verstanden habe.«

*Ich will leben.*

Im Lauf der nächsten Jahre war die Straße, die vom Wilden Wald zurück zu den Schönheiten und Wundern dieser Welt führte, für Ariel nicht einfach zu begehen. Es gab Zeiten der Verzweiflung, da sie nicht die geringsten Fortschritte, sogar Rückschritte zu machen schien.

Doch schließlich kam ein Tag, als sie mit Ned und Jamie zu diesem Mammutbaumwald fuhren.

Sie gingen zwischen den Farnen und Rhododendren im weihevollen Halbdunkel unter den gewaltigen Bäumen einher, und Ariel sagte: »Zeig mir, wo.«

Chyna nahm sie an der Hand und führte sie zu der Stelle. »Hier«, sagte sie.

Welche Angst hatte Chyna in dieser Nacht gehabt, als sie so viel für ein Mädchen riskierte, das sie nie gesehen hatte. Weniger Angst vor Vess als vor dieser neuen Sache, die sie in sich entdeckt hatte. Diese unbesonnene Fürsorge. Und jetzt wußte sie, daß sie gar keine Angst hätte haben müssen. Das ist der Sinn unseres Lebens. Diese unbesonnene Fürsorge.

DREAM

DEMON FOR

FEAR

SEME

SAV

RAGE

FREI

ANGE

DRAGON